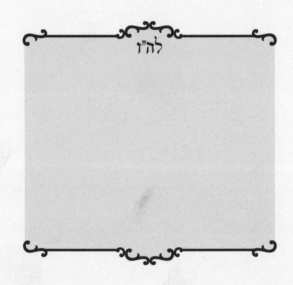

לה"ו

סדור

תהלת ה׳

על פי נוסח האר״י ז״ל

SIDDUR TEHILLAT HASHEM
FOR SHABBAT AND WEEKDAYS

Revised Edition Copyright © 2008
Tenth Printing—October 2022

by
KEHOT PUBLICATION SOCIETY
770 Eastern Parkway / Brooklyn, New York 11213
(718) 774-4000 / Fax (718) 774-2718
editor@kehot.com / www.kehot.org

ORDERS:
291 Kingston Avenue / Brooklyn, New York 11213
(718) 778-0226 / Fax (718) 778-4148
www.kehot.com

10 12 14 16 18 20 19 17 15 13 11

Library of Congress Cataloging-in-Publication Data

Sidur (Ari)
Siddur Tehillat Hashem: al pi nusach ha-Ari zal.
Title on verso of half title: Siddur Tehillat HaShem.
1. Siddurim--texts 2. Judaism--Ari-rite--Liturgy--texts.
I. Luria, Isaac ben Solomon, 1534-1572. II. Shneur Zalman, of Lyady, 1745-1812.
III. Title. IV. Title: Siddur Tehillat HaShem. V. Title: Tehillat H.
VI. Title: Tehillat Hashem.
BM675.D3Z623   2008   296.4 86-1587

ISBN 978-0-8266-0080-6

Printed in China

סדור

תהלת ה׳

על פי נוסח האר״י ז״ל

כפי אשר יסד
קדוש עליון אדונינו ומורינו ורבינו הרב הגאון
הגדול החסיד והעניו אור עולם מופת הדור
איש אלקים קדוש וטהור כ״ק שם תפארתו

מוהר״ר **שניאור זלמן** נבג״מ

— בעל התניא והשו״ע —

כל תפלה ותפלה באה על מקומה בשלמות,
מבלי שיצטרך המתפלל לחפש הדפים
בשעת תפלתו.

תפלות לימי החול ולשבת

השורות מסומנות במספרים

הוצאת

המרכז לעניני חנוך

770 איסטערן פּאַרקוויי ברוקלין, נ.י.

שנת חמשת אלפים שבע מאות שמונים ושלש לבריאה

שנת הקהל

התכן

הערה: בציון כזה * סמנו בסדור זה את האותיות המנוקדות בשבא-נע.

נסדר בדפוס "עזרא"

ע"י הת' ירמי' הכהן בן לאה מיטא שי'

אַלֶף־בֵּית

א	בּ	ב	ג	ד	ה	ו
ז	ח	ט	י	כּ	כ	ך
ל	מ	ם	נ	ן	ס	ע
פּ	פ	ף	צ	ץ	ק	ר
שׁ	שׂ	תּ	ת			

הַנְּקֻדּוֹת

ָ קָמַץ	ַ פַּתָּח	ֵ צֵירֶה	ֶ סֶגּוֹל	ְ שְׁבָא	וֹ חוֹלָם
ִ חִירִק	ֻ קֻבּוּץ (אוֹ שׁוּרֶק)	וּ שׁוּרֶק (אוֹ מְלאוּפּם)	ֳ חֲטַף קָמַץ	ֲ חֲטַף פַּתָּח	ֱ חֲטַף סֶגּוֹל

אָ בָּ בָ גָ דָ הָ וָ זָ חָ טָ יָ כָּ כָ לָ
מָ נָ סָ עָ פָּ פָ צָ קָ רָ שָׁ שָׂ תָּ תָ

אַ בַּ בַ גַ דַ הַ וַ זַ חַ טַ יַ כַּ כַ לַ
מַ נַ סַ עַ פַּ פַ צַ קַ רַ שַׁ שַׂ תַּ תַ

אֵ בֵּ בֵ גֵ דֵ הֵ וֵ זֵ חֵ טֵ יֵ כֵּ כֵ לֵ
מֵ נֵ סֵ עֵ פֵּ פֵ צֵ קֵ רֵ שֵׁ שֵׂ תֵּ תֵ

אֶ בֶּ בֶ גֶ דֶ הֶ וֶ זֶ חֶ טֶ יֶ כֶּ כֶ לֶ
מֶ נֶ סֶ עֶ פֶּ פֶ צֶ קֶ רֶ שֶׁ שֶׂ תֶּ תֶ

אוֹ בּוֹ בוֹ גוֹ דוֹ הוֹ ווֹ זוֹ חוֹ טוֹ יוֹ כּוֹ כוֹ לוֹ
מוֹ נוֹ סוֹ עוֹ פּוֹ פוֹ צוֹ קוֹ רוֹ שׁוֹ שׂוֹ תּוֹ תוֹ

אֹ בֹּ בֹ גֹ דֹ הֹ וֹ זֹ חֹ טֹ יֹ כֹּ כֹ לֹ
מֹ נֹ סֹ עֹ פֹּ פֹ צֹ קֹ רֹ שֹׁ שֹׂ תֹּ תֹ

אִ בִּ בִ גִ דִ הִ וִ זִ חִ טִ יִ כִּ כִ לִ
מִ נִ סִ עִ פִּ פִ צִ קִ רִ שִׁ שִׂ תִּ תִ

אֱ בֱּ בֱ גֱ דֱ הֱ וֱ זֱ חֱ טֱ יֱ כֱּ כֱ לֱ
מֱ נֱ סֱ עֱ פֱּ פֱ צֱ קֱ רֱ שֱׁ שֱׂ תֱּ תֱ

אוּ בּוּ בוּ גוּ דוּ הוּ ווּ זוּ חוּ טוּ יוּ כּוּ כוּ לוּ
מוּ נוּ סוּ עוּ פּוּ פוּ צוּ קוּ רוּ שׁוּ שׂוּ תּוּ תוּ

קטן משיודע לדבר אביו מלמדו . . .

בִּרְכוֹת הַבֹּקֶר לִילָדִים קְטַנִּים

מוֹדֶה אֲנִי לְפָנֶיךָ, מֶלֶךְ חַי וְקַיָּם, שֶׁהֶחֱזַרְתָּ בִּי נִשְׁמָתִי בְּחֶמְלָה, רַבָּה אֱמוּנָתֶךָ:

בָּרוּךְ אַתָּה יְיָ, אֱלֹהֵינוּ מֶלֶךְ הָעוֹלָם, אֲשֶׁר קִדְּשָׁנוּ בְּמִצְוֹתָיו, וְצִוָּנוּ עַל נְטִילַת יָדָיִם:

תּוֹרָה צִוָּה לָנוּ מֹשֶׁה, מוֹרָשָׁה קְהִלַּת יַעֲקֹב:

(לנערים) בָּרוּךְ אַתָּה יְיָ, אֱלֹהֵינוּ מֶלֶךְ הָעוֹלָם, אֲשֶׁר קִדְּשָׁנוּ בְּמִצְוֹתָיו, וְצִוָּנוּ עַל מִצְוַת צִיצִית:)

שְׁמַע יִשְׂרָאֵל, יְיָ אֱלֹהֵינוּ, יְיָ | אֶחָד:

בָּרוּךְ שֵׁם כְּבוֹד מַלְכוּתוֹ לְעוֹלָם וָעֶד:

וְאָהַבְתָּ אֵת יְיָ אֱלֹהֶיךָ בְּכָל לְבָבְךָ וּבְכָל נַפְשְׁךָ וּבְכָל מְאֹדֶךָ: וְהָיוּ הַדְּבָרִים הָאֵלֶּה אֲשֶׁר אָנֹכִי מְצַוְּךָ הַיּוֹם עַל לְבָבֶךָ: וְשִׁנַּנְתָּם לְבָנֶיךָ וְדִבַּרְתָּ בָּם בְּשִׁבְתְּךָ בְּבֵיתֶךָ וּבְלֶכְתְּךָ בַדֶּרֶךְ, וּבְשָׁכְבְּךָ וּבְקוּמֶךָ: וּקְשַׁרְתָּם לְאוֹת עַל יָדֶךָ, וְהָיוּ לְטֹטָפֹת בֵּין עֵינֶיךָ: וּכְתַבְתָּם עַל מְזֻזוֹת בֵּיתֶךָ וּבִשְׁעָרֶיךָ:

בִּרְכוֹת הַסְּעֻדָּה לִילָדִים קְטַנִּים

נוטלים את הידים קודם הסעודה ומברכים

בָּרוּךְ אַתָּה יְיָ, אֱלֹהֵינוּ מֶלֶךְ הָעוֹלָם, אֲשֶׁר קִדְּשָׁנוּ בְּמִצְוֹתָיו, וְצִוָּנוּ עַל נְטִילַת יָדָיִם:

קודם שאוכלים את הלחם מברכים

בָּרוּךְ אַתָּה יְיָ, אֱלֹהֵינוּ מֶלֶךְ הָעוֹלָם, הַמּוֹצִיא לֶחֶם מִן הָאָרֶץ:

אחרי אכלם לחם

בְּרִיךְ רַחֲמָנָא, אֱלָהָנָא, מַלְכָּא דְעָלְמָא, מָרָא דְהַאי פִּתָּא:

קְרִיאַת שְׁמַע עַל הַמִּטָּה לִילָדִים קְטַנִּים

שְׁמַע יִשְׂרָאֵל, יְיָ אֱלֹהֵינוּ, יְיָ | אֶחָד:

בָּרוּךְ שֵׁם כְּבוֹד מַלְכוּתוֹ לְעוֹלָם וָעֶד:

וְאָהַבְתָּ אֵת יְיָ אֱלֹהֶיךָ בְּכָל לְבָבְךָ וּבְכָל נַפְשְׁךָ וּבְכָל מְאֹדֶךָ: וְהָיוּ הַדְּבָרִים הָאֵלֶּה אֲשֶׁר אָנֹכִי מְצַוְּךָ הַיּוֹם עַל לְבָבֶךָ: וְשִׁנַּנְתָּם לְבָנֶיךָ וְדִבַּרְתָּ בָּם בְּשִׁבְתְּךָ בְּבֵיתֶךָ וּבְלֶכְתְּךָ בַדֶּרֶךְ, וּבְשָׁכְבְּךָ וּבְקוּמֶךָ: וּקְשַׁרְתָּם לְאוֹת עַל יָדֶךָ, וְהָיוּ לְטֹטָפֹת בֵּין עֵינֶיךָ: וּכְתַבְתָּם עַל מְזֻזוֹת בֵּיתֶךָ וּבִשְׁעָרֶיךָ:

בְּיָדְךָ אַפְקִיד רוּחִי פָּדִיתָה אוֹתִי יְיָ אֵל אֱמֶת:

(א) מיד כשניעור משנתו כדי שיוכל להתגבר על יצרו לקום בזריזות יחשוב בלבו לפני מי הוא שוכב וידע שמלך מלכי המלכים הקדוש ברוך הוא חופף עליו שנאמר מלא כל הארץ כבודו כו׳: (ב) וזה כלל גדול בתורה ובמעלות הצדיקים ההולכים לפני האלהים כמ"ש „שויתי ה׳ לנגדי תמיד" כי אין ישיבת האדם ותנועותיו ועסקיו והוא לבדו בביתו כישיבתו ותנועותיו ועסקיו והוא לפני מלך גדול ואין דבורו והרחבת פיו כרצונו והוא עם אנשי ביתו כדבורו במושב המלך כל שכן כשישים האדם אל לבו שהמלך הגדול מלך מלכי המלכים הקדוש ברוך הוא עומד עליו ורואה במעשיו כמו שכתוב אם יסתר איש במסתרים ואני לא אראנו נאם ה׳ הלא את השמים ואת הארץ אני מלא מיד יגיע אליו היראה וההכנעה בפחד ה׳ ובושתו ממנו תמיד:

(מסדור אדמו"ר) טוב להרגיל עצמו לומר מיד כשניעור נוסח זה מודה וכו׳ ועל ידי זה יזכור את ה׳ הנצב עליו ויקום בזריזות:

מוֹדֶה אֲנִי לְפָנֶיךָ מֶלֶךְ חַי וְקַיָּם, שֶׁהֶחֱזַרְתָּ בִּי נִשְׁמָתִי בְּחֶמְלָה. רַבָּה אֱמוּנָתֶךָ:

לפי שבנוסח זה אין בו שם מז׳ שמות שאינן נמחקין אין איסור לומר קודם נטילת ידים בעוד שאין ידיו נקיות אבל להזכיר את השם בברכות או להוציא דברי תורה מפיו אסור עד שינקה ידיו. ולהרהר בדברי תורה מותר:

ברכות השחר

בָּרוּךְ אַתָּה יְיָ אֱלֹהֵינוּ מֶלֶךְ הָעוֹלָם אֲשֶׁר קִדְּשָׁנוּ בְּמִצְוֹתָיו, וְצִוָּנוּ עַל נְטִילַת יָדָיִם:

בָּרוּךְ אַתָּה יְיָ אֱלֹהֵינוּ מֶלֶךְ הָעוֹלָם, אֲשֶׁר יָצַר אֶת הָאָדָם בְּחָכְמָה, וּבָרָא בוֹ נְקָבִים נְקָבִים, חֲלוּלִים חֲלוּלִים, גָּלוּי וְיָדוּעַ לִפְנֵי כִסֵּא כְבוֹדֶךָ, שֶׁאִם יִסָּתֵם אֶחָד מֵהֶם, אוֹ אִם יִפָּתֵחַ אֶחָד מֵהֶם, אִי אֶפְשַׁר לְהִתְקַיֵּם אֲפִילוּ שָׁעָה אֶחָת. בָּרוּךְ אַתָּה יְיָ רוֹפֵא כָל בָּשָׂר וּמַפְלִיא לַעֲשׂוֹת:

אֱלֹהַי, נְשָׁמָה שֶׁנָּתַתָּ בִּי טְהוֹרָה הִיא, אַתָּה בְרָאתָהּ, אַתָּה יְצַרְתָּהּ, אַתָּה נְפַחְתָּהּ

בי

1 בִּי, וְאַתָּה מְשַׁמְּרָהּ בְּקִרְבִּי, וְאַתָּה עָתִיד לִטְּלָהּ

2 מִמֶּנִּי, וּלְהַחֲזִירָהּ בִּי לֶעָתִיד לָבֹא. כָּל זְמַן

3 שֶׁהַנְּשָׁמָה בְקִרְבִּי, מוֹדֶה אֲנִי לְפָנֶיךָ יְיָ אֱלֹהַי וֵאלֹהֵי

4 אֲבוֹתַי, רִבּוֹן כָּל הַמַּעֲשִׂים, אֲדוֹן כָּל הַנְּשָׁמוֹת.

5 בָּרוּךְ אַתָּה יְיָ הַמַּחֲזִיר נְשָׁמוֹת לִפְגָרִים מֵתִים:

כל ברכות השחר דלהלן מברך אפילו לא נתחייב בהן כגון שניעור כל הלילה ולא פשט בגדיו ולא לבש אחרים
אלא שאם ניעור כל הלילה ולא נתחייב בהן אינו מברך אלא אחר שיעלה עמוד השחר אבל אם ישן בלילה ונתחייב
בהן יכול לברך מיד שנתחייב בהן ובלבד שיהיה מחצות לילה ואילך ואם ניעור כל הלילה ושמע קול תרנגול
מחצות ואילך יכול לברך הנותן לשכוי בינה אבל על שמיעה שקודם חצות לא יברך אלא ימתין עד אחר שיעלה
עמוד השחר:

6 בָּרוּךְ אַתָּה יְיָ אֱלֹהֵינוּ מֶלֶךְ הָעוֹלָם,

7 הַנּוֹתֵן לַשֶּׂכְוִי בִינָה לְהַבְחִין

8 בֵּין יוֹם וּבֵין לָיְלָה:

9 בָּרוּךְ אַתָּה יְיָ אֱלֹהֵינוּ מֶלֶךְ הָעוֹלָם,

10 פּוֹקֵחַ עִוְרִים:

11 בָּרוּךְ אַתָּה יְיָ אֱלֹהֵינוּ מֶלֶךְ הָעוֹלָם,

12 מַתִּיר אֲסוּרִים:

13 בָּרוּךְ אַתָּה יְיָ אֱלֹהֵינוּ מֶלֶךְ הָעוֹלָם,

14 זוֹקֵף כְּפוּפִים:

15 בָּרוּךְ אַתָּה יְיָ אֱלֹהֵינוּ מֶלֶךְ הָעוֹלָם,

16 מַלְבִּישׁ עֲרֻמִּים:

ברוך

בָּרוּךְ אַתָּה יְיָ אֱלֹהֵינוּ מֶלֶךְ הָעוֹלָם,
הַנּוֹתֵן לַיָּעֵף כֹּחַ:

בָּרוּךְ אַתָּה יְיָ אֱלֹהֵינוּ מֶלֶךְ הָעוֹלָם,
רוֹקַע הָאָרֶץ עַל הַמָּיִם:

בָּרוּךְ אַתָּה יְיָ אֱלֹהֵינוּ מֶלֶךְ הָעוֹלָם,
הַמֵּכִין מִצְעֲדֵי גָבֶר:

בתשעה באב וביום הכפורים אין אומרים ברכה זו:

בָּרוּךְ אַתָּה יְיָ אֱלֹהֵינוּ מֶלֶךְ הָעוֹלָם,
שֶׁעָשָׂה לִי כָּל צָרְכִּי:

בָּרוּךְ אַתָּה יְיָ אֱלֹהֵינוּ מֶלֶךְ הָעוֹלָם,
אוֹזֵר יִשְׂרָאֵל בִּגְבוּרָה:*

בָּרוּךְ אַתָּה יְיָ אֱלֹהֵינוּ מֶלֶךְ הָעוֹלָם,
עוֹטֵר יִשְׂרָאֵל בְּתִפְאָרָה:

בָּרוּךְ אַתָּה יְיָ אֱלֹהֵינוּ מֶלֶךְ הָעוֹלָם,
שֶׁלֹּא עָשַׂנִי גּוֹי:

בָּרוּךְ אַתָּה יְיָ אֱלֹהֵינוּ מֶלֶךְ הָעוֹלָם,
שֶׁלֹּא עָשַׂנִי עָבֶד:

בָּרוּךְ אַתָּה יְיָ אֱלֹהֵינוּ מֶלֶךְ הָעוֹלָם,
שֶׁלֹּא עָשַׂנִי אִשָּׁה:

בָּרוּךְ אַתָּה יְיָ אֱלֹהֵינוּ מֶלֶךְ הָעוֹלָם, הַמַּעֲבִיר שֵׁנָה מֵעֵינָי וּתְנוּמָה מֵעַפְעַפָּי:

(שו"ע הרב) ואין לענות אמן אחר המעביר שנה מעיני קודם ויהי רצון מפני שהכל ברכה אחת ארוכה פותחת בברוך וחותמת בברוך:

וִיהִי רָצוֹן מִלְּפָנֶיךָ יְיָ אֱלֹהֵינוּ וֵאלֹהֵי אֲבוֹתֵינוּ, שֶׁתַּרְגִּילֵנוּ בְּתוֹרָתֶךָ, וְתַדְבִּיקֵנוּ בְּמִצְוֹתֶיךָ, וְאַל תְּבִיאֵנוּ לֹא לִידֵי חֵטְא וְלֹא לִידֵי עֲבֵרָה וְעָוֹן וְלֹא לִידֵי נִסָּיוֹן וְלֹא לִידֵי בִזָּיוֹן, וְאַל יִשְׁלוֹט בָּנוּ יֵצֶר הָרָע, וְהַרְחִיקֵנוּ מֵאָדָם רָע, וּמֵחָבֵר רָע, וְדַבְּקֵנוּ בְּיֵצֶר טוֹב וּבְמַעֲשִׂים טוֹבִים, וְכוֹף אֶת יִצְרֵנוּ לְהִשְׁתַּעְבֶּד לָךְ, וּתְנֵנוּ הַיּוֹם וּבְכָל יוֹם לְחֵן וּלְחֶסֶד וּלְרַחֲמִים בְּעֵינֶיךָ וּבְעֵינֵי כָל רוֹאֵינוּ, וְתִגְמְלֵנוּ חֲסָדִים טוֹבִים. בָּרוּךְ אַתָּה יְיָ הַגּוֹמֵל חֲסָדִים טוֹבִים לְעַמּוֹ יִשְׂרָאֵל:

יְהִי רָצוֹן מִלְּפָנֶיךָ יְיָ אֱלֹהַי וֵאלֹהֵי אֲבוֹתַי שֶׁתַּצִּילֵנִי הַיּוֹם וּבְכָל יוֹם מֵעַזֵּי פָנִים, וּמֵעַזּוּת פָּנִים, מֵאָדָם רָע, וּמֵחָבֵר רָע, וּמִשָּׁכֵן רָע, וּמִפֶּגַע רָע, מֵעַיִן הָרָע, מִלָּשׁוֹן הָרָע, מִמַּלְשִׁינוּת, מֵעֵדוּת שֶׁקֶר, מִשִּׂנְאַת הַבְּרִיּוֹת, מֵעֲלִילָה, מִמִּיתָה מְשֻׁנָּה, מֵחֳלָיִם רָעִים, וּמִמִּקְרִים רָעִים, וּמִשָּׂטָן הַמַּשְׁחִית, מִדִּין קָשֶׁה, וּמִבַּעַל דִּין קָשֶׁה, בֵּין שֶׁהוּא בֶן בְּרִית, וּבֵין שֶׁאֵינוֹ בֶן בְּרִית. וּמִדִּינָהּ שֶׁל גֵּיהִנֹּם:

(מסי' הרב) ברכת התורה צריך ליזהר בה מאד ואסור לדבר ולהוציא ד"ת מפיו עד שיברך ומי שישן בלילה מברך בקומו מחצות הלילה ואילך ואם ניעור כל הלילה מברך כשיאור היום כמו כל ברכת השחר:

בָּרוּךְ אַתָּה יְיָ אֱלֹהֵינוּ מֶלֶךְ הָעוֹלָם, אֲשֶׁר קִדְּשָׁנוּ בְּמִצְוֹתָיו, וְצִוָּנוּ עַל דִּבְרֵי תוֹרָה:

וְהַעֲרֶב נָא יְיָ אֱלֹהֵינוּ אֶת דִּבְרֵי תוֹרָתְךָ בְּפִינוּ, וּבְפִי כָל עַמְּךָ בֵּית יִשְׂרָאֵל, וְנִהְיֶה אֲנַחְנוּ וְצֶאֱצָאֵינוּ, וְצֶאֱצָאֵי כָל עַמְּךָ בֵּית יִשְׂרָאֵל, כֻּלָּנוּ יוֹדְעֵי שְׁמֶךָ וְלוֹמְדֵי תוֹרָתְךָ לִשְׁמָהּ. בָּרוּךְ אַתָּה יְיָ הַמְלַמֵּד תּוֹרָה לְעַמּוֹ יִשְׂרָאֵל:

בָּרוּךְ אַתָּה יְיָ אֱלֹהֵינוּ מֶלֶךְ הָעוֹלָם, אֲשֶׁר בָּחַר בָּנוּ מִכָּל הָעַמִּים וְנָתַן לָנוּ אֶת תּוֹרָתוֹ. בָּרוּךְ אַתָּה יְיָ נוֹתֵן הַתּוֹרָה:

וַיְדַבֵּר[א] יְיָ אֶל מֹשֶׁה לֵּאמֹר: דַּבֵּר אֶל אַהֲרֹן וְאֶל בָּנָיו לֵאמֹר, כֹּה תְבָרְכוּ אֶת בְּנֵי יִשְׂרָאֵל אָמוֹר לָהֶם:

יְבָרֶכְךָ יְיָ וְיִשְׁמְרֶךָ: יָאֵר יְיָ פָּנָיו אֵלֶיךָ, וִיחֻנֶּךָּ: יִשָּׂא יְיָ פָּנָיו אֵלֶיךָ, וְיָשֵׂם לְךָ שָׁלוֹם:

וְשָׂמוּ אֶת שְׁמִי עַל בְּנֵי יִשְׂרָאֵל וַאֲנִי אֲבָרְכֵם:

אֵלּוּ[ב] דְבָרִים שֶׁאֵין לָהֶם שִׁעוּר, הַפֵּאָה, וְהַבִּכּוּרִים, וְהָרְאָיוֹן, וּגְמִילוּת חֲסָדִים, וְתַלְמוּד תּוֹרָה: אֵלּוּ דְבָרִים שֶׁאָדָם אוֹכֵל פֵּרוֹתֵיהֶם בָּעוֹלָם הַזֶּה וְהַקֶּרֶן קַיֶּמֶת לָעוֹלָם הַבָּא, וְאֵלּוּ הֵן: כִּבּוּד אָב וָאֵם, וּגְמִילוּת חֲסָדִים, וְהַשְׁכָּמַת בֵּית הַמִּדְרָשׁ שַׁחֲרִית וְעַרְבִית, וְהַכְנָסַת אוֹרְחִים וּבִקּוּר חוֹלִים, וְהַכְנָסַת כַּלָּה, וְהַלְוָיַת הַמֵּת, וְעִיּוּן תְּפִלָּה, וַהֲבָאַת שָׁלוֹם שֶׁבֵּין אָדָם לַחֲבֵרוֹ, וּבֵין אִישׁ לְאִשְׁתּוֹ, וְתַלְמוּד תּוֹרָה כְּנֶגֶד כֻּלָּם:

כל

תו"א א) במדבר ו כב: ב) פאה פ"א מ"א. שבת קכז ע"א וע"ש:

(א) כל הקורא קריאת שמע בלא ציצית מעיד עדות שקר בעצמו והואיל שכל אדם צריך להיות זהיר וזריז להקדים המצוה בכל מה דאפשר לכן תיכף ומיד אחר נטילת ידים שידיו נקיות ויכול לברך יתעטף בציצית: (ב) אסור להתכסות בבגד שהוא חייב בציצית ולא הטיל בו ציצית ואם לובשו עובר על מצות עשה שהרי ביטל מצות ציצית: (ג) טוב להסתכל בציצית בשעת עטיפה כשמברך עליהם שנאמר וראיתם אותו וזכרתם וגו׳ ראיה מביא לידי זכירה וזכירה מביא לידי עשיה:

בכל יום כשמתעטף בהם קודם הברכה יעיין ויבדוק בחוטין אם הם כשרים ובפרט על הכנף והגדיל גם צריך להפריד החוטין זה מזה קודם הברכה ואם נשתהה לבוא לבית הכנסת ובעוד שיבדוק או יפריד החוטין יתבטל מלהתפלל עם הצבור אין צריך לבדקן ולא להפרידן:

קודם לבישת הטלית קטן יאמר זה:

בָּרוּךְ אַתָּה יְיָ אֱלֹהֵינוּ מֶלֶךְ הָעוֹלָם, אֲשֶׁר קִדְּשָׁנוּ בְּמִצְוֹתָיו, וְצִוָּנוּ עַל מִצְוַת צִיצִית:

סדר לבישת טלית גדול

בשעה שבודק הציצית של טלית גדול קודם ברכתו יאמר זה:

[א] בָּרְכִי נַפְשִׁי אֶת יְיָ, יְיָ אֱלֹהַי גָּדַלְתָּ מְּאֹד, הוֹד וְהָדָר לָבָשְׁתָּ: [ב] עֹטֶה אוֹר כַּשַּׂלְמָה, נוֹטֶה שָׁמַיִם כַּיְרִיעָה:

(מסדור) בהתעטפו יכוין שצונו הקב״ה להתעטף בו כדי שנזכור כל מצותיו לעשותם שנאמר וראיתם אותו וזכרתם וגו׳. העטיפה צריך להיות מעומד וגם הברכה צריכה להיות מעומד לכתחלה וקודם שיתחיל להתעטף יברך*:

בָּרוּךְ אַתָּה יְיָ אֱלֹהֵינוּ מֶלֶךְ הָעוֹלָם, אֲשֶׁר קִדְּשָׁנוּ בְּמִצְוֹתָיו, וְצִוָּנוּ לְהִתְעַטֵּף בְּצִיצִית:

ויכסה ראשו ויתעטף כעטיפת ישמעאלים דהיינו שיכרוך הטלית עם הב׳ כנפות של צד ימין סביב צוארו ויחזירנו לאחוריו דרך צד שמאל וב׳ כנפות האחרים של צד שמאל יהיו דרך הפנים ונמצאו כל הד׳ ציציות מצד שמאל שתים לפניו ושתים לאחוריו וצריך שיהא מעוטף מלפניו ומלאחריו עד החזה (ואין צריך לכסות** ראשו עד פיו) ויעמוד כך מעוטף לפחות כדי הילוך ארבע אמות אחר הברכה ואח״כ יפשילנו כמנהג המקום ומכל מקום מצוה להיות עטוף טלית גדול כל זמן התפלה שיכסה בו ראשו וגופו מלפניו ומלאחריו סביב הזרועות שיהא מונח צד ימין על שמאל וטוב יותר להשליך כנף האחד של ימין על כתף שמאל לאחוריו ונמצא כולו מעוטף בו עטיפה גמורה כעטיפת הישמעאלים קצת:

ובשעת עטיפת הטלית גדול יאמר זה:

[ג] מַה יָּקָר חַסְדְּךָ אֱלֹהִים, וּבְנֵי אָדָם בְּצֵל כְּנָפֶיךָ יֶחֱסָיוּן: [ד] יִרְוְיֻן מִדֶּשֶׁן בֵּיתֶךָ וְנַחַל עֲדָנֶיךָ תַשְׁקֵם: [ה] כִּי עִמְּךָ מְקוֹר חַיִּים, בְּאוֹרְךָ נִרְאֶה אוֹר: מְשׁוֹךְ חַסְדְּךָ לְיֹדְעֶיךָ וְצִדְקָתְךָ לְיִשְׁרֵי לֵב:

תו״א א) תהלים קד א: ב) שם ב: ג) שם לו ח: ד) שם ט: ה) שם י: ו) שם יא:

*) מנהגנו – לוקחים הטלית מן הכתף, פושטים אותו, מנשקים שפת הטלית, מחזיר אותו מכנגד פניו לאחוריו ומתחיל ברכת להתעטף בציצית, סיום הברכה סמוך לכריכת ב׳ כנפות ימין סביב צוארו לאחוריו לצד שמאל.

**) ומנהגנו לכסות בחלקו העליון של הט״ג גם העינים.

סדר הנחת תפלין

(מסדור) יכוין בהנחת תפילין שצונו הקב"ה לכתוב ד' פרשיות אלו שיש בהם יחוד שמו ויציאת מצרים כדי שנזכור נסים ונפלאות שעשה עמנו שהם מורים על יחודו ואשר לו הכח והממשלה לעשות בעליונים ובתחתונים כרצונו. וצונו להניחן על הזרוע כנגד הלב ועל הראש נגד המוח כדי שנשעבד הנשמה שהיא במוח וגם תאוות ומחשבות לבנו לעבודתו יתברך שע"י הנחת תפילין יזכור את הבורא וימעיט הנאותיו:

יש נוהגין להניח תפלה של יד מיושב מטעם שנתבאר בזוהר ומברכין ג"כ מיושב:

מקום הנחת תפילין של יד ביד שמאל בגובה הבשר שבפרק שבין המרפק שקורין עלינבויגין להכתף וזה המקום נקרא קיבורת ולא יניחנו מלמעלה מחצי הפרק ולא למטה בתחתיתו ממש למטה מן הקיבורת שנאמר ושמתם את דברי אלה על לבבכם צריכה שתהא שימה כנגד הלב וזהו קיבורת שהוא מכוון ממש כנגד הלב. ולכן צריך שיטה את התפלה של יד לצד הגוף מעט בענין שכשיכוף את זרועו למטה תהא התפלה של יד מכוונת נגד לבו ממש ויזהר שלא יהיה דבר חוצץ בין התפילין לבשרו. ואחר הנחת התפלה של יד על הקיבורת קודם שמהדקה יברך:

בָּרוּךְ אַתָּה יְיָ אֱלֹהֵינוּ מֶלֶךְ הָעוֹלָם, אֲשֶׁר קִדְּשָׁנוּ* בְּמִצְוֹתָיו, וְצִוָּנוּ לְהָנִיחַ תְּפִלִּין: ואין מפסיקין בין תפלה לתפלה:

ויכוין לפטור גם את של ראש ואח"כ יהדק הרצועה בתוך הקשר כדי לקיים מצות וקשרתם לאות על ידך ויזהר שלא יזח הקשר של יו"ד מן התפלה של יד ואח"כ עושין שבעה כריכות על פרק הזרוע המחובר אל היד ואח"כ יניח את של ראש בגובה הראש ויזהר שיהא באמצע רוחב הראש ממש. וצריך שיהיה הקשר של תפילין של ראש מאחורי הראש בגובה העורף באמצעו נראה כעין דלי"ת לצד חוץ שיהא לעין הרואה מלאחריו כעין דלי"ת בכתיבתו. ואם שח בין תפלה לתפלה יברך על של ראש:

בָּרוּךְ אַתָּה יְיָ אֱלֹהֵינוּ מֶלֶךְ הָעוֹלָם, אֲשֶׁר קִדְּשָׁנוּ* בְּמִצְוֹתָיו, וְצִוָּנוּ עַל מִצְוַת תְּפִלִּין:

בד"א כשדבר מענינים שאינן לצורך תפילין אבל אם הפסיק בענינים שהם נצרכים לו להנחת תפילין אין צריך לחזור ולברך על של ראש. ולכתחלה אין להפסיק כלל אלא אם כן אי אפשר בענין אחר. ואפי' הפסיק בדברי קדושה הוי הפסק. אעפ"כ אם שמע קדיש או ברכו או קדושה בין תפילין של יד לתפילין של ראש מותר להפסיק ולענות עם הצבור ואע"פ שגורם ברכה אחרת על של ראש ואסור לגרום ברכה שאינה צריכה. לפי שיש אומרים שמברכים לעולם על של ראש על מצות תפילין אף אם לא שח בינתים:

אחר שהניח תפילין של ראש יכרוך ג' כריכות על אצבע האמצעי. בתחלה כריכה אחת* על פרק האמצעי ואח"כ שתי כריכות על הפרק התחתון (וכורך המותר על כף היד) ובסוף הכריכות יקשור:

תפלת השחר

נכון לומר קודם התפלה:

הֲרֵינִי מְקַבֵּל עָלַי מִצְוַת עֲשֵׂה שֶׁל וְאָהַבְתָּ לְרֵעֲךָ כָּמוֹךָ:

[א] מַה טֹּבוּ אֹהָלֶיךָ יַעֲקֹב, מִשְׁכְּנֹתֶיךָ יִשְׂרָאֵל: [ב] וַאֲנִי בְּרֹב חַסְדְּךָ אָבֹא בֵיתֶךָ, אֶשְׁתַּחֲוֶה אֶל הֵיכַל קָדְשְׁךָ בְּיִרְאָתֶךָ: [ג] וַאֲנִי תְפִלָּתִי לְךָ יְיָ עֵת רָצוֹן, אֱלֹהִים בְּרָב חַסְדֶּךָ, עֲנֵנִי בֶּאֱמֶת יִשְׁעֶךָ:

אדון

תו"א א) במדבר כד ה: ב) תהלים ה ח: ג) שם סט יד:

*) מנהגנו – הא' על פרק התחתון הסמוך לכף היד, הב' על פרק האמצעי, והג' עוה"פ על פרק התחתון.

אֲדוֹן עוֹלָם אֲשֶׁר מָלַךְ, בְּטֶרֶם כָּל יְצוּר נִבְרָא. לְעֵת נַעֲשָׂה בְחֶפְצוֹ כֹּל, אֲזַי מֶלֶךְ שְׁמוֹ נִקְרָא. וְאַחֲרֵי כִּכְלוֹת הַכֹּל, לְבַדּוֹ יִמְלוֹךְ נוֹרָא. וְהוּא הָיָה וְהוּא הֹוֶה, וְהוּא יִהְיֶה בְּתִפְאָרָה. וְהוּא אֶחָד וְאֵין שֵׁנִי, לְהַמְשִׁיל לוֹ לְהַחְבִּירָה. בְּלִי רֵאשִׁית בְּלִי תַכְלִית, וְלוֹ הָעֹז וְהַמִּשְׂרָה. וְהוּא אֵלִי וְחַי גֹּאֲלִי, וְצוּר חֶבְלִי בְּעֵת צָרָה. וְהוּא נִסִּי וּמָנוֹס לִי, מְנָת כּוֹסִי בְּיוֹם אֶקְרָא. בְּיָדוֹ אַפְקִיד רוּחִי, בְּעֵת אִישַׁן וְאָעִירָה. וְעִם רוּחִי גְּוִיָּתִי, יְיָ לִי וְלֹא אִירָא:

ביום שאין אומרים תחנון אין אומרים זה:

אֱלֹהֵינוּ וֵאלֹהֵי אֲבוֹתֵינוּ, זָכְרֵנוּ בְּזִכָּרוֹן טוֹב לְפָנֶיךָ, וּפָקְדֵנוּ בִּפְקֻדַּת יְשׁוּעָה וְרַחֲמִים מִשְּׁמֵי שְׁמֵי קֶדֶם, וּזְכָר לָנוּ יְיָ אֱלֹהֵינוּ אַהֲבַת הַקַּדְמוֹנִים אַבְרָהָם יִצְחָק וְיִשְׂרָאֵל עֲבָדֶיךָ, וְאֶת הַבְּרִית וְאֶת הַחֶסֶד וְאֶת הַשְּׁבוּעָה שֶׁנִּשְׁבַּעְתָּ לְאַבְרָהָם אָבִינוּ בְּהַר הַמּוֹרִיָּה, וְאֶת הָעֲקֵדָה שֶׁעָקַד אֶת יִצְחָק בְּנוֹ עַל גַּבֵּי הַמִּזְבֵּחַ, כַּכָּתוּב בְּתוֹרָתֶךָ:

וַיְהִי[א] אַחַר הַדְּבָרִים הָאֵלֶּה, וְהָאֱלֹהִים נִסָּה אֶת אַבְרָהָם, וַיֹּאמֶר אֵלָיו, אַבְרָהָם, וַיֹּאמֶר הִנֵּנִי: וַיֹּאמֶר, קַח נָא

את

תו"א א) בראשית כב:

1 אֶת בִּנְךָ אֶת יְחִידְךָ אֲשֶׁר אָהַבְתָּ אֶת יִצְחָק, וְלֶךְ לְךָ

2 אֶל אֶרֶץ הַמֹּרִיָּה, וְהַעֲלֵהוּ שָׁם לְעֹלָה עַל אַחַד הֶהָרִים,

3 אֲשֶׁר אֹמַר אֵלֶיךָ: וַיַּשְׁכֵּם אַבְרָהָם בַּבֹּקֶר, וַיַּחֲבֹשׁ אֶת

4 חֲמֹרוֹ וַיִּקַּח אֶת שְׁנֵי נְעָרָיו אִתּוֹ וְאֵת יִצְחָק בְּנוֹ, וַיְבַקַּע

5 עֲצֵי עֹלָה וַיָּקָם וַיֵּלֶךְ אֶל הַמָּקוֹם אֲשֶׁר אָמַר לוֹ הָאֱלֹהִים:

6 בַּיּוֹם הַשְּׁלִישִׁי וַיִּשָּׂא אַבְרָהָם אֶת עֵינָיו, וַיַּרְא אֶת

7 הַמָּקוֹם מֵרָחֹק: וַיֹּאמֶר אַבְרָהָם אֶל נְעָרָיו שְׁבוּ לָכֶם פֹּה

8 עִם הַחֲמוֹר, וַאֲנִי וְהַנַּעַר נֵלְכָה עַד כֹּה, וְנִשְׁתַּחֲוֶה

9 וְנָשׁוּבָה אֲלֵיכֶם: וַיִּקַּח אַבְרָהָם אֶת עֲצֵי הָעֹלָה וַיָּשֶׂם

10 עַל יִצְחָק בְּנוֹ וַיִּקַּח בְּיָדוֹ אֶת הָאֵשׁ וְאֶת הַמַּאֲכֶלֶת,

11 וַיֵּלְכוּ שְׁנֵיהֶם יַחְדָּו: וַיֹּאמֶר יִצְחָק אֶל אַבְרָהָם אָבִיו

12 וַיֹּאמֶר אָבִי, וַיֹּאמֶר הִנֶּנִּי בְנִי, וַיֹּאמֶר, הִנֵּה הָאֵשׁ

13 וְהָעֵצִים וְאַיֵּה הַשֶּׂה לְעֹלָה: וַיֹּאמֶר אַבְרָהָם אֱלֹהִים יִרְאֶה

14 לוֹ הַשֶּׂה לְעֹלָה בְּנִי, וַיֵּלְכוּ שְׁנֵיהֶם יַחְדָּו: וַיָּבֹאוּ אֶל

15 הַמָּקוֹם אֲשֶׁר אָמַר לוֹ הָאֱלֹהִים, וַיִּבֶן שָׁם אַבְרָהָם אֶת

16 הַמִּזְבֵּחַ, וַיַּעֲרֹךְ אֶת הָעֵצִים, וַיַּעֲקֹד אֶת יִצְחָק בְּנוֹ, וַיָּשֶׂם

17 אֹתוֹ עַל הַמִּזְבֵּחַ מִמַּעַל לָעֵצִים: וַיִּשְׁלַח אַבְרָהָם אֶת יָדוֹ

18 וַיִּקַּח אֶת הַמַּאֲכֶלֶת, לִשְׁחֹט אֶת בְּנוֹ: וַיִּקְרָא אֵלָיו

19 מַלְאַךְ יְיָ מִן הַשָּׁמַיִם וַיֹּאמֶר אַבְרָהָם, אַבְרָהָם, וַיֹּאמֶר

20 הִנֵּנִי: וַיֹּאמֶר, אַל תִּשְׁלַח יָדְךָ אֶל הַנַּעַר, וְאַל תַּעַשׂ לוֹ

21 מְאוּמָה, כִּי עַתָּה יָדַעְתִּי, כִּי יְרֵא אֱלֹהִים אַתָּה, וְלֹא

22 חָשַׂכְתָּ אֶת בִּנְךָ אֶת יְחִידְךָ מִמֶּנִּי: וַיִּשָּׂא אַבְרָהָם אֶת

23 עֵינָיו וַיַּרְא וְהִנֵּה אַיִל, אַחַר נֶאֱחַז בַּסְּבַךְ בְּקַרְנָיו,

24 וַיֵּלֶךְ אַבְרָהָם וַיִּקַּח אֶת הָאַיִל, וַיַּעֲלֵהוּ לְעֹלָה תַּחַת בְּנוֹ:

25 וַיִּקְרָא אַבְרָהָם שֵׁם הַמָּקוֹם הַהוּא, יְיָ יִרְאֶה, אֲשֶׁר

יֵאָמֵר

יֹאמַר הַיּוֹם, בְּהַר יְיָ יֵרָאֶה: וַיִּקְרָא מַלְאַךְ יְיָ אֶל אַבְרָהָם שֵׁנִית מִן הַשָּׁמָיִם: וַיֹּאמֶר, בִּי נִשְׁבַּעְתִּי נְאֻם יְיָ, כִּי יַעַן אֲשֶׁר עָשִׂיתָ אֶת הַדָּבָר הַזֶּה, וְלֹא חָשַׂכְתָּ אֶת בִּנְךָ אֶת יְחִידֶךָ: כִּי בָרֵךְ אֲבָרֶכְךָ, וְהַרְבָּה אַרְבֶּה אֶת זַרְעֲךָ כְּכוֹכְבֵי הַשָּׁמַיִם וְכַחוֹל אֲשֶׁר עַל שְׂפַת הַיָּם, וְיִרַשׁ זַרְעֲךָ אֵת שַׁעַר אֹיְבָיו: וְהִתְבָּרְכוּ בְזַרְעֲךָ כֹּל גּוֹיֵי הָאָרֶץ, עֵקֶב אֲשֶׁר שָׁמַעְתָּ בְּקֹלִי: וַיָּשָׁב אַבְרָהָם אֶל נְעָרָיו, וַיָּקֻמוּ וַיֵּלְכוּ יַחְדָּו אֶל בְּאֵר שָׁבַע, וַיֵּשֶׁב אַבְרָהָם בִּבְאֵר שָׁבַע:

ביום שאין אומרים תחנון אין אומרים זה:

רִבּוֹנוֹ שֶׁל עוֹלָם, כְּמוֹ שֶׁכָּבַשׁ אַבְרָהָם אָבִינוּ אֶת רַחֲמָיו מֵעַל בֶּן יְחִידוֹ לַעֲשׂוֹת רְצוֹנְךָ בְּלֵבָב שָׁלֵם, כֵּן יִכְבְּשׁוּ רַחֲמֶיךָ אֶת כַּעַסְךָ מֵעָלֵינוּ, וְיִגֹּלּוּ רַחֲמֶיךָ עַל מִדּוֹתֶיךָ. וְתִתְנַהֵג עִמָּנוּ יְיָ אֱלֹהֵינוּ בְּמִדַּת הַחֶסֶד וּבְמִדַּת הָרַחֲמִים, וְתִכָּנֵס לָנוּ לִפְנִים מִשּׁוּרַת הַדִּין, וּבְטוּבְךָ הַגָּדוֹל יָשׁוּב חֲרוֹן אַפְּךָ מֵעַמְּךָ וּמֵעִירְךָ וּמֵאַרְצְךָ וּמִנַּחֲלָתֶךָ, וְקַיֶּם לָנוּ יְיָ אֱלֹהֵינוּ אֶת הַדָּבָר שֶׁהִבְטַחְתָּנוּ בְּתוֹרָתֶךָ, עַל יְדֵי מֹשֶׁה עַבְדֶּךָ מִפִּי כְבוֹדֶךָ כָּאָמוּר. א) וְזָכַרְתִּי אֶת בְּרִיתִי יַעֲקוֹב, וְאַף אֶת בְּרִיתִי יִצְחָק, וְאַף אֶת בְּרִיתִי אַבְרָהָם אֶזְכֹּר וְהָאָרֶץ אֶזְכֹּר: וְנֶאֱמַר, ב) וְאַף גַּם זֹאת בִּהְיוֹתָם בְּאֶרֶץ אֹיְבֵיהֶם, לֹא מְאַסְתִּים וְלֹא גְעַלְתִּים לְכַלֹּתָם, לְהָפֵר בְּרִיתִי אִתָּם כִּי אֲנִי יְיָ אֱלֹהֵיהֶם: וְנֶאֱמַר, ג) וְזָכַרְתִּי לָהֶם בְּרִית רִאשֹׁנִים, אֲשֶׁר הוֹצֵאתִי אֹתָם מֵאֶרֶץ מִצְרַיִם, לְעֵינֵי הַגּוֹיִם לִהְיוֹת לָהֶם לֵאלֹהִים אֲנִי יְיָ: וְנֶאֱמַר, ד) וְשָׁב יְיָ אֱלֹהֶיךָ אֶת שְׁבוּתְךָ וְרִחֲמֶךָ, וְשָׁב וְקִבֶּצְךָ מִכָּל הָעַמִּים, אֲשֶׁר הֱפִיצְךָ יְיָ אֱלֹהֶיךָ שָׁמָּה: אִם יִהְיֶה נִדַּחֲךָ בִּקְצֵה הַשָּׁמָיִם, מִשָּׁם יְקַבֶּצְךָ יְיָ אֱלֹהֶיךָ וּמִשָּׁם יִקָּחֶךָ: וֶהֱבִיאֲךָ יְיָ אֱלֹהֶיךָ אֶל הָאָרֶץ אֲשֶׁר יָרְשׁוּ אֲבֹתֶיךָ וִירִשְׁתָּהּ, וְהֵיטִבְךָ וְהִרְבְּךָ מֵאֲבֹתֶיךָ: וְנֶאֱמַר, ה) יְיָ חָנֵּנוּ, לְךָ קִוִּינוּ, הֱיֵה זְרֹעָם לַבְּקָרִים, אַף יְשׁוּעָתֵנוּ בְּעֵת צָרָה: וְנֶאֱמַר, ו) וְעֵת צָרָה הִיא לְיַעֲקֹב, וּמִמֶּנָּה יִוָּשֵׁעַ: וְנֶאֱמַר, ז) בְּכָל צָרָתָם לוֹ צָר, וּמַלְאַךְ פָּנָיו הוֹשִׁיעָם, בְּאַהֲבָתוֹ וּבְחֶמְלָתוֹ הוּא גְאָלָם, וַיְנַטְּלֵם וַיְנַשְּׂאֵם כָּל יְמֵי עוֹלָם: וְנֶאֱמַר, ח) מִי אֵל כָּמוֹךָ נֹשֵׂא עָוֹן וְעֹבֵר עַל פֶּשַׁע, לִשְׁאֵרִית נַחֲלָתוֹ, לֹא הֶחֱזִיק לָעַד אַפּוֹ, כִּי חָפֵץ חֶסֶד הוּא: יָשׁוּב יְרַחֲמֵנוּ, יִכְבּוֹשׁ עֲוֹנוֹתֵינוּ, וְתַשְׁלִיךְ בִּמְצוּלוֹת יָם כָּל חַטֹּאתָם: תִּתֵּן אֱמֶת לְיַעֲקֹב, חֶסֶד לְאַבְרָהָם, אֲשֶׁר נִשְׁבַּעְתָּ לַאֲבוֹתֵינוּ מִימֵי

קדם

תו"א א) ויקרא כו מב: ב) שם מד: ג) שם מה: ד) דברים ל ג ד ה: ה) ישעיה לג ב: ו) ירמיה ל ז: ז) ישעיה סג ט: ח) מיכה ז יח יט כ:

1 קֶדֶם: וַנֶאֱמַר, וַהֲבִיאוֹתִים אֶל הַר קָדְשִׁי, וְשִׂמַּחְתִּים בְּבֵית תְּפִלָּתִי, עוֹלוֹתֵיהֶם

2 וְזִבְחֵיהֶם לְרָצוֹן עַל מִזְבְּחִי, כִּי בֵיתִי בֵּית תְּפִלָּה יִקָּרֵא לְכָל הָעַמִּים:

3 לְעוֹלָם יְהֵא אָדָם יְרֵא שָׁמַיִם בַּסֵּתֶר, וּמוֹדֶה עַל הָאֱמֶת,

4 וְדוֹבֵר אֱמֶת בִּלְבָבוֹ וְיַשְׁכֵּם וְיֹאמַר:

5 רִבּוֹן כָּל הָעוֹלָמִים, לֹא עַל צִדְקוֹתֵינוּ אֲנַחְנוּ

6 מַפִּילִים תַּחֲנוּנֵינוּ לְפָנֶיךָ, כִּי עַל רַחֲמֶיךָ

7 הָרַבִּים. מָה אָנוּ, מֶה חַיֵּינוּ, מֶה חַסְדֵּנוּ, מַה

8 צִּדְקֵנוּ, מַה כֹּחֵנוּ, מַה גְּבוּרָתֵנוּ. מַה נֹּאמַר לְפָנֶיךָ

9 יְיָ אֱלֹהֵינוּ וֵאלֹהֵי אֲבוֹתֵינוּ, הֲלֹא כָּל הַגִּבּוֹרִים כְּאַיִן

10 לְפָנֶיךָ, וְאַנְשֵׁי הַשֵּׁם כְּלֹא הָיוּ, וַחֲכָמִים כִּבְלִי

11 מַדָּע, וּנְבוֹנִים כִּבְלִי הַשְׂכֵּל, כִּי רוֹב מַעֲשֵׂיהֶם

12 תֹהוּ, וִימֵי חַיֵּיהֶם הֶבֶל לְפָנֶיךָ, וּמוֹתַר הָאָדָם

13 מִן הַבְּהֵמָה אָיִן, כִּי הַכֹּל הָבֶל: לְבַד הַנְּשָׁמָה

14 הַטְּהוֹרָה שֶׁהִיא עֲתִידָה לִתֵּן דִּין וְחֶשְׁבּוֹן לִפְנֵי

15 כִּסֵּא כְבוֹדֶךָ. וְכָל הַגּוֹיִם כְּאַיִן נֶגְדֶּךָ. שֶׁנֶּאֱמַר

16 הֵן גּוֹיִם כְּמַר מִדְּלִי וּכְשַׁחַק מֹאזְנַיִם נֶחְשָׁבוּ,

17 הֵן אִיִּים כַּדַּק יִטּוֹל:

18 אֲבָל אֲנַחְנוּ עַמְּךָ בְּנֵי בְרִיתֶךָ, בְּנֵי אַבְרָהָם אֹהַבְךָ,

19 שֶׁנִּשְׁבַּעְתָּ לוֹ בְּהַר הַמֹּרִיָּה; זֶרַע יִצְחָק יְחִידוֹ,

20 שֶׁנֶּעֱקַד עַל גַּבֵּי הַמִּזְבֵּחַ; עֲדַת יַעֲקֹב בִּנְךָ

21 בְּכוֹרֶךָ, שֶׁמֵּאַהֲבָתְךָ שֶׁאָהַבְתָּ אוֹתוֹ, וּמִשִּׂמְחָתְךָ שֶׁשָּׂמַחְתָּ

22 בּוֹ, קָרָאתָ אֶת שְׁמוֹ יִשְׂרָאֵל וִישֻׁרוּן:

לְפִיכָךְ

תו"א א) ישעיה נו ז: ב) תדא"ר פרק כא, עד אמר ה': ג) קהלת ג יט: ד) ישעיה מ טו:

1   לְפִיכָךְ אֲנַחְנוּ חַיָּבִים לְהוֹדוֹת לְךָ, וּלְשַׁבֵּחֲךָ

2   וּלְפָאֶרְךָ וּלְבָרֵךְ וּלְקַדֵּשׁ וְלָתֵן שֶׁבַח

3   וְהוֹדָיָה לִשְׁמֶךָ . אַשְׁרֵינוּ , מַה טּוֹב חֶלְקֵנוּ ,

4   וּמַה נָּעִים גּוֹרָלֵנוּ, וּמַה יָּפָה יְרֻשָּׁתֵנוּ ; אַשְׁרֵינוּ,

5   שֶׁאָנוּ מַשְׁכִּימִים וּמַעֲרִיבִים עֶרֶב וָבְקֶר וְאוֹמְרִים

6   פַּעֲמַיִם בְּכָל יוֹם :

7   שְׁמַע יִשְׂרָאֵל יְיָ אֱלֹהֵינוּ יְיָ | אֶחָד:

8   בָּרוּךְ שֵׁם כְּבוֹד מַלְכוּתוֹ לְעוֹלָם וָעֶד:

9   וְאָהַבְתָּ אֵת יְיָ אֱלֹהֶיךָ, בְּכָל לְבָבְךָ, וּבְכָל נַפְשְׁךָ, וּבְכָל

10   מְאֹדֶךָ: וְהָיוּ הַדְּבָרִים הָאֵלֶּה אֲשֶׁר אָנֹכִי מְצַוְּךָ

11   הַיּוֹם עַל לְבָבֶךָ : וְשִׁנַּנְתָּם לְבָנֶיךָ וְדִבַּרְתָּ בָּם , בְּשִׁבְתְּךָ

12   בְּבֵיתֶךָ, וּבְלֶכְתְּךָ בַדֶּרֶךְ, וּבְשָׁכְבְּךָ, וּבְקוּמֶךָ: וּקְשַׁרְתָּם

13   לְאוֹת עַל יָדֶךָ, וְהָיוּ לְטֹטָפֹת בֵּין עֵינֶיךָ: וּכְתַבְתָּם עַל

14   מְזֻזוֹת בֵּיתֶךָ, וּבִשְׁעָרֶיךָ:

15   אַתָּה הוּא עַד שֶׁלֹּא נִבְרָא הָעוֹלָם,

16   אַתָּה הוּא מִשֶּׁנִּבְרָא הָעוֹלָם,

17   אַתָּה הוּא בָּעוֹלָם הַזֶּה, וְאַתָּה הוּא

18   לָעוֹלָם הַבָּא. קַדֵּשׁ אֶת שִׁמְךָ בְּעוֹלָמֶךָ

19   עַל עַם מַקְדִּישֵׁי שְׁמֶךָ, וּבִישׁוּעָתְךָ

20   מַלְכֵּנוּ תָּרוּם וְתַגְבִּיהַּ קַרְנֵנוּ. וְהוֹשִׁיעֵנוּ

בקרוב

———

תו"א א) דברים ו ד:

בְּקָרוֹב לְמַעַן שְׁמֶךָ, בָּרוּךְ הַמְקַדֵּשׁ שְׁמוֹ בָּרַבִּים:

אַתָּה הוּא יְיָ הָאֱלֹהִים בַּשָּׁמַיִם וּבָאָרֶץ, וּבִשְׁמֵי הַשָּׁמַיִם הָעֶלְיוֹנִים, אֱמֶת אַתָּה הוּא רִאשׁוֹן, וְאַתָּה הוּא אַחֲרוֹן, וּמִבַּלְעָדֶיךָ אֵין אֱלֹהִים. קַבֵּץ נְפוּצוֹת קֹוֶיךָ מֵאַרְבַּע כַּנְפוֹת הָאָרֶץ, יַכִּירוּ וְיֵדְעוּ כָּל בָּאֵי עוֹלָם, כִּי אַתָּה הוּא הָאֱלֹהִים לְבַדְּךָ לְכֹל מַמְלְכוֹת הָאָרֶץ. אַתָּה עָשִׂיתָ אֶת הַשָּׁמַיִם וְאֶת הָאָרֶץ, אֶת הַיָּם וְאֶת כָּל אֲשֶׁר בָּם, וּמִי בְּכָל מַעֲשֵׂה יָדֶיךָ בָּעֶלְיוֹנִים וּבַתַּחְתּוֹנִים, שֶׁיֹּאמַר לְךָ מַה תַּעֲשֶׂה וּמַה תִּפְעָל, אָבִינוּ שֶׁבַּשָּׁמַיִם, חַי וְקַיָּם, עֲשֵׂה עִמָּנוּ צְדָקָה וָחֶסֶד בַּעֲבוּר שִׁמְךָ הַגָּדוֹל הַגִּבּוֹר וְהַנּוֹרָא שֶׁנִּקְרָא עָלֵינוּ, וְקַיֶּם לָנוּ יְיָ אֱלֹהֵינוּ אֶת הַדָּבָר שֶׁהִבְטַחְתָּנוּ עַל יְדֵי צְפַנְיָה חוֹזָךְ כָּאָמוּר: [א] בָּעֵת הַהִיא אָבִיא אֶתְכֶם, וּבָעֵת קַבְּצִי אֶתְכֶם, כִּי אֶתֵּן אֶתְכֶם לְשֵׁם וְלִתְהִלָּה בְּכֹל עַמֵּי הָאָרֶץ, בְּשׁוּבִי אֶת שְׁבוּתֵיכֶם לְעֵינֵיכֶם, אָמַר יְיָ:

נכון מאד לומר בכל יום פרשת תרומת הדשן וסידור המערכה. ויכול לאומרה אפילו קודם אור היום בחורף. ובקיץ יאמרנה קודם פרשת התמיד:

[ב] וַיְדַבֵּר יְיָ אֶל מֹשֶׁה לֵּאמֹר: צַו אֶת אַהֲרֹן וְאֶת בָּנָיו לֵאמֹר זֹאת תּוֹרַת הָעֹלָה הִוא הָעֹלָה עַל מוֹקְדָה עַל הַמִּזְבֵּחַ כָּל הַלַּיְלָה עַד הַבֹּקֶר וְאֵשׁ הַמִּזְבֵּחַ תּוּקַד בּוֹ: וְלָבַשׁ הַכֹּהֵן מִדּוֹ בַד וּמִכְנְסֵי בַד יִלְבַּשׁ עַל בְּשָׂרוֹ וְהֵרִים אֶת הַדֶּשֶׁן אֲשֶׁר תֹּאכַל הָאֵשׁ אֶת הָעֹלָה עַל הַמִּזְבֵּחַ וְשָׂמוֹ אֵצֶל הַמִּזְבֵּחַ: וּפָשַׁט אֶת בְּגָדָיו וְלָבַשׁ בְּגָדִים

אחרים

תו"א א) צפניה ג כ: ב) ויקרא ו א:

1 אַחֵרִים וְהוֹצִיא אֶת הַדֶּשֶׁן אֶל מִחוּץ לַמַּחֲנֶה אֶל מָקוֹם

2 טָהוֹר: וְהָאֵשׁ עַל הַמִּזְבֵּחַ תּוּקַד בּוֹ לֹא תִכְבֶּה וּבִעֵר

3 עָלֶיהָ הַכֹּהֵן עֵצִים בַּבֹּקֶר בַּבֹּקֶר וְעָרַךְ עָלֶיהָ הָעֹלָה

4 וְהִקְטִיר עָלֶיהָ חֶלְבֵי הַשְּׁלָמִים: אֵשׁ תָּמִיד תּוּקַד עַל

5 הַמִּזְבֵּחַ לֹא תִכְבֶּה:

ביום שאין אומרים תחנון אין אומרים זה:

6 יְהִי רָצוֹן מִלְּפָנֶיךָ יְיָ אֱלֹהֵינוּ וֵאלֹהֵי אֲבוֹתֵינוּ, שֶׁתְּרַחֵם עָלֵינוּ וְתִמְחוֹל

7 לָנוּ עַל כָּל חַטֹּאתֵינוּ, וּתְכַפֵּר לָנוּ עַל כָּל עֲוֹנוֹתֵינוּ, וְתִמְחוֹל

8 וְתִסְלַח לָנוּ עַל כָּל פְּשָׁעֵינוּ, וְשֶׁיִּבָּנֶה בֵּית הַמִּקְדָּשׁ בִּמְהֵרָה בְיָמֵינוּ,

9 וְנַקְרִיב לְפָנֶיךָ קָרְבַּן הַתָּמִיד שֶׁיְּכַפֵּר בַּעֲדֵנוּ, כְּמוֹ שֶׁכָּתַבְתָּ עָלֵינוּ

10 בְּתוֹרָתֶךָ עַל יְדֵי מֹשֶׁה עַבְדֶּךָ מִפִּי כְבוֹדֶךָ כָּאָמוּר:

11 וַיְדַבֵּר יְיָ אֶל מֹשֶׁה לֵּאמֹר: צַו אֶת בְּנֵי יִשְׂרָאֵל וְאָמַרְתָּ

12 אֲלֵהֶם, אֶת קָרְבָּנִי לַחְמִי לְאִשַּׁי, רֵיחַ נִיחֹחִי

13 תִּשְׁמְרוּ לְהַקְרִיב לִי בְּמוֹעֲדוֹ: וְאָמַרְתָּ לָהֶם, זֶה הָאִשֶּׁה

14 אֲשֶׁר תַּקְרִיבוּ לַיְיָ, כְּבָשִׂים בְּנֵי שָׁנָה תְמִימִם, שְׁנַיִם

15 לַיּוֹם, עֹלָה תָמִיד: אֶת הַכֶּבֶשׂ אֶחָד תַּעֲשֶׂה בַבֹּקֶר,

16 וְאֵת הַכֶּבֶשׂ הַשֵּׁנִי תַּעֲשֶׂה בֵּין הָעַרְבָּיִם: וַעֲשִׂירִית

17 הָאֵיפָה סֹלֶת לְמִנְחָה, בְּלוּלָה בְּשֶׁמֶן כָּתִית רְבִיעִת

18 הַהִין: עֹלַת תָּמִיד, הָעֲשֻׂיָה בְּהַר סִינַי לְרֵיחַ נִיחֹחַ

19 אִשֶּׁה לַיְיָ: וְנִסְכּוֹ רְבִיעִת הַהִין לַכֶּבֶשׂ הָאֶחָד, בַּקֹּדֶשׁ

20 הַסֵּךְ נֶסֶךְ שֵׁכָר לַיְיָ: וְאֵת הַכֶּבֶשׂ הַשֵּׁנִי תַּעֲשֶׂה בֵּין

21 הָעַרְבָּיִם, כְּמִנְחַת הַבֹּקֶר וּכְנִסְכּוֹ תַּעֲשֶׂה, אִשֵּׁה

22 רֵיחַ נִיחֹחַ לַיְיָ:

23 וְשָׁחַט אֹתוֹ עַל יֶרֶךְ הַמִּזְבֵּחַ צָפֹנָה לִפְנֵי יְיָ, וְזָרְקוּ בְּנֵי אַהֲרֹן

24 הַכֹּהֲנִים אֶת דָּמוֹ עַל הַמִּזְבֵּחַ סָבִיב:

אתה

<hr>

תו"א א) במדבר כח: ב) ויקרא א יא:

אַתָּה הוּא יְיָ אֱלֹהֵינוּ וֵאלֹהֵי אֲבוֹתֵינוּ, שֶׁהִקְטִירוּ אֲבוֹתֵינוּ לְפָנֶיךָ אֶת קְטֹרֶת הַסַּמִּים, בִּזְמַן שֶׁבֵּית הַמִּקְדָּשׁ קַיָּם, כַּאֲשֶׁר צִוִּיתָ אוֹתָם עַל יַד מֹשֶׁה נְבִיאֶךָ, כַּכָּתוּב בְּתוֹרָתֶךָ:

וַיֹּאמֶר[א] יְיָ אֶל מֹשֶׁה, קַח לְךָ סַמִּים: נָטָף, וּשְׁחֵלֶת, וְחֶלְבְּנָה, סַמִּים, וּלְבֹנָה זַכָּה, בַּד בְּבַד יִהְיֶה: וְעָשִׂיתָ אֹתָהּ קְטֹרֶת, רֹקַח מַעֲשֵׂה רוֹקֵחַ, מְמֻלָּח טָהוֹר קֹדֶשׁ: וְשָׁחַקְתָּ מִמֶּנָּה הָדֵק, וְנָתַתָּה מִמֶּנָּה לִפְנֵי הָעֵדֻת בְּאֹהֶל מוֹעֵד, אֲשֶׁר אִוָּעֵד לְךָ שָׁמָּה, קֹדֶשׁ קָדָשִׁים תִּהְיֶה לָכֶם:

וְנֶאֱמַר, וְהִקְטִיר[ב] עָלָיו אַהֲרֹן קְטֹרֶת סַמִּים, בַּבֹּקֶר בַּבֹּקֶר, בְּהֵיטִיבוֹ אֶת הַנֵּרֹת יַקְטִירֶנָּה: וּבְהַעֲלֹת אַהֲרֹן אֶת הַנֵּרֹת בֵּין הָעַרְבַּיִם יַקְטִירֶנָּה, קְטֹרֶת תָּמִיד לִפְנֵי יְיָ לְדֹרֹתֵיכֶם:

תָּנוּ[ג] רַבָּנָן, פִּטּוּם הַקְּטֹרֶת כֵּיצַד: שְׁלֹשׁ מֵאוֹת וְשִׁשִּׁים וּשְׁמוֹנָה מָנִים הָיוּ בָהּ. שְׁלֹשׁ מֵאוֹת וְשִׁשִּׁים וַחֲמִשָּׁה כְּמִנְיַן יְמוֹת הַחַמָּה, מָנֶה לְכָל יוֹם פְּרָס בְּשַׁחֲרִית, וּפְרָס בֵּין הָעַרְבַּיִם, וּשְׁלֹשָׁה מָנִים יְתֵרִים, שֶׁמֵּהֶם מַכְנִיס כֹּהֵן גָּדוֹל מְלֹא חָפְנָיו בְּיוֹם הַכִּפּוּרִים, וּמַחֲזִירָן לְמַכְתֶּשֶׁת בְּעֶרֶב יוֹם הַכִּפֻּרִים, וְשׁוֹחֲקָן יָפֶה יָפֶה כְּדֵי שֶׁתְּהֵא דַקָּה מִן הַדַּקָּה. וְאַחַד עָשָׂר סַמָּנִים הָיוּ בָהּ. וְאֵלּוּ הֵן: א הַצֳּרִי ב וְהַצִּפֹּרֶן ג הַחֶלְבְּנָה ד וְהַלְּבוֹנָה מִשְׁקַל שִׁבְעִים שִׁבְעִים מָנֶה, ה מוֹר ו וּקְצִיעָה ז שִׁבֹּלֶת נֵרְדְּ ח וְכַרְכֹּם מִשְׁקַל שִׁשָּׁה עָשָׂר שִׁשָּׁה עָשָׂר מָנֶה, ט הַקֹּשְׁטְ שְׁנֵים עָשָׂר,

קלופה

תו״א א) שמות ל לד: ב) שם ל ז: ג) כריתות ו ע״א ירושלמי יומא פ״ד ה״ה:

1 י קְלוּפָה שְׁלֹשָׁה, יֹא קִנָּמוֹן תִּשְׁעָה. בְּרִית כַּרְשִׁינָה

2 תִּשְׁעָה קַבִּין, יֵין קַפְרִיסִין סְאִין תְּלָתָא וְקַבִּין תְּלָתָא,

3 וְאִם אֵין לוֹ יֵין קַפְרִיסִין מֵבִיא חֲמַר חִוַּרְיָן עַתִּיק, מֶלַח

4 סְדוֹמִית רוֹבַע, מַעֲלֶה עָשָׁן, כָּל שֶׁהוּא. רַבִּי נָתָן

5 הַבַּבְלִי אוֹמֵר: אַף כִּפַּת הַיַּרְדֵּן כָּל שֶׁהִיא, וְאִם נָתַן בָּהּ

6 דְּבַשׁ פְּסָלָהּ, וְאִם חִסַּר אֶחָד מִכָּל סַמְמָנֶיהָ חַיָּב מִיתָה:

7 רַבָּן שִׁמְעוֹן בֶּן גַּמְלִיאֵל אוֹמֵר: הַצֳּרִי אֵינוֹ אֶלָּא שְׂרָף

8 הַנּוֹטֵף מֵעֲצֵי הַקְּטָף, בְּרִית כַּרְשִׁינָה שֶׁשָּׁפִין בָּהּ

9 אֶת הַצִּפֹּרֶן, כְּדֵי שֶׁתְּהֵא נָאָה; יֵין קַפְרִיסִין שֶׁשּׁוֹרִין

10 בּוֹ אֶת הַצִּפֹּרֶן, כְּדֵי שֶׁתְּהֵא עַזָּה, וַהֲלֹא מֵי רַגְלַיִם יָפִין

11 לָהּ, אֶלָּא שֶׁאֵין מַכְנִיסִין מֵי רַגְלַיִם בַּמִּקְדָּשׁ מִפְּנֵי הַכָּבוֹד:

12 תַּנְיָא רַבִּי נָתָן אוֹמֵר: כְּשֶׁהוּא שׁוֹחֵק אוֹמֵר: הָדֵק

13 הֵיטֵב, הֵיטֵב הָדֵק, מִפְּנֵי שֶׁהַקּוֹל יָפֶה לַבְּשָׂמִים.

14 פִּטְּמָהּ לַחֲצָאִין כְּשֵׁרָה, לִשְׁלִישׁ וְלִרְבִיעַ, לֹא שָׁמַעְנוּ.

15 אָמַר רַבִּי יְהוּדָה זֶה הַכְּלָל, אִם כְּמִדָּתָהּ כְּשֵׁרָה לַחֲצָאִין.

16 וְאִם חִסַּר אֶחָד מִכָּל סַמְמָנֶיהָ חַיָּב מִיתָה:

17 תַּנְיָא בַּר קַפָּרָא אוֹמֵר: אַחַת לְשִׁשִּׁים אוֹ לְשִׁבְעִים

18 שָׁנָה הָיְתָה בָאָה שֶׁל שִׁירַיִם לַחֲצָאִין. וְעוֹד

19 תָּנֵי בַּר קַפָּרָא, אִלּוּ הָיָה נוֹתֵן בָּהּ קוֹרְטוֹב שֶׁל דְּבַשׁ,

20 אֵין אָדָם יָכוֹל לַעֲמוֹד מִפְּנֵי רֵיחָהּ, וְלָמָּה אֵין מְעָרְבִין בָּהּ

21 דְּבַשׁ, מִפְּנֵי שֶׁהַתּוֹרָה אָמְרָה, כִּי כָל שְׂאֹר וְכָל דְּבַשׁ

22 לֹא תַקְטִירוּ מִמֶּנּוּ אִשֶּׁה לַיְיָ:

23 ג"פ יְיָ צְבָאוֹת עִמָּנוּ, מִשְׂגָּב לָנוּ אֱלֹהֵי יַעֲקֹב סֶלָה: ג"פ יְיָ צְבָאוֹת,

24 אַשְׁרֵי אָדָם בֹּטֵחַ בָּךְ: ג"פ יְיָ הוֹשִׁיעָה, הַמֶּלֶךְ יַעֲנֵנוּ בְיוֹם קָרְאֵנוּ:

וערבה

תו"א א) ויקרא ב יא: ב) תהלים מו ח: ג) שם פד יג: ד) שם כ י:

וְעָרְבָה[א] לַייָ מִנְחַת יְהוּדָה וִירוּשָׁלָיִם, כִּימֵי עוֹלָם וּכְשָׁנִים קַדְמוֹנִיּוֹת:

אַבַּיֵּי[ב] הֲוָה מְסַדֵּר סֵדֶר הַמַּעֲרָכָה מִשְּׁמָא דִגְמָרָא, וְאַלִּבָּא דְאַבָּא שָׁאוּל, מַעֲרָכָה גְדוֹלָה קוֹדֶמֶת לְמַעֲרָכָה שְׁנִיָּה שֶׁל קְטֹרֶת, וּמַעֲרָכָה שְׁנִיָּה שֶׁל קְטֹרֶת קוֹדֶמֶת לְסִדּוּר שְׁנֵי גִזְרֵי עֵצִים, וְסִדּוּר שְׁנֵי גִזְרֵי עֵצִים קוֹדֵם לְדִשּׁוּן מִזְבֵּחַ הַפְּנִימִי, וְדִשּׁוּן מִזְבֵּחַ הַפְּנִימִי קוֹדֵם לַהֲטָבַת חָמֵשׁ נֵרוֹת, וַהֲטָבַת חָמֵשׁ נֵרוֹת קוֹדֶמֶת לְדַם הַתָּמִיד, וְדַם הַתָּמִיד קוֹדֵם לַהֲטָבַת שְׁתֵּי נֵרוֹת, וַהֲטָבַת שְׁתֵּי נֵרוֹת קוֹדֶמֶת לִקְטֹרֶת, וּקְטֹרֶת קוֹדֶמֶת לְאֵבָרִים, וְאֵבָרִים לְמִנְחָה, וּמִנְחָה לַחֲבִתִּין, וַחֲבִתִּין לִנְסָכִין, וּנְסָכִין לְמוּסָפִין, וּמוּסָפִין לְבָזִיכִין, וּבָזִיכִין קוֹדְמִין לְתָמִיד שֶׁל בֵּין הָעַרְבָּיִם. שֶׁנֶּאֱמַר, וְעָרַךְ[ג] עָלֶיהָ הָעֹלָה וְהִקְטִיר עָלֶיהָ חֶלְבֵי הַשְּׁלָמִים, עָלֶיהָ הַשְׁלֵם כָּל הַקָּרְבָּנוֹת כֻּלָּם:

אָנָּא בְּכֹחַ גְּדֻלַּת יְמִינְךָ תַּתִּיר צְרוּרָה· אב״ג ית״ץ
קַבֵּל רִנַּת עַמְּךָ שַׂגְּבֵנוּ טַהֲרֵנוּ נוֹרָא· קר״ע שט״ן
נָא גִבּוֹר דּוֹרְשֵׁי יִחוּדְךָ כְּבָבַת שָׁמְרֵם· נג״ד יכ״ש
בָּרְכֵם טַהֲרֵם רַחֲמֵי צִדְקָתְךָ תָּמִיד גָּמְלֵם· בט״ר צת״ג
חֲסִין קָדוֹשׁ בְּרוֹב טוּבְךָ נַהֵל עֲדָתֶךָ· חק״ב טנ״ע
יָחִיד גֵּאֶה לְעַמְּךָ פְּנֵה זוֹכְרֵי קְדֻשָּׁתֶךָ· יג״ל פז״ק
שַׁוְעָתֵנוּ קַבֵּל וּשְׁמַע צַעֲקָתֵנוּ יוֹדֵעַ תַּעֲלוּמוֹת· שק״ו צי״ת
בָּרוּךְ שֵׁם כְּבוֹד מַלְכוּתוֹ לְעוֹלָם וָעֶד:

ביום שאין אומרים תחנון אין אומרים זה:

רִבּוֹן הָעוֹלָמִים, אַתָּה צִוִּיתָנוּ, לְהַקְרִיב קָרְבַּן הַתָּמִיד בְּמוֹעֲדוֹ, וּלְהַקְטִיר הַקְּטֹרֶת בִּזְמַנָּהּ, וְלִהְיוֹת הַכֹּהֲנִים בַּעֲבוֹדָתָם, וּלְוִיִּם בְּדוּכָנָם, וְיִשְׂרָאֵל בְּמַעֲמָדָם, וְעַתָּה בַּעֲוֹנוֹתֵינוּ, חָרַב בֵּית הַמִּקְדָּשׁ וּבֻטַּל הַתָּמִיד וְהַקְּטֹרֶת, וְאֵין לָנוּ לֹא כֹהֵן בַּעֲבוֹדָתוֹ, וְלֹא

תו״א א) מלאכי ג ד: ב) יומא לג ע״א: ג) ויקרא ו ה:

1 לֵוִי בְּדוּכָנוֹ, וְלֹא יִשְׂרָאֵל בְּמַעֲמָדוֹ: לָכֵן יְהִי רָצוֹן מִלְּפָנֶיךָ יְיָ אֱלֹהֵינוּ

2 וֵאלֹהֵי אֲבוֹתֵינוּ שֶׁיְּהֵא שִׂיחַ שִׂפְתוֹתֵינוּ חָשׁוּב וּמְקֻבָּל לְפָנֶיךָ, כְּאִלּוּ

3 הִקְרַבְנוּ קָרְבַּן הַתָּמִיד בְּמוֹעֲדוֹ וְעָמַדְנוּ עַל מַעֲמָדוֹ, וְהִקְטַרְנוּ הַקְּטֹרֶת

4 בִּזְמַנָּהּ, כְּמָה שֶׁנֶּאֱמַר, וּנְשַׁלְּמָה פָרִים שְׂפָתֵינוּ: וְנֶאֱמַר זֹאת הַתּוֹרָה

5 לָעֹלָה לַמִּנְחָה וְלַחַטָּאת וְלָאָשָׁם וְלַמִּלּוּאִים וּלְזֶבַח הַשְּׁלָמִים:

6 א **אֵיזֶהוּ** מְקוֹמָן שֶׁל זְבָחִים, קָדְשֵׁי

7 קָדָשִׁים שְׁחִיטָתָן בַּצָּפוֹן. פַּר

8 וְשָׂעִיר שֶׁל יוֹם הַכִּפּוּרִים שְׁחִיטָתָן

9 בַּצָּפוֹן, וְקִבּוּל דָּמָן בִּכְלִי שָׁרֵת בַּצָּפוֹן,

10 וְדָמָן טָעוּן הַזָּיָה עַל בֵּין הַבַּדִּים, וְעַל

11 הַפָּרֹכֶת, וְעַל מִזְבַּח הַזָּהָב. מַתָּנָה

12 אַחַת מֵהֶן מְעַכָּבֶת. שִׁירֵי הַדָּם הָיָה

13 שׁוֹפֵךְ עַל יְסוֹד מַעֲרָבִי שֶׁל מִזְבֵּחַ

14 הַחִיצוֹן, אִם לֹא נָתַן לֹא עִכֵּב: ב פָּרִים

15 הַנִּשְׂרָפִים וּשְׂעִירִים הַנִּשְׂרָפִים

16 שְׁחִיטָתָן בַּצָּפוֹן, וְקִבּוּל דָּמָן בִּכְלִי שָׁרֵת

17 בַּצָּפוֹן, וְדָמָן טָעוּן הַזָּיָה עַל הַפָּרֹכֶת,

18 וְעַל מִזְבַּח הַזָּהָב. מַתָּנָה אַחַת מֵהֶן

19 מְעַכָּבֶת. שִׁירֵי הַדָּם הָיָה שׁוֹפֵךְ עַל

20 יְסוֹד מַעֲרָבִי שֶׁל מִזְבַּח הַחִיצוֹן, אִם לֹא

נתן

תו"א א) הושע יד ג: ב) ויקרא ז לז: ג) זבחים פ"ה:

נָתַן לֹא עִכֵּב. אֵלּוּ וָאֵלּוּ נִשְׂרָפִין בְּבֵית הַדָּשֶׁן: ג חַטֹּאת הַצִּבּוּר וְהַיָּחִיד, אֵלּוּ הֵן חַטֹּאת הַצִּבּוּר: שְׂעִירֵי רָאשֵׁי חֳדָשִׁים וְשֶׁל מוֹעֲדוֹת, שְׁחִיטָתָן בַּצָּפוֹן, וְקִבּוּל דָּמָן בִּכְלִי שָׁרֵת בַּצָּפוֹן, וְדָמָן טָעוּן אַרְבַּע מַתָּנוֹת עַל אַרְבַּע קְרָנוֹת, כֵּיצַד: עָלָה בַכֶּבֶשׁ וּפָנָה לַסּוֹבֵב, וּבָא לוֹ לְקֶרֶן דְּרוֹמִית מִזְרָחִית, מִזְרָחִית צְפוֹנִית, צְפוֹנִית מַעֲרָבִית, מַעֲרָבִית דְּרוֹמִית. שְׁיָרֵי הַדָּם הָיָה שׁוֹפֵךְ עַל יְסוֹד דְּרוֹמִי, וְנֶאֱכָלִין לִפְנִים מִן הַקְּלָעִים לְזִכְרֵי כְהֻנָּה בְּכָל מַאֲכָל, לְיוֹם וָלַיְלָה עַד חֲצוֹת:

ד הָעוֹלָה, קֹדֶשׁ קָדָשִׁים, שְׁחִיטָתָהּ בַּצָּפוֹן, וְקִבּוּל דָּמָהּ בִּכְלִי שָׁרֵת בַּצָּפוֹן, וְדָמָהּ טָעוּן שְׁתֵּי מַתָּנוֹת שֶׁהֵן אַרְבַּע, וּטְעוּנָה הֶפְשֵׁט וְנִתּוּחַ, וְכָלִיל לָאִשִּׁים: ה זִבְחֵי שַׁלְמֵי צִבּוּר וַאֲשָׁמוֹת, אֵלּוּ הֵן אֲשָׁמוֹת: אֲשַׁם גְּזֵלוֹת, אֲשַׁם מְעִילוֹת, אֲשַׁם שִׁפְחָה חֲרוּפָה, אֲשַׁם נָזִיר, אֲשַׁם מְצוֹרָע, אָשָׁם תָּלוּי. שְׁחִיטָתָן

בַּצָּפוֹן, וְקִבּוּל דָּמָן בִּכְלִי שָׁרֵת בַּצָּפוֹן, וְדָמָן טָעוּן שְׁתֵּי מַתָּנוֹת שֶׁהֵן אַרְבַּע, וְנֶאֱכָלִין לִפְנִים מִן הַקְּלָעִים לְזִכְרֵי כְהֻנָּה, בְּכָל מַאֲכָל, לְיוֹם וָלַיְלָה עַד חֲצוֹת:

ו הַתּוֹדָה וְאֵיל נָזִיר, קָדָשִׁים קַלִּים, שְׁחִיטָתָן בְּכָל מָקוֹם בָּעֲזָרָה, וְדָמָן טָעוּן שְׁתֵּי מַתָּנוֹת שֶׁהֵן אַרְבַּע, וְנֶאֱכָלִין בְּכָל הָעִיר, לְכָל אָדָם, בְּכָל מַאֲכָל, לְיוֹם וָלַיְלָה עַד חֲצוֹת. הַמּוּרָם מֵהֶם כַּיּוֹצֵא בָהֶם, אֶלָּא, שֶׁהַמּוּרָם נֶאֱכָל לַכֹּהֲנִים לִנְשֵׁיהֶם וְלִבְנֵיהֶם וּלְעַבְדֵיהֶם:

ז שְׁלָמִים, קָדָשִׁים קַלִּים, שְׁחִיטָתָן בְּכָל מָקוֹם בָּעֲזָרָה, וְדָמָן טָעוּן שְׁתֵּי מַתָּנוֹת שֶׁהֵן אַרְבַּע, וְנֶאֱכָלִין בְּכָל הָעִיר, לְכָל אָדָם, בְּכָל מַאֲכָל, לִשְׁנֵי יָמִים וְלַיְלָה אֶחָד. הַמּוּרָם מֵהֶם כַּיּוֹצֵא בָהֶם, אֶלָּא, שֶׁהַמּוּרָם נֶאֱכָל לַכֹּהֲנִים לִנְשֵׁיהֶם וְלִבְנֵיהֶם וּלְעַבְדֵיהֶם:

ח הַבְּכוֹר וְהַמַּעֲשֵׂר וְהַפֶּסַח, קָדָשִׁים קַלִּים, שְׁחִיטָתָן בְּכָל מָקוֹם בָּעֲזָרָה, וְדָמָן טָעוּן מַתָּנָה אֶחָת, וּבִלְבָד שֶׁיִּתֵּן כְּנֶגֶד הַיְסוֹד. שִׁנָּה בַאֲכִילָתָן, הַבְּכוֹר נֶאֱכָל לַכֹּהֲנִים, וְהַמַּעֲשֵׂר לְכָל אָדָם, וְנֶאֱכָלִין בְּכָל הָעִיר, בְּכָל מַאֲכָל, לִשְׁנֵי יָמִים וְלַיְלָה אֶחָד. הַפֶּסַח, אֵינוֹ נֶאֱכָל אֶלָּא בַלַּיְלָה, וְאֵינוֹ נֶאֱכָל אֶלָּא עַד חֲצוֹת, וְאֵינוֹ נֶאֱכָל אֶלָּא לִמְנוּיָו, וְאֵינוֹ נֶאֱכָל אֶלָּא צָלִי:

רַבִּי[א] יִשְׁמָעֵאל אוֹמֵר, בִּשְׁלֹשׁ עֶשְׂרֵה מִדּוֹת הַתּוֹרָה נִדְרֶשֶׁת: א) מִקַּל וָחֹמֶר. ב) וּמִגְּזֵרָה

תו"א א) תורת כהנים ריש פ' ויקרא:

שָׁוֶה. ג) מִבִּנְיַן אָב מִכָּתוּב אֶחָד, וּמִבִּנְיַן אָב מִשְּׁנֵי כְתוּבִים. ד) מִכְּלָל וּפְרָט. ה) וּמִפְּרָט וּכְלָל. ו) כְּלָל וּפְרָט וּכְלָל, אִי אַתָּה דָן אֶלָּא כְּעֵין הַפְּרָט. ז) מִכְּלָל שֶׁהוּא צָרִיךְ לִפְרָט, וּמִפְּרָט שֶׁהוּא צָרִיךְ לִכְלָל. ח) כָּל דָּבָר שֶׁהָיָה בִּכְלָל וְיָצָא מִן הַכְּלָל לְלַמֵּד, לֹא לְלַמֵּד עַל עַצְמוֹ יָצָא, אֶלָּא לְלַמֵּד עַל הַכְּלָל כֻּלּוֹ יָצָא. ט) כָּל דָּבָר שֶׁהָיָה בִּכְלָל, וְיָצָא לִטְעוֹן טַעַן אֶחָד שֶׁהוּא כְעִנְיָנוֹ, יָצָא לְהָקֵל וְלֹא לְהַחֲמִיר. י) כָּל דָּבָר שֶׁהָיָה בִּכְלָל וְיָצָא לִטְעוֹן טַעַן אַחֵר שֶׁלֹּא כְעִנְיָנוֹ, יָצָא לְהָקֵל וּלְהַחֲמִיר. יא) כָּל דָּבָר שֶׁהָיָה בִּכְלָל וְיָצָא לִדּוֹן בְּדָבָר חָדָשׁ, אִי אַתָּה יָכוֹל לְהַחֲזִירוֹ לִכְלָלוֹ, עַד שֶׁיַּחֲזִירֶנּוּ הַכָּתוּב לִכְלָלוֹ בְּפֵרוּשׁ. יב) דָּבָר הַלָּמֵד מֵעִנְיָנוֹ, וְדָבָר הַלָּמֵד מִסּוֹפוֹ. יג) וְכֵן (נ"א וכאן) שְׁנֵי כְתוּבִים הַמַּכְחִישִׁים זֶה אֶת זֶה, עַד שֶׁיָּבֹא הַכָּתוּב הַשְּׁלִישִׁי וְיַכְרִיעַ בֵּינֵיהֶם:

יְהִי[א] רָצוֹן מִלְּפָנֶיךָ, יְיָ אֱלֹהֵינוּ וֵאלֹהֵי אֲבוֹתֵינוּ, שֶׁיִּבָּנֶה בֵּית הַמִּקְדָּשׁ בִּמְהֵרָה בְיָמֵינוּ, וְתֵן חֶלְקֵנוּ בְּתוֹרָתֶךָ:

קדיש דרבנן

יִתְגַּדַּל וְיִתְקַדַּשׁ שְׁמֵהּ רַבָּא. אמן בְּעָלְמָא דִּי בְרָא כִרְעוּתֵהּ וְיַמְלִיךְ מַלְכוּתֵהּ, וְיַצְמַח פּוּרְקָנֵהּ וִיקָרֵב מְשִׁיחֵהּ. אמן בְּחַיֵּיכוֹן וּבְיוֹמֵיכוֹן וּבְחַיֵּי דְכָל בֵּית יִשְׂרָאֵל, בַּעֲגָלָא וּבִזְמַן קָרִיב, וְאִמְרוּ אָמֵן: יְהֵא שְׁמֵהּ רַבָּא מְבָרַךְ לְעָלַם וּלְעָלְמֵי עָלְמַיָּא. יִתְבָּרַךְ, וְיִשְׁתַּבַּח, וְיִתְפָּאַר, וְיִתְרוֹמַם, וְיִתְנַשֵּׂא, וְיִתְהַדָּר, וְיִתְעַלֶּה, וְיִתְהַלָּל, שְׁמֵהּ דְּקוּדְשָׁא בְּרִיךְ הוּא. אמן לְעֵלָּא מִן כָּל בִּרְכָתָא וְשִׁירָתָא, תֻּשְׁבְּחָתָא וְנֶחֱמָתָא, דַּאֲמִירָן בְּעָלְמָא, וְאִמְרוּ אָמֵן:

על

תו"א א) אבות פ"ה מ"כ:

1   **עַל** יִשְׂרָאֵל וְעַל רַבָּנָן, וְעַל תַּלְמִידֵיהוֹן וְעַל כָּל תַּלְמִידֵי תַלְמִידֵיהוֹן, וְעַל כָּל

2   מָאן דְּעָסְקִין בְּאוֹרַיְתָא, דִּי בְאַתְרָא הָדֵין וְדִי בְכָל אֲתַר וַאֲתַר, יְהֵא לְהוֹן

3   וּלְכוֹן שְׁלָמָא רַבָּא חִנָּא וְחִסְדָּא וְרַחֲמִין וְחַיִּין אֲרִיכִין וּמְזוֹנָא רְוִיחָא וּפוּרְקָנָא

4   מִן קֳדָם אֲבוּהוֹן דִּבְשְׁמַיָּא, וְאִמְרוּ אָמֵן: יְהֵא שְׁלָמָא רַבָּא מִן שְׁמַיָּא וְחַיִּים

5   טוֹבִים עָלֵינוּ וְעַל כָּל יִשְׂרָאֵל, וְאִמְרוּ אָמֵן: עֹשֶׂה שָׁלוֹם (בעשי״ת הַשָּׁלוֹם)

6   בִּמְרוֹמָיו, הוּא יַעֲשֶׂה שָׁלוֹם עָלֵינוּ וְעַל כָּל יִשְׂרָאֵל, וְאִמְרוּ אָמֵן:

———◆———

דה״א טז ח

7   **הוֹדוּ** לַיָי קִרְאוּ בִשְׁמוֹ, הוֹדִיעוּ בָעַמִּים

8   עֲלִילוֹתָיו: שִׁירוּ לוֹ זַמְּרוּ לוֹ, שִׂיחוּ בְּכָל

9   נִפְלְאֹתָיו: הִתְהַלְלוּ בְּשֵׁם קָדְשׁוֹ, יִשְׂמַח לֵב

10   מְבַקְשֵׁי יְיָ: דִּרְשׁוּ יְיָ וְעֻזּוֹ, בַּקְּשׁוּ פָנָיו תָּמִיד:

11   זִכְרוּ נִפְלְאֹתָיו אֲשֶׁר עָשָׂה, מֹפְתָיו וּמִשְׁפְּטֵי

12   פִיהוּ: זֶרַע יִשְׂרָאֵל עַבְדּוֹ, בְּנֵי יַעֲקֹב בְּחִירָיו:

13   הוּא יְיָ אֱלֹהֵינוּ, בְּכָל הָאָרֶץ מִשְׁפָּטָיו: זִכְרוּ

14   לְעוֹלָם בְּרִיתוֹ, דָּבָר צִוָּה לְאֶלֶף דּוֹר: אֲשֶׁר

15   כָּרַת אֶת אַבְרָהָם וּשְׁבוּעָתוֹ לְיִצְחָק: וַיַּעֲמִידֶהָ

16   לְיַעֲקֹב לְחֹק, לְיִשְׂרָאֵל בְּרִית עוֹלָם: לֵאמֹר לְךָ

17   אֶתֵּן אֶרֶץ כְּנָעַן, חֶבֶל נַחֲלַתְכֶם: בִּהְיוֹתְכֶם

18   מְתֵי מִסְפָּר, כִּמְעַט וְגָרִים בָּהּ: וַיִּתְהַלְּכוּ מִגּוֹי

19   אֶל גּוֹי, וּמִמַּמְלָכָה אֶל עַם אַחֵר: לֹא הִנִּיחַ

20   לְאִישׁ לְעָשְׁקָם, וַיּוֹכַח עֲלֵיהֶם מְלָכִים: אַל

21   תִּגְּעוּ בִמְשִׁיחָי, וּבִנְבִיאַי אַל תָּרֵעוּ: שִׁירוּ לַיָי

22   כָל הָאָרֶץ, בַּשְּׂרוּ מִיּוֹם אֶל יוֹם יְשׁוּעָתוֹ: סַפְּרוּ

23   בַגּוֹיִם אֶת כְּבוֹדוֹ, בְּכָל הָעַמִּים נִפְלְאֹתָיו: כִּי

גדול

גָּדוֹל יְיָ וּמְהֻלָּל מְאֹד, וְנוֹרָא הוּא עַל כָּל אֱלֹהִים: כִּי כָּל אֱלֹהֵי הָעַמִּים אֱלִילִים | וַייָ שָׁמַיִם עָשָׂה: הוֹד וְהָדָר לְפָנָיו, עֹז וְחֶדְוָה בִּמְקֹמוֹ: הָבוּ לַייָ מִשְׁפְּחוֹת עַמִּים, הָבוּ לַייָ כָּבוֹד וָעֹז: הָבוּ לַייָ כְּבוֹד שְׁמוֹ, שְׂאוּ מִנְחָה וּבֹאוּ לְפָנָיו, הִשְׁתַּחֲווּ לַייָ בְּהַדְרַת קֹדֶשׁ: חִילוּ מִלְּפָנָיו כָּל הָאָרֶץ, אַף תִּכּוֹן תֵּבֵל בַּל תִּמּוֹט: יִשְׂמְחוּ הַשָּׁמַיִם וְתָגֵל הָאָרֶץ וְיֹאמְרוּ בַגּוֹיִם יְיָ מָלָךְ: יִרְעַם הַיָּם וּמְלוֹאוֹ יַעֲלֹץ הַשָּׂדֶה וְכָל אֲשֶׁר בּוֹ: אָז יְרַנְּנוּ עֲצֵי הַיָּעַר, מִלִּפְנֵי יְיָ כִּי בָא לִשְׁפּוֹט אֶת הָאָרֶץ: הוֹדוּ לַייָ כִּי טוֹב, כִּי לְעוֹלָם חַסְדּוֹ: וְאִמְרוּ הוֹשִׁיעֵנוּ אֱלֹהֵי יִשְׁעֵנוּ, וְקַבְּצֵנוּ וְהַצִּילֵנוּ מִן הַגּוֹיִם לְהוֹדוֹת לְשֵׁם קָדְשֶׁךָ, לְהִשְׁתַּבֵּחַ בִּתְהִלָּתֶךָ: בָּרוּךְ יְיָ אֱלֹהֵי יִשְׂרָאֵל מִן הָעוֹלָם וְעַד הָעוֹלָם, וַיֹּאמְרוּ כָל הָעָם אָמֵן וְהַלֵּל לַייָ: [א] רוֹמְמוּ יְיָ אֱלֹהֵינוּ וְהִשְׁתַּחֲווּ לַהֲדֹם רַגְלָיו קָדוֹשׁ הוּא: [ב] רוֹמְמוּ יְיָ אֱלֹהֵינוּ וְהִשְׁתַּחֲווּ לְהַר קָדְשׁוֹ, כִּי קָדוֹשׁ יְיָ אֱלֹהֵינוּ: [ג] וְהוּא רַחוּם יְכַפֵּר עָוֹן וְלֹא יַשְׁחִית, וְהִרְבָּה לְהָשִׁיב אַפּוֹ וְלֹא יָעִיר כָּל חֲמָתוֹ: [ד] אַתָּה יְיָ לֹא תִכְלָא רַחֲמֶיךָ מִמֶּנִּי, חַסְדְּךָ וַאֲמִתְּךָ תָּמִיד יִצְּרוּנִי: [ה] זְכֹר רַחֲמֶיךָ יְיָ וַחֲסָדֶיךָ, כִּי

מעולם

תו"א א) תהלים צט ה: ב) שם צט ט: ג) שם עח לח: ד) שם מ יב: ה) שם כה ו:

מֵעוֹלָם הֵמָּה: תְּנוּ[א] עֹז לֵאלֹהִים עַל יִשְׂרָאֵל גַּאֲוָתוֹ, וְעֻזּוֹ בַּשְּׁחָקִים: נוֹרָא[ב] אֱלֹהִים מִמִּקְדָּשֶׁיךָ, אֵל יִשְׂרָאֵל הוּא נוֹתֵן עֹז וְתַעֲצֻמוֹת לָעָם, בָּרוּךְ אֱלֹהִים: אֵל[ג] נְקָמוֹת יְיָ, אֵל נְקָמוֹת הוֹפִיעַ: הִנָּשֵׂא[ד] שֹׁפֵט הָאָרֶץ, הָשֵׁב גְּמוּל עַל גֵּאִים: לַיְיָ[ה] הַיְשׁוּעָה, עַל עַמְּךָ בִרְכָתֶךָ סֶּלָה: יְיָ[ו] צְבָאוֹת עִמָּנוּ, מִשְׂגָּב לָנוּ אֱלֹהֵי יַעֲקֹב סֶלָה: יְיָ[ז] צְבָאוֹת, אַשְׁרֵי אָדָם בֹּטֵחַ בָּךְ: יְיָ[ח] הוֹשִׁיעָה, הַמֶּלֶךְ יַעֲנֵנוּ בְיוֹם קָרְאֵנוּ: הוֹשִׁיעָה[ט] אֶת עַמֶּךָ וּבָרֵךְ אֶת נַחֲלָתֶךָ, וּרְעֵם וְנַשְּׂאֵם עַד הָעוֹלָם: נַפְשֵׁנוּ[י] חִכְּתָה לַיְיָ, עֶזְרֵנוּ וּמָגִנֵּנוּ הוּא: כִּי[כ] בוֹ יִשְׂמַח לִבֵּנוּ, כִּי בְשֵׁם קָדְשׁוֹ בָטָחְנוּ: יְהִי[ל] חַסְדְּךָ יְיָ עָלֵינוּ, כַּאֲשֶׁר יִחַלְנוּ לָךְ: הַרְאֵנוּ[מ] יְיָ חַסְדֶּךָ, וְיֶשְׁעֲךָ תִּתֶּן לָנוּ: קוּמָה[נ] עֶזְרָתָה לָּנוּ, וּפְדֵנוּ לְמַעַן חַסְדֶּךָ: אָנֹכִי[ס] יְיָ אֱלֹהֶיךָ הַמַּעַלְךָ מֵאֶרֶץ מִצְרָיִם, הַרְחֶב פִּיךָ וַאֲמַלְאֵהוּ: אַשְׁרֵי[ע] הָעָם שֶׁכָּכָה לּוֹ, אַשְׁרֵי הָעָם שֶׁיְיָ אֱלֹהָיו: וַאֲנִי[פ] בְּחַסְדְּךָ בָטַחְתִּי יָגֵל לִבִּי בִּישׁוּעָתֶךָ, אָשִׁירָה לַיְיָ כִּי גָמַל עָלָי:

מִזְמוֹר[צ] שִׁיר חֲנֻכַּת הַבַּיִת לְדָוִד: אֲרוֹמִמְךָ יְיָ כִּי דִלִּיתָנִי, וְלֹא שִׂמַּחְתָּ אֹיְבַי לִי: יְיָ אֱלֹהָי, שִׁוַּעְתִּי אֵלֶיךָ

ותרפאני

תו"א א) תהלים סח לה: ב) שם סח לו: ג) שם צד א: ד) שם צד ב: ה) שם ג ט: ו) שם מו ח: ז) שם פד יג: ח) שם כ י: ט) שם כח ט: י) שם לג כ: כ) שם לג כא: ל) שם לג כב: מ) שם פה ח: נ) שם מד כז: ס) שם פא יא: ע) שם קמד טו: פ) שם יג ו: צ) שם ל:

וַתִּרְפָּאֵנִי: יְיָ הֶעֱלִיתָ מִן שְׁאוֹל נַפְשִׁי, חִיִּיתַנִי מִיָּרְדִי בוֹר: זַמְּרוּ לַייָ חֲסִידָיו, וְהוֹדוּ לְזֵכֶר קָדְשׁוֹ: כִּי רֶגַע בְּאַפּוֹ, חַיִּים בִּרְצוֹנוֹ, בָּעֶרֶב יָלִין בֶּכִי, וְלַבֹּקֶר רִנָּה: וַאֲנִי אָמַרְתִּי בְשַׁלְוִי, בַּל אֶמּוֹט לְעוֹלָם: יְיָ בִּרְצוֹנְךָ הֶעֱמַדְתָּה לְהַרְרִי עֹז, הִסְתַּרְתָּ פָנֶיךָ הָיִיתִי נִבְהָל: אֵלֶיךָ יְיָ אֶקְרָא, וְאֶל יְיָ אֶתְחַנָּן: מַה בֶּצַע בְּדָמִי בְּרִדְתִּי אֶל שָׁחַת, הֲיוֹדְךָ עָפָר הֲיַגִּיד אֲמִתֶּךָ: שְׁמַע יְיָ וְחָנֵּנִי, יְיָ הֱיֵה עֹזֵר לִי: הָפַכְתָּ מִסְפְּדִי לְמָחוֹל לִי, פִּתַּחְתָּ שַׂקִּי וַתְּאַזְּרֵנִי שִׂמְחָה: לְמַעַן יְזַמֶּרְךָ כָבוֹד וְלֹא יִדֹּם, יְיָ אֱלֹהַי לְעוֹלָם אוֹדֶךָּ:

יְיָ מֶלֶךְ, יְיָ מָלָךְ, יְיָ יִמְלֹךְ לְעוֹלָם וָעֶד ב״פ: וְהָיָה יְיָ לְמֶלֶךְ עַל כָּל הָאָרֶץ בַּיּוֹם הַהוּא יִהְיֶה יְיָ אֶחָד וּשְׁמוֹ אֶחָד:

הוֹשִׁיעֵנוּ יְיָ אֱלֹהֵינוּ, וְקַבְּצֵנוּ מִן הַגּוֹיִם לְהוֹדוֹת לְשֵׁם קָדְשֶׁךָ, לְהִשְׁתַּבֵּחַ בִּתְהִלָּתֶךָ: בָּרוּךְ יְיָ אֱלֹהֵי יִשְׂרָאֵל מִן הָעוֹלָם וְעַד הָעוֹלָם וְאָמַר כָּל הָעָם אָמֵן הַלְלוּיָהּ: כֹּל הַנְּשָׁמָה תְּהַלֵּל יָהּ הַלְלוּיָהּ:

בחול יאמר זה ובשבת וביו״ט אומרים למנצח מזמור לדוד השמים מספרים וכו׳. תמצא להלן.

לַמְנַצֵּחַ בִּנְגִינֹת מִזְמוֹר שִׁיר: אֱלֹהִים יְחָנֵּנוּ וִיבָרְכֵנוּ, יָאֵר פָּנָיו אִתָּנוּ סֶלָה: לָדַעַת בָּאָרֶץ דַּרְכֶּךָ, בְּכָל גּוֹיִם יְשׁוּעָתֶךָ: יוֹדוּךָ עַמִּים אֱלֹהִים יוֹדוּךָ עַמִּים כֻּלָּם: יִשְׂמְחוּ וִירַנְּנוּ לְאֻמִּים, כִּי תִשְׁפֹּט עַמִּים מִישֹׁר, וּלְאֻמִּים בָּאָרֶץ תַּנְחֵם סֶלָה: יוֹדוּךָ עַמִּים אֱלֹהִים, יוֹדוּךָ עַמִּים כֻּלָּם: אֶרֶץ נָתְנָה יְבוּלָהּ, יְבָרְכֵנוּ אֱלֹהִים אֱלֹהֵינוּ: יְבָרְכֵנוּ אֱלֹהִים, וְיִירְאוּ אוֹתוֹ כָּל אַפְסֵי אָרֶץ:

לְשֵׁם יִחוּד קוּדְשָׁא בְּרִיךְ הוּא וּשְׁכִינְתֵּהּ לְיַחֲדָא שֵׁם י״ה בו״ה בְּיִחוּדָא שְׁלִים בְּשֵׁם כָּל יִשְׂרָאֵל:

בָּרוּךְ שֶׁאָמַר וְהָיָה הָעוֹלָם, בָּרוּךְ הוּא בָּרוּךְ אוֹמֵר וְעוֹשֶׂה, בָּרוּךְ גּוֹזֵר וּמְקַיֵּם, בָּרוּךְ עֹשֶׂה בְרֵאשִׁית, בָּרוּךְ מְרַחֵם עַל הָאָרֶץ, בָּרוּךְ מְרַחֵם עַל

הבריות

תו״א א) שמות טו יח: ב) זכריה יד ט: ג) תהלים קו מז: ד) שם קו מח: ה) שם קנ ו: ו) שם סז:

1 הַבְּרִיּוֹת, בָּרוּךְ מְשַׁלֵּם שָׂכָר טוֹב

2 לִירֵאָיו, בָּרוּךְ חַי לָעַד וְקַיָּם לָנֶצַח, בָּרוּךְ

3 פּוֹדֶה וּמַצִּיל, בָּרוּךְ שְׁמוֹ. בָּרוּךְ אַתָּה

4 יְיָ אֱלֹהֵינוּ מֶלֶךְ הָעוֹלָם, הָאֵל, אָב

5 הָרַחֲמָן, הַמְהֻלָּל בְּפֶה עַמּוֹ, מְשֻׁבָּח

6 וּמְפֹאָר בִּלְשׁוֹן חֲסִידָיו וַעֲבָדָיו, וּבְשִׁירֵי

7 דָוִד עַבְדֶּךָ. נְהַלֶּלְךָ יְיָ אֱלֹהֵינוּ, בִּשְׁבָחוֹת

8 וּבִזְמִרוֹת. נְגַדֶּלְךָ וּנְשַׁבֵּחֲךָ וּנְפָאֶרְךָ,

9 וְנַמְלִיכְךָ וְנַזְכִּיר שִׁמְךָ מַלְכֵּנוּ אֱלֹהֵינוּ.

10 יָחִיד, חֵי הָעוֹלָמִים מֶלֶךְ. מְשֻׁבָּח וּמְפֹאָר

11 עֲדֵי עַד שְׁמוֹ הַגָּדוֹל . בָּרוּךְ אַתָּה יְיָ,

12 מֶלֶךְ מְהֻלָּל בַּתִּשְׁבָּחוֹת:

א״א מזמור לתודה בשבת וביו״ט ולא בע״פ ובחוה״מ של פסח ולא בערב יו״כ:

13 מִזְמוֹר לְתוֹדָה, הָרִיעוּ לַיְיָ כָּל הָאָרֶץ: עִבְדוּ אֶת יְיָ

14 בְּשִׂמְחָה, בֹּאוּ לְפָנָיו בִּרְנָנָה: דְּעוּ כִּי יְיָ הוּא

15 אֱלֹהִים, הוּא עָשָׂנוּ, וְלוֹ אֲנַחְנוּ, עַמּוֹ, וְצֹאן מַרְעִיתוֹ: בֹּאוּ

16 שְׁעָרָיו בְּתוֹדָה, חֲצֵרוֹתָיו בִּתְהִלָּה, הוֹדוּ לוֹ בָּרְכוּ שְׁמוֹ:

17 כִּי טוֹב יְיָ, לְעוֹלָם חַסְדּוֹ, וְעַד דֹּר וָדֹר אֱמוּנָתוֹ:

18 יְהִי כְבוֹד יְיָ לְעוֹלָם, יִשְׂמַח יְיָ בְּמַעֲשָׂיו:

19 יְהִי שֵׁם יְיָ מְבֹרָךְ, מֵעַתָּה וְעַד

עולם

תו״א א) תהלים ק: ב) שם קד לא: ג) שם קיג ב:

עוֹלָם: [א]מִמִּזְרַח שֶׁמֶשׁ עַד מְבוֹאוֹ, מְהֻלָּל שֵׁם יְיָ: [ב]רָם עַל כָּל גּוֹיִם | יְיָ, עַל הַשָּׁמַיִם כְּבוֹדוֹ: [ג]יְיָ שִׁמְךָ לְעֹלָם, יְיָ זִכְרְךָ לְדֹר וָדֹר: [ד]יְיָ בַּשָּׁמַיִם הֵכִין כִּסְאוֹ, וּמַלְכוּתוֹ בַּכֹּל מָשָׁלָה: [ה]יִשְׂמְחוּ הַשָּׁמַיִם וְתָגֵל הָאָרֶץ, וְיֹאמְרוּ בַגּוֹיִם יְיָ מָלָךְ: יְיָ מֶלֶךְ יְיָ מָלָךְ, [ו]יְיָ יִמְלֹךְ לְעֹלָם וָעֶד: [ז]יְיָ מֶלֶךְ עוֹלָם וָעֶד, אָבְדוּ גוֹיִם מֵאַרְצוֹ: [ח]יְיָ הֵפִיר עֲצַת גּוֹיִם, הֵנִיא מַחְשְׁבוֹת עַמִּים: [ט]רַבּוֹת מַחֲשָׁבוֹת בְּלֶב אִישׁ, וַעֲצַת יְיָ הִיא תָקוּם: [י]עֲצַת יְיָ לְעוֹלָם תַּעֲמֹד, מַחְשְׁבוֹת לִבּוֹ לְדֹר וָדֹר: [כ]כִּי הוּא אָמַר וַיֶּהִי, הוּא צִוָּה וַיַּעֲמֹד: [ל]כִּי בָחַר יְיָ בְּצִיּוֹן, אִוָּהּ לְמוֹשָׁב לוֹ: [מ]כִּי יַעֲקֹב בָּחַר לוֹ יָהּ, יִשְׂרָאֵל לִסְגֻלָּתוֹ: [נ]כִּי לֹא יִטֹּשׁ יְיָ עַמּוֹ, וְנַחֲלָתוֹ לֹא יַעֲזֹב: [ס]וְהוּא רַחוּם יְכַפֵּר עָוֹן וְלֹא יַשְׁחִית, וְהִרְבָּה לְהָשִׁיב אַפּוֹ, וְלֹא יָעִיר כָּל

חמתו

תו"א א) תהלים קיג ג: ב) שם שם ד: ג) שם קלה יג: ד) שם קג יט: ה) דה"א טז לא: ו) שמות טו יח: ז) תהלים י טז: ח) שם לג י: ט) משלי יט כא: י) תהלים לג יא: כ) שם שם ט: ל) שם קלב יג: מ) שם קלה ד: נ) שם צד יד: ס) שם עח לח:

חֲמָתוֹ: יְיָ[א] הוֹשִׁיעָה, הַמֶּלֶךְ יַעֲנֵנוּ בְיוֹם קָרְאֵנוּ:

אַשְׁרֵי[ב] יוֹשְׁבֵי בֵיתֶךָ, עוֹד יְהַלְלוּךָ סֶּלָה: אַשְׁרֵי[ג] הָעָם שֶׁכָּכָה לּוֹ, אַשְׁרֵי הָעָם שֶׁיְיָ אֱלֹהָיו:

תְּהִלָּה[ד] לְדָוִד, אֲרוֹמִמְךָ אֱלוֹהַי הַמֶּלֶךְ, וַאֲבָרְכָה שִׁמְךָ לְעוֹלָם וָעֶד: בְּכָל יוֹם אֲבָרְכֶךָּ, וַאֲהַלְלָה שִׁמְךָ לְעוֹלָם וָעֶד: גָּדוֹל יְיָ וּמְהֻלָּל מְאֹד, וְלִגְדֻלָּתוֹ אֵין חֵקֶר: דּוֹר לְדוֹר יְשַׁבַּח מַעֲשֶׂיךָ, וּגְבוּרֹתֶיךָ יַגִּידוּ: הֲדַר כְּבוֹד הוֹדֶךָ, וְדִבְרֵי נִפְלְאוֹתֶיךָ אָשִׂיחָה: וֶעֱזוּז נוֹרְאוֹתֶיךָ יֹאמֵרוּ, וּגְדֻלָּתְךָ אֲסַפְּרֶנָּה: זֵכֶר רַב טוּבְךָ יַבִּיעוּ, וְצִדְקָתְךָ יְרַנֵּנוּ: חַנּוּן וְרַחוּם יְיָ, אֶרֶךְ אַפַּיִם וּגְדָל חָסֶד: טוֹב יְיָ לַכֹּל, וְרַחֲמָיו עַל כָּל מַעֲשָׂיו: יוֹדוּךָ יְיָ כָּל מַעֲשֶׂיךָ, וַחֲסִידֶיךָ יְבָרְכוּכָה: כְּבוֹד מַלְכוּתְךָ יֹאמֵרוּ, וּגְבוּרָתְךָ יְדַבֵּרוּ: לְהוֹדִיעַ לִבְנֵי הָאָדָם גְּבוּרֹתָיו, וּכְבוֹד הֲדַר מַלְכוּתוֹ: מַלְכוּתְךָ מַלְכוּת כָּל עוֹלָמִים, וּמֶמְשַׁלְתְּךָ בְּכָל דּוֹר וָדֹר: סוֹמֵךְ יְיָ לְכָל הַנֹּפְלִים, וְזוֹקֵף לְכָל הַכְּפוּפִים: עֵינֵי כֹל אֵלֶיךָ יְשַׂבֵּרוּ, וְאַתָּה נוֹתֵן לָהֶם אֶת אָכְלָם בְּעִתּוֹ: פּוֹתֵחַ אֶת יָדֶךָ, וּמַשְׂבִּיעַ לְכָל חַי רָצוֹן: צַדִּיק יְיָ בְּכָל דְּרָכָיו, וְחָסִיד בְּכָל מַעֲשָׂיו: קָרוֹב יְיָ לְכָל קֹרְאָיו,

לכל

תו"א א) תהלים כ י: ב) שם פד ה: ג) שם קמד טו: ד) שם קמה א:

לְכֹל אֲשֶׁר יִקְרָאֻהוּ בֶאֱמֶת: רְצוֹן יְרֵאָיו יַעֲשֶׂה, וְאֶת שַׁוְעָתָם יִשְׁמַע וְיוֹשִׁיעֵם: שׁוֹמֵר יְיָ אֶת כָּל אֹהֲבָיו, וְאֵת כָּל הָרְשָׁעִים יַשְׁמִיד: תְּהִלַּת יְיָ יְדַבֶּר פִּי, וִיבָרֵךְ כָּל בָּשָׂר שֵׁם קָדְשׁוֹ לְעוֹלָם וָעֶד: [א] וַאֲנַחְנוּ נְבָרֵךְ יָהּ, מֵעַתָּה וְעַד עוֹלָם הַלְלוּיָהּ:

[ב] הַלְלוּיָהּ, הַלְלִי נַפְשִׁי אֶת יְיָ: אֲהַלְלָה יְיָ בְּחַיָּי, אֲזַמְּרָה לֵאלֹהַי בְּעוֹדִי: אַל תִּבְטְחוּ בִנְדִיבִים, בְּבֶן אָדָם שֶׁאֵין לוֹ תְשׁוּעָה: תֵּצֵא רוּחוֹ יָשֻׁב לְאַדְמָתוֹ, בַּיּוֹם הַהוּא אָבְדוּ עֶשְׁתֹּנֹתָיו: אַשְׁרֵי שֶׁאֵל יַעֲקֹב בְּעֶזְרוֹ, שִׂבְרוֹ עַל יְיָ אֱלֹהָיו: עֹשֶׂה שָׁמַיִם וָאָרֶץ אֶת הַיָּם וְאֶת כָּל אֲשֶׁר בָּם, הַשֹּׁמֵר אֱמֶת לְעוֹלָם: עֹשֶׂה מִשְׁפָּט לָעֲשׁוּקִים, נֹתֵן לֶחֶם לָרְעֵבִים, יְיָ מַתִּיר אֲסוּרִים: יְיָ פֹּקֵחַ עִוְרִים, יְיָ זֹקֵף כְּפוּפִים, יְיָ אֹהֵב צַדִּיקִים: יְיָ שֹׁמֵר אֶת גֵּרִים, יָתוֹם וְאַלְמָנָה יְעוֹדֵד, וְדֶרֶךְ רְשָׁעִים יְעַוֵּת: יִמְלֹךְ יְיָ לְעוֹלָם, אֱלֹהַיִךְ צִיּוֹן, לְדֹר וָדֹר הַלְלוּיָהּ:

הללויה

תו"א א) תהלים קטו יח: ב) שם קמו:

1 הַלְלוּיָהּ, כִּי טוֹב זַמְּרָה אֱלֹהֵינוּ, כִּי נָעִים נָאוָה

2 תְהִלָּה: בּוֹנֵה יְרוּשָׁלַיִם יְיָ, נִדְחֵי

3 יִשְׂרָאֵל יְכַנֵּס: הָרוֹפֵא לִשְׁבוּרֵי לֵב, וּמְחַבֵּשׁ

4 לְעַצְּבוֹתָם: מוֹנֶה מִסְפָּר לַכּוֹכָבִים, לְכֻלָּם שֵׁמוֹת

5 יִקְרָא: גָּדוֹל אֲדֹנֵינוּ וְרַב כֹּחַ, לִתְבוּנָתוֹ אֵין מִסְפָּר:

6 מְעוֹדֵד עֲנָוִים יְיָ, מַשְׁפִּיל רְשָׁעִים עֲדֵי אָרֶץ: עֱנוּ

7 לַיְיָ בְּתוֹדָה, זַמְּרוּ לֵאלֹהֵינוּ בְכִנּוֹר: הַמְכַסֶּה

8 שָׁמַיִם בְּעָבִים, הַמֵּכִין לָאָרֶץ מָטָר, הַמַּצְמִיחַ

9 הָרִים חָצִיר: נוֹתֵן לִבְהֵמָה לַחְמָהּ, לִבְנֵי עֹרֵב

10 אֲשֶׁר יִקְרָאוּ: לֹא בִגְבוּרַת הַסּוּס יֶחְפָּץ, לֹא

11 בְשׁוֹקֵי הָאִישׁ יִרְצֶה: רוֹצֶה יְיָ אֶת יְרֵאָיו, אֶת

12 הַמְיַחֲלִים לְחַסְדּוֹ: שַׁבְּחִי יְרוּשָׁלַיִם אֶת יְיָ, הַלְלִי

13 אֱלֹהַיִךְ צִיּוֹן: כִּי חִזַּק בְּרִיחֵי שְׁעָרָיִךְ, בֵּרַךְ

14 בָּנַיִךְ בְּקִרְבֵּךְ: הַשָּׂם גְּבוּלֵךְ שָׁלוֹם, חֵלֶב חִטִּים

15 יַשְׂבִּיעֵךְ: הַשֹּׁלֵחַ אִמְרָתוֹ אָרֶץ, עַד מְהֵרָה יָרוּץ

16 דְּבָרוֹ: הַנֹּתֵן שֶׁלֶג כַּצָּמֶר, כְּפוֹר כָּאֵפֶר יְפַזֵּר:

17 מַשְׁלִיךְ קַרְחוֹ כְפִתִּים, לִפְנֵי קָרָתוֹ מִי יַעֲמֹד:

18 יִשְׁלַח דְּבָרוֹ וְיַמְסֵם, יַשֵּׁב רוּחוֹ יִזְּלוּ מָיִם: מַגִּיד

19 דְּבָרָיו לְיַעֲקֹב, חֻקָּיו וּמִשְׁפָּטָיו לְיִשְׂרָאֵל: לֹא

20 עָשָׂה כֵן לְכָל גּוֹי, וּמִשְׁפָּטִים בַּל יְדָעוּם הַלְלוּיָהּ:

21 הַלְלוּיָהּ, הַלְלוּ אֶת יְיָ מִן הַשָּׁמַיִם,

22 הַלְלוּהוּ בַּמְּרוֹמִים: הַלְלוּהוּ

כל

תו״א א) תהלים קמז: ב) שם קמח:

כָּל מַלְאָכָיו, הַלְלוּהוּ כָּל צְבָאָיו: הַלְלוּהוּ שֶׁמֶשׁ וְיָרֵחַ, הַלְלוּהוּ כָּל כּוֹכְבֵי אוֹר: הַלְלוּהוּ שְׁמֵי הַשָּׁמָיִם, וְהַמַּיִם אֲשֶׁר מֵעַל הַשָּׁמָיִם: יְהַלְלוּ אֶת שֵׁם יְיָ, כִּי הוּא צִוָּה וְנִבְרָאוּ: וַיַּעֲמִידֵם לָעַד לְעוֹלָם, חָק נָתַן וְלֹא יַעֲבוֹר: הַלְלוּ אֶת יְיָ מִן הָאָרֶץ, תַּנִּינִים וְכָל תְּהֹמוֹת: אֵשׁ וּבָרָד, שֶׁלֶג וְקִיטוֹר, רוּחַ סְעָרָה עֹשָׂה דְבָרוֹ: הֶהָרִים וְכָל גְּבָעוֹת, עֵץ פְּרִי וְכָל אֲרָזִים: הַחַיָּה וְכָל בְּהֵמָה, רֶמֶשׂ וְצִפּוֹר כָּנָף: מַלְכֵי אֶרֶץ וְכָל לְאֻמִּים, שָׂרִים וְכָל שֹׁפְטֵי אָרֶץ: בַּחוּרִים וְגַם בְּתוּלוֹת, זְקֵנִים עִם נְעָרִים: יְהַלְלוּ אֶת שֵׁם יְיָ כִּי נִשְׂגָּב שְׁמוֹ לְבַדּוֹ, הוֹדוֹ עַל אֶרֶץ וְשָׁמָיִם: וַיָּרֶם קֶרֶן לְעַמּוֹ, תְּהִלָּה לְכָל חֲסִידָיו, לִבְנֵי יִשְׂרָאֵל עַם קְרֹבוֹ הַלְלוּיָהּ:

[א] הַלְלוּיָהּ, שִׁירוּ לַייָ שִׁיר חָדָשׁ, תְּהִלָּתוֹ בִּקְהַל חֲסִידִים: יִשְׂמַח יִשְׂרָאֵל בְּעֹשָׂיו, בְּנֵי צִיּוֹן יָגִילוּ בְמַלְכָּם: יְהַלְלוּ שְׁמוֹ בְמָחוֹל, בְּתֹף

וכנור

תו"א א) תהלים קמט:

וְכִנּוֹר יְזַמְּרוּ לוֹ: כִּי רוֹצֶה יְיָ בְּעַמּוֹ, יְפָאֵר עֲנָוִים בִּישׁוּעָה: יַעְלְזוּ חֲסִידִים בְּכָבוֹד, יְרַנְּנוּ עַל מִשְׁכְּבוֹתָם: רוֹמְמוֹת אֵל בִּגְרוֹנָם, וְחֶרֶב פִּיפִיּוֹת בְּיָדָם: לַעֲשׂוֹת נְקָמָה בַּגּוֹיִם, תּוֹכֵחוֹת בַּלְאֻמִּים: לֶאְסֹר מַלְכֵיהֶם בְּזִקִּים, וְנִכְבְּדֵיהֶם בְּכַבְלֵי בַרְזֶל: לַעֲשׂוֹת בָּהֶם מִשְׁפָּט כָּתוּב, הָדָר הוּא לְכָל חֲסִידָיו הַלְלוּיָהּ:

[א] הַלְלוּיָהּ, הַלְלוּ אֵל בְּקָדְשׁוֹ, הַלְלוּהוּ בִּרְקִיעַ עֻזּוֹ: הַלְלוּהוּ בִגְבוּרֹתָיו, הַלְלוּהוּ כְּרֹב גֻּדְלוֹ: הַלְלוּהוּ בְּתֵקַע שׁוֹפָר, הַלְלוּהוּ בְּנֵבֶל וְכִנּוֹר: הַלְלוּהוּ בְּתֹף וּמָחוֹל, הַלְלוּהוּ בְּמִנִּים וְעֻגָב: הַלְלוּהוּ בְצִלְצְלֵי שָׁמַע, הַלְלוּהוּ בְּצִלְצְלֵי תְרוּעָה: כֹּל הַנְּשָׁמָה תְּהַלֵּל יָהּ הַלְלוּיָהּ: כֹּל הַנְּשָׁמָה תְּהַלֵּל יָהּ הַלְלוּיָהּ:

[ב] בָּרוּךְ יְיָ לְעוֹלָם אָמֵן וְאָמֵן: [ג] בָּרוּךְ יְיָ מִצִּיּוֹן שֹׁכֵן יְרוּשָׁלָיִם הַלְלוּיָהּ: [ד] בָּרוּךְ יְיָ אֱלֹהִים אֱלֹהֵי יִשְׂרָאֵל, עֹשֵׂה נִפְלָאוֹת לְבַדּוֹ: [ה] וּבָרוּךְ שֵׁם כְּבוֹדוֹ לְעוֹלָם, וְיִמָּלֵא כְבוֹדוֹ אֶת כָּל הָאָרֶץ, אָמֵן וְאָמֵן:

[ו] וַיְבָרֶךְ דָּוִיד אֶת יְיָ לְעֵינֵי כָּל הַקָּהָל, וַיֹּאמֶר דָּוִיד, בָּרוּךְ אַתָּה יְיָ אֱלֹהֵי יִשְׂרָאֵל אָבִינוּ, מֵעוֹלָם וְעַד עוֹלָם: [ז] לְךָ יְיָ

הגדלה

תו"א א) תהלים קנ: ב) שם פט נג: ג) שם קלה כא: ד) שם עב יח: ה) שם עב יט: ו) דה"א כט י: ז) שם כט יא:

1 הַגְּדֻלָּה, וְהַגְּבוּרָה, וְהַתִּפְאֶרֶת, וְהַנֵּצַח,

2 וְהַהוֹד, כִּי כֹל בַּשָּׁמַיִם וּבָאָרֶץ, לְךָ יְיָ

3 הַמַּמְלָכָה וְהַמִּתְנַשֵּׂא, לְכֹל לְרֹאשׁ:

4 וְהָעֹשֶׁר וְהַכָּבוֹד מִלְּפָנֶיךָ, וְאַתָּה מוֹשֵׁל

5 בַּכֹּל, וּבְיָדְךָ, כֹּחַ וּגְבוּרָה, וּבְיָדְךָ, לְגַדֵּל

6 וּלְחַזֵּק לַכֹּל: וְעַתָּה אֱלֹהֵינוּ, מוֹדִים

7 אֲנַחְנוּ לָךְ וּמְהַלְּלִים לְשֵׁם תִּפְאַרְתֶּךָ:

8 וִיבָרְכוּ שֵׁם כְּבוֹדֶךָ וּמְרוֹמַם עַל כָּל

9 בְּרָכָה וּתְהִלָּה: אַתָּה הוּא יְיָ לְבַדֶּךָ,

10 אַתָּה עָשִׂיתָ אֶת הַשָּׁמַיִם, שְׁמֵי הַשָּׁמַיִם,

11 וְכָל צְבָאָם, הָאָרֶץ וְכָל אֲשֶׁר עָלֶיהָ,

12 הַיַּמִּים וְכָל אֲשֶׁר בָּהֶם, וְאַתָּה מְחַיֶּה

13 אֶת כֻּלָּם, וּצְבָא הַשָּׁמַיִם לְךָ מִשְׁתַּחֲוִים:

14 אַתָּה הוּא יְיָ הָאֱלֹהִים אֲשֶׁר בָּחַרְתָּ

15 בְּאַבְרָם וְהוֹצֵאתוֹ מֵאוּר כַּשְׂדִּים,

16 וְשַׂמְתָּ שְּׁמוֹ אַבְרָהָם: וּמָצָאתָ אֶת

17 לְבָבוֹ נֶאֱמָן לְפָנֶיךָ

18 וְכָרוֹת עִמּוֹ הַבְּרִית לָתֵת אֶת אֶרֶץ הַכְּנַעֲנִי

19 הַחִתִּי הָאֱמֹרִי וְהַפְּרִזִּי וְהַיְבוּסִי וְהַגִּרְגָּשִׁי

לָתֵת

תו"א א) דה"א כט יב: ב) שם כט יג: ג) נחמיה ט ה-יא:

לָתֵת לְזַרְעוֹ, וַתָּקֶם אֶת דְּבָרֶיךָ כִּי צַדִּיק אָתָּה: וַתֵּרֶא אֶת עֳנִי אֲבֹתֵינוּ בְּמִצְרָיִם, וְאֶת זַעֲקָתָם שָׁמַעְתָּ עַל יַם סוּף: וַתִּתֵּן אֹתֹת וּמֹפְתִים בְּפַרְעֹה וּבְכָל עֲבָדָיו וּבְכָל עַם אַרְצוֹ, כִּי יָדַעְתָּ כִּי הֵזִידוּ עֲלֵיהֶם, וַתַּעַשׂ לְךָ שֵׁם כְּהַיּוֹם הַזֶּה: וְהַיָּם בָּקַעְתָּ לִפְנֵיהֶם וַיַּעַבְרוּ בְתוֹךְ הַיָּם בַּיַּבָּשָׁה, וְאֶת רֹדְפֵיהֶם הִשְׁלַכְתָּ בִמְצוֹלֹת כְּמוֹ אֶבֶן בְּמַיִם עַזִּים:

[א]וַיּוֹשַׁע יְיָ בַּיּוֹם הַהוּא אֶת יִשְׂרָאֵל מִיַּד מִצְרָיִם, וַיַּרְא יִשְׂרָאֵל אֶת מִצְרַיִם מֵת עַל שְׂפַת הַיָּם: וַיַּרְא יִשְׂרָאֵל אֶת הַיָּד הַגְּדֹלָה אֲשֶׁר עָשָׂה יְיָ בְּמִצְרַיִם וַיִּירְאוּ הָעָם אֶת יְיָ, וַיַּאֲמִינוּ בַּייָ וּבְמֹשֶׁה עַבְדּוֹ:

[ב]אָז יָשִׁיר מֹשֶׁה וּבְנֵי יִשְׂרָאֵל אֶת הַשִּׁירָה הַזֹּאת לַייָ וַיֹּאמְרוּ לֵאמֹר, אָשִׁירָה לַייָ כִּי גָאֹה גָּאָה, סוּס וְרֹכְבוֹ רָמָה בַיָּם: עָזִּי וְזִמְרָת יָהּ וַיְהִי לִי לִישׁוּעָה, זֶה אֵלִי וְאַנְוֵהוּ אֱלֹהֵי אָבִי וַאֲרֹמְמֶנְהוּ: יְיָ אִישׁ מִלְחָמָה, יְיָ שְׁמוֹ: מַרְכְּבֹת פַּרְעֹה וְחֵילוֹ יָרָה בַיָּם, וּמִבְחַר שָׁלִשָׁיו טֻבְּעוּ בְיַם סוּף: תְּהֹמֹת יְכַסְיֻמוּ,

ירדו

תו"א א) שמות יד ל: ב) שם טו א:

1 יָרְדוּ בִמְצוֹלֹת כְּמוֹ אָבֶן: יְמִינְךָ יְיָ

2 נֶאְדָּרִי בַּכֹּחַ, יְמִינְךָ יְיָ תִּרְעַץ אוֹיֵב:

3 וּבְרֹב גְּאוֹנְךָ תַּהֲרֹס קָמֶיךָ, תְּשַׁלַּח

4 חֲרֹנְךָ יֹאכְלֵמוֹ כַּקַּשׁ: וּבְרוּחַ אַפֶּיךָ

5 נֶעֶרְמוּ־מַיִם נִצְּבוּ כְמוֹ נֵד נֹזְלִים, קָפְאוּ

6 תְהֹמֹת בְּלֶב יָם: אָמַר אוֹיֵב אֶרְדֹּף

7 אַשִּׂיג אֲחַלֵּק שָׁלָל, תִּמְלָאֵמוֹ נַפְשִׁי,

8 אָרִיק חַרְבִּי, תּוֹרִישֵׁמוֹ יָדִי: נָשַׁפְתָּ

9 בְרוּחֲךָ כִּסָּמוֹ יָם צָלֲלוּ כַּעוֹפֶרֶת בְּמַיִם

10 אַדִּירִים: מִי כָמֹכָה בָּאֵלִם יְיָ, מִי כָּמֹכָה

11 נֶאְדָּר בַּקֹּדֶשׁ, נוֹרָא תְהִלֹּת עֹשֵׂה־פֶלֶא:

12 נָטִיתָ יְמִינְךָ תִּבְלָעֵמוֹ אָרֶץ: נָחִיתָ

13 בְחַסְדְּךָ עַם זוּ גָּאָלְתָּ, נֵהַלְתָּ בְעָזְּךָ אֶל

14 נְוֵה קָדְשֶׁךָ: שָׁמְעוּ עַמִּים יִרְגָּזוּן, חִיל

15 אָחַז יֹשְׁבֵי פְּלָשֶׁת: אָז נִבְהֲלוּ אַלּוּפֵי

16 אֱדוֹם, אֵילֵי מוֹאָב יֹאחֲזֵמוֹ רָעַד, נָמֹגוּ

17 כֹּל יֹשְׁבֵי כְנָעַן: תִּפֹּל עֲלֵיהֶם אֵימָתָה

18 וָפַחַד, בִּגְדֹל זְרוֹעֲךָ יִדְּמוּ כָּאָבֶן, עַד

19 יַעֲבֹר עַמְּךָ יְיָ, עַד יַעֲבֹר עַם זוּ קָנִיתָ:

תבאמו

1 תְּבִאֵמוֹ וְתִטָּעֵמוֹ בְּהַר נַחֲלָתְךָ, מָכוֹן

2 לְשִׁבְתְּךָ פָּעַלְתָּ יְיָ, מִקְּדָשׁ אֲדֹנָי כּוֹנְנוּ

3 יָדֶיךָ: יְיָ יִמְלֹךְ לְעֹלָם וָעֶד: יְיָ יִמְלֹךְ

4 לְעֹלָם וָעֶד: יְיָ מַלְכוּתֵהּ קָאֵם לְעָלַם וּלְעָלְמֵי עָלְמַיָּא.

5 כִּי בָא סוּס פַּרְעֹה בְּרִכְבּוֹ וּבְפָרָשָׁיו בַּיָּם וַיָּשֶׁב יְיָ עֲלֵהֶם

6 אֶת מֵי הַיָּם וּבְנֵי יִשְׂרָאֵל הָלְכוּ בַיַּבָּשָׁה בְּתוֹךְ הַיָּם: כִּי

7 לַיְיָ הַמְּלוּכָה וּמֹשֵׁל בַּגּוֹיִם: וְעָלוּ מוֹשִׁיעִים בְּהַר צִיּוֹן

8 לִשְׁפֹּט אֶת הַר עֵשָׂו, וְהָיְתָה לַיְיָ הַמְּלוּכָה: וְהָיָה יְיָ לְמֶלֶךְ

9 עַל כָּל הָאָרֶץ, בַּיּוֹם הַהוּא יִהְיֶה יְיָ אֶחָד וּשְׁמוֹ אֶחָד:

10 יִשְׁתַּבַּח שִׁמְךָ לָעַד מַלְכֵּנוּ, הָאֵל

11 הַמֶּלֶךְ הַגָּדוֹל וְהַקָּדוֹשׁ,

12 בַּשָּׁמַיִם וּבָאָרֶץ, כִּי לְךָ נָאֶה יְיָ אֱלֹהֵינוּ

13 וֵאלֹהֵי אֲבוֹתֵינוּ, לְעוֹלָם וָעֶד: שִׁיר,

14 וּשְׁבָחָה, הַלֵּל וְזִמְרָה, עֹז וּמֶמְשָׁלָה,

15 נֶצַח, גְּדֻלָּה וּגְבוּרָה, תְּהִלָּה וְתִפְאֶרֶת,

16 קְדֻשָּׁה וּמַלְכוּת: בְּרָכוֹת וְהוֹדָאוֹת,

17 לְשִׁמְךָ הַגָּדוֹל וְהַקָּדוֹשׁ, וּמֵעוֹלָם עַד

עוֹלָם

תו״א א) תהלים כב כט: ב) עובדיה כא: ג) זכריה יד ט:

עוֹלָם אַתָּה אֵל. בָּרוּךְ אַתָּה יְיָ, אֵל מֶלֶךְ גָּדוֹל וּמְהֻלָּל בַּתִּשְׁבָּחוֹת, אֵל הַהוֹדָאוֹת, אֲדוֹן הַנִּפְלָאוֹת, בּוֹרֵא כָּל הַנְּשָׁמוֹת, רִבּוֹן כָּל הַמַּעֲשִׂים, הַבּוֹחֵר בְּשִׁירֵי זִמְרָה, מֶלֶךְ יָחִיד, חֵי הָעוֹלָמִים[א]:

הש"ץ אומר חצי קדיש:

יִתְגַּדַּל וְיִתְקַדַּשׁ שְׁמֵהּ רַבָּא. אמן בְּעָלְמָא דִּי בְרָא כִרְעוּתֵהּ וְיַמְלִיךְ מַלְכוּתֵהּ, וְיַצְמַח פּוּרְקָנֵהּ וִיקָרֵב מְשִׁיחֵהּ. אמן בְּחַיֵּיכוֹן וּבְיוֹמֵיכוֹן וּבְחַיֵּי דְכָל בֵּית יִשְׂרָאֵל, בַּעֲגָלָא וּבִזְמַן קָרִיב, וְאִמְרוּ אָמֵן: יְהֵא שְׁמֵהּ רַבָּא מְבָרַךְ לְעָלַם וּלְעָלְמֵי עָלְמַיָּא. יִתְבָּרַךְ, וְיִשְׁתַּבַּח, וְיִתְפָּאַר, וְיִתְרוֹמַם, וְיִתְנַשֵּׂא, וְיִתְהַדָּר, וְיִתְעַלֶּה, וְיִתְהַלָּל, שְׁמֵהּ דְּקוּדְשָׁא בְּרִיךְ הוּא. אמן לְעֵלָּא מִן כָּל בִּרְכָתָא וְשִׁירָתָא, תֻּשְׁבְּחָתָא וְנֶחֱמָתָא, דַּאֲמִירָן בְּעָלְמָא, וְאִמְרוּ אָמֵן:

חזן **בָּרְכוּ אֶת יְיָ הַמְבֹרָךְ:**

קהל וחזן **בָּרוּךְ יְיָ הַמְבֹרָךְ לְעוֹלָם וָעֶד:**

ואין עונין אחריו אמן:

בָּרוּךְ אַתָּה יְיָ אֱלֹהֵינוּ מֶלֶךְ הָעוֹלָם, יוֹצֵר אוֹר וּבוֹרֵא חֹשֶׁךְ[א], עֹשֶׂה שָׁלוֹם וּבוֹרֵא אֶת הַכֹּל:

א) בעשי"ת מיום א' דר"ה עד אחר יו"כ קודם חצי קדיש יאמר זה:

[ב] שִׁיר הַמַּעֲלוֹת מִמַּעֲמַקִּים קְרָאתִיךָ יְיָ: אֲדֹנָי שִׁמְעָה בְקוֹלִי תִּהְיֶינָה אָזְנֶיךָ קַשֻּׁבוֹת, לְקוֹל תַּחֲנוּנָי: אִם עֲוֹנוֹת תִּשְׁמָר יָהּ אֲדֹנָי מִי יַעֲמֹד: כִּי עִמְּךָ הַסְּלִיחָה לְמַעַן תִּוָּרֵא: קִוִּיתִי יְיָ קִוְּתָה נַפְשִׁי, וְלִדְבָרוֹ הוֹחָלְתִּי: נַפְשִׁי לַאדֹנָי, מִשֹּׁמְרִים לַבֹּקֶר שֹׁמְרִים לַבֹּקֶר: יַחֵל יִשְׂרָאֵל אֶל יְיָ כִּי עִם יְיָ הַחֶסֶד, וְהַרְבֵּה עִמּוֹ פְדוּת: וְהוּא יִפְדֶּה אֶת יִשְׂרָאֵל מִכֹּל עֲוֹנוֹתָיו: ח"ק

תו"א א) ישעיה מה ז (בשינוי לשון): ב) תהלים קל:

הַמֵּאִיר לָאָרֶץ וְלַדָּרִים עָלֶיהָ בְּרַחֲמִים, וּבְטוּבוֹ מְחַדֵּשׁ בְּכָל יוֹם תָּמִיד מַעֲשֵׂה בְרֵאשִׁית. מָה[א] רַבּוּ מַעֲשֶׂיךָ יְיָ, כֻּלָּם בְּחָכְמָה עָשִׂיתָ, מָלְאָה הָאָרֶץ קִנְיָנֶךָ. הַמֶּלֶךְ הַמְרוֹמָם לְבַדּוֹ מֵאָז, הַמְשֻׁבָּח וְהַמְפֹאָר וְהַמִּתְנַשֵּׂא מִימוֹת עוֹלָם. אֱלֹהֵי עוֹלָם, בְּרַחֲמֶיךָ הָרַבִּים רַחֵם עָלֵינוּ, אֲדוֹן עֻזֵּנוּ צוּר מִשְׂגַּבֵּנוּ, מָגֵן יִשְׁעֵנוּ מִשְׂגָּב בַּעֲדֵנוּ. אֵל בָּרוּךְ גְּדוֹל דֵּעָה, הֵכִין וּפָעַל זָהֳרֵי חַמָּה, טוֹב יָצַר כָּבוֹד לִשְׁמוֹ, מְאוֹרוֹת נָתַן סְבִיבוֹת עֻזּוֹ, פִּנּוֹת צְבָאָיו קְדוֹשִׁים, רוֹמְמֵי שַׁדַּי, תָּמִיד מְסַפְּרִים, כְּבוֹד אֵל וּקְדֻשָּׁתוֹ. תִּתְבָּרַךְ יְיָ אֱלֹהֵינוּ בַּשָּׁמַיִם מִמַּעַל וְעַל הָאָרֶץ מִתָּחַת, עַל כָּל שֶׁבַח מַעֲשֵׂה יָדֶיךָ, וְעַל מְאוֹרֵי אוֹר שֶׁיָּצַרְתָּ יְפָאֲרוּךָ סֶּלָה:

תִּתְבָּרַךְ לָנֶצַח צוּרֵנוּ מַלְכֵּנוּ וְגוֹאֲלֵנוּ בּוֹרֵא קְדוֹשִׁים, יִשְׁתַּבַּח שִׁמְךָ לָעַד מַלְכֵּנוּ יוֹצֵר מְשָׁרְתִים, וַאֲשֶׁר מְשָׁרְתָיו, כֻּלָּם עוֹמְדִים בְּרוּם עוֹלָם, וּמַשְׁמִיעִים בְּיִרְאָה יַחַד בְּקוֹל, דִּבְרֵי אֱלֹהִים חַיִּים וּמֶלֶךְ עוֹלָם. כֻּלָּם אֲהוּבִים, כֻּלָּם בְּרוּרִים, כֻּלָּם גִּבּוֹרִים, כֻּלָּם קְדוֹשִׁים, וְכֻלָּם עֹשִׂים בְּאֵימָה וּבְיִרְאָה רְצוֹן קוֹנָם. וְכֻלָּם פּוֹתְחִים אֶת פִּיהֶם בִּקְדֻשָּׁה וּבְטָהֳרָה, בְּשִׁירָה וּבְזִמְרָה, וּמְבָרְכִים וּמְשַׁבְּחִים, וּמְפָאֲרִים וּמַעֲרִיצִים, וּמַקְדִּישִׁים וּמַמְלִיכִים:

תו"א א) תהלים קד כד:

אֶת שֵׁם הָאֵל, הַמֶּלֶךְ הַגָּדוֹל, הַגִּבּוֹר וְהַנּוֹרָא קָדוֹשׁ הוּא: וְכֻלָּם מְקַבְּלִים עֲלֵיהֶם עֹל מַלְכוּת שָׁמַיִם זֶה מִזֶּה, וְנוֹתְנִים בְּאַהֲבָה רְשׁוּת זֶה לָזֶה, לְהַקְדִּישׁ לְיוֹצְרָם בְּנַחַת־רוּחַ בְּשָׂפָה בְרוּרָה וּבִנְעִימָה קְדוֹשָׁה. כֻּלָּם כְּאֶחָד עוֹנִים בְּאֵימָה וְאוֹמְרִים בְּיִרְאָה:

קָדוֹשׁ׀ קָדוֹשׁ קָדוֹשׁ יְיָ צְבָאוֹת, מְלֹא כָל הָאָרֶץ כְּבוֹדוֹ:[א]

וְהָאוֹפַנִּים וְחַיּוֹת הַקֹּדֶשׁ בְּרַעַשׁ גָּדוֹל מִתְנַשְּׂאִים לְעֻמַּת הַשְּׂרָפִים, לְעֻמָּתָם מְשַׁבְּחִים וְאוֹמְרִים:

בָּרוּךְ כְּבוֹד יְיָ מִמְּקוֹמוֹ:[ב]

לָאֵל בָּרוּךְ נְעִימוֹת יִתֵּנוּ, לַמֶּלֶךְ אֵל חַי וְקַיָּם, זְמִרוֹת יֹאמֵרוּ וְתִשְׁבָּחוֹת יַשְׁמִיעוּ, כִּי הוּא לְבַדּוֹ מָרוֹם וְקָדוֹשׁ, פּוֹעֵל גְּבוּרוֹת, עוֹשֶׂה חֲדָשׁוֹת, בַּעַל מִלְחָמוֹת, זוֹרֵעַ צְדָקוֹת, מַצְמִיחַ יְשׁוּעוֹת, בּוֹרֵא רְפוּאוֹת, נוֹרָא תְהִלּוֹת, אֲדוֹן הַנִּפְלָאוֹת, הַמְחַדֵּשׁ בְּטוּבוֹ בְּכָל יוֹם תָּמִיד מַעֲשֵׂה בְרֵאשִׁית. כָּאָמוּר, לְעֹשֵׂה אוֹרִים גְּדֹלִים, כִּי לְעוֹלָם חַסְדּוֹ.[ג] בָּרוּךְ אַתָּה יְיָ יוֹצֵר הַמְּאוֹרוֹת:

אַהֲבַת עוֹלָם אֲהַבְתָּנוּ יְיָ אֱלֹהֵינוּ, חֶמְלָה גְדוֹלָה וִיתֵרָה חָמַלְתָּ עָלֵינוּ. אָבִינוּ מַלְכֵּנוּ

בעבור

תו"א א) ישעיה ו ג: ב) יחזקאל ג יב: ג) תהלים קלו ז:

בַּעֲבוּר שִׁמְךָ הַגָּדוֹל וּבַעֲבוּר אֲבוֹתֵינוּ שֶׁבָּטְחוּ בְךָ, וַתְּלַמְּדֵם חֻקֵּי חַיִּים, לַעֲשׂוֹת רְצוֹנְךָ בְּלֵבָב שָׁלֵם, כֵּן תְּחָנֵּנוּ וּתְלַמְּדֵנוּ. אָבִינוּ אָב הָרַחֲמָן, הַמְּרַחֵם, רַחֶם־נָא עָלֵינוּ, וְתֵן בְּלִבֵּנוּ בִּינָה לְהָבִין וּלְהַשְׂכִּיל, לִשְׁמֹעַ לִלְמֹד וּלְלַמֵּד, לִשְׁמֹר וְלַעֲשׂוֹת וּלְקַיֵּם, אֶת כָּל דִּבְרֵי תַלְמוּד תּוֹרָתֶךָ בְּאַהֲבָה. וְהָאֵר עֵינֵינוּ בְּתוֹרָתֶךָ, וְדַבֵּק לִבֵּנוּ בְּמִצְוֹתֶיךָ, וְיַחֵד לְבָבֵנוּ לְאַהֲבָה וּלְיִרְאָה אֶת שְׁמֶךָ, וְלֹא נֵבוֹשׁ, וְלֹא נִכָּלֵם, וְלֹא נִכָּשֵׁל, לְעוֹלָם וָעֶד. כִּי בְשֵׁם קָדְשְׁךָ הַגָּדוֹל וְהַנּוֹרָא בָּטָחְנוּ, נָגִילָה וְנִשְׂמְחָה בִּישׁוּעָתֶךָ. וְרַחֲמֶיךָ יְיָ אֱלֹהֵינוּ וַחֲסָדֶיךָ הָרַבִּים אַל יַעַזְבוּנוּ נֶצַח סֶלָה וָעֶד. מַהֵר וְהָבֵא עָלֵינוּ בְּרָכָה וְשָׁלוֹם מְהֵרָה, וַהֲבִיאֵנוּ לְשָׁלוֹם מֵאַרְבַּע כַּנְפוֹת הָאָרֶץ, וּשְׁבוֹר עֹל הַגּוֹיִם מֵעַל צַוָּארֵנוּ, וְתוֹלִיכֵנוּ מְהֵרָה קוֹמְמִיּוּת לְאַרְצֵנוּ, כִּי אֵל פּוֹעֵל יְשׁוּעוֹת אָתָּה, וּבָנוּ בָחַרְתָּ מִכָּל עַם וְלָשׁוֹן, וְקֵרַבְתָּנוּ מַלְכֵּנוּ לְשִׁמְךָ הַגָּדוֹל בְּאַהֲבָה לְהוֹדוֹת לְךָ וּלְיַחֶדְךָ וּלְאַהֲבָה אֶת שְׁמֶךָ. בָּרוּךְ אַתָּה יְיָ הַבּוֹחֵר בְּעַמּוֹ יִשְׂרָאֵל בְּאַהֲבָה:

שלחן ערוך הלכות קריאת שמע אדמו״ר

(א) מצוה לאחוז הציצית בידו השמאלית כנגד לבו בשעת קריאת שמע רמז לדבר והיו הדברים האלה על לבבך ויש מי שאומר שיאחוז אותם בין קמיצה לזרת של שמאל: (ב) לכתחלה צריך ליזהר ולקרות כל הג׳ פרשיות של קריאת שמע בכוונה באימה וביראה ברתת ובזיעה כו׳: (ג) כל המאריך בדלי״ת של א ח ד מאריכין לו ימיו ושנותיו וגם לא יחטוף בחי״ת אלא יאריך בה קצת כדי שימליך הקב״ה בשמים ובארץ שז׳ רקיעים והארץ כמנין חי״ת אבל בדלי״ת צריך להאריך יותר כדי שיעור שיחשוב שהקב״ה יחיד בעולמו ומושל בד׳ רוחות העולם: (ד) צריך להדגיש בדלי״ת שלא תהיה כרי״ש ולא שיקראנה בדגש שהרי אין בה הגש אלא שיטעימנה בפה יפה וכל שכן שלא יפה עושים המדגישים ומאריכין יותר מדאי ונראה כאלו הד׳ נקודה בשוא כו׳ אלא יאריך במחשבתו להמליכו בד׳ רוחות בקריאת הד׳ ואחריה בטרם שיתחיל ברוך שם כו׳ יש לו להפסיק מעט בין אחד לברוך: (ה) אחר פסוק ראשון צריך לומר ברוך שם כבוד מלכותו לעולם ועד בחשאי כו׳ ואם לא אמרו כל עיקר מחזירין אותו: (ו) צריך להפסיק מעט בין ברוך שם כבוד מלכותו לעולם ועד לואהבת כו׳ ויש להפסיק בפסוק ראשון בין ישראל לה׳ ובין אלהינו לה׳ הב׳ כדי שיהיה נשמע שמע ישראל כי ה׳ שהוא אלהינו הוא ה׳ אחד: (ז) צריך להפסיק בין היום לעל לבבך ובין היום ללאהבה שלא יהיה נראה היום על לבבך ולא למחר: (ח) צריך להדגיש יו״ד של שמע ישראל שלא תבלע ולא תראה אל״ף וכאלו אומר אשראל

אשראל וכן יו"ד של והיו שלא יהיה נשמע כאלו אומר והאו: (ט) צריך ליתן ריוח בין תיבה שאות שבתחלתה כאות שבסוף תיבה שלפניה שלא תבלע את אחת מהן כגון על לבבך על לבבכם ואבדתם מהרה הכנף פתיל אתכם מארץ וכן בכל לבבך בכל לבבכם אלא שבהן צריך שלא יפסיק הרבה שהרי יש מקיף בינתיים וצריך להסמיכן ואף על פי כן יתן ריוח והבדלה בל' שיהיה נשמע שקורין ב' למדי"ן: (י) כל תיבה שתחלתה אל"ף וסוף תיבה שלפניה מ"ם צריך להפסיק מעט ביניהם שלא תבלע האל"ף כגון ולמדתם אותם וקשרתם אותם וראיתם אותו ושמתם את וזכרתם את ועשיתם את שלא יהיה נראה כקורא מותו מת: (יא) צריך להשמיע לאזניו מה שמוציא מפיו שנאמר שמע השמע לאזניך ואם לא השמיע לאזניו יצא ובלבד שיוציא בשפתיו כו' ומכל מקום אם הוא אנוס שאינו יכול להוציא בשפתיו כו' יש לו להרהר בלבו כו': (יב) אף על פי שלכתחלה צריך לכוין בכל ג' פרשיות עיקר הכוונה הוא בפסוק ראשון שהוא קבלת מלכות שמים וה"ה לברוך שם כבוד מלכותו לעולם ועד שהוא גם כן קבלת מלכות שמים אבל מואהבת ואילך הוא לשון צוואה לפיכך אם קרא קריאת שמע ולא כוון לבו בפסוק ראשון או בברוך שם כבוד מלכותו לעולם ועד צריך לחזור ולקרותן כו' וכשקורא פסוק שמע ישראל פעם שנית יקרא בלחש אם הוא בצבור שלא יהיה נראה כמקבל ב' רשויות ואם לא נזכר שלא כוון לבו עד לאחר שסיים כל הפרשה צריך לחזור לראש:

שְׁמַע[א] יִשְׂרָאֵל יְיָ אֱלֹהֵינוּ יְיָ | אֶחָֽד׃

בָּרוּךְ שֵׁם כְּבוֹד מַלְכוּתוֹ לְעוֹלָם וָעֶד׃

וְאָהַבְתָּ אֵת יְיָ אֱלֹהֶיךָ, בְּכָל לְבָבְךָ
וּבְכָל נַפְשְׁךָ וּבְכָל מְאֹדֶךָ׃
וְהָיוּ הַדְּבָרִים הָאֵלֶּה, אֲשֶׁר אָנֹכִי
מְצַוְּךָ הַיּוֹם, עַל לְבָבֶךָ׃ וְשִׁנַּנְתָּם לְבָנֶיךָ
וְדִבַּרְתָּ בָּם, בְּשִׁבְתְּךָ בְּבֵיתֶךָ וּבְלֶכְתְּךָ
בַדֶּרֶךְ וּבְשָׁכְבְּךָ וּבְקוּמֶךָ׃ וּקְשַׁרְתָּם
לְאוֹת עַל יָדֶךָ, וְהָיוּ לְטֹטָפֹת בֵּין עֵינֶיךָ׃
וּכְתַבְתָּם עַל מְזֻזוֹת בֵּיתֶךָ וּבִשְׁעָרֶיךָ׃

[ב] וְהָיָה, אִם שָׁמֹעַ תִּשְׁמְעוּ אֶל מִצְוֺתַי, אֲשֶׁר אָנֹכִי
מְצַוֶּה אֶתְכֶם הַיּוֹם, לְאַהֲבָה אֶת יְיָ אֱלֹהֵיכֶם
וּלְעָבְדוֹ, בְּכָל לְבַבְכֶם וּבְכָל נַפְשְׁכֶם׃ וְנָתַתִּי

תו"א א) דברים ו ד: ב) שם יא יג:

1 מְטַר אַרְצְכֶם בְּעִתּוֹ יוֹרֶה וּמַלְקוֹשׁ, וְאָסַפְתָּ

2 דְגָנֶךָ וְתִירֹשְׁךָ וְיִצְהָרֶךָ: וְנָתַתִּי עֵשֶׂב בְּשָׂדְךָ

3 לִבְהֶמְתֶּךָ וְאָכַלְתָּ וְשָׂבָעְתָּ: הִשָּׁמְרוּ לָכֶם פֶּן

4 יִפְתֶּה לְבַבְכֶם, וְסַרְתֶּם וַעֲבַדְתֶּם אֱלֹהִים אֲחֵרִים

5 וְהִשְׁתַּחֲוִיתֶם לָהֶם: וְחָרָה, אַף יְיָ בָּכֶם וְעָצַר אֶת

6 הַשָּׁמַיִם וְלֹא יִהְיֶה מָטָר וְהָאֲדָמָה לֹא תִתֵּן אֶת

7 יְבוּלָהּ, וַאֲבַדְתֶּם מְהֵרָה מֵעַל הָאָרֶץ הַטֹּבָה

8 אֲשֶׁר יְיָ נֹתֵן לָכֶם: וְשַׂמְתֶּם אֶת דְּבָרַי אֵלֶּה עַל

9 לְבַבְכֶם וְעַל נַפְשְׁכֶם, וּקְשַׁרְתֶּם אֹתָם לְאוֹת עַל

10 יֶדְכֶם וְהָיוּ לְטוֹטָפֹת בֵּין עֵינֵיכֶם: וְלִמַּדְתֶּם אֹתָם

11 אֶת בְּנֵיכֶם לְדַבֵּר בָּם, בְּשִׁבְתְּךָ בְּבֵיתֶךָ וּבְלֶכְתְּךָ

12 בַדֶּרֶךְ וּבְשָׁכְבְּךָ וּבְקוּמֶךָ: וּכְתַבְתָּם עַל מְזוּזוֹת

13 בֵּיתֶךָ וּבִשְׁעָרֶיךָ: לְמַעַן יִרְבּוּ יְמֵיכֶם וִימֵי

14 בְנֵיכֶם עַל הָאֲדָמָה אֲשֶׁר נִשְׁבַּע יְיָ לַאֲבֹתֵיכֶם

15 לָתֵת לָהֶם, כִּימֵי הַשָּׁמַיִם עַל הָאָרֶץ:

(שו״ע) (א) כשיגיע לפ׳ ציצית יקחם בידו הימנית ויביט בהם ויהיו בידו עד שיגיע לונחמדים לעד ואז ינשק הציצית
ויסירם מידו:

16 וַיֹּאמֶר יְיָ אֶל מֹשֶׁה לֵּאמֹר: דַּבֵּר אֶל בְּנֵי

17 יִשְׂרָאֵל וְאָמַרְתָּ אֲלֵהֶם וְעָשׂוּ

18 לָהֶם צִיצִת עַל כַּנְפֵי בִגְדֵיהֶם לְדֹרֹתָם,

19 וְנָתְנוּ עַל צִיצִת הַכָּנָף, פְּתִיל תְּכֵלֶת:

והיה

תו״א א) במדבר טו לז:

1 וְהָיָה לָכֶם לְצִיצִת, וּרְאִיתֶם אֹתוֹ,

2 וּזְכַרְתֶּם, אֶת כָּל מִצְוֹת יְיָ, וַעֲשִׂיתֶם,

3 אֹתָם, וְלֹא תָתוּרוּ אַחֲרֵי לְבַבְכֶם וְאַחֲרֵי

4 עֵינֵיכֶם אֲשֶׁר אַתֶּם זֹנִים אַחֲרֵיהֶם:

5 לְמַעַן תִּזְכְּרוּ וַעֲשִׂיתֶם אֶת כָּל מִצְוֹתָי,

6 וִהְיִיתֶם קְדֹשִׁים לֵאלֹהֵיכֶם: אֲנִי יְיָ

7 אֱלֹהֵיכֶם, אֲשֶׁר הוֹצֵאתִי אֶתְכֶם, מֵאֶרֶץ

8 מִצְרַיִם לִהְיוֹת לָכֶם לֵאלֹהִים, אֲנִי יְיָ

9 אֱלֹהֵיכֶם   ויצרף אלהיכם לאמת

10 אֱמֶת, וְיַצִּיב, וְנָכוֹן, וְקַיָּם, וְיָשָׁר, וְנֶאֱמָן; וְאָהוּב

11 וְחָבִיב, וְנֶחְמָד וְנָעִים, וְנוֹרָא וְאַדִּיר,

12 וּמְתֻקָּן וּמְקֻבָּל, וְטוֹב וְיָפֶה, הַדָּבָר הַזֶּה עָלֵינוּ

13 לְעוֹלָם וָעֶד: אֱמֶת, אֱלֹהֵי עוֹלָם מַלְכֵּנוּ צוּר

14 יַעֲקֹב מָגֵן יִשְׁעֵנוּ, לְדֹר וָדֹר הוּא קַיָּם, וּשְׁמוֹ קַיָּם,

15 וְכִסְאוֹ נָכוֹן, וּמַלְכוּתוֹ וֶאֱמוּנָתוֹ לָעַד קַיֶּמֶת.

16 וּדְבָרָיו חַיִּים וְקַיָּמִים, נֶאֱמָנִים וְנֶחֱמָדִים לָעַד

17 וּלְעוֹלְמֵי עוֹלָמִים עַל אֲבוֹתֵינוּ וְעָלֵינוּ, עַל בָּנֵינוּ

18 וְעַל דּוֹרוֹתֵינוּ, וְעַל כָּל דּוֹרוֹת זֶרַע יִשְׂרָאֵל עֲבָדֶיךָ:

על

1 עַל הָרִאשׁוֹנִים וְעַל הָאַחֲרוֹנִים דָּבָר טוֹב וְקַיָּם בֶּאֱמֶת

2 וּבֶאֱמוּנָה חוֹק וְלֹא יַעֲבֹר. אֱמֶת, שָׁאַתָּה הוּא יְיָ אֱלֹהֵינוּ

3 וֵאלֹהֵי אֲבוֹתֵינוּ, מַלְכֵּנוּ מֶלֶךְ אֲבוֹתֵינוּ, גּוֹאֲלֵנוּ גּוֹאֵל

4 אֲבוֹתֵינוּ, צוּרֵנוּ, צוּר יְשׁוּעָתֵנוּ, פּוֹדֵנוּ וּמַצִּילֵנוּ מֵעוֹלָם הוּא

5 שְׁמֶךָ, וְאֵין לָנוּ עוֹד אֱלֹהִים זוּלָתֶךָ סֶלָה:

6 עֶזְרַת אֲבוֹתֵינוּ אַתָּה הוּא מֵעוֹלָם, מָגֵן וּמוֹשִׁיעַ

7 לָהֶם וְלִבְנֵיהֶם אַחֲרֵיהֶם בְּכָל דּוֹר וָדוֹר:

8 בְּרוּם עוֹלָם מוֹשָׁבֶךָ, וּמִשְׁפָּטֶיךָ וְצִדְקָתְךָ עַד

9 אַפְסֵי אָרֶץ. אֱמֶת, אַשְׁרֵי אִישׁ שֶׁיִּשְׁמַע לְמִצְוֹתֶיךָ,

10 וְתוֹרָתְךָ וּדְבָרְךָ יָשִׂים עַל לִבּוֹ. אֱמֶת, אַתָּה

11 הוּא אָדוֹן לְעַמֶּךָ, וּמֶלֶךְ גִּבּוֹר לָרִיב רִיבָם,

12 לְאָבוֹת וּבָנִים. אֱמֶת, אַתָּה הוּא רִאשׁוֹן, וְאַתָּה

13 הוּא אַחֲרוֹן, וּמִבַּלְעָדֶיךָ אֵין לָנוּ מֶלֶךְ גּוֹאֵל

14 וּמוֹשִׁיעַ. אֱמֶת, מִמִּצְרַיִם גְּאַלְתָּנוּ יְיָ אֱלֹהֵינוּ,

15 וּמִבֵּית עֲבָדִים פְּדִיתָנוּ . כָּל בְּכוֹרֵיהֶם

16 הָרַגְתָּ, וּבְכוֹרְךָ יִשְׂרָאֵל גָּאָלְתָּ, וְיַם סוּף לָהֶם

17 בָּקַעְתָּ , וְזֵדִים טִבַּעְתָּ , וִידִידִים הֶעֱבַרְתָּ,

18 וַיְכַסּוּ מַיִם צָרֵיהֶם, אֶחָד מֵהֶם לֹא נוֹתָר.

19 עַל זֹאת שִׁבְּחוּ אֲהוּבִים, וְרוֹמְמוּ לָאֵל, וְנָתְנוּ

20 יְדִידִים זְמִרוֹת שִׁירוֹת וְתִשְׁבָּחוֹת, בְּרָכוֹת

21 וְהוֹדָאוֹת לְמֶלֶךְ אֵל חַי וְקַיָּם: רָם וְנִשָּׂא גָּדוֹל

22 וְנוֹרָא, מַשְׁפִּיל גֵּאִים עֲדֵי אָרֶץ, וּמַגְבִּיהַּ שְׁפָלִים

עַד מָרוֹם, מוֹצִיא אֲסִירִים, פּוֹדֶה עֲנָוִים, עוֹזֵר דַּלִּים, הָעוֹנֶה לְעַמּוֹ יִשְׂרָאֵל בְּעֵת שַׁוְּעָם אֵלָיו. תְּהִלּוֹת לְאֵל עֶלְיוֹן גֹּאֲלָם, בָּרוּךְ הוּא וּמְבֹרָךְ, מֹשֶׁה וּבְנֵי יִשְׂרָאֵל לְךָ עָנוּ שִׁירָה בְּשִׂמְחָה רַבָּה, וְאָמְרוּ כֻלָּם: מִי כָמֹכָה בָּאֵלִם יְיָ, מִי כָּמֹכָה נֶאְדָּר בַּקֹּדֶשׁ, נוֹרָא תְהִלֹּת עֹשֵׂה־פֶלֶא:

שִׁירָה חֲדָשָׁה שִׁבְּחוּ גְאוּלִים לְשִׁמְךָ הַגָּדוֹל עַל שְׂפַת הַיָּם, יַחַד כֻּלָּם הוֹדוּ וְהִמְלִיכוּ וְאָמְרוּ: יְיָ יִמְלֹךְ לְעֹלָם וָעֶד: וְנֶאֱמַר. גֹּאֲלֵנוּ יְיָ צְבָאוֹת שְׁמוֹ, קְדוֹשׁ יִשְׂרָאֵל: בָּרוּךְ אַתָּה יְיָ גָּאַל יִשְׂרָאֵל:

שלחן ערוך הלכות תפלה אדמו"ר

(א) המתפלל צריך שיכוין בלבו פירוש המלות שמוציא בשפתיו שנאמר תכין לבם תקשיב אזנך וצריך שיראה עצמו כאלו שכינה שרויה כנגדו ויעיר הכוונה ויסיר כל המחשבות הטורדות אותו עד שתשאר מחשבתו וכוונתו זכה בתפלתו ויחשוב כי אלו היה מדבר לפני מלך בשר ודם היה מסדר דבריו ומכוין בהם יפה לבל יכשל קל וחומר לפני מלך מלכי המלכים הקדוש ברוך הוא שצריך לכוין לפניו אף מחשבתו כי לפניו המחשבה כדבור כי כל המחשבות הוא חוקר כו׳ ואם תבא לו מחשבה אחרת בתוך התפלה ישתוק עד שתתבטל המחשבה כו׳: (ב) אפי׳ לענות קדיש וברכו וקדושה לא יפסיק בתפלת י"ח אלא ישתוק ויכוין למה שאומר הש"ץ כו׳ וכשמגיע הש"ץ בקדיש ליתברך וישתבח חוזר הוא לתפלתו: (ג) הטועה ומזכיר מאורע שאר ימים בתפלה שלא בזמנה כגון יעלה ויבא שלא בראש חודש וחולו של מועד או של שבת ויום טוב בחול אם נזכר שטעה פוסק מיד אפי׳ באמצע הברכה. ואם לא נזכר עד לאחר שגמר הברכה או כל התפלה כו׳ יחזור ויתפלל בתורת נדבה ואין צריך לחדש בה דבר: (ד) צריך לסמוך גאולה לתפלה ולא יפסיק ביניהם כו׳ בשום פסוק שנוהגין לומר קודם תפלת י"ח כגון פסוק כי שם ה׳ אקרא ודומיו חוץ מפסוק אדני שפתי תפתח שהיא חובה מתקנת חכמים ואינו חשוב הפסק: (ה) אלו ברכות ששוחין בהן באבות תחלה וסוף ובהודאה תחלה וסוף ואם בא לשחות בסוף כל ברכה או בתחלתה מלמדין אותו שלא ישחה כו׳ אבל באמצעיתן מותר לשחות: (ו) המתפלל כורע בברוך וזוקף בשם על שם ה׳ זוקף כפופים: (ז) כשאומר ברוך יכרע בברכיו ובאתה ישתחוה עד שיתפקקו החוליות:

אֲדֹנָי, שְׂפָתַי תִּפְתָּח וּפִי יַגִּיד תְּהִלָּתֶךָ:

בָּרוּךְ אַתָּה יְיָ אֱלֹהֵינוּ וֵאלֹהֵי אֲבוֹתֵינוּ, אֱלֹהֵי אַבְרָהָם, אֱלֹהֵי יִצְחָק, וֵאלֹהֵי יַעֲקֹב, הָאֵל הַגָּדוֹל הַגִּבּוֹר

תו"א א) שמות טו יא: ב) שם טו יח: ג) ישעיה מז ד: ד) תהלים נא יז: ה) דברים י יז; נחמיה ט לב:

וְהַנּוֹרָא, אֵל עֶלְיוֹן, גּוֹמֵל חֲסָדִים טוֹבִים, קוֹנֵה הַכֹּל, וְזוֹכֵר חַסְ*דֵי אָבוֹת, וּמֵבִיא גוֹאֵל לִבְ*נֵי בְנֵיהֶם לְמַעַן שְׁמוֹ בְּאַהֲבָה:

(שו"ע) (א) הגאונים תקנו לומר בעשי"ת בברכת אבות זכרנו ובגבורות מי כמוך ובהודאה וכתוב ובשים שלום בספר ואם שכח לאומרם ונזכר קודם שסיים הברכה ששכח בה אומרם במקום שנזכר ואם נזכר לאחר שהזכיר את השם שבחתימת הברכה לא יאמר במקום שנזכר וגם לא יחזור לראש הברכה משום איסור ברכה לבטלה כיון דאינן אלא תיקון הגאונים:

בעשי"ת

זָכְ*רֵנוּ לְחַיִּים, מֶלֶךְ חָפֵץ בַּחַיִּים, וְכָתְ*בֵנוּ בְּסֵפֶר הַחַיִּים, לְמַעַנְ*ךָ אֱלֹהִים חַיִּים:

מֶלֶךְ, עוֹזֵר וּמוֹשִׁיעַ וּמָגֵן. בָּרוּךְ אַתָּה יְיָ, מָגֵן אַבְרָהָם:

אַתָּה גִּבּוֹר לְעוֹלָם אֲדֹנָי, מְחַיֵּה מֵתִים אַתָּה, רַב לְהוֹשִׁיעַ:

(שו"ע) (א) מתחילין להזכיר הגשם בברכה שניה בתפלת מוסף של שמיני עצרת ואין פוסקין עד תפלת מוסף של יום טוב הראשון של פסח: (ב) אם אמר מוריד הגשם בימות החמה מחזירין אותו כו' צריך לחזור לראש הברכה כו' ואם נזכר אחר חתימת הברכה צריך לחזור לראש התפלה: (ג) בימות הגשמים אם לא אמר מוריד הגשם (אפי' אמר משיב הרוח) מחזירין אותו והוא שלא הזכיר טל אבל אם הזכיר טל אין מחזירין אותו (אפי' לא סיים הברכה): (ד) במה דברים אמורים שמחזירין אותו אם לא הזכיר גשם ולא טל בימות הגשמים כשסיים כל הברכה והתחיל ברכה שלאחריה ואז חוזר לראש התפלה מטעם שנתבאר למעלה אבל אם נזכר קודם שסיים הברכה יאמר משיב הרוח ומוריד הגשם במקום שנזכר כו' ואפי' אם סיים הברכה ונזכר קודם שהתחיל אתה קדוש אין צריך לחזור לראש אלא יאמר משיב הרוח ומוריד הגשם בלא חתימה ושוב אומר אתה קדוש: (ה) אם מסופק בימות החמה אם הזכיר מוריד הגשם עד ל' יום בחזקת שהזכירו כמו שהיה רגיל כל ימות החורף וצריך לחזור, לאחר ל' יום אין צריך לחזור שכבר נתרגל לשונו לומר כהלכה ומן הסתם אמר כהרגל לשונו:

בקיץ מוֹרִיד הַטָּל: בחורף מַשִּׁיב הָרוּחַ וּמוֹרִיד הַגֶּשֶׁם:

מְכַלְכֵּל חַיִּים בְּחֶסֶד, מְחַיֵּה מֵתִים בְּרַחֲמִים רַבִּים, סוֹמֵךְ נוֹפְ*לִים, וְרוֹפֵא חוֹלִים, וּמַתִּיר אֲסוּרִים, וּמְ*קַיֵּם אֱמוּנָתוֹ

לִישֵׁנֵי עָפָר. מִי כָמוֹךָ בַּעַל גְּבוּרוֹת
וּמִי דּוֹמֶה לָּךְ, מֶלֶךְ מֵמִית וּמְחַיֶּה
וּמַצְמִיחַ יְשׁוּעָה:

שכח לומר מי כמוך דינו כמו בזכרנו ע״ש:

בעשי״ת מִי כָמוֹךָ אַב הָרַחֲמָן זוֹכֵר יְצוּרָיו לְחַיִּים בְּרַחֲמִים:

וְנֶאֱמָן אַתָּה לְהַחֲיוֹת מֵתִים. בָּרוּךְ
אַתָּה יְיָ, מְחַיֵּה הַמֵּתִים: בחזרת הש״ץ אומרים כאן קדושה *)

(שו״ע) (א) כל השנה אדם מתפלל האל הקדוש בברכה ג׳ ומלך אוהב צדקה ומשפט בברכה י״א חוץ מעשרה ימים שבין ר״ה ליוה״כ שבהן צריך לומר המלך הקדוש המלך המשפט כו׳ ואם טעה ואמר האל הקדוש או שהוא מסופק אם אמר המלך הקדוש אם נזכר לאחר ששהה כדי שאילת שלום תלמיד לרבו אחר גמר הברכה ואין צריך לומר אם נזכר לאחר שהתחיל ברכה רביעית צריך לחזור לראש התפלה: (ב) ואם נזכר קודם ששהה כדי שיעור הזה אומר המלך הקדוש ואינו צריך לחזור לראש וכן הדין בהמלך המשפט ואם נזכר לאחר ששהה כדי שיעור הזה שאמר מלך אוהב צדקה ומשפט אין צריך לחזור לראש כו׳ אבל לאחר שעקר רגליו טוב שיתפלל עוד פעם בתורת נדבה ואין צריך לחדש בה דבר:

אַתָּה קָדוֹשׁ וְשִׁמְךָ קָדוֹשׁ, וּקְדוֹשִׁים
בְּכָל יוֹם יְהַלְלוּךָ סֶּלָה. בָּרוּךְ
אַתָּה יְיָ, הָאֵל (בעשי״ת הַמֶּלֶךְ) הַקָּדוֹשׁ:

אתה

---

*) קדושה לש״ץ בחזרת התפלה:

נַקְדִּישָׁךְ וְנַעֲרִיצָךְ כְּנֹעַם שִׂיחַ סוֹד שַׂרְפֵי קֹדֶשׁ הַמְשַׁלְּשִׁים
לְךָ קְדֻשָּׁה, כַּכָּתוּב עַל יַד נְבִיאֶךָ, וְקָרָא זֶה
אֶל זֶה וְאָמַר: קו״ח קָדוֹשׁ, קָדוֹשׁ, קָדוֹשׁ יְיָ צְבָאוֹת, מְלֹא
כָל הָאָרֶץ כְּבוֹדוֹ: חזן לְעֻמָּתָם מְשַׁבְּחִים וְאוֹמְרִים: קו״ח בָּרוּךְ
כְּבוֹד יְיָ מִמְּקוֹמוֹ: חזן וּבְדִבְרֵי קָדְשְׁךָ כָּתוּב לֵאמֹר:
קו״ח יִמְלֹךְ יְיָ לְעוֹלָם, אֱלֹהַיִךְ צִיּוֹן, לְדֹר וָדֹר הַלְלוּיָהּ:

אתה קדוש

תו״א א) ישעיה ו ג: ב) יחזקאל ג יב: ג) תהלים קמו י:

1 אַתָּה חוֹנֵן לְאָדָם דַּעַת, וּמְלַמֵּד

2 לֶאֱנוֹשׁ בִּינָה, חָנֵּנוּ מֵאִתְּךָ

3 חָכְמָה בִּינָה וָדָעַת. בָּרוּךְ אַתָּה יְיָ,

4 חוֹנֵן הַדָּעַת:

5 הֲשִׁיבֵנוּ אָבִינוּ לְתוֹרָתֶךָ, וְקָרְבֵנוּ

6 מַלְכֵּנוּ לַעֲבוֹדָתֶךָ, וְהַחֲזִירֵנוּ

7 בִּתְשׁוּבָה שְׁלֵמָה לְפָנֶיךָ. בָּרוּךְ אַתָּה

8 יְיָ, הָרוֹצֶה בִּתְשׁוּבָה:

9 סְלַח לָנוּ אָבִינוּ, כִּי חָטָאנוּ, מְחוֹל לָנוּ

10 מַלְכֵּנוּ, כִּי פָשָׁעְנוּ, כִּי אֵל טוֹב

11 וְסַלָּח אַתָּה. בָּרוּךְ אַתָּה יְיָ, חַנּוּן,

12 הַמַּרְבֶּה לִסְלוֹחַ:

13 רְאֵה נָא בְעָנְיֵנוּ וְרִיבָה רִיבֵנוּ, וּגְאָלֵנוּ

14 מְהֵרָה לְמַעַן שְׁמֶךָ, כִּי אֵל גּוֹאֵל

15 חָזָק אָתָּה. בָּרוּךְ אַתָּה יְיָ, גּוֹאֵל יִשְׂרָאֵל:

רפאנו

(* בתענית צבור אומר הש״ץ כאן עננו

(שו״ע) (א) ש״ץ ששכח לומר עננו בתענית צבור בין גואל לרופא ולא נזכר עד לאחר שחתם ברכת רפאנו לא יחזור
כו׳ אבל אם לא חתם רפאנו יאמר עננו ואחר כך רפאנו כו׳ ואם נזכר אחר חתימת רפאנו קודם חתימת ש״ת
יאמר עננו בש״ת כיחיד כו׳ ואם שכח גם בש״ת אומרה ברכה בפ״ע אחר בשלום ואין זה שנוי מסדר הברכות כיון
שכבר נסתיימו ברכות י״ח:

16 (*עֲנֵנוּ יְיָ עֲנֵנוּ בְּיוֹם צוֹם תַּעֲנִיתֵנוּ, כִּי בְצָרָה גְדוֹלָה אֲנָחְנוּ, אַל תֵּפֶן אֶל

17 רִשְׁעֵנוּ, וְאַל תַּסְתֵּר פָּנֶיךָ מִמֶּנּוּ, וְאַל תִּתְעַלַּם מִתְּחִנָּתֵנוּ, הֱיֵה נָא קָרוֹב

18 לְשַׁוְעָתֵנוּ, יְהִי נָא חַסְדְּךָ לְנַחֲמֵנוּ, טֶרֶם נִקְרָא אֵלֶיךָ עֲנֵנוּ, כַּדָּבָר שֶׁנֶּאֱמַר:

והיה

רְפָאֵנוּ[א] יְיָ וְנֵרָפֵא, הוֹשִׁיעֵנוּ וְנִוָּשֵׁעָה כִּי תְהִלָּתֵנוּ אָתָּה, וְהַעֲלֵה אֲרוּכָה וּרְ*פוּאָה שְׁלֵמָה לְכָל מַכּוֹתֵינוּ. כִּי אֵל מֶלֶךְ רוֹפֵא נֶאֱמָן וְרַחֲמָן אָתָּה. בָּרוּךְ אַתָּה יְיָ, רוֹפֵא חוֹלֵי עַמּוֹ יִשְׂרָאֵל:

(שו״ע) (א) ברכת השנים צריך לשאול בה מטר בימות הגשמים כו׳ ומתחילין בליל ס׳ אחר תקופת תשרי ויום התקופה ויום השאלה הם בכלל הס׳ כו׳: (ב) עד מתי שואלין הגשמים עד תפלת המנחה של ערב יום טוב הראשון של פסח: (ג) ואם שאל מטר אחר יו״ט הראשון של פסח בין שנזכר קודם סיום הברכה בין שנזכר אח״כ צריך לחזור לראש הברכה מטעם שנתבאר בסי׳ קי״ד ואם לא נזכר עד לאחר חתימת ברכות אחרות צריך לחזור לראש ברכת השנים ולומר משם ואילך כל הברכות על הסדר: (ד) אם לא שאל מטר בימות הגשמים מחזירין אותו אפי׳ אם שאל טל: (ה) אם לא שאל מטר ונזכר קודם שהתחיל תקע בשופר שואלו שם כו׳ ואם נזכר אחר שהתחיל תקע בשופר קודם ש״ת אין מחזירין אותו ושואל בש״ת כו׳ ואם נזכר אחר חתימת ש״ת קודם שהתחיל רצה אומר ותן טל ומטר ואחר כך מתחיל רצה ונחשב כאלו שואלו בשומע תפלה ואם לא נזכר עד לאחר שהתחיל רצה אם לא עקר רגליו חוזר לברכת השנים ואם עקר רגליו חוזר לראש התפלה ואם השלים תפלתו ואינו רגיל לומר תחנונים אחר תפלתו אע״פ שלא עקר רגליו דינו כעקר וה״ה אם רגיל לומר תחנונים וסיים תחנוניו ואמר אחריהם יהיו לרצון וגו׳ שבאמירת פסוק זה עשה היסח הדעת מלומר עוד תחנונים ונשלמה תפלתו:

בָּרֵךְ עָלֵינוּ יְיָ אֱלֹהֵינוּ אֶת הַשָּׁנָה הַזֹּאת וְאֶת כָּל מִינֵי תְבוּאָתָהּ לְטוֹבָה, וְתֵן (בקיץ) בְּרָכָה (בחורף טַל וּמָטָר לִבְ*רָכָה) עַל פְּנֵי הָאֲדָמָה, וְשַׂבְּ*עֵנוּ מִטּוּבֶךָ, וּבָרֵךְ שְׁנָתֵנוּ כַּשָּׁנִים הַטּוֹבוֹת לִבְ*רָכָה, כִּי אֵל טוֹב וּמֵטִיב אַתָּה וּמְ*בָרֵךְ הַשָּׁנִים. בָּרוּךְ אַתָּה יְיָ, מְבָרֵךְ הַשָּׁנִים:

וְהָיָה[ב] טֶרֶם יִקְרָאוּ וַאֲנִי אֶעֱנֶה, עוֹד הֵם מְדַ*בְּרִים וַאֲנִי אֶשְׁמָע, כִּי אַתָּה יְיָ הָעוֹנֶה בְּעֵת צָרָה, פּוֹדֶה וּמַצִּיל בְּכָל עֵת צָרָה וְצוּקָה. בָּרוּךְ אַתָּה יְיָ, הָעוֹנֶה לְעַמּוֹ יִשְׂרָאֵל בְּעֵת צָרָה:

תו״א א) ירמיה יז יד (בשינוי לשון): ב) ישעיה סה כד:

1 תְּקַע בְּשׁוֹפָר גָּדוֹל לְחֵרוּתֵנוּ, וְשָׂא נֵס

2 לְקַבֵּץ גָּלֻיּוֹתֵינוּ, וְקַבְּצֵנוּ יַחַד

3 מֵאַרְבַּע כַּנְפוֹת הָאָרֶץ לְאַרְצֵנוּ. בָּרוּךְ

4 אַתָּה יְיָ, מְקַבֵּץ נִדְחֵי עַמּוֹ יִשְׂרָאֵל:

5 הָשִׁיבָה שׁוֹפְטֵינוּ כְּבָרִאשׁוֹנָה

6 וְיוֹעֲצֵינוּ כְּבַתְּחִלָּה, וְהָסֵר

7 מִמֶּנּוּ יָגוֹן וַאֲנָחָה, וּמְלוֹךְ עָלֵינוּ

8 אַתָּה יְיָ לְבַדְּךָ בְּחֶסֶד וּבְרַחֲמִים,

9 בְּצֶדֶק וּבְמִשְׁפָּט. בָּרוּךְ אַתָּה יְיָ, מֶלֶךְ

10 אוֹהֵב צְדָקָה וּמִשְׁפָּט: (בעשי״ת הַמֶּלֶךְ הַמִּשְׁפָּט):

דין הטועה בהמלך המשפט בעשי״ת עיין אצל המלך הקדוש:

11 וְלַמַּלְשִׁינִים אַל תְּהִי תִקְוָה, וְכָל

12 הַמִּינִים וְכָל הַזֵּדִים כְּרֶגַע

13 יֹאבֵדוּ, וְכָל אֹיְבֵי עַמְּךָ מְהֵרָה

14 יִכָּרֵתוּ, וּמַלְכוּת הָרִשְׁעָה מְהֵרָה תְעַקֵּר

15 וּתְשַׁבֵּר וּתְמַגֵּר, וְתַכְנִיעַ בִּמְהֵרָה

16 בְיָמֵינוּ. בָּרוּךְ אַתָּה יְיָ, שֹׁבֵר אֹיְבִים

17 וּמַכְנִיעַ זֵדִים:

18 עַל הַצַּדִּיקִים וְעַל הַחֲסִידִים, וְעַל זִקְנֵי

19 עַמְּךָ בֵּית יִשְׂרָאֵל, וְעַל פְּלֵיטַת

בית

1 בֵּית סוֹפְרֵיהֶם וְעַל גֵּרֵי הַצֶּדֶק

2 וְעָלֵינוּ, יֶהֱמוּ נָא רַחֲמֶיךָ יְיָ אֱלֹהֵינוּ, וְתֵן

3 שָׂכָר טוֹב לְכָל הַבּוֹטְחִים בְּשִׁמְךָ

4 בֶּאֱמֶת, וְשִׂים חֶלְקֵנוּ עִמָּהֶם, וּלְעוֹלָם

5 לֹא נֵבוֹשׁ כִּי בְךָ בָּטָחְנוּ. בָּרוּךְ אַתָּה

6 יְיָ, מִשְׁעָן וּמִבְטָח לַצַּדִּיקִים:

7 וְלִירוּשָׁלַיִם עִירְךָ בְּרַחֲמִים תָּשׁוּב,

8 וְתִשְׁכּוֹן בְּתוֹכָהּ כַּאֲשֶׁר

9 דִּבַּרְתָּ, וְכִסֵּא דָוִד עַבְדְּךָ מְהֵרָה

10 בְּתוֹכָהּ תָּכִין, וּבְנֵה אוֹתָהּ בְּקָרוֹב

11 בְּיָמֵינוּ בִּנְיַן עוֹלָם. בָּרוּךְ אַתָּה יְיָ,

12 בּוֹנֵה יְרוּשָׁלַיִם:

13 אֶת צֶמַח דָּוִד עַבְדְּךָ מְהֵרָה תַצְמִיחַ,

14 וְקַרְנוֹ תָּרוּם בִּישׁוּעָתֶךָ, כִּי

15 לִישׁוּעָתְךָ קִוִּינוּ כָּל הַיּוֹם. בָּרוּךְ אַתָּה

16 יְיָ, מַצְמִיחַ קֶרֶן יְשׁוּעָה:

17 שְׁמַע קוֹלֵנוּ יְיָ אֱלֹהֵינוּ, אָב הָרַחֲמָן,

18 רַחֵם עָלֵינוּ, וְקַבֵּל בְּרַחֲמִים

19 וּבְרָצוֹן אֶת תְּפִלָּתֵנוּ, כִּי אֵל שׁוֹמֵעַ

תפלות

תְּפִלּוֹת וְתַחֲנוּנִים אָתָּה, וּמִ*לְּפָנֶיךָ מַלְכֵּנוּ רֵיקָם אַל תְּשִׁיבֵנוּ, כִּי אַתָּה שׁוֹמֵעַ תְּפִלַּת כָּל פֶּה. בָּרוּךְ אַתָּה יְיָ, שׁוֹמֵעַ תְּפִלָּה:

רְצֵה יְיָ אֱלֹהֵינוּ בְּעַמְּ*ךָ יִשְׂרָאֵל וְלִ*תְפִלָּתָם שְׁעֵה, וְהָשֵׁב הָעֲבוֹדָה לִדְ*בִיר בֵּיתֶךָ, וְאִשֵּׁי יִשְׂרָאֵל וּתְ*פִלָּתָם בְּאַהֲבָה תְקַבֵּל בְּרָצוֹן, וּתְ*הִי לְרָצוֹן תָּמִיד עֲבוֹדַת יִשְׂרָאֵל עַמֶּךָ:

בראש חודש ובחול המועד אומרים כאן יעלה ויבוא*)

*) בראש חודש ובחול המועד אומרים זה:

אֱלֹהֵינוּ וֵאלֹהֵי אֲבוֹתֵינוּ, יַעֲלֶה וְיָבֹא וְיַגִּיעַ, וְיֵרָאֶה וְיֵרָצֶה וְיִשָּׁמַע, וְיִפָּקֵד וְיִזָּכֵר זִכְרוֹנֵנוּ וּפִ*קְדוֹנֵנוּ, וְזִכְרוֹן אֲבוֹתֵינוּ, וְזִכְרוֹן מָשִׁיחַ בֶּן דָּוִד עַבְדֶּךָ, וְזִכְרוֹן יְרוּשָׁלַיִם עִיר קָדְשֶׁךָ, וְזִכְרוֹן כָּל עַמְּ*ךָ בֵּית יִשְׂרָאֵל לְפָנֶיךָ, לִפְ*לֵיטָה לְטוֹבָה, לְחֵן וּלְ*חֶסֶד וּלְ*רַחֲמִים וּלְ*חַיִּים טוֹבִים וּלְ*שָׁלוֹם בְּיוֹם לראש חודש רֹאשׁ הַחֹדֶשׁ הַזֶּה. לפסח חַג הַמַּצּוֹת הַזֶּה. לסוכות חַג הַסֻּכּוֹת הַזֶּה. זָכְ*רֵנוּ יְיָ אֱלֹהֵינוּ בּוֹ לְטוֹבָה. וּפָ*קְדֵנוּ בוֹ לִבְ*רָכָה. וְהוֹשִׁיעֵנוּ בוֹ לְחַיִּים טוֹבִים. וּבִדְ*בַר יְשׁוּעָה וְרַחֲמִים, חוּס וְחָנֵּנוּ, וְרַחֵם עָלֵינוּ וְהוֹשִׁיעֵנוּ, כִּי אֵלֶיךָ עֵינֵינוּ, כִּי אֵל מֶלֶךְ חַנּוּן וְרַחוּם אָתָּה:

וְתֶחֱזֶינָה עֵינֵינוּ בְּשׁוּבְךָ לְצִיּוֹן בְּרַחֲמִים. בָּרוּךְ אַתָּה יְיָ, הַמַּחֲזִיר שְׁכִינָתוֹ לְצִיּוֹן:

מוֹדִים אֲנַחְנוּ לָךְ, שָׁאַתָּה הוּא יְיָ אֱלֹהֵינוּ וֵאלֹהֵי אֲבוֹתֵינוּ לְעוֹלָם וָעֶד צוּר חַיֵּינוּ, מָגֵן יִשְׁעֵנוּ, אַתָּה הוּא לְדוֹר וָדוֹר נוֹדֶה לְּךָ וּנְסַפֵּר תְּהִלָּתֶךָ, עַל חַיֵּינוּ הַמְּסוּרִים בְּיָדֶךָ, וְעַל נִשְׁמוֹתֵינוּ הַפְּקוּדוֹת לָךְ, וְעַל נִסֶּיךָ שֶׁבְּכָל יוֹם עִמָּנוּ, וְעַל נִפְלְאוֹתֶיךָ וְטוֹבוֹתֶיךָ שֶׁבְּכָל עֵת, עֶרֶב וָבֹקֶר וְצָהֳרָיִם, הַטּוֹב, כִּי לֹא כָלוּ רַחֲמֶיךָ, הַמְרַחֵם, כִּי לֹא תַמּוּ חֲסָדֶיךָ, כִּי מֵעוֹלָם קִוִּינוּ לָךְ:

מודים דרבנן

מוֹדִים אֲנַחְנוּ לָךְ, שָׁאַתָּה הוּא יְיָ אֱלֹהֵינוּ וֵאלֹהֵי אֲבוֹתֵינוּ, אֱלֹהֵי כָל בָּשָׂר, יוֹצְרֵנוּ, יוֹצֵר בְּרֵאשִׁית, בְּרָכוֹת וְהוֹדָאוֹת לְשִׁמְךָ הַגָּדוֹל וְהַקָּדוֹשׁ, עַל שֶׁהֶחֱיִיתָנוּ וְקִיַּמְתָּנוּ, כֵּן תְּחַיֵּנוּ וּתְקַיְּמֵנוּ, וְתֶאֱסוֹף גָּלֻיּוֹתֵינוּ לְחַצְרוֹת קָדְשֶׁךָ, וְנָשׁוּב אֵלֶיךָ לִשְׁמוֹר חֻקֶּיךָ, וְלַעֲשׂוֹת רְצוֹנֶךָ, וּלְעָבְדְךָ בְּלֵבָב שָׁלֵם, עַל שֶׁאֲנַחְנוּ מוֹדִים לָךְ, בָּרוּךְ אֵל הַהוֹדָאוֹת:

בחנוכה ובפורים אומרים כאן ועל הנסים:

וְעַל כֻּלָּם יִתְבָּרַךְ וְיִתְרוֹמַם וְיִתְנַשֵּׂא שִׁמְךָ מַלְכֵּנוּ תָּמִיד לְעוֹלָם וָעֶד:

שכח לומר וכתוב דינו כמו בזכרנו עי"ש:

בעשי"ת וּכְתוֹב לְחַיִּים טוֹבִים כָּל בְּנֵי בְרִיתֶךָ:

וְכֹל הַחַיִּים יוֹדוּךָ סֶּלָה וִיהַלְלוּ שִׁמְךָ הַגָּדוֹל לְעוֹלָם כִּי טוֹב. הָאֵל יְשׁוּעָתֵנוּ

ועזרתנו

בחנוכה ופורים אומרים ועל הנסים ואם לא אמר אין מחזירין אותו ואם נזכר קודם שסיים הברכה כ"ז שלא סיים השם אפי' נזכר בין אתה להשם חוזר:

וְעַל הַנִּסִּים וְעַל הַפֻּרְקָן וְעַל הַגְּבוּרוֹת וְעַל הַתְּשׁוּעוֹת וְעַל הַנִּפְלָאוֹת שֶׁעָשִׂיתָ לַאֲבוֹתֵינוּ בַּיָּמִים הָהֵם בִּזְּמַן הַזֶּה:

לחנוכה

בִּימֵי מַתִּתְיָהוּ בֶּן יוֹחָנָן כֹּהֵן גָּדוֹל, חַשְׁמוֹנָאִי וּבָנָיו, כְּשֶׁעָמְדָה מַלְכוּת יָוָן הָרְשָׁעָה, עַל עַמְּךָ יִשְׂרָאֵל, לְהַשְׁכִּיחָם תּוֹרָתֶךָ וּלְהַעֲבִירָם מֵחֻקֵּי רְצוֹנֶךָ, וְאַתָּה בְּרַחֲמֶיךָ הָרַבִּים, עָמַדְתָּ לָהֶם בְּעֵת צָרָתָם. רַבְתָּ אֶת רִיבָם, דַּנְתָּ אֶת דִּינָם, נָקַמְתָּ אֶת נִקְמָתָם, מָסַרְתָּ גִבּוֹרִים בְּיַד חַלָּשִׁים, וְרַבִּים בְּיַד מְעַטִּים, וּטְמֵאִים בְּיַד טְהוֹרִים, וּרְשָׁעִים בְּיַד צַדִּיקִים, וְזֵדִים בְּיַד עוֹסְקֵי תוֹרָתֶךָ. וּלְךָ עָשִׂיתָ שֵׁם גָּדוֹל וְקָדוֹשׁ בְּעוֹלָמֶךָ, וּלְעַמְּךָ יִשְׂרָאֵל עָשִׂיתָ תְּשׁוּעָה גְדוֹלָה וּפֻרְקָן כְּהַיּוֹם הַזֶּה. וְאַחַר כָּךְ בָּאוּ בָנֶיךָ לִדְבִיר בֵּיתֶךָ, וּפִנּוּ אֶת הֵיכָלֶךָ, וְטִהֲרוּ אֶת מִקְדָּשֶׁךָ, וְהִדְלִיקוּ נֵרוֹת בְּחַצְרוֹת קָדְשֶׁךָ, וְקָבְעוּ שְׁמוֹנַת יְמֵי חֲנֻכָּה אֵלּוּ, לְהוֹדוֹת וּלְהַלֵּל לְשִׁמְךָ הַגָּדוֹל: ועל כולם

לפורים

בִּימֵי מָרְדְּכַי וְאֶסְתֵּר בְּשׁוּשַׁן הַבִּירָה, כְּשֶׁעָמַד עֲלֵיהֶם הָמָן הָרָשָׁע, בִּקֵּשׁ לְהַשְׁמִיד לַהֲרוֹג וּלְאַבֵּד אֶת כָּל הַיְּהוּדִים, מִנַּעַר וְעַד זָקֵן, טַף וְנָשִׁים, בְּיוֹם אֶחָד, בִּשְׁלֹשָׁה עָשָׂר לְחֹדֶשׁ שְׁנֵים עָשָׂר הוּא חֹדֶשׁ אֲדָר, וּשְׁלָלָם לָבוֹז. וְאַתָּה בְּרַחֲמֶיךָ הָרַבִּים הֵפַרְתָּ אֶת עֲצָתוֹ, וְקִלְקַלְתָּ אֶת מַחֲשַׁבְתּוֹ, וַהֲשֵׁבוֹתָ לּוֹ גְּמוּלוֹ בְּרֹאשׁוֹ, וְתָלוּ אוֹתוֹ וְאֶת בָּנָיו עַל הָעֵץ: ועל כולם

וְעֶזְרָתֵנוּ סֶלָה, הָאֵל הַטּוֹב. בָּרוּךְ אַתָּה יְיָ, הַטּוֹב שִׁמְךָ וּלְךָ נָאֶה לְהוֹדוֹת:

לש״ץ אֱלֹהֵינוּ וֵאלֹהֵי אֲבוֹתֵינוּ, בָּרְכֵנוּ בַבְּרָכָה הַמְשֻׁלֶּשֶׁת בַּתּוֹרָה הַכְּתוּבָה עַל יְדֵי משֶׁה עַבְדֶּךָ, הָאֲמוּרָה מִפִּי אַהֲרֹן וּבָנָיו כֹּהֲנִים עַם קְדוֹשֶׁךָ, כָּאָמוּר: [א]יְבָרֶכְךָ יְיָ וְיִשְׁמְרֶךָ: אמן יָאֵר יְיָ פָּנָיו אֵלֶיךָ וִיחֻנֶּךָּ: אמן יִשָּׂא יְיָ פָּנָיו אֵלֶיךָ וְיָשֵׂם לְךָ שָׁלוֹם אמן:

שִׂים שָׁלוֹם, טוֹבָה וּבְרָכָה, חַיִּים חֵן וָחֶסֶד וְרַחֲמִים, עָלֵינוּ וְעַל כָּל יִשְׂרָאֵל עַמֶּךָ, בָּרְכֵנוּ אָבִינוּ כֻּלָּנוּ כְּאֶחָד בְּאוֹר פָּנֶיךָ, כִּי בְאוֹר פָּנֶיךָ נָתַתָּ לָּנוּ יְיָ אֱלֹהֵינוּ תּוֹרַת חַיִּים וְאַהֲבַת חֶסֶד, וּצְדָקָה וּבְרָכָה וְרַחֲמִים וְחַיִּים וְשָׁלוֹם, וְטוֹב בְּעֵינֶיךָ לְבָרֵךְ אֶת עַמְּךָ יִשְׂרָאֵל בְּכָל עֵת וּבְכָל שָׁעָה בִּשְׁלוֹמֶךָ.

שכח לומר ובספר דינו מבואר לעיל אצל זכרנו:

בעשי״ת וּבְסֵפֶר חַיִּים בְּרָכָה וְשָׁלוֹם וּפַרְנָסָה טוֹבָה, יְשׁוּעָה וְנֶחָמָה וּגְזֵרוֹת טוֹבוֹת נִזָּכֵר וְנִכָּתֵב לְפָנֶיךָ, אֲנַחְנוּ וְכָל עַמְּךָ בֵּית יִשְׂרָאֵל, לְחַיִּים טוֹבִים וּלְשָׁלוֹם.

בָּרוּךְ אַתָּה יְיָ, הַמְבָרֵךְ אֶת עַמּוֹ יִשְׂרָאֵל בַּשָּׁלוֹם:

(שו״ע) (א) תקנת חכמים לומר אחר שמונה עשרה פסוק יהיו לרצון וכו׳. אסור להפסיק בינו לשמונה עשרה אפי׳ לענות קדיש וקדושה ואין צריך לומר באמירת אלהי נצור ושאר תחנונים שאחר התפלה שאינן אלא מנהג ולא חובה כלל אלא צריך לומר יהיו לרצון קודם אלהי נצור ואם בא לחזור ולאמרו פעם אחרת אחר התחנונים הרשות בידו ובין יהיו לרצון לאלהי נצור מותר להפסיק (לענות כל דבר שבקדושה אבל לא דבר אחר עד שיעקור רגליו שהרי אפי׳ לזוז ממקומו אסור עד שיפסע ג׳ פסיעות לאחוריו כו׳) ואם התחיל לומר אלהי נצור או שאר תחנונים והתחיל ש״ץ לסדר תפלתו והגיע לקדושה מקצר ועולה ופוסע לאחוריו ואפי׳ לא קצר יכול להפסיק ולענות כדרך שמפסיק לענות בברכות ק״ש:

[ב]יִהְיוּ לְרָצוֹן אִמְרֵי פִי וְהֶגְיוֹן לִבִּי לְפָנֶיךָ, יְיָ צוּרִי וְגוֹאֲלִי:

תו״א א) במדבר ו כד כה כו: ב) תהלים יט טו:

1   אֱלֹהַי, נְצוֹר לְשׁוֹנִי מֵרָע וּשְׂפָתַי מִדַּבֵּר מִרְמָה, וְלִמְקַלְלַי

2   נַפְשִׁי תִדּוֹם וְנַפְשִׁי כֶּעָפָר לַכֹּל תִּהְיֶה. פְּתַח לִבִּי

3   בְּתוֹרָתֶךָ וּבְמִצְוֹתֶיךָ תִּרְדּוֹף נַפְשִׁי, וְכָל הַחוֹשְׁבִים עָלַי

4   רָעָה, מְהֵרָה הָפֵר עֲצָתָם וְקַלְקֵל מַחֲשַׁבְתָּם. יִהְיוּ כְּמֹץ

5   לִפְנֵי רוּחַ וּמַלְאַךְ יְיָ דֹּחֶה. לְמַעַן יֵחָלְצוּן יְדִידֶיךָ,

6   הוֹשִׁיעָה יְמִינְךָ וַעֲנֵנִי. עֲשֵׂה לְמַעַן שְׁמֶךָ, עֲשֵׂה לְמַעַן יְמִינֶךָ,

7   עֲשֵׂה לְמַעַן תּוֹרָתֶךָ, עֲשֵׂה לְמַעַן קְדֻשָּׁתֶךָ.

8   יִהְיוּ לְרָצוֹן אִמְרֵי פִי וְהֶגְיוֹן לִבִּי לְפָנֶיךָ, יְיָ צוּרִי וְגוֹאֲלִי:

(שו״ע) (א) המתפלל צריך שיפסע ג' פסיעות לאחריו כדרך שנפטרים מלפני המלך ואחר כך יתן שלום וקודם שפוסע
יש לו לכרוע ויפסע הג' פסיעות בכריעה אחת ובעודו כורע קודם שיזקוף יתן שלום לשמאלו ולימינו והורגלו
להשתחוות אחר כך לפני ה' כעבד הנפטר מרבו:

9   עֹשֶׂה שָׁלוֹם (בעשי״ת הַשָּׁלוֹם) בִּמְרוֹמָיו הוּא יַעֲשֶׂה שָׁלוֹם

10   עָלֵינוּ וְעַל כָּל יִשְׂרָאֵל, וְאִמְרוּ אָמֵן:

11   יְהִי רָצוֹן מִלְּפָנֶיךָ, יְיָ אֱלֹהֵינוּ וֵאלֹהֵי אֲבוֹתֵינוּ, שֶׁיִּבָּנֶה בֵּית הַמִּקְדָּשׁ בִּמְהֵרָה

12   בְיָמֵינוּ, וְתֵן חֶלְקֵנוּ בְּתוֹרָתֶךָ:

(שו״ע) (א) כשש״ץ חוזר התפלה יש לכל הקהל לשתוק ולכוין לברכות שמברך הש״ץ ולענות אמן ואם אין ט' מכוונים
לברכותיו קרוב להיות ברכותיו לבטלה כי חזרת הש״ץ נתקנה לאמרה בעשרה כו' ויש לגעור באנשים שלומדים
בעת חזרת הש״ץ או אומרים תחנונים ואפי' אם מכוונים לסוף הברכה לענות אמן כראוי כו' לא יפה הם עושים כו' וכל
אדם יעשה עצמו כאלו אין לו ט' זולתו ויכוין לכל ברכה מראשה עד סופה: (ב) יש אומרים שכל העם יעמדו כשחוזר
ש״ץ התפלה: (ג) לא ישיח שיחת חולין בשעה שש״ץ חוזר התפלה ואם שח הוא חוטא וגדול עונו מנשוא אפי' יש ט'
זולתו שכל המשיח בבהכ״נ בשעה שהצבור עוסקין בשבחו של מקום מראה בעצמו שאין לו חלק באלהי ישראל כו'
וילמד אדם בני הקטנים ויחנכם לענות אמן כי מיד שהתינוק עונה אמן יש לו חלק לעוה״ב וצריך שיחנכם לעמוד באימה
וביראה ואותן שרצים ושבים בבהכ״נ בשחוק מוטב שלא להביאם כלל לבהכ״נ:

אחר שמונה עשרה בשחרית ובמנחה יאמר וידוי:

13   אֱלֹהֵינוּ וֵאלֹהֵי אֲבוֹתֵינוּ, תָּבוֹא לְפָנֶיךָ תְּפִלָּתֵנוּ, וְאַל תִּתְעַלַּם

14   מִתְּחִנָּתֵנוּ, שֶׁאֵין אָנוּ עַזֵּי פָנִים וּקְשֵׁי עֹרֶף, לוֹמַר לְפָנֶיךָ

15   יְיָ אֱלֹהֵינוּ וֵאלֹהֵי אֲבוֹתֵינוּ, צַדִּיקִים אֲנַחְנוּ וְלֹא חָטָאנוּ, אֲבָל

16   אֲנַחְנוּ וַאֲבוֹתֵינוּ חָטָאנוּ:

17   אָשַׁמְנוּ, בָּגַדְנוּ, גָּזַלְנוּ, דִּבַּרְנוּ דֹפִי. הֶעֱוִינוּ,

18   וְהִרְשַׁעְנוּ, זַדְנוּ, חָמַסְנוּ, טָפַלְנוּ

19   שֶׁקֶר. יָעַצְנוּ רָע, כִּזַּבְנוּ, לַצְנוּ, מָרַדְנוּ, נִאַצְנוּ,

20   סָרַרְנוּ, עָוִינוּ, פָּשַׁעְנוּ, צָרַרְנוּ, קִשִּׁינוּ עֹרֶף.

21   רָשַׁעְנוּ, שִׁחַתְנוּ, תִּעַבְנוּ, תָּעִינוּ, תִּעְתָּעְנוּ:

סַרְנוּ מִמִּצְוֹתֶיךָ וּמִמִּשְׁפָּטֶיךָ הַטּוֹבִים וְלֹא שָׁוָה לָנוּ. וְאַתָּה צַדִּיק עַל כָּל הַבָּא עָלֵינוּ, כִּי אֱמֶת עָשִׂיתָ וַאֲנַחְנוּ הִרְשָׁעְנוּ:

אֵל אֶרֶךְ אַפַּיִם אַתָּה וּבַעַל הָרַחֲמִים נִקְרֵאתָ, וְדֶרֶךְ תְּשׁוּבָה הוֹרֵיתָ. גְּדֻלַּת רַחֲמֶיךָ וַחֲסָדֶיךָ תִּזְכּוֹר הַיּוֹם וּבְכָל יוֹם לְזֶרַע יְדִידֶיךָ. תֵּפֶן אֵלֵינוּ בְּרַחֲמִים, כִּי אַתָּה הוּא בַּעַל הָרַחֲמִים. בְּתַחֲנוּן וּבִתְפִלָּה פָּנֶיךָ נְקַדֵּם, כְּהוֹדַעְתָּ לֶעָנָיו מִקֶּדֶם. מֵחֲרוֹן אַפְּךָ שׁוּב, כְּמוֹ בְּתוֹרָתְךָ כָּתוּב. וּבְצֵל כְּנָפֶיךָ נֶחֱסֶה וְנִתְלוֹנָן, כְּיוֹם וַיֵּרֶד יְיָ בֶּעָנָן. תַּעֲבוֹר עַל פֶּשַׁע וְתִמְחֶה אָשָׁם, כְּיוֹם וַיִּתְיַצֵּב עִמּוֹ שָׁם. תַּאֲזִין שַׁוְעָתֵנוּ וְתַקְשִׁיב מֶנּוּ מַאֲמָר, כְּיוֹם וַיִּקְרָא בְשֵׁם יְיָ וְשָׁם נֶאֱמַר:

המתפלל ביחיד אין אומר זה:

וַיַּעֲבֹר יְיָ עַל פָּנָיו וַיִּקְרָא

יְיָ יְיָ אֵל רַחוּם וְחַנּוּן אֶרֶךְ אַפַּיִם וְרַב חֶסֶד וֶאֱמֶת: נֹצֵר חֶסֶד לָאֲלָפִים נֹשֵׂא עָוֹן וָפֶשַׁע וְחַטָּאָה וְנַקֵּה:

רַחוּם וְחַנּוּן חָטָאנוּ לְפָנֶיךָ רַחֵם עָלֵינוּ וְהוֹשִׁיעֵנוּ:

א לְדָוִד אֵלֶיךָ יְיָ נַפְשִׁי אֶשָּׂא: ב אֱלֹהַי בְּךָ בָטַחְתִּי אַל אֵבוֹשָׁה, אַל יַעַלְצוּ אוֹיְבַי לִי: ג גַּם כָּל קֹוֶיךָ לֹא יֵבֹשׁוּ, יֵבֹשׁוּ הַבּוֹגְדִים רֵיקָם: ד דְּרָכֶיךָ יְיָ הוֹדִיעֵנִי, אֹרְחוֹתֶיךָ לַמְּדֵנִי: ה הַדְרִיכֵנִי בַאֲמִתֶּךָ וְלַמְּדֵנִי כִּי אַתָּה אֱלֹהֵי יִשְׁעִי, אוֹתְךָ קִוִּיתִי כָּל הַיּוֹם: ו זְכֹר רַחֲמֶיךָ יְיָ וַחֲסָדֶיךָ כִּי מֵעוֹלָם הֵמָּה: ז חַטֹּאות נְעוּרַי וּפְשָׁעַי אַל תִּזְכֹּר, כְּחַסְדְּךָ זְכָר לִי אַתָּה, לְמַעַן טוּבְךָ יְיָ: ח טוֹב וְיָשָׁר יְיָ עַל כֵּן יוֹרֶה חַטָּאִים בַּדָּרֶךְ: ט יַדְרֵךְ עֲנָוִים בַּמִּשְׁפָּט וִילַמֵּד עֲנָוִים דַּרְכּוֹ: י כָּל אָרְחוֹת יְיָ חֶסֶד וֶאֱמֶת, לְנֹצְרֵי בְרִיתוֹ וְעֵדֹתָיו: יא לְמַעַן שִׁמְךָ יְיָ וְסָלַחְתָּ לַעֲוֹנִי כִּי רַב הוּא: יב מִי זֶה הָאִישׁ יְרֵא יְיָ, יוֹרֶנּוּ בְּדֶרֶךְ יִבְחָר: יג נַפְשׁוֹ בְּטוֹב תָּלִין וְזַרְעוֹ יִירַשׁ אָרֶץ: יד סוֹד יְיָ לִירֵאָיו, וּבְרִיתוֹ לְהוֹדִיעָם: טו עֵינַי תָּמִיד אֶל יְיָ, כִּי הוּא יוֹצִיא מֵרֶשֶׁת רַגְלָי: טז פְּנֵה אֵלַי וְחָנֵּנִי, כִּי יָחִיד וְעָנִי אָנִי: יז צָרוֹת לְבָבִי הִרְחִיבוּ, מִמְּצוּקוֹתַי הוֹצִיאֵנִי: יח רְאֵה עָנְיִי וַעֲמָלִי, וְשָׂא לְכָל חַטֹּאותָי: יט רְאֵה אוֹיְבַי כִּי רָבּוּ, וְשִׂנְאַת חָמָס שְׂנֵאוּנִי: כ שָׁמְרָה נַפְשִׁי וְהַצִּילֵנִי, אַל אֵבוֹשׁ כִּי חָסִיתִי בָךְ: כא תֹּם וָיֹשֶׁר יִצְּרוּנִי, כִּי קִוִּיתִיךָ: כב פְּדֵה אֱלֹהִים אֶת יִשְׂרָאֵל מִכֹּל צָרוֹתָיו: וְהוּא יִפְדֶּה אֶת יִשְׂרָאֵל מִכֹּל עֲוֹנֹתָיו:

ואחר כך אומרים אבינו מלכנו אבינו אתה וכו׳ ואנחנו לא נדע וכו׳. תמצא להלן:

תו״א א) נחמי׳ ט לג: ב) תהלים כה: ג) שם קל ח:

[א] וְהוּא רַחוּם, יְכַפֵּר עָוֹן וְלֹא יַשְׁחִית, וְהִרְבָּה לְהָשִׁיב אַפּוֹ, וְלֹא יָעִיר כָּל חֲמָתוֹ. [ב] אַתָּה יְיָ לֹא תִכְלָא רַחֲמֶיךָ מִמֶּנּוּ, חַסְדְּךָ וַאֲמִתְּךָ תָּמִיד יִצְּרוּנוּ. [ג] הוֹשִׁיעֵנוּ יְיָ אֱלֹהֵינוּ, וְקַבְּצֵנוּ מִן הַגּוֹיִם, לְהוֹדוֹת לְשֵׁם קָדְשֶׁךָ, לְהִשְׁתַּבֵּחַ בִּתְהִלָּתֶךָ. [ד] אִם עֲוֹנוֹת תִּשְׁמָר יָהּ, אֲדֹנָי, מִי יַעֲמֹד. [ה] כִּי עִמְּךָ הַסְּלִיחָה, לְמַעַן תִּוָּרֵא. [ו] לֹא כַחֲטָאֵינוּ תַּעֲשֶׂה לָנוּ, וְלֹא כַעֲוֹנוֹתֵינוּ תִּגְמוֹל עָלֵינוּ. [ז] אִם עֲוֹנֵינוּ עָנוּ בָנוּ, יְיָ, עֲשֵׂה לְמַעַן שְׁמֶךָ. [ח] זְכֹר רַחֲמֶיךָ יְיָ וַחֲסָדֶיךָ, כִּי מֵעוֹלָם הֵמָּה. [ט] יַעֲנֵנוּ יְיָ בְּיוֹם צָרָה, יְשַׂגְּבֵנוּ שֵׁם אֱלֹהֵי יַעֲקֹב. [י] יְיָ הוֹשִׁיעָה, הַמֶּלֶךְ יַעֲנֵנוּ בְיוֹם קָרְאֵנוּ. אָבִינוּ מַלְכֵּנוּ חָנֵּנוּ וַעֲנֵנוּ, כִּי אֵין בָּנוּ מַעֲשִׂים, עֲשֵׂה עִמָּנוּ צְדָקָה לְמַעַן שְׁמֶךָ. [כ] וְעַתָּה אֲדֹנָי אֱלֹהֵינוּ, אֲשֶׁר הוֹצֵאתָ אֶת עַמְּךָ מֵאֶרֶץ מִצְרַיִם

תו"א א) תהלים עח לח: ב) שם מ יב (בשינוי): ג) שם קו מז: ד) שם קל ג: ה) שם קל ד: ו) שם קג י (בשינוי): ז) ירמיה יד ז: ח) תהלים כה ו: ט) שם כ ב (בשינוי): י) שם כ י: כ) דניאל ט טו:

1 בְּיָד חֲזָקָה, וַתַּעַשׂ לְךָ שֵׁם כַּיּוֹם
2 הַזֶּה, חָטָאנוּ רָשָׁעְנוּ. אֲדֹנָי כְּכָל
3 צִדְקֹתֶיךָ, יָשָׁב נָא אַפְּךָ וַחֲמָתְךָ
4 מֵעִירְךָ יְרוּשָׁלַיִם הַר קָדְשֶׁךָ, כִּי
5 בַחֲטָאֵינוּ וּבַעֲוֹנוֹת אֲבֹתֵינוּ, יְרוּשָׁלַיִם
6 וְעַמְּךָ לְחֶרְפָּה לְכָל סְבִיבֹתֵינוּ. וְעַתָּה,
7 שְׁמַע אֱלֹהֵינוּ אֶל תְּפִלַּת עַבְדְּךָ וְאֶל
8 תַּחֲנוּנָיו וְהָאֵר פָּנֶיךָ עַל מִקְדָּשְׁךָ
9 הַשָּׁמֵם, לְמַעַן אֲדֹנָי:
10 הַטֵּה אֱלֹהַי אָזְנְךָ וּשְׁמָע, פְּקַח עֵינֶיךָ וּרְאֵה
11 שֹׁמְמֹתֵינוּ, וְהָעִיר אֲשֶׁר נִקְרָא שִׁמְךָ
12 עָלֶיהָ, כִּי | לֹא עַל צִדְקֹתֵינוּ אֲנַחְנוּ מַפִּילִים
13 תַּחֲנוּנֵינוּ לְפָנֶיךָ, כִּי עַל רַחֲמֶיךָ הָרַבִּים. אֲדֹנָי
14 שְׁמָעָה, אֲדֹנָי סְלָחָה, אֲדֹנָי הַקְשִׁיבָה וַעֲשֵׂה,
15 אַל תְּאַחַר, לְמַעַנְךָ אֱלֹהַי, כִּי שִׁמְךָ נִקְרָא עַל
16 עִירְךָ וְעַל עַמֶּךָ. אָבִינוּ אָב הָרַחֲמָן, הַרְאֵנוּ
17 אוֹת לְטוֹבָה וְקַבֵּץ נְפוּצוֹתֵינוּ מֵאַרְבַּע כַּנְפוֹת
18 הָאָרֶץ, יַכִּירוּ וְיֵדְעוּ כָּל הַגּוֹיִם, כִּי אַתָּה יְיָ אֱלֹהֵינוּ.
19 וְעַתָּה יְיָ אָבִינוּ אַתָּה, אֲנַחְנוּ הַחֹמֶר וְאַתָּה
20 יוֹצְרֵנוּ, וּמַעֲשֵׂה יָדְךָ כֻּלָּנוּ. אָבִינוּ מַלְכֵּנוּ צוּרֵנוּ

וְגוֹאֲלֵנוּ

תו"א א) דניאל ט טז: ב) שם ט יז: ג) שם ט יח: ד) שם ט יט: ה) ישעיה סד ז:

וְגוֹאֲלֵנוּ. [א]חוּסָה יְיָ עַל עַמֶּךָ, וְאַל תִּתֵּן נַחֲלָתְךָ לְחֶרְפָּה לִמְשָׁל בָּם גּוֹיִם, לָמָּה יֹאמְרוּ בָעַמִּים אַיֵּה אֱלֹהֵיהֶם. יָדַעְנוּ כִּי חָטָאנוּ, וְאֵין מִי יַעֲמֹד בַּעֲדֵנוּ, אֶלָּא שִׁמְךָ הַגָּדוֹל יַעֲמָד לָנוּ בְּעֵת צָרָה. כְּרַחֵם אָב עַל בָּנִים, כֵּן תְּרַחֵם יְיָ עָלֵינוּ וְהוֹשִׁיעֵנוּ לְמַעַן שְׁמֶךָ. חֲמוֹל עַל עַמֶּךָ, רַחֵם עַל נַחֲלָתֶךָ, חוּסָה נָּא כְּרוֹב רַחֲמֶיךָ, חָנֵּנוּ וַעֲנֵנוּ, כִּי לְךָ יְיָ הַצְּדָקָה, עֹשֵׂה נִפְלָאוֹת בְּכָל עֵת:

הַבֶּט נָא, וְהוֹשִׁיעָה צֹאן מַרְעִיתֶךָ. וְאַל יִמְשָׁל בָּנוּ קֶצֶף, כִּי לְךָ יְיָ הַיְשׁוּעָה, בְּךָ תוֹחַלְתֵּנוּ, אֱלוֹהַּ סְלִיחוֹת. אָנָּא, סְלַח נָא, כִּי אֵל טוֹב וְסַלָּח אָתָּה:

אָנָּא מֶלֶךְ חַנּוּן וְרַחוּם, זְכוֹר וְהַבֵּט לִבְרִית בֵּין הַבְּתָרִים, וְתֵרָאֶה לְפָנֶיךָ עֲקֵדַת יָחִיד וּלְמַעַן יִשְׂרָאֵל אָבִינוּ. אַל תַּעַזְבֵנוּ אָבִינוּ, וְאַל תִּטְּשֵׁנוּ מַלְכֵּנוּ, וְאַל תִּשְׁכָּחֵנוּ יוֹצְרֵנוּ, וְאַל תַּעַשׂ עִמָּנוּ כָּלָה כְּחַטֹּאתֵינוּ בְּגָלוּתֵנוּ, כִּי אֵל מֶלֶךְ חַנּוּן וְרַחוּם אָתָּה:

אֵין כָּמוֹךָ חַנּוּן וְרַחוּם יְיָ אֱלֹהֵינוּ, אֵין כָּמוֹךָ אֵל אֶרֶךְ אַפַּיִם וְרַב חֶסֶד וֶאֱמֶת, הוֹשִׁיעֵנוּ וְרַחֲמֵנוּ, מֵרַעַשׁ וּמֵרֹגֶז הַצִּילֵנוּ. [ב]זְכוֹר לַעֲבָדֶיךָ לְאַבְרָהָם לְיִצְחָק וּלְיַעֲקֹב, אַל

תו"א א) יואל ב יז: ב) דברים ט כז (בשינוי לשון):

תֵּפֶן אֶל קְשְׁיֵנוּ וְאֶל רִשְׁעֵנוּ וְאֶל חַטָּאתֵנוּ. [א] שׁוּב מֵחֲרוֹן אַפֶּךָ וְהִנָּחֵם עַל הָרָעָה לְעַמֶּךָ. וְהָסֵר מִמֶּנּוּ מַכַּת הַמָּוֶת כִּי רַחוּם אָתָּה, כִּי כֵן דַּרְכֶּךָ עֹשֶׂה חֶסֶד חִנָּם בְּכָל דּוֹר וָדוֹר. אָנָּא [ב] יְיָ הוֹשִׁיעָה נָּא. אָנָּא יְיָ הַצְלִיחָה נָא. אָנָּא יְיָ עֲנֵנוּ בְיוֹם קָרְאֵנוּ. לְךָ יְיָ קִוִּינוּ, לְךָ יְיָ חִכִּינוּ, לְךָ יְיָ נְיַחֵל, אַל תֶּחֱשֶׁה וּתְעַנֵּנוּ, כִּי נָאֲמוּ גוֹיִם אָבְדָה תִקְוָתָם, כָּל בֶּרֶךְ לְךָ תִכְרַע וְכָל קוֹמָה לְפָנֶיךָ תִשְׁתַּחֲוֶה:

הַפּוֹתֵחַ יָד בִּתְשׁוּבָה לְקַבֵּל פּוֹשְׁעִים וְחַטָּאִים, נִבְהֲלָה נַפְשֵׁנוּ מֵרוֹב עִצְּבוֹנֵנוּ, אַל תִּשְׁכָּחֵנוּ נֶצַח, קוּמָה וְהוֹשִׁיעֵנוּ. וְאַל תִּשְׁפּוֹךְ חֲרוֹנְךָ עָלֵינוּ, כִּי אֲנַחְנוּ עַמְּךָ בְּנֵי בְרִיתֶךָ. עוֹרְרָה גְבוּרָתְךָ וְהוֹשִׁיעֵנוּ לְמַעַן שְׁמֶךָ, וְאַל יִמְעֲטוּ לְפָנֶיךָ תְּלָאוֹתֵינוּ. מַהֵר יְקַדְּמוּנוּ רַחֲמֶיךָ בְּעֵת צָרָתֵנוּ, לֹא לְמַעֲנֵנוּ אֶלָּא לְמַעַנְךָ פְּעַל, וְאַל תַּשְׁחִית אֶת זֵכֶר שְׁאֵרִיתֵנוּ, כִּי לְךָ מְיַחֲלוֹת עֵינֵינוּ, כִּי אֵל מֶלֶךְ חַנּוּן וְרַחוּם אָתָּה, וּזְכוֹר עֵדוּתֵנוּ בְּכָל יוֹם תָּמִיד אוֹמְרִים פַּעֲמַיִם בְּאַהֲבָה:

[ג] שְׁמַע יִשְׂרָאֵל יְיָ אֱלֹהֵינוּ יְיָ אֶחָד:

יְיָ אֱלֹהֵי [ד] יִשְׂרָאֵל, שׁוּב מֵחֲרוֹן אַפֶּךָ, וְהִנָּחֵם עַל הָרָעָה לְעַמֶּךָ:

הבט

תו"א א) שמות לב יב: ב) תהלים קיח כה: ג) דברים ו ד: ד) שמות לב יב:

1   הַבֵּט מִשָּׁמַיִם וּרְאֵה, כִּי הָיִינוּ לַעַג וָקֶלֶס בַּגּוֹיִם, נֶחְשַׁבְנוּ

2   כַּצֹּאן לַטֶּבַח יוּבָל, לַהֲרוֹג וּלְאַבֵּד וּלְמַכָּה וּלְחֶרְפָּה.

3   יי   וּבְכָל זֹאת שִׁמְךָ לֹא שָׁכָחְנוּ, נָא, אַל תִּשְׁכָּחֵנוּ.

4   זָרִים אוֹמְרִים אֵין תּוֹחֶלֶת וְתִקְוָה, חוֹן אוֹם לְשִׁמְךָ מְקַוֶּה,

5   טָהוֹר, יְשׁוּעָתֵנוּ קָרְבָה, יְגַעְנוּ וְלֹא הוּנַח לָנוּ,

6   רַחֲמֶיךָ יִכְבְּשׁוּ אֶת כַּעַסְךָ מֵעָלֵינוּ.

7   יי   אָנָּא, שׁוּב מֵחֲרוֹנְךָ, וְרַחֵם סְגֻלָּה אֲשֶׁר בָּחָרְתָּ:

8   חוּסָה יי עָלֵינוּ בְּרַחֲמֶיךָ, וְאַל תִּתְּנֵנוּ בִּידֵי אַכְזָרִים,

9   לָמָּה יֹאמְרוּ הַגּוֹיִם אַיֵּה נָא אֱלֹהֵיהֶם, לְמַעַנְךָ

10   עֲשֵׂה עִמָּנוּ חֶסֶד וְאַל תְּאַחַר.

11   יי   אָנָּא, שׁוּב מֵחֲרוֹנְךָ, וְרַחֵם סְגֻלָּה אֲשֶׁר בָּחָרְתָּ:

12   קוֹלֵנוּ תִשְׁמַע וְתָחוֹן, וְאַל תִּטְּשֵׁנוּ בְּיַד אֹיְבֵנוּ לִמְחוֹת אֶת

13   שְׁמֵנוּ, זְכוֹר אֲשֶׁר נִשְׁבַּעְתָּ לַאֲבוֹתֵינוּ, כְּכוֹכְבֵי

14   הַשָּׁמַיִם אַרְבֶּה אֶת זַרְעֲכֶם, וְעַתָּה נִשְׁאַרְנוּ מְעַט מֵהַרְבֵּה.

15   יי   וּבְכָל זֹאת שִׁמְךָ לֹא שָׁכָחְנוּ, נָא, אַל תִּשְׁכָּחֵנוּ:

16   עָזְרֵנוּ אֱלֹהֵי יִשְׁעֵנוּ עַל דְּבַר כְּבוֹד שְׁמֶךָ, וְהַצִּילֵנוּ וְכַפֵּר

17   עַל חַטֹּאתֵינוּ לְמַעַן שְׁמֶךָ:

18   יי אֱלֹהֵי יִשְׂרָאֵל, שׁוּב מֵחֲרוֹן אַפֶּךָ, וְהִנָּחֵם עַל הָרָעָה לְעַמֶּךָ:

19   שׁוֹמֵר יִשְׂרָאֵל, שְׁמוֹר שְׁאֵרִית יִשְׂרָאֵל,

20   וְאַל יֹאבַד יִשְׂרָאֵל, הָאוֹמְרִים

21   שְׁמַע יִשְׂרָאֵל.

22   שׁוֹמֵר גּוֹי אֶחָד, שְׁמוֹר שְׁאֵרִית עַם

23   אֶחָד, וְאַל יֹאבַד גּוֹי אֶחָד,

המיחדים

תו"א א) תהלים קטו ב: ב) שם עט ט:

הַמְיַחֲדִים שִׁמְךָ יְיָ אֱלֹהֵינוּ יְיָ אֶחָד. שׁוֹמֵר גּוֹי קָדוֹשׁ, שְׁמוֹר שְׁאֵרִית עַם קָדוֹשׁ, וְאַל יֹאבַד גּוֹי קָדוֹשׁ הַמְשַׁלְּשִׁים בְּשָׁלֹשׁ קְדֻשּׁוֹת לְקָדוֹשׁ. מִתְרַצֶּה בְרַחֲמִים, וּמִתְפַּיֵּס בְּתַחֲנוּנִים, הִתְרַצֶּה וְהִתְפַּיֵּס לְדוֹר עָנִי, כִּי אֵין עוֹזֵר: ע"כ מה שמוסיפין בשני ובחמישי

בעשי"ת ובתענית צבור אומרים א"מ הארוך, תמצא לקמן ע' 254.

אָבִינוּ מַלְכֵּנוּ אָבִינוּ אָתָּה. אָבִינוּ מַלְכֵּנוּ אֵין לָנוּ מֶלֶךְ אֶלָּא אָתָּה. אָבִינוּ מַלְכֵּנוּ רַחֵם עָלֵינוּ. אָבִינוּ מַלְכֵּנוּ חָנֵּנוּ וַעֲנֵנוּ כִּי אֵין בָּנוּ מַעֲשִׂים עֲשֵׂה עִמָּנוּ צְדָקָה וָחֶסֶד לְמַעַן שִׁמְךָ הַגָּדוֹל וְהוֹשִׁיעֵנוּ:

[א] וַאֲנַחְנוּ לֹא נֵדַע מַה נַּעֲשֶׂה, כִּי עָלֶיךָ עֵינֵינוּ. [ב] זְכֹר רַחֲמֶיךָ יְיָ וַחֲסָדֶיךָ, כִּי מֵעוֹלָם הֵמָּה. [ג] יְהִי חַסְדְּךָ יְיָ עָלֵינוּ, כַּאֲשֶׁר יִחַלְנוּ לָךְ. [ד] אַל תִּזְכָּר לָנוּ עֲוֹנוֹת רִאשֹׁנִים, מַהֵר יְקַדְּמוּנוּ רַחֲמֶיךָ, כִּי דַלּוֹנוּ מְאֹד. [ה] חָנֵּנוּ יְיָ חָנֵּנוּ, כִּי רַב שָׂבַעְנוּ בוּז. [ו] בְּרֹגֶז רַחֵם תִּזְכּוֹר, בְּרֹגֶז עֲקֵדָה תִּזְכּוֹר, בְּרֹגֶז תְּמִימוּת תִּזְכּוֹר, בְּרֹגֶז אַהֲבָה תִזְכּוֹר: [ז] יְיָ הוֹשִׁיעָה הַמֶּלֶךְ יַעֲנֵנוּ בְיוֹם קָרְאֵנוּ. [ח] כִּי הוּא יָדַע יִצְרֵנוּ, זָכוּר כִּי עָפָר אֲנָחְנוּ. [ט] עָזְרֵנוּ אֱלֹהֵי יִשְׁעֵנוּ עַל דְּבַר כְּבוֹד שְׁמֶךָ, וְהַצִּילֵנוּ וְכַפֵּר עַל חַטֹּאתֵינוּ לְמַעַן שְׁמֶךָ:

השי"ץ אומר חצי קדיש

יִתְגַּדַּל וְיִתְקַדַּשׁ שְׁמֵהּ רַבָּא. אמן בְּעָלְמָא דִּי בְרָא כִרְעוּתֵהּ וְיַמְלִיךְ מַלְכוּתֵהּ, וְיַצְמַח פּוּרְקָנֵהּ וִיקָרֵב מְשִׁיחֵהּ. אמן בְּחַיֵּיכוֹן וּבְיוֹמֵיכוֹן וּבְחַיֵּי דְכָל בֵּית יִשְׂרָאֵל, בַּעֲגָלָא וּבִזְמַן קָרִיב, וְאִמְרוּ אָמֵן: יְהֵא שְׁמֵהּ רַבָּא מְבָרַךְ לְעָלַם וּלְעָלְמֵי עָלְמַיָּא. יִתְבָּרֵךְ, וְיִשְׁתַּבַּח, וְיִתְפָּאַר, וְיִתְרוֹמַם, וְיִתְנַשֵּׂא, וְיִתְהַדָּר, וְיִתְעַלֶּה, וְיִתְהַלָּל, שְׁמֵהּ דְּקוּדְשָׁא בְּרִיךְ הוּא. אמן לְעֵלָּא מִן כָּל בִּרְכָתָא וְשִׁירָתָא, תֻּשְׁבְּחָתָא וְנֶחֱמָתָא, דַּאֲמִירָן בְּעָלְמָא, וְאִמְרוּ אָמֵן:

תו"א א) דה"ב כ יב: ב) תהלים כה ו: ג) שם לג כב: ד) שם עט ח: ה) שם קכג ג: ו) חבקוק ג ב: ז) תהלים כ י: ח) שם קג יד: ט) שם עט ט:

אלו ימים שאין אומרים אל ארך אפים. ראש חודש חנוכה פורים קטן ב׳ ימים ופורים גדול ב׳ ימים וערב פסח ותשעה באב*):

אֵל [א]אֶרֶךְ אַפַּיִם וְרַב חֶסֶד וֶאֱמֶת, אַל בְּאַפְּךָ תוֹכִיחֵנוּ, חוּסָה יְיָ עַל עַמֶּךָ, וְהוֹשִׁיעֵנוּ מִכָּל רָע, חָטָאנוּ לְךָ אָדוֹן, סְלַח נָא כְּרוֹב רַחֲמֶיךָ אֵל:

סדר קריאת התורה לחול

כשפותחין ארון הקדש אומרים זה:

[ב]וַיְהִי בִּנְסֹעַ הָאָרֹן וַיֹּאמֶר מֹשֶׁה, קוּמָה יְיָ וְיָפֻצוּ אֹיְבֶיךָ וְיָנֻסוּ מְשַׂנְאֶיךָ מִפָּנֶיךָ. [ג]כִּי מִצִּיּוֹן תֵּצֵא תוֹרָה וּדְבַר יְיָ מִירוּשָׁלָיִם. בָּרוּךְ שֶׁנָּתַן תּוֹרָה לְעַמּוֹ יִשְׂרָאֵל בִּקְדֻשָּׁתוֹ:

[ד]בְּרִיךְ שְׁמֵהּ דְּמָרֵא עָלְמָא, בְּרִיךְ כִּתְרָךְ וְאַתְרָךְ, יְהֵא רְעוּתָךְ עִם עַמָּךְ יִשְׂרָאֵל לְעָלַם, וּפֻרְקַן יְמִינָךְ אַחֲזֵי לְעַמָּךְ בְּבֵי מַקְדְּשָׁךְ, וּלְאַמְטוּיֵי לָנָא מִטּוּב נְהוֹרָךְ וּלְקַבֵּל צְלוֹתָנָא בְּרַחֲמִין. יְהֵא רַעֲוָא קֳדָמָךְ דְּתוֹרִיךְ לָן חַיִּין בְּטִיבוּ, וְלֶהֱוֵי אֲנָא פְקִידָא בְּגוֹ צַדִּיקַיָּא, לְמִרְחַם עָלַי וּלְמִנְטַר יָתִי וְיַת כָּל דִּי לִי, וְדִי לְעַמָּךְ יִשְׂרָאֵל. אַנְתְּ הוּא זָן לְכֹלָּא וּמְפַרְנֵס לְכֹלָּא, אַנְתְּ הוּא שַׁלִּיט עַל כֹּלָּא, אַנְתְּ הוּא דְשַׁלִּיט עַל מַלְכַיָּא, וּמַלְכוּתָא דִּילָךְ הִיא. אֲנָא עַבְדָּא דְקֻדְשָׁא בְּרִיךְ הוּא, דְּסָגִידְנָא קַמֵּהּ וּמִקַּמֵּי דִּיקַר אוֹרַיְתֵהּ. בְּכָל עִדָּן וְעִדָּן לָא עַל אֱנָשׁ רָחִיצְנָא וְלָא עַל בַּר אֱלָהִין סָמִיכְנָא, אֶלָּא בֶּאֱלָהָא דִשְׁמַיָּא, דְּהוּא אֱלָהָא קְשׁוֹט, וְאוֹרַיְתֵהּ קְשׁוֹט, וּנְבִיאוֹהִי קְשׁוֹט, וּמַסְגֵּא לְמֶעְבַּד טַבְוָן וּקְשׁוֹט. בֵּהּ אֲנָא רָחִיץ, וְלִשְׁמֵהּ קַדִּישָׁא יַקִּירָא אֲנָא אֵמַר תֻּשְׁבְּחָן. יְהֵא רַעֲוָא קֳדָמָךְ דְּתִפְתַּח לִבָּאִי בְּאוֹרַיְתָא, וְתַשְׁלִים מִשְׁאֲלִין דְּלִבָּאִי, וְלִבָּא דְכָל עַמָּךְ יִשְׂרָאֵל, לְטַב וּלְחַיִּין וְלִשְׁלָם.

חזן [ה]גַּדְּלוּ לַייָ אִתִּי, וּנְרוֹמְמָה שְׁמוֹ יַחְדָּו:

והקהל עונין [ו]לְךָ יְיָ הַגְּדֻלָּה וְהַגְּבוּרָה וְהַתִּפְאֶרֶת וְהַנֵּצַח וְהַהוֹד, כִּי כֹל בַּשָּׁמַיִם וּבָאָרֶץ, לְךָ יְיָ הַמַּמְלָכָה וְהַמִּתְנַשֵּׂא לְכֹל לְרֹאשׁ. [ז]רוֹמְמוּ יְיָ אֱלֹהֵינוּ, וְהִשְׁתַּחֲווּ לַהֲדֹם רַגְלָיו, קָדוֹשׁ הוּא. [ח]רוֹמְמוּ יְיָ אֱלֹהֵינוּ וְהִשְׁתַּחֲווּ לְהַר קָדְשׁוֹ, כִּי קָדוֹשׁ יְיָ אֱלֹהֵינוּ:

תו״א א) שמות לד ו: ב) במדבר י לה: ג) ישעיה ב ג: ד) זהר ויקהל דף רו: ה) תהלים לד ד: ו) דה״א כט יא: ז) תהלים צט ה: ח) שם צט ט:

*) וכן בכל יום שאין אומרים תחנון.

1 **אָב** הָרַחֲמִים, הוּא יְרַחֵם עַם עֲמוּסִים, וְיִזְכּוֹר בְּרִית אֵיתָנִים, וְיַצִּיל נַפְשׁוֹתֵינוּ
2 מִן הַשָּׁעוֹת הָרָעוֹת, וְיִגְעַר בְּיֵצֶר הָרַע מִן הַנְּשׂוּאִים, וְיָחוֹן עָלֵינוּ לִפְלֵיטַת
3 עוֹלָמִים, וִימַלֵּא מִשְׁאֲלוֹתֵינוּ בְּמִדָּה טוֹבָה יְשׁוּעָה וְרַחֲמִים:

4 חזן **וְתִגָּלֶה** וְתֵרָאֶה מַלְכוּתוֹ עָלֵינוּ בִּזְמַן קָרוֹב, וְיָחוֹן פְּלֵיטָתֵנוּ וּפְלֵיטַת עַמּוֹ בֵּית
5 יִשְׂרָאֵל לְחֵן וּלְחֶסֶד וּלְרַחֲמִים וּלְרָצוֹן וְנֹאמַר אָמֵן. הַכֹּל הָבוּ גֹדֶל
6 לֵאלֹהֵינוּ וּתְנוּ כָבוֹד לַתּוֹרָה, כֹּהֵן קָרֵב, יַעֲמוֹד (פב״פ) הַכֹּהֵן, בָּרוּךְ שֶׁנָּתַן תּוֹרָה
7 לְעַמּוֹ יִשְׂרָאֵל בִּקְדֻשָּׁתוֹ. קהל וְאַתֶּם הַדְּבֵקִים בַּיָי אֱלֹהֵיכֶם, חַיִּים כֻּלְּכֶם הַיּוֹם:

8 כשקורין אותו לתורה יאמר זה **בָּרְכוּ אֶת יְיָ הַמְבֹרָךְ.**
9 והקהל עונין **בָּרוּךְ יְיָ הַמְבֹרָךְ לְעוֹלָם וָעֶד.**
10 והעולה חוזר **בָּרוּךְ יְיָ הַמְבֹרָךְ לְעוֹלָם וָעֶד:**

11 **בָּרוּךְ** אַתָּה יְיָ אֱלֹהֵינוּ מֶלֶךְ הָעוֹלָם, אֲשֶׁר בָּחַר בָּנוּ מִכָּל הָעַמִּים,
12 וְנָתַן לָנוּ אֶת תּוֹרָתוֹ. בָּרוּךְ אַתָּה יְיָ נוֹתֵן הַתּוֹרָה:

ואחר קריאת הפרשה יברך:

13 **בָּרוּךְ** אַתָּה יְיָ אֱלֹהֵינוּ מֶלֶךְ הָעוֹלָם, אֲשֶׁר נָתַן לָנוּ תּוֹרַת אֱמֶת,
14 וְחַיֵּי עוֹלָם נָטַע בְּתוֹכֵנוּ. בָּרוּךְ אַתָּה יְיָ, נוֹתֵן הַתּוֹרָה:

ברכת הגומל

המחוייב לברך ברכת הגומל אומר ברכה זו על הספר תורה לאחר ברכה אחרונה. ונכון שלא לאחר שלשה ימים.

15 **בָּרוּךְ** אַתָּה יְיָ אֱלֹהֵינוּ מֶלֶךְ הָעוֹלָם, הַגּוֹמֵל לְחַיָּבִים טוֹבוֹת,
16 שֶׁגְּמָלַנִי טוֹב:
17 ועונין אחריו אָמֵן. מִי שֶׁגְּמָלְךָ טוֹב, הוּא יִגְמָלְךָ כָּל טוֹב סֶלָה:

אם קראו לספר תורה נער שנעשה בר מצוה אזי אחר שבירך ברכה אחרונה, אביו יאמר זה:

18 *) **בָּרוּךְ** אַתָּה יְיָ אֱלֹהֵינוּ מֶלֶךְ הָעוֹלָם, שֶׁפְּטָרַנִי מֵעֹנֶשׁ הַלָּזֶה:

נוסח „מי שברך" ליולדת ולחולה תמצא לקמן ע׳ 186־צד.

אחר קריאת התורה אומר הש״ץ חצי קדיש:
כשמגביהין הספר תורה אומרים זה:

19 **וְזֹאת** הַתּוֹרָה אֲשֶׁר שָׂם מֹשֶׁה לִפְנֵי בְּנֵי יִשְׂרָאֵל:
20 **עֵץ** חַיִּים הִיא לַמַּחֲזִיקִים בָּהּ, וְתֹמְכֶיהָ מְאֻשָּׁר. דְּרָכֶיהָ דַרְכֵי נֹעַם, וְכָל
21 נְתִיבוֹתֶיהָ שָׁלוֹם. אֹרֶךְ יָמִים בִּימִינָהּ, בִּשְׂמֹאלָהּ עֹשֶׁר וְכָבוֹד. יְיָ חָפֵץ
22 לְמַעַן צִדְקוֹ, יַגְדִּיל תּוֹרָה וְיַאְדִּיר:

תו״א א) דברים ד ד: ב) מדרש רבה פ׳ תולדות פ׳ סג וע׳ בשער הכולל פרק כ״ד: ג) דברים ד מד: ד) משלי ג יח:
ה) שם ג יז: ו) שם ג טז: ז) ישעיה מב כא:
*) יש אומרים בלא שם ומלכות — וכן מנהגנו.

[א]אַשְׁרֵי יוֹשְׁבֵי בֵיתֶךָ, עוֹד יְהַלְלוּךָ סֶּלָה: [ב]אַשְׁרֵי הָעָם שֶׁכָּכָה לּוֹ, אַשְׁרֵי הָעָם שֶׁיְיָ אֱלֹהָיו: [ג]תְּהִלָּה לְדָוִד, אֲרוֹמִמְךָ אֱלוֹהַי הַמֶּלֶךְ, וַאֲבָרְכָה שִׁמְךָ לְעוֹלָם וָעֶד: בְּכָל יוֹם אֲבָרְכֶךָּ, וַאֲהַלְלָה שִׁמְךָ לְעוֹלָם וָעֶד: גָּדוֹל יְיָ וּמְהֻלָּל מְאֹד, וְלִגְדֻלָּתוֹ אֵין חֵקֶר: דּוֹר לְדוֹר יְשַׁבַּח מַעֲשֶׂיךָ, וּגְבוּרֹתֶיךָ יַגִּידוּ: הֲדַר כְּבוֹד הוֹדֶךָ, וְדִבְרֵי נִפְלְאוֹתֶיךָ אָשִׂיחָה: וֶעֱזוּז נוֹרְאוֹתֶיךָ יֹאמֵרוּ, וּגְדֻלָּתְךָ אֲסַפְּרֶנָּה: זֵכֶר רַב טוּבְךָ יַבִּיעוּ, וְצִדְקָתְךָ יְרַנֵּנוּ: חַנּוּן וְרַחוּם יְיָ, אֶרֶךְ אַפַּיִם וּגְדָל חָסֶד: טוֹב יְיָ לַכֹּל, וְרַחֲמָיו עַל כָּל מַעֲשָׂיו: יוֹדוּךָ יְיָ כָּל מַעֲשֶׂיךָ, וַחֲסִידֶיךָ יְבָרְכוּכָה: כְּבוֹד מַלְכוּתְךָ יֹאמֵרוּ, וּגְבוּרָתְךָ יְדַבֵּרוּ: לְהוֹדִיעַ לִבְנֵי הָאָדָם גְּבוּרֹתָיו, וּכְבוֹד הֲדַר מַלְכוּתוֹ: מַלְכוּתְךָ מַלְכוּת כָּל עֹלָמִים, וּמֶמְשַׁלְתְּךָ בְּכָל דּוֹר וָדֹר: סוֹמֵךְ יְיָ לְכָל הַנֹּפְלִים, וְזוֹקֵף לְכָל הַכְּפוּפִים: עֵינֵי כֹל אֵלֶיךָ יְשַׂבֵּרוּ, וְאַתָּה נוֹתֵן לָהֶם אֶת אָכְלָם בְּעִתּוֹ: פּוֹתֵחַ אֶת יָדֶךָ, וּמַשְׂבִּיעַ לְכָל חַי רָצוֹן: צַדִּיק יְיָ בְּכָל דְּרָכָיו, וְחָסִיד בְּכָל מַעֲשָׂיו: קָרוֹב יְיָ לְכָל קֹרְאָיו, לְכֹל אֲשֶׁר יִקְרָאֻהוּ בֶאֱמֶת: רְצוֹן יְרֵאָיו יַעֲשֶׂה, וְאֶת שַׁוְעָתָם יִשְׁמַע וְיוֹשִׁיעֵם: שׁוֹמֵר יְיָ אֶת כָּל אֹהֲבָיו, וְאֵת כָּל הָרְשָׁעִים יַשְׁמִיד: תְּהִלַּת יְיָ יְדַבֶּר פִּי, וִיבָרֵךְ כָּל בָּשָׂר שֵׁם קָדְשׁוֹ לְעוֹלָם וָעֶד: [ד]וַאֲנַחְנוּ נְבָרֵךְ יָהּ, מֵעַתָּה וְעַד עוֹלָם הַלְלוּיָהּ:

מנהג ספרד שבכל יום שאין אומרים בו תחנון ונפילת אפים אין אומרים למנצח יענך ולא תפלה לדוד*, דהיינו אפילו כל חדש ניסן ופסח שני שהוא י"ד באייר ול"ג בעומר, ומר"ח סיון עד י"ב בו ועד בכלל דהיינו חמשה ימים אחר חג השבועות כי החג יש לו תשלומין כל שבעה, וט"ו באב, וערב ראש השנה, ומערב יום כפור עד סוף תשרי, וט"ו בשבט, ובכל יום שיש בבית הכנסת מילה או חתן כל שבעת ימי המשתה. ואצ"ל תשעה באב, ופורים קטן שהוא י"ד וט"ו באדר ראשון ופורים גדול וחנוכה וראש חדש. גם במנחה ערב ר"ח וערב חנוכה וערב פורים גדול וקטן, וערב ל"ג בעומר, וערב ט"ו באב, וערב ט"ו בשבט אין אומרים תחנון ונפילת אפים. אבל במנחה שלפני ערב ראש השנה וערב יום כפורים וערב פסח שני נופלין:

[ה]לַמְנַצֵּחַ מִזְמוֹר לְדָוִד: יַעַנְךָ יְיָ בְּיוֹם צָרָה, יְשַׂגֶּבְךָ שֵׁם אֱלֹהֵי יַעֲקֹב: יִשְׁלַח עֶזְרְךָ מִקֹּדֶשׁ, וּמִצִּיּוֹן יִסְעָדֶךָּ: יִזְכֹּר כָּל מִנְחֹתֶיךָ, וְעוֹלָתְךָ יְדַשְּׁנֶה סֶּלָה: יִתֶּן לְךָ כִלְבָבֶךָ, וְכָל עֲצָתְךָ יְמַלֵּא: נְרַנְּנָה בִּישׁוּעָתֶךָ וּבְשֵׁם אֱלֹהֵינוּ נִדְגֹּל, יְמַלֵּא יְיָ כָּל מִשְׁאֲלוֹתֶיךָ: עַתָּה יָדַעְתִּי, כִּי הוֹשִׁיעַ יְיָ מְשִׁיחוֹ, יַעֲנֵהוּ מִשְּׁמֵי קָדְשׁוֹ, בִּגְבוּרוֹת יֵשַׁע יְמִינוֹ: אֵלֶּה בָרֶכֶב וְאֵלֶּה בַסּוּסִים, וַאֲנַחְנוּ בְּשֵׁם יְיָ אֱלֹהֵינוּ נַזְכִּיר: הֵמָּה

כרעו

תו"א א) תהלים פד ה: ב) שם קמד טו: ג) שם קמה א: ד) שם קטו יח: ה) שם כ:

*) וכן אין אומרים אבינו מלכנו הארוך.

כָּרְעוּ וְנָפָלוּ, וַאֲנַחְנוּ קַמְנוּ וַנִּתְעוֹדָד: יְיָ הוֹשִׁיעָה, הַמֶּלֶךְ יַעֲנֵנוּ בְיוֹם קָרְאֵנוּ:

וּבָא[א] לְצִיּוֹן גּוֹאֵל וּלְשָׁבֵי פֶשַׁע בְּיַעֲקֹב, נְאֻם יְיָ. וַאֲנִי[ב] זֹאת בְּרִיתִי אוֹתָם אָמַר יְיָ, רוּחִי אֲשֶׁר עָלֶיךָ, וּדְבָרַי אֲשֶׁר שַׂמְתִּי בְּפִיךָ, לֹא יָמוּשׁוּ מִפִּיךָ וּמִפִּי זַרְעֲךָ וּמִפִּי זֶרַע זַרְעֲךָ, אָמַר יְיָ, מֵעַתָּה וְעַד עוֹלָם. וְאַתָּה[ג] קָדוֹשׁ, יוֹשֵׁב תְּהִלּוֹת יִשְׂרָאֵל. וְקָרָא[ד] זֶה אֶל זֶה וְאָמַר, קָדוֹשׁ קָדוֹשׁ קָדוֹשׁ יְיָ צְבָאוֹת, מְלֹא כָל הָאָרֶץ כְּבוֹדוֹ. וּמְקַבְּלִין דֵּין מִן דֵּין וְאָמְרִין, קַדִּישׁ בִּשְׁמֵי מְרוֹמָא עִלָּאָה בֵּית שְׁכִינְתֵּהּ, קַדִּישׁ עַל אַרְעָא עוֹבַד גְּבוּרְתֵּהּ, קַדִּישׁ לְעָלַם וּלְעָלְמֵי עָלְמַיָּא, יְיָ צְבָאוֹת, מַלְיָא כָל אַרְעָא זִיו יְקָרֵהּ. וַתִּשָּׂאֵנִי[ה] רוּחַ, וָאֶשְׁמַע אַחֲרַי קוֹל רַעַשׁ גָּדוֹל, בָּרוּךְ כְּבוֹד יְיָ מִמְּקוֹמוֹ. וּנְטָלַתְנִי רוּחָא וְשִׁמְעֵית בַּתְרַי קָל זִיעַ סַגִּיא דִּמְשַׁבְּחִין וְאָמְרִין, בְּרִיךְ יְקָרָא דַייָ

מאתר

תו"א א) ישעיה נט כ: ב) שם שם כא: ג) תהלים כב ד: ד) ישעיה ו ג: ה) יחזקאל ג יב:

מֵאֲתַר בֵּית שְׁכִינְתֵּהּ. [א] יְיָ יִמְלֹךְ לְעֹלָם וָעֶד. יְיָ מַלְכוּתֵהּ קָאֵם לְעָלַם וּלְעָלְמֵי עָלְמַיָּא. [ב] יְיָ אֱלֹהֵי אַבְרָהָם יִצְחָק וְיִשְׂרָאֵל אֲבוֹתֵינוּ, שָׁמְרָה זֹּאת לְעוֹלָם, לְיֵצֶר מַחְשְׁבוֹת לְבַב עַמֶּךָ, וְהָכֵן לְבָבָם אֵלֶיךָ. [ג] וְהוּא רַחוּם, יְכַפֵּר עָוֹן וְלֹא יַשְׁחִית, וְהִרְבָּה לְהָשִׁיב אַפּוֹ, וְלֹא יָעִיר כָּל חֲמָתוֹ. [ד] כִּי אַתָּה אֲדֹנָי טוֹב וְסַלָּח, וְרַב חֶסֶד לְכָל קֹרְאֶיךָ. [ה] צִדְקָתְךָ צֶדֶק לְעוֹלָם, וְתוֹרָתְךָ אֱמֶת. [ו] תִּתֵּן אֱמֶת לְיַעֲקֹב, חֶסֶד לְאַבְרָהָם, אֲשֶׁר נִשְׁבַּעְתָּ לַאֲבֹתֵינוּ מִימֵי קֶדֶם. [ז] בָּרוּךְ אֲדֹנָי, יוֹם יוֹם יַעֲמָס לָנוּ, הָאֵל יְשׁוּעָתֵנוּ סֶלָה. [ח] יְיָ צְבָאוֹת עִמָּנוּ, מִשְׂגָּב לָנוּ אֱלֹהֵי יַעֲקֹב סֶלָה. [ט] יְיָ צְבָאוֹת, אַשְׁרֵי אָדָם בֹּטֵחַ בָּךְ. [י] יְיָ הוֹשִׁיעָה, הַמֶּלֶךְ יַעֲנֵנוּ בְיוֹם קָרְאֵנוּ. בָּרוּךְ הוּא אֱלֹהֵינוּ שֶׁבְּרָאָנוּ לִכְבוֹדוֹ, וְהִבְדִּילָנוּ מִן הַתּוֹעִים, וְנָתַן לָנוּ תּוֹרַת

אמת

תו"א א) שמות טו יח: ב) דה"א כט יח: ג) תהלים עח לח: ד) שם פו ה: ה) שם קיט קמב: ו) מיכה ז כ: ז) תהלים סח כ: ח) שם מו ח: ט) שם פד יג: י) שם כ י:

1 אֱמֶת, וְחַיֵּי עוֹלָם נָטַע בְּתוֹכֵנוּ, הוּא

2 יִפְתַּח לִבֵּנוּ בְּתוֹרָתוֹ, וְיָשֵׂם בְּלִבֵּנוּ

3 אַהֲבָתוֹ וְיִרְאָתוֹ, וְלַעֲשׂוֹת רְצוֹנוֹ

4 וּלְעָבְדוֹ בְּלֵבָב שָׁלֵם, לְמַעַן לֹא נִיגַע

5 לָרִיק, וְלֹא נֵלֵד לַבֶּהָלָה. וּבְכֵן יְהִי רָצוֹן

6 מִלְּפָנֶיךָ יְיָ אֱלֹהֵינוּ וֵאלֹהֵי אֲבוֹתֵינוּ,

7 שֶׁנִּשְׁמוֹר חֻקֶּיךָ בָּעוֹלָם הַזֶּה, וְנִזְכֶּה

8 וְנִחְיֶה וְנִרְאֶה, וְנִירַשׁ טוֹבָה וּבְרָכָה,

9 לִשְׁנֵי יְמוֹת הַמָּשִׁיחַ וּלְחַיֵּי הָעוֹלָם

10 הַבָּא. לְמַעַן יְזַמֶּרְךָ כָבוֹד וְלֹא יִדֹּם, יְיָ

11 אֱלֹהַי לְעוֹלָם אוֹדֶךָּ. בָּרוּךְ הַגֶּבֶר אֲשֶׁר

12 יִבְטַח בַּייָ, וְהָיָה יְיָ מִבְטַחוֹ. בִּטְחוּ בַּייָ

13 עֲדֵי עַד, כִּי בְּיָה יְיָ צוּר עוֹלָמִים. וְיִבְטְחוּ

14 בְךָ יוֹדְעֵי שְׁמֶךָ, כִּי לֹא עָזַבְתָּ דֹרְשֶׁיךָ יְיָ.

15 יְיָ חָפֵץ לְמַעַן צִדְקוֹ, יַגְדִּיל תּוֹרָה וְיַאְדִּיר:

הש״ץ אומר קדיש שלם:

16 יִתְגַּדַּל וְיִתְקַדַּשׁ שְׁמֵהּ רַבָּא. אמן בְּעָלְמָא דִי בְרָא

17 כִרְעוּתֵהּ וְיַמְלִיךְ מַלְכוּתֵהּ, וְיַצְמַח פּוּרְקָנֵהּ

18 וִיקָרֵב מְשִׁיחֵהּ. אמן בְּחַיֵּיכוֹן וּבְיוֹמֵיכוֹן וּבְחַיֵּי דְכָל בֵּית

19 יִשְׂרָאֵל, בַּעֲגָלָא וּבִזְמַן קָרִיב, וְאִמְרוּ אָמֵן:

20 יְהֵא שְׁמֵהּ רַבָּא מְבָרַךְ לְעָלַם וּלְעָלְמֵי עָלְמַיָּא:

תו״א א) תהלים ל יג: ב) ירמיה יז ז: ג) ישעיה כו ד: ד) תהלים ט יא: ה) ישעיה מב כא:

1 יִתְבָּרַךְ וְיִשְׁתַּבַּח, וְיִתְפָּאַר, וְיִתְרוֹמַם, וְיִתְנַשֵּׂא, וְיִתְהַדָּר

2 וְיִתְעַלֶּה, וְיִתְהַלָּל, שְׁמֵהּ דְּקוּדְשָׁא בְּרִיךְ הוּא אמן

3 לְעֵלָּא מִן כָּל בִּרְכָתָא וְשִׁירָתָא, תֻּשְׁבְּחָתָא וְנֶחֱמָתָא,

4 דַּאֲמִירָן בְּעָלְמָא, וְאִמְרוּ אָמֵן:

5 תִּתְקַבֵּל צְלוֹתְהוֹן וּבָעוּתְהוֹן דְּכָל בֵּית יִשְׂרָאֵל, קֳדָם

6 אֲבוּהוֹן דִּי בִשְׁמַיָּא, וְאִמְרוּ אָמֵן:

7 יְהֵא שְׁלָמָא רַבָּא מִן שְׁמַיָּא וְחַיִּים טוֹבִים עָלֵינוּ וְעַל כָּל

8 יִשְׂרָאֵל, וְאִמְרוּ אָמֵן:

9 עֹשֶׂה שָׁלוֹם (בעשי״ת הַשָּׁלוֹם) בִּמְרוֹמָיו, הוּא יַעֲשֶׂה שָׁלוֹם

10 עָלֵינוּ וְעַל כָּל יִשְׂרָאֵל, וְאִמְרוּ אָמֵן:

בשני ובחמישי כשמחזירין הספר תורה להיכל אומרים זה:

11 חזן יְהַלְלוּ אֶת שֵׁם יְיָ, כִּי נִשְׂגָּב שְׁמוֹ לְבַדּוֹ:

12 והקהל אומרים הוֹדוֹ עַל אֶרֶץ וְשָׁמָיִם: וַיָּרֶם קֶרֶן לְעַמּוֹ, תְּהִלָּה לְכָל חֲסִידָיו, לִבְנֵי

13 יִשְׂרָאֵל עַם קְרֹבוֹ, הַלְלוּיָהּ:

ביום שאין אומרים תחנון אין אומרים תפלה לדוד אלא מתחילין בית יעקב:

14 תְּפִלָּה לְדָוִד, הַטֵּה יְיָ אָזְנְךָ עֲנֵנִי, כִּי עָנִי וְאֶבְיוֹן אָנִי: שָׁמְרָה

15 נַפְשִׁי כִּי חָסִיד אָנִי, הוֹשַׁע עַבְדְּךָ אַתָּה אֱלֹהַי, הַבּוֹטֵחַ

16 אֵלֶיךָ: חָנֵּנִי אֲדֹנָי, כִּי אֵלֶיךָ אֶקְרָא כָּל הַיּוֹם: שַׂמֵּחַ נֶפֶשׁ עַבְדֶּךָ,

17 כִּי אֵלֶיךָ אֲדֹנָי נַפְשִׁי אֶשָּׂא: כִּי אַתָּה אֲדֹנָי טוֹב וְסַלָּח, וְרַב חֶסֶד לְכָל

18 קֹרְאֶיךָ: הַאֲזִינָה יְיָ תְּפִלָּתִי, וְהַקְשִׁיבָה בְּקוֹל תַּחֲנוּנוֹתָי: בְּיוֹם צָרָתִי

19 אֶקְרָאֶךָ כִּי תַעֲנֵנִי: אֵין כָּמוֹךָ בָאֱלֹהִים אֲדֹנָי, וְאֵין כְּמַעֲשֶׂיךָ: כָּל

20 גּוֹיִם אֲשֶׁר עָשִׂיתָ יָבוֹאוּ וְיִשְׁתַּחֲווּ לְפָנֶיךָ אֲדֹנָי, וִיכַבְּדוּ לִשְׁמֶךָ: כִּי

21 גָדוֹל אַתָּה וְעֹשֵׂה נִפְלָאוֹת אַתָּה אֱלֹהִים לְבַדֶּךָ: הוֹרֵנִי יְיָ דַּרְכֶּךָ

22 אֲהַלֵּךְ בַּאֲמִתֶּךָ, יַחֵד לְבָבִי לְיִרְאָה שְׁמֶךָ: אוֹדְךָ אֲדֹנָי אֱלֹהַי בְּכָל

23 לְבָבִי, וַאֲכַבְּדָה שִׁמְךָ לְעוֹלָם: כִּי חַסְדְּךָ גָּדוֹל עָלָי, וְהִצַּלְתָּ נַפְשִׁי

24 מִשְּׁאוֹל תַּחְתִּיָּה: אֱלֹהִים | זֵדִים קָמוּ עָלָי, וַעֲדַת עָרִיצִים בִּקְשׁוּ

25 נַפְשִׁי, וְלֹא שָׂמוּךָ לְנֶגְדָּם: וְאַתָּה אֲדֹנָי אֵל רַחוּם וְחַנּוּן, אֶרֶךְ

26 אַפַּיִם וְרַב חֶסֶד וֶאֱמֶת: פְּנֵה אֵלַי וְחָנֵּנִי, תְּנָה עֻזְּךָ לְעַבְדֶּךָ, וְהוֹשִׁיעָה

לבן

תו״א א) תהלים קמח יג-יד: ב) שם פו:

1 לָבֶן אֲמָתֶךָ: עֲשֵׂה עִמִּי אוֹת לְטוֹבָה וְיִרְאוּ שֹׂנְאַי וְיֵבֹשׁוּ, כִּי אַתָּה
2 יְיָ עֲזַרְתַּנִי וְנִחַמְתָּנִי:

3 **בֵּית** יַעֲקֹב, לְכוּ וְנֵלְכָה בְּאוֹר יְיָ: כִּי כָּל הָעַמִּים יֵלְכוּ אִישׁ בְּשֵׁם אֱלֹהָיו,
4 וַאֲנַחְנוּ נֵלֵךְ בְּשֵׁם יְיָ אֱלֹהֵינוּ לְעוֹלָם וָעֶד:

5 **יְהִי** יְיָ אֱלֹהֵינוּ עִמָּנוּ, כַּאֲשֶׁר הָיָה עִם אֲבֹתֵינוּ, אַל יַעַזְבֵנוּ וְאַל יִטְּשֵׁנוּ: לְהַטּוֹת
6 לְבָבֵנוּ אֵלָיו, לָלֶכֶת בְּכָל דְּרָכָיו וְלִשְׁמֹר מִצְוֹתָיו וְחֻקָּיו וּמִשְׁפָּטָיו, אֲשֶׁר צִוָּה
7 אֶת אֲבֹתֵינוּ: וְיִהְיוּ דְבָרַי אֵלֶּה אֲשֶׁר הִתְחַנַּנְתִּי לִפְנֵי יְיָ, קְרֹבִים אֶל יְיָ אֱלֹהֵינוּ
8 יוֹמָם וָלַיְלָה, לַעֲשׂוֹת מִשְׁפַּט עַבְדּוֹ וּמִשְׁפַּט עַמּוֹ יִשְׂרָאֵל דְּבַר יוֹם בְּיוֹמוֹ: לְמַעַן
9 דַּעַת כָּל עַמֵּי הָאָרֶץ כִּי יְיָ הוּא הָאֱלֹהִים, אֵין עוֹד:

10 **שִׁיר** הַמַּעֲלוֹת לְדָוִד, לוּלֵי יְיָ שֶׁהָיָה לָנוּ, יֹאמַר נָא יִשְׂרָאֵל: לוּלֵי יְיָ שֶׁהָיָה
11 לָנוּ, בְּקוּם עָלֵינוּ אָדָם: אֲזַי חַיִּים בְּלָעוּנוּ, בַּחֲרוֹת אַפָּם בָּנוּ: אֲזַי
12 הַמַּיִם שְׁטָפוּנוּ, נַחְלָה עָבַר עַל נַפְשֵׁנוּ: אֲזַי עָבַר עַל נַפְשֵׁנוּ, הַמַּיִם הַזֵּידוֹנִים:
13 בָּרוּךְ יְיָ, שֶׁלֹּא נְתָנָנוּ טֶרֶף לְשִׁנֵּיהֶם: נַפְשֵׁנוּ כְּצִפּוֹר נִמְלְטָה מִפַּח יוֹקְשִׁים,
14 הַפַּח נִשְׁבָּר, וַאֲנַחְנוּ נִמְלָטְנוּ: עֶזְרֵנוּ בְּשֵׁם יְיָ, עֹשֵׂה שָׁמַיִם וָאָרֶץ:

שִׁיר שֶׁל יוֹם

בָּרִאשׁוֹן בְּשַׁבַּת הַיּוֹם, יוֹם רִאשׁוֹן בְּשַׁבָּת, שֶׁבּוֹ הָיוּ הַלְוִיִּם אוֹמְרִים בְּבֵית הַמִּקְדָּשׁ: 15

16 **לְדָוִד** מִזְמוֹר, לַיְיָ הָאָרֶץ וּמְלוֹאָהּ, תֵּבֵל וְיֹשְׁבֵי בָהּ: כִּי הוּא עַל
17 יַמִּים יְסָדָהּ, וְעַל נְהָרוֹת יְכוֹנְנֶהָ: מִי יַעֲלֶה בְהַר יְיָ, וּמִי
18 יָקוּם בִּמְקוֹם קָדְשׁוֹ: נְקִי כַפַּיִם וּבַר לֵבָב, אֲשֶׁר לֹא נָשָׂא לַשָּׁוְא
19 נַפְשִׁי, וְלֹא נִשְׁבַּע לְמִרְמָה: יִשָּׂא בְרָכָה מֵאֵת יְיָ, וּצְדָקָה מֵאֱלֹהֵי
20 יִשְׁעוֹ: זֶה דּוֹר דֹּרְשָׁיו, מְבַקְשֵׁי פָנֶיךָ יַעֲקֹב סֶלָה: שְׂאוּ שְׁעָרִים
21 רָאשֵׁיכֶם, וְהִנָּשְׂאוּ פִּתְחֵי עוֹלָם, וְיָבוֹא מֶלֶךְ הַכָּבוֹד: מִי זֶה מֶלֶךְ
22 הַכָּבוֹד, יְיָ עִזּוּז וְגִבּוֹר, יְיָ גִּבּוֹר מִלְחָמָה: שְׂאוּ שְׁעָרִים רָאשֵׁיכֶם
23 וּשְׂאוּ פִּתְחֵי עוֹלָם, וְיָבֹא מֶלֶךְ הַכָּבוֹד: מִי הוּא זֶה מֶלֶךְ הַכָּבוֹד,
24 יְיָ צְבָאוֹת הוּא מֶלֶךְ הַכָּבוֹד סֶלָה:

25 **הוֹשִׁיעֵנוּ** יְיָ אֱלֹהֵינוּ וְקַבְּצֵנוּ מִן הַגּוֹיִם לְהוֹדוֹת לְשֵׁם קָדְשֶׁךָ, לְהִשְׁתַּבֵּחַ
26 בִּתְהִלָּתֶךָ: בָּרוּךְ יְיָ אֱלֹהֵי יִשְׂרָאֵל מִן הָעוֹלָם וְעַד הָעוֹלָם וְאָמַר
27 כָּל הָעָם אָמֵן הַלְלוּיָהּ: בָּרוּךְ יְיָ מִצִּיּוֹן שֹׁכֵן יְרוּשָׁלָיִם הַלְלוּיָהּ: בָּרוּךְ יְיָ
28 אֱלֹהִים אֱלֹהֵי יִשְׂרָאֵל, עֹשֵׂה נִפְלָאוֹת לְבַדּוֹ: וּבָרוּךְ שֵׁם כְּבוֹדוֹ לְעוֹלָם, וְיִמָּלֵא
29 כְבוֹדוֹ אֶת כָּל הָאָרֶץ, אָמֵן וְאָמֵן: קדיש יתום

תו"א א) ישעיה ב ה: ב) מיכה ד ה: ג) מ"א ח נז נח נט ס: ד) תהלים קכד: ה) שם כד: ו) שם קו מז: ז) שם
שם מח: ח) שם קלה כא: ט) שם עב יח:

קדיש יתום

יִתְגַּדַּל וְיִתְקַדַּשׁ שְׁמֵהּ רַבָּא. אמן בְּעָלְמָא דִּי בְרָא כִרְעוּתֵהּ וְיַמְלִיךְ מַלְכוּתֵהּ, וְיַצְמַח פּוּרְקָנֵהּ וִיקָרֵב מְשִׁיחֵהּ. אמן בְּחַיֵּיכוֹן וּבְיוֹמֵיכוֹן וּבְחַיֵּי דְכָל בֵּית יִשְׂרָאֵל, בַּעֲגָלָא וּבִזְמַן קָרִיב, וְאִמְרוּ אָמֵן: יְהֵא שְׁמֵהּ רַבָּא מְבָרַךְ לְעָלַם וּלְעָלְמֵי עָלְמַיָּא. יִתְבָּרֵךְ, וְיִשְׁתַּבַּח, וְיִתְפָּאַר, וְיִתְרוֹמַם, וְיִתְנַשֵּׂא, וְיִתְהַדָּר, וְיִתְעַלֶּה, וְיִתְהַלָּל, שְׁמֵהּ דְּקוּדְשָׁא בְּרִיךְ הוּא. אמן לְעֵלָּא מִן כָּל בִּרְכָתָא וְשִׁירָתָא, תֻּשְׁבְּחָתָא וְנֶחֱמָתָא, דַּאֲמִירָן בְּעָלְמָא, וְאִמְרוּ אָמֵן:

יְהֵא שְׁלָמָא רַבָּא מִן־שְׁמַיָּא וְחַיִּים טוֹבִים עָלֵינוּ וְעַל־כָּל־יִשְׂרָאֵל, וְאִמְרוּ אָמֵן:

עֹשֶׂה שָׁלוֹם (בעשי"ת הַשָּׁלוֹם) בִּמְרוֹמָיו, הוּא יַעֲשֶׂה שָׁלוֹם עָלֵינוּ וְעַל כָּל יִשְׂרָאֵל, וְאִמְרוּ אָמֵן:

בשני בשבת הַיּוֹם, יוֹם שֵׁנִי בַּשַּׁבָּת, שֶׁבּוֹ הָיוּ הַלְוִיִּם אוֹמְרִים בְּבֵית הַמִּקְדָּשׁ:

[א] שִׁיר מִזְמוֹר לִבְנֵי קֹרַח: גָּדוֹל יְיָ וּמְהֻלָּל מְאֹד, בְּעִיר אֱלֹהֵינוּ הַר קָדְשׁוֹ: יְפֵה נוֹף מְשׂוֹשׂ כָּל הָאָרֶץ הַר צִיּוֹן, יַרְכְּתֵי צָפוֹן, קִרְיַת מֶלֶךְ רָב: אֱלֹהִים בְּאַרְמְנוֹתֶיהָ נוֹדַע לְמִשְׂגָּב: כִּי הִנֵּה הַמְּלָכִים נוֹעֲדוּ, עָבְרוּ יַחְדָּו: הֵמָּה רָאוּ כֵּן תָּמָהוּ, נִבְהֲלוּ נֶחְפָּזוּ: רְעָדָה אֲחָזָתַם שָׁם, חִיל כַּיּוֹלֵדָה: בְּרוּחַ קָדִים, תְּשַׁבֵּר אֳנִיּוֹת תַּרְשִׁישׁ: כַּאֲשֶׁר שָׁמַעְנוּ כֵּן רָאִינוּ בְּעִיר יְיָ צְבָאוֹת, בְּעִיר אֱלֹהֵינוּ, אֱלֹהִים יְכוֹנְנֶהָ עַד עוֹלָם סֶלָה: דִּמִּינוּ אֱלֹהִים חַסְדֶּךָ בְּקֶרֶב הֵיכָלֶךָ: כְּשִׁמְךָ אֱלֹהִים כֵּן תְּהִלָּתְךָ עַל קַצְוֵי אֶרֶץ, צֶדֶק מָלְאָה יְמִינֶךָ: יִשְׂמַח הַר צִיּוֹן תָּגֵלְנָה בְּנוֹת יְהוּדָה, לְמַעַן מִשְׁפָּטֶיךָ: סֹבּוּ צִיּוֹן וְהַקִּיפוּהָ, סִפְרוּ מִגְדָּלֶיהָ: שִׁיתוּ לִבְּכֶם לְחֵילָה פַּסְּגוּ אַרְמְנוֹתֶיהָ, לְמַעַן תְּסַפְּרוּ לְדוֹר אַחֲרוֹן: כִּי זֶה אֱלֹהִים אֱלֹהֵינוּ עוֹלָם וָעֶד, הוּא יְנַהֲגֵנוּ עַל מוּת:

הושיענו וכו׳, קדיש יתום

בשלישי בשבת הַיּוֹם, יוֹם שְׁלִישִׁי בַּשַּׁבָּת, שֶׁבּוֹ הָיוּ הַלְוִיִּם אוֹמְרִים בְּבֵית הַמִּקְדָּשׁ:

[ב] מִזְמוֹר לְאָסָף, אֱלֹהִים נִצָּב בַּעֲדַת אֵל, בְּקֶרֶב אֱלֹהִים יִשְׁפֹּט: עַד מָתַי תִּשְׁפְּטוּ עָוֶל, וּפְנֵי רְשָׁעִים תִּשְׂאוּ סֶלָה: שִׁפְטוּ דָל וְיָתוֹם, עָנִי וָרָשׁ הַצְדִּיקוּ: פַּלְּטוּ דַל וְאֶבְיוֹן, מִיַּד רְשָׁעִים הַצִּילוּ: לֹא יָדְעוּ וְלֹא יָבִינוּ בַּחֲשֵׁכָה יִתְהַלָּכוּ, יִמּוֹטוּ כָּל מוֹסְדֵי אָרֶץ: אֲנִי אָמַרְתִּי אֱלֹהִים אַתֶּם, וּבְנֵי עֶלְיוֹן כֻּלְּכֶם: אָכֵן כְּאָדָם תְּמוּתוּן, וּכְאַחַד הַשָּׂרִים תִּפֹּלוּ: קוּמָה אֱלֹהִים שָׁפְטָה הָאָרֶץ, כִּי אַתָּה תִנְחַל בְּכָל הַגּוֹיִם: הושיענו וכו׳, ק״י

תו"א א) תהלים מח: ב) שם פב:

ברביעי בשבת הַיּוֹם, יוֹם רְבִיעִי בַּשַּׁבָּת, שֶׁבּוֹ הָיוּ הַלְוִיִּם אוֹמְרִים בְּבֵית הַמִּקְדָּשׁ:

[א]אֵל נְקָמוֹת יְיָ, אֵל נְקָמוֹת הוֹפִיעַ: הִנָּשֵׂא שֹׁפֵט הָאָרֶץ, הָשֵׁב גְּמוּל עַל גֵּאִים: עַד מָתַי רְשָׁעִים יְיָ, עַד מָתַי רְשָׁעִים יַעֲלֹזוּ: יַבִּיעוּ יְדַבְּרוּ עָתָק, יִתְאַמְּרוּ כָּל פֹּעֲלֵי אָוֶן: עַמְּךָ יְיָ יְדַכְּאוּ, וְנַחֲלָתְךָ יְעַנּוּ: אַלְמָנָה וְגֵר יַהֲרֹגוּ, וִיתוֹמִים יְרַצֵּחוּ: וַיֹּאמְרוּ לֹא יִרְאֶה יָּהּ, וְלֹא יָבִין אֱלֹהֵי יַעֲקֹב: בִּינוּ בֹּעֲרִים בָּעָם, וּכְסִילִים מָתַי תַּשְׂכִּילוּ: הֲנֹטַע אֹזֶן הֲלֹא יִשְׁמָע, אִם יֹצֵר עַיִן הֲלֹא יַבִּיט: הֲיֹסֵר גּוֹיִם הֲלֹא יוֹכִיחַ, הַמְלַמֵּד אָדָם דָּעַת: יְיָ יֹדֵעַ מַחְשְׁבוֹת אָדָם, כִּי הֵמָּה הָבֶל: אַשְׁרֵי הַגֶּבֶר אֲשֶׁר תְּיַסְּרֶנּוּ יָּהּ, וּמִתּוֹרָתְךָ תְלַמְּדֶנּוּ: לְהַשְׁקִיט לוֹ מִימֵי רָע, עַד יִכָּרֶה לָרָשָׁע שָׁחַת: כִּי לֹא יִטֹּשׁ יְיָ עַמּוֹ, וְנַחֲלָתוֹ לֹא יַעֲזֹב: כִּי עַד צֶדֶק יָשׁוּב מִשְׁפָּט, וְאַחֲרָיו כָּל יִשְׁרֵי לֵב: מִי יָקוּם לִי עִם מְרֵעִים, מִי יִתְיַצֵּב לִי עִם פֹּעֲלֵי אָוֶן: לוּלֵי יְיָ עֶזְרָתָה לִּי, כִּמְעַט שָׁכְנָה דוּמָה נַפְשִׁי: אִם אָמַרְתִּי מָטָה רַגְלִי, חַסְדְּךָ יְיָ יִסְעָדֵנִי: בְּרֹב שַׂרְעַפַּי בְּקִרְבִּי, תַּנְחוּמֶיךָ יְשַׁעַשְׁעוּ נַפְשִׁי: הַיְחָבְרְךָ כִּסֵּא הַוּוֹת, יֹצֵר עָמָל עֲלֵי חֹק: יָגוֹדּוּ עַל נֶפֶשׁ צַדִּיק, וְדָם נָקִי יַרְשִׁיעוּ: וַיְהִי יְיָ לִי לְמִשְׂגָּב, וֵאלֹהַי לְצוּר מַחְסִי: וַיָּשֶׁב עֲלֵיהֶם אֶת אוֹנָם וּבְרָעָתָם יַצְמִיתֵם, יַצְמִיתֵם יְיָ אֱלֹהֵינוּ: [ב]לְכוּ נְרַנְּנָה לַייָ, נָרִיעָה לְצוּר יִשְׁעֵנוּ: נְקַדְּמָה פָנָיו בְּתוֹדָה, בִּזְמִרוֹת נָרִיעַ לוֹ: כִּי אֵל גָּדוֹל יְיָ, וּמֶלֶךְ גָּדוֹל עַל כָּל אֱלֹהִים: הושיענו וכו׳, ק״י

בחמישי בשבת הַיּוֹם, יוֹם חֲמִישִׁי בַּשַּׁבָּת, שֶׁבּוֹ הָיוּ הַלְוִיִּם אוֹמְרִים בְּבֵית הַמִּקְדָּשׁ:

[ג]לַמְנַצֵּחַ עַל הַגִּתִּית לְאָסָף: הַרְנִינוּ לֵאלֹהִים עוּזֵּנוּ, הָרִיעוּ לֵאלֹהֵי יַעֲקֹב: שְׂאוּ זִמְרָה וּתְנוּ תֹף, כִּנּוֹר נָעִים עִם נָבֶל: תִּקְעוּ בַחֹדֶשׁ שׁוֹפָר, בַּכֶּסֶה לְיוֹם חַגֵּנוּ: כִּי חֹק לְיִשְׂרָאֵל הוּא, מִשְׁפָּט לֵאלֹהֵי יַעֲקֹב: עֵדוּת בִּיהוֹסֵף שָׂמוֹ בְּצֵאתוֹ עַל אֶרֶץ מִצְרָיִם, שְׂפַת לֹא יָדַעְתִּי אֶשְׁמָע: הֲסִירוֹתִי מִסֵּבֶל שִׁכְמוֹ, כַּפָּיו מִדּוּד תַּעֲבֹרְנָה: בַּצָּרָה קָרָאתָ וָאֲחַלְּצֶךָּ, אֶעֶנְךָ בְּסֵתֶר רַעַם, אֶבְחָנְךָ עַל מֵי מְרִיבָה סֶלָה: שְׁמַע עַמִּי וְאָעִידָה בָּךְ, יִשְׂרָאֵל אִם תִּשְׁמַע לִי: לֹא יִהְיֶה בְךָ אֵל זָר, וְלֹא תִשְׁתַּחֲוֶה לְאֵל נֵכָר: אָנֹכִי יְיָ אֱלֹהֶיךָ הַמַּעַלְךָ מֵאֶרֶץ מִצְרָיִם, הַרְחֶב פִּיךָ וַאֲמַלְאֵהוּ: וְלֹא שָׁמַע עַמִּי לְקוֹלִי, וְיִשְׂרָאֵל לֹא אָבָה לִי:

ואשלחהו

תו״א א) תהלים צד: ב) שם צה א ב ג: ג) שם פא:

וָאֲשַׁלְּחֵהוּ בִּשְׁרִירוּת לִבָּם, יֵלְכוּ בְּמוֹעֲצוֹתֵיהֶם: לוּ עַמִּי שֹׁמֵעַ לִי, יִשְׂרָאֵל בִּדְרָכַי יְהַלֵּכוּ: כִּמְעַט אוֹיְבֵיהֶם אַכְנִיעַ, וְעַל צָרֵיהֶם אָשִׁיב יָדִי: מְשַׂנְאֵי יְיָ יְכַחֲשׁוּ לוֹ, וִיהִי עִתָּם לְעוֹלָם: וַיַּאֲכִילֵהוּ מֵחֵלֶב חִטָּה, וּמִצּוּר דְּבַשׁ אַשְׂבִּיעֶךָ: הושיענו וכו׳, ק״י

בששי בשבת הַיּוֹם, יוֹם שִׁשִּׁי בַּשַּׁבָּת, שֶׁבּוֹ הָיוּ הַלְוִיִּם אוֹמְרִים בְּבֵית הַמִּקְדָּשׁ:

יְיָ מָלָךְ גֵּאוּת לָבֵשׁ, לָבֵשׁ יְיָ, עֹז הִתְאַזָּר, אַף תִּכּוֹן תֵּבֵל בַּל תִּמּוֹט: נָכוֹן כִּסְאֲךָ מֵאָז, מֵעוֹלָם אָתָּה: נָשְׂאוּ נְהָרוֹת יְיָ, נָשְׂאוּ נְהָרוֹת קוֹלָם, יִשְׂאוּ נְהָרוֹת דָּכְיָם: מִקֹּלוֹת מַיִם רַבִּים אַדִּירִים מִשְׁבְּרֵי יָם, אַדִּיר בַּמָּרוֹם יְיָ: עֵדֹתֶיךָ נֶאֶמְנוּ מְאֹד, לְבֵיתְךָ נַאֲוָה קֹדֶשׁ, יְיָ, לְאֹרֶךְ יָמִים: הושיענו וכו׳, קדיש יתום

תהלים קד

בראש חדש אחר שיר של יום אומרים ברכי נפשי.

בָּרְכִי נַפְשִׁי אֶת יְיָ, יְיָ אֱלֹהַי גָּדַלְתָּ מְּאֹד, הוֹד וְהָדָר לָבָשְׁתָּ: עֹטֶה אוֹר כַּשַּׂלְמָה, נוֹטֶה שָׁמַיִם כַּיְרִיעָה: הַמְקָרֶה בַמַּיִם עֲלִיּוֹתָיו, הַשָּׂם עָבִים רְכוּבוֹ, הַמְהַלֵּךְ עַל כַּנְפֵי רוּחַ: עֹשֶׂה מַלְאָכָיו רוּחוֹת, מְשָׁרְתָיו אֵשׁ לֹהֵט: יָסַד אֶרֶץ עַל מְכוֹנֶיהָ, בַּל תִּמּוֹט עוֹלָם וָעֶד: תְּהוֹם כַּלְּבוּשׁ כִּסִּיתוֹ, עַל הָרִים יַעַמְדוּ מָיִם: מִן גַּעֲרָתְךָ יְנוּסוּן, מִן קוֹל רַעַמְךָ יֵחָפֵזוּן: יַעֲלוּ הָרִים יֵרְדוּ בְקָעוֹת, אֶל מְקוֹם זֶה יָסַדְתָּ לָהֶם: גְּבוּל שַׂמְתָּ בַּל יַעֲבֹרוּן, בַּל יְשׁוּבוּן לְכַסּוֹת הָאָרֶץ: הַמְשַׁלֵּחַ מַעְיָנִים בַּנְּחָלִים, בֵּין הָרִים יְהַלֵּכוּן: יַשְׁקוּ כָּל חַיְתוֹ שָׂדָי, יִשְׁבְּרוּ פְרָאִים צְמָאָם: עֲלֵיהֶם עוֹף הַשָּׁמַיִם יִשְׁכּוֹן, מִבֵּין עֳפָאיִם יִתְּנוּ קוֹל: מַשְׁקֶה הָרִים מֵעֲלִיּוֹתָיו,

מפרי

תו״א א) תהלים צג:

מִפְּרִי מַעֲשֶׂיךָ תִּשְׂבַּע הָאָרֶץ: מַצְמִיחַ חָצִיר לַבְּהֵמָה, וְעֵשֶׂב לַעֲבֹדַת הָאָדָם, לְהוֹצִיא לֶחֶם מִן הָאָרֶץ: וְיַיִן יְשַׂמַּח לְבַב אֱנוֹשׁ, לְהַצְהִיל פָּנִים מִשָּׁמֶן, וְלֶחֶם לְבַב אֱנוֹשׁ יִסְעָד: יִשְׂבְּעוּ עֲצֵי יְיָ, אַרְזֵי לְבָנוֹן אֲשֶׁר נָטָע: אֲשֶׁר שָׁם צִפֳּרִים יְקַנֵּנוּ, חֲסִידָה בְּרוֹשִׁים בֵּיתָהּ: הָרִים הַגְּבֹהִים לַיְּעֵלִים, סְלָעִים מַחְסֶה לַשְׁפַנִּים: עָשָׂה יָרֵחַ לְמוֹעֲדִים, שֶׁמֶשׁ יָדַע מְבוֹאוֹ: תָּשֶׁת חֹשֶׁךְ וִיהִי לָיְלָה, בּוֹ תִרְמֹשׂ כָּל חַיְתוֹ יָעַר: הַכְּפִירִים שֹׁאֲגִים לַטָּרֶף, וּלְבַקֵּשׁ מֵאֵל אָכְלָם: תִּזְרַח הַשֶּׁמֶשׁ יֵאָסֵפוּן, וְאֶל מְעוֹנֹתָם יִרְבָּצוּן: יֵצֵא אָדָם לְפָעֳלוֹ, וְלַעֲבֹדָתוֹ עֲדֵי עָרֶב: מָה רַבּוּ מַעֲשֶׂיךָ יְיָ, כֻּלָּם בְּחָכְמָה עָשִׂיתָ, מָלְאָה הָאָרֶץ קִנְיָנֶךָ: זֶה הַיָּם גָּדוֹל וּרְחַב יָדָיִם, שָׁם רֶמֶשׂ וְאֵין מִסְפָּר, חַיּוֹת קְטַנּוֹת עִם גְּדֹלוֹת: שָׁם אֳנִיּוֹת יְהַלֵּכוּן, לִוְיָתָן זֶה יָצַרְתָּ לְשַׂחֶק בּוֹ: כֻּלָּם אֵלֶיךָ יְשַׂבֵּרוּן, לָתֵת אָכְלָם בְּעִתּוֹ: תִּתֵּן לָהֶם יִלְקֹטוּן, תִּפְתַּח יָדְךָ יִשְׂבְּעוּן טוֹב: תַּסְתִּיר פָּנֶיךָ יִבָּהֵלוּן, תֹּסֵף רוּחָם יִגְוָעוּן, וְאֶל עֲפָרָם יְשׁוּבוּן: תְּשַׁלַּח רוּחֲךָ יִבָּרֵאוּן, וּתְחַדֵּשׁ פְּנֵי אֲדָמָה: יְהִי כְבוֹד יְיָ לְעוֹלָם, יִשְׂמַח יְיָ בְּמַעֲשָׂיו: הַמַּבִּיט לָאָרֶץ וַתִּרְעָד, יִגַּע בֶּהָרִים וְיֶעֱשָׁנוּ: אָשִׁירָה לַייָ בְּחַיָּי, אֲזַמְּרָה לֵאלֹהַי בְּעוֹדִי:

1 יֶעֱרַב עָלָיו שִׂיחִי, אָנֹכִי אֶשְׂמַח בַּיְיָ: יִתַּמּוּ חַטָּאִים

2 מִן הָאָרֶץ וּרְשָׁעִים עוֹד אֵינָם, בָּרְכִי נַפְשִׁי אֶת

3 יְיָ, הַלְלוּיָהּ: ק״י

מן ר״ח* אלול עד אחר הושענא רבה אחר שיר של יום ובמנחה קודם עלינו אומרים זה:

4 לְדָוִד, יְיָ אוֹרִי וְיִשְׁעִי מִמִּי אִירָא, יְיָ מָעוֹז חַיַּי מִמִּי

5 אֶפְחָד: בִּקְרֹב עָלַי מְרֵעִים לֶאֱכֹל אֶת בְּשָׂרִי

6 צָרַי וְאֹיְבַי לִי, הֵמָּה כָשְׁלוּ וְנָפָלוּ: אִם תַּחֲנֶה עָלַי מַחֲנֶה

7 לֹא יִירָא לִבִּי, אִם תָּקוּם עָלַי מִלְחָמָה, בְּזֹאת אֲנִי בוֹטֵחַ:

8 אַחַת שָׁאַלְתִּי מֵאֵת יְיָ אוֹתָהּ אֲבַקֵּשׁ, שִׁבְתִּי בְּבֵית יְיָ

9 כָּל יְמֵי חַיַּי, לַחֲזוֹת בְּנֹעַם יְיָ וּלְבַקֵּר בְּהֵיכָלוֹ: כִּי יִצְפְּנֵנִי

10 בְּסֻכּוֹ בְּיוֹם רָעָה יַסְתִּירֵנִי בְּסֵתֶר אָהֳלוֹ, בְּצוּר יְרוֹמְמֵנִי:

11 וְעַתָּה יָרוּם רֹאשִׁי עַל אֹיְבַי סְבִיבוֹתַי, וְאֶזְבְּחָה בְאָהֳלוֹ

12 זִבְחֵי תְרוּעָה, אָשִׁירָה וַאֲזַמְּרָה לַיְיָ: שְׁמַע יְיָ קוֹלִי

13 אֶקְרָא, וְחָנֵּנִי וַעֲנֵנִי: לְךָ אָמַר לִבִּי בַּקְּשׁוּ פָנָי, אֶת פָּנֶיךָ

14 יְיָ אֲבַקֵּשׁ: אַל תַּסְתֵּר פָּנֶיךָ מִמֶּנִּי, אַל תַּט בְּאַף עַבְדֶּךָ

15 עֶזְרָתִי הָיִיתָ, אַל תִּטְּשֵׁנִי וְאַל תַּעַזְבֵנִי אֱלֹהֵי יִשְׁעִי: כִּי

16 אָבִי וְאִמִּי עֲזָבוּנִי, וַיְיָ יַאַסְפֵנִי: הוֹרֵנִי יְיָ דַּרְכֶּךָ, וּנְחֵנִי

17 בְּאֹרַח מִישׁוֹר, לְמַעַן שֹׁרְרָי: אַל תִּתְּנֵנִי בְּנֶפֶשׁ צָרָי, כִּי

18 קָמוּ בִי עֵדֵי שֶׁקֶר וִיפֵחַ חָמָס: לוּלֵא הֶאֱמַנְתִּי לִרְאוֹת

19 בְּטוּב יְיָ בְּאֶרֶץ חַיִּים: קַוֵּה אֶל יְיָ חֲזַק וְיַאֲמֵץ לִבֶּךָ,

20 וְקַוֵּה אֶל יְיָ: קדיש יתום

21 קַוֵּה אֶל יְיָ, חֲזַק וְיַאֲמֵץ לִבֶּךָ, וְקַוֵּה אֶל יְיָ: אֵין קָדוֹשׁ כַּיְיָ, כִּי אֵין בִּלְתֶּךָ,

22 וְאֵין צוּר כֵּאלֹהֵינוּ: כִּי מִי אֱלוֹהַּ מִבַּלְעֲדֵי יְיָ, וּמִי צוּר זוּלָתִי אֱלֹהֵינוּ:

23 אֵין כֵּאלֹהֵינוּ, אֵין כַּאדוֹנֵינוּ, אֵין

24 כְּמַלְכֵּנוּ, אֵין כְּמוֹשִׁיעֵנוּ: מִי

כֵאלהינו

תו״א א) תהלים כז: ב) שם כז יד: ג) ש״א ב ב: ד) תהלים יח לב:
*) מיום א׳ דר״ח.

כֵּאלֹהֵינוּ, מִי כַאדוֹנֵינוּ, מִי כְמַלְכֵּנוּ, מִי כְמוֹשִׁיעֵנוּ: נוֹדֶה לֵאלֹהֵינוּ, נוֹדֶה לַאדוֹנֵינוּ, נוֹדֶה לְמַלְכֵּנוּ, נוֹדֶה לְמוֹשִׁיעֵנוּ: בָּרוּךְ אֱלֹהֵינוּ, בָּרוּךְ אֲדוֹנֵינוּ, בָּרוּךְ מַלְכֵּנוּ, בָּרוּךְ מוֹשִׁיעֵנוּ: אַתָּה הוּא אֱלֹהֵינוּ, אַתָּה הוּא אֲדוֹנֵינוּ, אַתָּה הוּא מַלְכֵּנוּ, אַתָּה הוּא מוֹשִׁיעֵנוּ, אַתָּה תוֹשִׁיעֵנוּ: [א] אַתָּה תָקוּם תְּרַחֵם צִיּוֹן כִּי עֵת לְחֶנְנָהּ* כִּי בָא מוֹעֵד: אַתָּה הוּא יְיָ אֱלֹהֵינוּ וֵאלֹהֵי אֲבוֹתֵינוּ, שֶׁהִקְטִירוּ אֲבוֹתֵינוּ לְפָנֶיךָ אֶת קְטֹרֶת הַסַּמִּים:

[ב] פִּטּוּם הַקְּטֹרֶת*, הַצֳּרִי, וְהַצִּפֹּרֶן*, הַחֶלְבְּנָה, וְהַלְּבוֹנָה*, מִשְׁקַל שִׁבְעִים שִׁבְעִים מָנֶה, מוֹר, וּקְצִיעָה*, שִׁבֹּלֶת נֵרְדְּ, וְכַרְכֹּם, מִשְׁקַל שִׁשָּׁה עָשָׂר שִׁשָּׁה עָשָׂר מָנֶה, הַקֹּשְׁטְ שְׁנֵים עָשָׂר, קִלּוּפָה שְׁלשָׁה, קִנָּמוֹן תִּשְׁעָה, בֹּרִית כַּרְשִׁינָה תִּשְׁעָה קַבִּין, יֵין קַפְרִיסִין סְאִין תְּלָתָא וְקַבִּין תְּלָתָא, וְאִם אֵין לוֹ יֵין קַפְרִיסִין מֵבִיא חֲמַר חִוַּרְיָן עַתִּיק, מֶלַח סְדוֹמִית רוֹבַע, מַעֲלֶה עָשָׁן כָּל שֶׁהוּא. רַבִּי נָתָן הַבַּבְלִי אוֹמֵר: אַף כִּפַּת הַיַּרְדֵּן כָּל שֶׁהִיא, וְאִם נָתַן בָּהּ דְּבַשׁ פְּסָלָהּ, וְאִם חִסַּר אֶחָד מִכָּל סַמְמָנֶיהָ* חַיָּב מִיתָה: רַבָּן שִׁמְעוֹן בֶּן גַּמְלִיאֵל אוֹמֵר: הַצֳּרִי אֵינוֹ אֶלָּא

תו"א א) תהלים קב יד: ב) כריתות ו ע"א ירושלמי יומא פ"ד ה"ה:

שְׂרָף, הַנּוֹטֵף מֵעֲצֵי הַקְּטָף, בֹּרִית כַּרְשִׁינָה שֶׁשָּׁפִין בָּהּ אֶת הַצִּפֹּרֶן, כְּדֵי שֶׁתְּהֵא נָאָה; יֵין קַפְרִיסִין שֶׁשּׁוֹרִין בּוֹ אֶת הַצִּפֹּרֶן, כְּדֵי שֶׁתְּהֵא עַזָּה. וַהֲלֹא מֵי רַגְלַיִם יָפִין לָהּ, אֶלָּא שֶׁאֵין מַכְנִיסִין מֵי רַגְלַיִם בַּמִּקְדָּשׁ מִפְּנֵי הַכָּבוֹד:

[א] **תָּנָא** דְבֵי אֵלִיָּהוּ כָּל הַשּׁוֹנֶה הֲלָכוֹת בְּכָל יוֹם מֻבְטָח לוֹ שֶׁהוּא בֶּן עוֹלָם הַבָּא שֶׁנֶּאֱמַר [ב] הֲלִיכוֹת עוֹלָם לוֹ, אַל תִּקְרֵי הֲלִיכוֹת אֶלָּא הֲלָכוֹת:

[ג] **אָמַר** רַבִּי אֶלְעָזָר אָמַר רַבִּי חֲנִינָא, תַּלְמִידֵי חֲכָמִים מַרְבִּים שָׁלוֹם בָּעוֹלָם, שֶׁנֶּאֱמַר [ד] וְכָל בָּנַיִךְ לִמּוּדֵי יְיָ, וְרַב שְׁלוֹם בָּנָיִךְ: אַל תִּקְרֵי בָּנָיִךְ, אֶלָּא בּוֹנָיִךְ: [ה] שָׁלוֹם רָב לְאֹהֲבֵי תוֹרָתֶךָ, וְאֵין לָמוֹ מִכְשׁוֹל: [ו] יְהִי שָׁלוֹם בְּחֵילֵךְ, שַׁלְוָה בְּאַרְמְנוֹתָיִךְ: לְמַעַן אַחַי וְרֵעָי אֲדַבְּרָה נָּא שָׁלוֹם בָּךְ: לְמַעַן בֵּית יְיָ אֱלֹהֵינוּ, אֲבַקְשָׁה טוֹב לָךְ: [ז] יְיָ עֹז לְעַמּוֹ יִתֵּן, יְיָ יְבָרֵךְ אֶת עַמּוֹ בַשָּׁלוֹם:

קדיש דרבנן

יִתְגַּדַּל וְיִתְקַדַּשׁ שְׁמֵהּ רַבָּא. אמן בְּעָלְמָא דִּי בְרָא כִרְעוּתֵהּ וְיַמְלִיךְ מַלְכוּתֵהּ, וְיַצְמַח פּוּרְקָנֵהּ וִיקָרֵב מְשִׁיחֵהּ. אמן בְּחַיֵּיכוֹן וּבְיוֹמֵיכוֹן וּבְחַיֵּי דְכָל בֵּית יִשְׂרָאֵל, בַּעֲגָלָא וּבִזְמַן קָרִיב, וְאִמְרוּ אָמֵן: יְהֵא שְׁמֵהּ רַבָּא מְבָרַךְ לְעָלַם וּלְעָלְמֵי עָלְמַיָּא. יִתְבָּרַךְ, וְיִשְׁתַּבַּח, וְיִתְפָּאַר, וְיִתְרוֹמַם, וְיִתְנַשֵּׂא, וְיִתְהַדָּר, וְיִתְעַלֶּה, וְיִתְהַלָּל, שְׁמֵהּ דְּקוּדְשָׁא בְּרִיךְ הוּא. אמן לְעֵלָּא מִן כָּל בִּרְכָתָא וְשִׁירָתָא, תֻּשְׁבְּחָתָא וְנֶחֱמָתָא, דַּאֲמִירָן בְּעָלְמָא, וְאִמְרוּ אָמֵן:

עַל יִשְׂרָאֵל וְעַל רַבָּנָן, וְעַל תַּלְמִידֵיהוֹן וְעַל כָּל תַּלְמִידֵי תַלְמִידֵיהוֹן, וְעַל כָּל מָאן דְּעָסְקִין בְּאוֹרַיְתָא, דִּי בְאַתְרָא הָדֵין וְדִי בְכָל אֲתַר וַאֲתַר, יְהֵא לְהוֹן וּלְכוֹן שְׁלָמָא רַבָּא חִנָּא וְחִסְדָּא וְרַחֲמִין וְחַיִּין אֲרִיכִין וּמְזוֹנָא רְוִיחָא וּפוּרְקָנָא מִן קֳדָם אֲבוּהוֹן דְּבִשְׁמַיָּא, וְאִמְרוּ אָמֵן:

יְהֵא שְׁלָמָא רַבָּא מִן־שְׁמַיָּא וְחַיִּים טוֹבִים עָלֵינוּ וְעַל־כָּל־יִשְׂרָאֵל, וְאִמְרוּ אָמֵן:

עֹשֶׂה שָׁלוֹם (בעשי"ת הַשָּׁלוֹם) בִּמְרוֹמָיו, הוּא יַעֲשֶׂה שָׁלוֹם עָלֵינוּ וְעַל כָּל יִשְׂרָאֵל, וְאִמְרוּ אָמֵן:

תו"א א) מגילה כח ע"ב, נדה עג ע"א: ב) חבקוק ג ו: ג) ברכות סד ע"א, יבמות קכב ע"ב, נזיר סו ע"ב, כריתות כח ע"ב, תמיד לב ע"ב: ד) ישעיה נד יג: ה) תהלים קיט קסה: ו) שם קכב ז ח ט: ז) שם כט יא:

עָלֵינוּ לְשַׁבֵּחַ לַאֲדוֹן הַכֹּל, לָתֵת גְּדֻלָּה לְיוֹצֵר בְּרֵאשִׁית, שֶׁלֹּא עָשָׂנוּ כְּגוֹיֵי הָאֲרָצוֹת, וְלֹא שָׂמָנוּ כְּמִשְׁפְּחוֹת הָאֲדָמָה, שֶׁלֹּא שָׂם חֶלְקֵנוּ כָּהֶם, וְגוֹרָלֵנוּ כְּכָל הֲמוֹנָם שֶׁהֵם מִשְׁתַּחֲוִים לְהֶבֶל וְלָרִיק. וַאֲנַחְנוּ כּוֹרְעִים* וּמִשְׁתַּחֲוִים וּמוֹדִים, לִפְנֵי* מֶלֶךְ מַלְכֵי* הַמְּלָכִים*, הַקָּדוֹשׁ, בָּרוּךְ הוּא. שֶׁהוּא נוֹטֶה שָׁמַיִם וְיוֹסֵד אָרֶץ, וּמוֹשַׁב יְקָרוֹ בַּשָּׁמַיִם מִמַּעַל, וּשְׁכִינַת* עֻזּוֹ בְּגָבְהֵי* מְרוֹמִים, הוּא אֱלֹהֵינוּ אֵין עוֹד. אֱמֶת מַלְכֵּנוּ, אֶפֶס זוּלָתוֹ, כַּכָּתוּב בְּתוֹרָתוֹ: וְיָדַעְתָּ[א] הַיּוֹם וַהֲשֵׁבֹתָ אֶל לְבָבֶךָ, כִּי יְיָ הוּא הָאֱלֹהִים בַּשָּׁמַיִם מִמַּעַל, וְעַל הָאָרֶץ מִתָּחַת, אֵין עוֹד:

וְעַל כֵּן נְקַוֶּה לְּךָ יְיָ אֱלֹהֵינוּ, לִרְאוֹת מְהֵרָה בְּתִפְאֶרֶת עֻזֶּךָ, לְהַעֲבִיר גִּלּוּלִים מִן הָאָרֶץ וְהָאֱלִילִים כָּרוֹת יִכָּרֵתוּן, לְתַקֵּן עוֹלָם בְּמַלְכוּת* שַׁדַּי; וְכָל בְּנֵי בָשָׂר יִקְרְאוּ* בִשְׁמֶךָ, לְהַפְנוֹת אֵלֶיךָ כָּל רִשְׁעֵי* אָרֶץ. יַכִּירוּ וְיֵדְעוּ* כָּל יוֹשְׁבֵי* תֵבֵל, כִּי לְךָ תִּכְרַע כָּל בֶּרֶךְ, תִּשָּׁבַע כָּל לָשׁוֹן. לְפָנֶיךָ יְיָ אֱלֹהֵינוּ יִכְרְעוּ וְיִפֹּלוּ, וְלִכְבוֹד* שִׁמְךָ* יְקָר יִתֵּנוּ וִיקַבְּלוּ* כֻלָּם עֲלֵיהֶם אֶת עוֹל מַלְכוּתֶךָ*, וְתִמְלוֹךְ עֲלֵיהֶם מְהֵרָה לְעוֹלָם וָעֶד, כִּי הַמַּלְכוּת* שֶׁלְּךָ* הִיא, וּלְעוֹלְמֵי* עַד תִּמְלוֹךְ בְּכָבוֹד, כַּכָּתוּב בְּתוֹרָתֶךָ: יְיָ יִמְלֹךְ[ב] לְעֹלָם וָעֶד. וְנֶאֱמַר: וְהָיָה[ג] יְיָ

למלך

תו"א א) דברים ד לט: ב) שמות טו יח: ג) זכריה יד ט:

לְמֶלֶךְ עַל כָּל הָאָרֶץ, בַּיּוֹם הַהוּא יִהְיֶה יְיָ אֶחָד וּשְׁמוֹ אֶחָד: קדיש יתום

[א] אַל תִּירָא מִפַּחַד פִּתְאֹם, וּמִשֹּׁאַת רְשָׁעִים כִּי תָבֹא: [ב] עֻצוּ עֵצָה וְתֻפָר, דַּבְּרוּ דָבָר וְלֹא יָקוּם כִּי עִמָּנוּ אֵל: [ג] וְעַד זִקְנָה אֲנִי הוּא, וְעַד שֵׂיבָה אֲנִי אֶסְבֹּל; אֲנִי עָשִׂיתִי וַאֲנִי אֶשָּׂא וַאֲנִי אֶסְבֹּל וַאֲמַלֵּט:

[ד] אַךְ צַדִּיקִים יוֹדוּ לִשְׁמֶךָ יֵשְׁבוּ יְשָׁרִים אֶת פָּנֶיךָ:

מנהג להניח תפילין דר"ת אחר התפלה בלא ברכה ולקרות ק"ש בהם ויש נוהגין לומר גם כן פרשת קדש והיה כי יביאך:

א [ה] וַיְדַבֵּר יְהוָה אֶל־מֹשֶׁה לֵּאמֹר: ב קַדֶּשׁ־לִי כָל־בְּכוֹר פֶּטֶר כָּל־
רֶחֶם בִּבְנֵי יִשְׂרָאֵל בָּאָדָם וּבַבְּהֵמָה לִי הוּא: ג וַיֹּאמֶר
מֹשֶׁה אֶל־הָעָם זָכוֹר אֶת־הַיּוֹם הַזֶּה אֲשֶׁר יְצָאתֶם מִמִּצְרַיִם מִבֵּית
עֲבָדִים כִּי בְּחֹזֶק יָד הוֹצִיא יְהוָה אֶתְכֶם מִזֶּה וְלֹא יֵאָכֵל חָמֵץ:
ד הַיּוֹם אַתֶּם יֹצְאִים בְּחֹדֶשׁ הָאָבִיב: ה וְהָיָה כִי־יְבִיאֲךָ יְהוָה אֶל־
אֶרֶץ הַכְּנַעֲנִי וְהַחִתִּי וְהָאֱמֹרִי וְהַחִוִּי וְהַיְבוּסִי אֲשֶׁר נִשְׁבַּע לַאֲבֹתֶיךָ
לָתֶת לָךְ אֶרֶץ זָבַת חָלָב וּדְבָשׁ וְעָבַדְתָּ אֶת־הָעֲבֹדָה הַזֹּאת
בַּחֹדֶשׁ הַזֶּה: ו שִׁבְעַת יָמִים תֹּאכַל מַצֹּת וּבַיּוֹם הַשְּׁבִיעִי חַג
לַיהוָה: ז מַצּוֹת יֵאָכֵל אֵת שִׁבְעַת הַיָּמִים וְלֹא־יֵרָאֶה לְךָ חָמֵץ
וְלֹא־יֵרָאֶה לְךָ שְׂאֹר בְּכָל־גְּבֻלֶךָ: ח וְהִגַּדְתָּ לְבִנְךָ בַּיּוֹם הַהוּא
לֵאמֹר בַּעֲבוּר זֶה עָשָׂה יְהוָה לִי בְּצֵאתִי מִמִּצְרָיִם: ט וְהָיָה לְךָ לְאוֹת
עַל־יָדְךָ וּלְזִכָּרוֹן בֵּין עֵינֶיךָ לְמַעַן תִּהְיֶה תּוֹרַת יְהוָה בְּפִיךָ כִּי בְּיָד
חֲזָקָה הוֹצִאֲךָ יְהוָה מִמִּצְרָיִם: י וְשָׁמַרְתָּ אֶת־הַחֻקָּה הַזֹּאת
לְמוֹעֲדָהּ מִיָּמִים יָמִימָה: יא וְהָיָה כִּי־יְבִאֲךָ יְהוָה אֶל־אֶרֶץ הַכְּנַעֲנִי
כַּאֲשֶׁר נִשְׁבַּע לְךָ וְלַאֲבֹתֶיךָ וּנְתָנָהּ לָךְ: יב וְהַעֲבַרְתָּ כָל־פֶּטֶר־רֶחֶם
לַיהוָה וְכָל־פֶּטֶר | שֶׁגֶר בְּהֵמָה אֲשֶׁר יִהְיֶה לְךָ הַזְּכָרִים לַיהוָה:
יג וְכָל־פֶּטֶר חֲמֹר תִּפְדֶּה בְשֶׂה וְאִם־לֹא תִפְדֶּה וַעֲרַפְתּוֹ וְכֹל בְּכוֹר
אָדָם בְּבָנֶיךָ תִּפְדֶּה: יד וְהָיָה כִּי־יִשְׁאָלְךָ בִנְךָ מָחָר לֵאמֹר מַה־זֹּאת
וְאָמַרְתָּ אֵלָיו בְּחֹזֶק יָד הוֹצִיאָנוּ יְהוָה מִמִּצְרַיִם מִבֵּית עֲבָדִים:
טו וַיְהִי כִּי־הִקְשָׁה פַרְעֹה לְשַׁלְּחֵנוּ וַיַּהֲרֹג יְהוָה כָּל־בְּכוֹר בְּאֶרֶץ

מצרים

תו"א א) משלי ג כה: ב) ישעיה ח י: ג) שם מו ד: ד) תהלים קמ יד: ה) שמות יג א:

מִצְרַיִם מִבְּכֹר אָדָם וְעַד־בְּכוֹר בְּהֵמָה עַל־כֵּן אֲנִי זֹבֵחַ לַיהוָה כָּל־פֶּטֶר רֶחֶם הַזְּכָרִים וְכָל־בְּכוֹר בָּנַי אֶפְדֶּה: טז וְהָיָה לְאוֹת עַל־יָדְכָה וּלְטוֹטָפֹת בֵּין עֵינֶיךָ כִּי בְּחֹזֶק יָד הוֹצִיאָנוּ יְהוָה מִמִּצְרָיִם:

שש זכירות

[א] לְמַעַן תִּזְכֹּר אֶת־יוֹם צֵאתְךָ מֵאֶרֶץ מִצְרַיִם כֹּל יְמֵי חַיֶּיךָ:

[ב] רַק הִשָּׁמֶר לְךָ וּשְׁמֹר נַפְשְׁךָ מְאֹד פֶּן־תִּשְׁכַּח אֶת־הַדְּבָרִים אֲשֶׁר־רָאוּ עֵינֶיךָ וּפֶן־[ג] יָסוּרוּ מִלְּבָבְךָ כֹּל יְמֵי חַיֶּיךָ וְהוֹדַעְתָּם לְבָנֶיךָ וְלִבְנֵי בָנֶיךָ: יוֹם אֲשֶׁר עָמַדְתָּ לִפְנֵי יְהוָה אֱלֹהֶיךָ בְּחֹרֵב:

[ד] זָכוֹר אֵת אֲשֶׁר־עָשָׂה לְךָ עֲמָלֵק בַּדֶּרֶךְ בְּצֵאתְכֶם מִמִּצְרָיִם: [ה] אֲשֶׁר קָרְךָ בַּדֶּרֶךְ וַיְזַנֵּב בְּךָ כָּל־הַנֶּחֱשָׁלִים אַחֲרֶיךָ וְאַתָּה עָיֵף וְיָגֵעַ וְלֹא יָרֵא אֱלֹהִים: [ו] וְהָיָה בְּהָנִיחַ יְהוָה אֱלֹהֶיךָ | לְךָ מִכָּל־אֹיְבֶיךָ מִסָּבִיב בָּאָרֶץ אֲשֶׁר־יְהוָה־אֱלֹהֶיךָ נֹתֵן לְךָ נַחֲלָה לְרִשְׁתָּהּ תִּמְחֶה אֶת־זֵכֶר עֲמָלֵק מִתַּחַת הַשָּׁמָיִם לֹא תִּשְׁכָּח:

[ז] זְכֹר אַל־תִּשְׁכַּח אֵת אֲשֶׁר־הִקְצַפְתָּ אֶת־יְהוָה אֱלֹהֶיךָ בַּמִּדְבָּר:

[ח] זָכוֹר אֵת אֲשֶׁר־עָשָׂה יְהוָה אֱלֹהֶיךָ לְמִרְיָם בַּדֶּרֶךְ בְּצֵאתְכֶם מִמִּצְרָיִם:

[ט] זָכוֹר אֶת־יוֹם הַשַּׁבָּת לְקַדְּשׁוֹ:

תפלת הדרך

צריך לאומרה משהחזיק בדרך חוץ לעיר ביום ראשון כשנוסע מביתו וטוב לומר מעומד אם אפשר בקל. ובשאר הימים שמתעכב בדרך עד שובו לביתו יאמר אותה בכל בוקר אפילו במלון ויחתום ברוך אתה שומע תפלה בלי הזכרת השם:

יְהִי רָצוֹן מִלְּפָנֶיךָ יְהוָה אֱלֹהֵינוּ וֵאלֹהֵי אֲבוֹתֵינוּ שֶׁתּוֹלִיכֵנוּ לְשָׁלוֹם וְתַצְעִידֵנוּ לְשָׁלוֹם וְתַדְרִיכֵנוּ לְשָׁלוֹם וְתִסְמְכֵנוּ לְשָׁלוֹם וְתַגִּיעֵנוּ לִמְחוֹז חֶפְצֵנוּ לְחַיִּים וּלְשִׂמְחָה וּלְשָׁלוֹם (ואם דעתו לחזור מיד אומר וְתַחֲזִירֵנוּ לְשָׁלוֹם) וְתַצִּילֵנוּ מִכַּף כָּל־אוֹיֵב וְאוֹרֵב וְלִסְטִים וְחַיּוֹת רָעוֹת בַּדֶּרֶךְ וּמִכָּל־פּוּרְעָנִיּוֹת הַמִּתְרַגְּשׁוֹת וּבָאוֹת לָעוֹלָם וְתִשְׁלַח בְּרָכָה בְּכָל־מַעֲשֵׂה יָדֵינוּ וְתִתְּנֵנִי* לְחֵן וּלְחֶסֶד וּלְרַחֲמִים בְּעֵינֶיךָ וּבְעֵינֵי כָל־רוֹאֵינוּ וְתִגְמְלֵנוּ חֲסָדִים טוֹבִים וְתִשְׁמַע קוֹל תְּפִלָּתֵנוּ כִּי אַתָּה שׁוֹמֵעַ תְּפִלַּת כָּל־פֶּה: בָּרוּךְ אַתָּה יְהוָה שׁוֹמֵעַ תְּפִלָּה:

*) בל׳ יחיד

תו"א א) דברים טז ג: ב) שם ד ט: ג) שם ד י: ד) שם כה יז: ה) שם כה יח: ו) שם כה יט: ז) שם ט ז: ח) שם כד ט: ט) שמות כ ח:

כשנוטל את ידיו קודם הסעודה מברך:

בָּרוּךְ אַתָּה יְיָ אֱלֹהֵינוּ מֶלֶךְ הָעוֹלָם, אֲשֶׁר קִדְּשָׁנוּ בְּמִצְוֹתָיו, וְצִוָּנוּ עַל נְטִילַת יָדָיִם: 1

על הלחם:

בָּרוּךְ אַתָּה יְיָ אֱלֹהֵינוּ מֶלֶךְ הָעוֹלָם, הַמּוֹצִיא לֶחֶם מִן הָאָרֶץ: 2

על חמשת מיני דגן שהם חטה ושעורה כוסמין שבולת שועל ושיפון ששלקן או כתשן ועשה מהן תבשיל מברך:

בָּרוּךְ אַתָּה יְיָ אֱלֹהֵינוּ מֶלֶךְ הָעוֹלָם, בּוֹרֵא מִינֵי מְזוֹנוֹת: 3

על היין:

בָּרוּךְ אַתָּה יְיָ אֱלֹהֵינוּ מֶלֶךְ הָעוֹלָם, בּוֹרֵא פְּרִי הַגָּפֶן: 4

על כל פרי העץ מברך:

בָּרוּךְ אַתָּה יְיָ אֱלֹהֵינוּ מֶלֶךְ הָעוֹלָם, בּוֹרֵא פְּרִי הָעֵץ: 5

על פרי האדמה:

בָּרוּךְ אַתָּה יְיָ אֱלֹהֵינוּ מֶלֶךְ הָעוֹלָם, בּוֹרֵא פְּרִי הָאֲדָמָה: 6

על בשר ודגים, חלב ביצה וגבינה, כמהין ופטריות וכדומה, גם על המשקים חוץ מיין מברך:

בָּרוּךְ אַתָּה יְיָ אֱלֹהֵינוּ מֶלֶךְ הָעוֹלָם, שֶׁהַכֹּל נִהְיָה בִּדְבָרוֹ: 7

האוכל פרי חדש בפעם הראשונה:

בָּרוּךְ אַתָּה יְיָ אֱלֹהֵינוּ מֶלֶךְ הָעוֹלָם, שֶׁהֶחֱיָנוּ וְקִיְּמָנוּ וְהִגִּיעָנוּ לַזְּמַן הַזֶּה: 8

הקובע מזוזה:

בָּרוּךְ אַתָּה יְיָ אֱלֹהֵינוּ מֶלֶךְ הָעוֹלָם, אֲשֶׁר קִדְּשָׁנוּ בְּמִצְוֹתָיו, וְצִוָּנוּ לִקְבּוֹעַ מְזוּזָה: 9

על רעם וסער ורעש:

בָּרוּךְ אַתָּה יְיָ אֱלֹהֵינוּ מֶלֶךְ הָעוֹלָם, שֶׁכֹּחוֹ וּגְבוּרָתוֹ מָלֵא עוֹלָם: 10

הרואה ברקים וכוכבים המעופפים בלילה:

בָּרוּךְ אַתָּה יְיָ אֱלֹהֵינוּ מֶלֶךְ הָעוֹלָם, עֹשֶׂה מַעֲשֵׂה בְרֵאשִׁית: 11

הרואה הקשת:

בָּרוּךְ אַתָּה יְיָ אֱלֹהֵינוּ מֶלֶךְ הָעוֹלָם, זוֹכֵר הַבְּרִית וְנֶאֱמָן בִּבְרִיתוֹ וְקַיָּם בְּמַאֲמָרוֹ: 12

על שמועות טובות לו ולאחרים:

בָּרוּךְ אַתָּה יְיָ אֱלֹהֵינוּ מֶלֶךְ הָעוֹלָם, הַטּוֹב וְהַמֵּטִיב: 13

על שמועות רעות ר"ל:

בָּרוּךְ אַתָּה יְיָ אֱלֹהֵינוּ מֶלֶךְ הָעוֹלָם, דַּיַּן הָאֱמֶת: 14

על ריח בשמים:

בָּרוּךְ אַתָּה יְיָ אֱלֹהֵינוּ מֶלֶךְ הָעוֹלָם, בּוֹרֵא מִינֵי בְשָׂמִים: 15

כשטובל כלים חדשים מברך:

בָּרוּךְ אַתָּה יְיָ אֱלֹהֵינוּ מֶלֶךְ הָעוֹלָם, אֲשֶׁר קִדְּשָׁנוּ בְּמִצְוֹתָיו, וְצִוָּנוּ עַל טְבִילַת 16
כֶּלִי (וכשהם הרבה יאמר טְבִילַת כֵּלִים): 17

הלש עיסה לערך משקל שלש לטרות מקמח ומים, חייב להפריש ממנה חלה:

בָּרוּךְ אַתָּה יְיָ אֱלֹהֵינוּ מֶלֶךְ הָעוֹלָם, אֲשֶׁר קִדְּשָׁנוּ בְּמִצְוֹתָיו, וְצִוָּנוּ לְהַפְרִישׁ חַלָּה: 18

קודם מים אחרונים יאמר על נהרות בבל

א[א]עַל־נַהֲרוֹת | בָּבֶל שָׁם יָשַׁבְנוּ גַּם־בָּכִינוּ בְּזָכְרֵנוּ אֶת־צִיּוֹן: ב עַל־עֲרָבִים בְּתוֹכָהּ תָּלִינוּ כִּנֹּרוֹתֵינוּ: ג כִּי שָׁם שְׁאֵלוּנוּ שׁוֹבֵינוּ דִּבְרֵי־שִׁיר וְתוֹלָלֵינוּ שִׂמְחָה שִׁירוּ לָנוּ מִשִּׁיר צִיּוֹן: ד אֵיךְ נָשִׁיר אֶת־שִׁיר יְהוָה עַל אַדְמַת נֵכָר: ה אִם־אֶשְׁכָּחֵךְ יְרוּשָׁלָםִ תִּשְׁכַּח יְמִינִי: ו תִּדְבַּק לְשׁוֹנִי | לְחִכִּי אִם־לֹא אֶזְכְּרֵכִי אִם־לֹא אַעֲלֶה אֶת־יְרוּשָׁלַםִ עַל רֹאשׁ שִׂמְחָתִי: ז זְכֹר יְהוָה | לִבְנֵי אֱדוֹם אֵת יוֹם יְרוּשָׁלָםִ הָאֹמְרִים עָרוּ | עָרוּ עַד הַיְסוֹד בָּהּ: ח בַּת־בָּבֶל הַשְּׁדוּדָה אַשְׁרֵי שֶׁיְשַׁלֶּם־לָךְ אֶת־גְּמוּלֵךְ שֶׁגָּמַלְתְּ לָנוּ: ט אַשְׁרֵי שֶׁיֹּאחֵז וְנִפֵּץ אֶת־עֹלָלַיִךְ אֶל־הַסָּלַע: למנצח בנגינות מזמור שיר (ע' 30). אברכה גו'

ואם הוא יום שאין אומרים בו תחנון יאמר זה:

א[ב]שִׁיר הַמַּעֲלוֹת בְּשׁוּב יְהוָה אֶת־שִׁיבַת צִיּוֹן הָיִינוּ כְּחֹלְמִים: ב אָז יִמָּלֵא שְׂחוֹק פִּינוּ וּלְשׁוֹנֵנוּ רִנָּה אָז יֹאמְרוּ בַגּוֹיִם הִגְדִּיל יְהוָה לַעֲשׂוֹת עִם־אֵלֶּה: ג הִגְדִּיל יְהוָה לַעֲשׂוֹת עִמָּנוּ הָיִינוּ שְׂמֵחִים: ד שׁוּבָה יְהוָה אֶת־שְׁבִיתֵנוּ כַּאֲפִיקִים בַּנֶּגֶב: ה הַזֹּרְעִים בְּדִמְעָה בְּרִנָּה יִקְצֹרוּ: ו הָלוֹךְ יֵלֵךְ | וּבָכֹה נֹשֵׂא מֶשֶׁךְ־הַזָּרַע בֹּא־יָבֹא בְרִנָּה נֹשֵׂא אֲלֻמֹּתָיו:

א[ג]לִבְנֵי־קֹרַח מִזְמוֹר שִׁיר יְסוּדָתוֹ בְּהַרְרֵי־קֹדֶשׁ: ב אֹהֵב יְהוָה שַׁעֲרֵי צִיּוֹן מִכֹּל מִשְׁכְּנוֹת יַעֲקֹב: ג נִכְבָּדוֹת מְדֻבָּר בָּךְ עִיר הָאֱלֹהִים סֶלָה: ד אַזְכִּיר | רַהַב וּבָבֶל לְיֹדְעָי הִנֵּה פְלֶשֶׁת וְצוֹר עִם־כּוּשׁ זֶה יֻלַּד־שָׁם: ה וּלְצִיּוֹן יֵאָמַר אִישׁ וְאִישׁ יֻלַּד־בָּהּ וְהוּא יְכוֹנְנֶהָ עֶלְיוֹן: ו יְהוָה יִסְפֹּר בִּכְתוֹב עַמִּים זֶה יֻלַּד־שָׁם סֶלָה: ז וְשָׁרִים כְּחֹלְלִים כָּל מַעְיָנַי בָּךְ:

[ד]אֲבָרְכָה אֶת־יְהוָה בְּכָל־עֵת תָּמִיד תְּהִלָּתוֹ בְּפִי: [ה]סוֹף דָּבָר הַכֹּל נִשְׁמָע אֶת־הָאֱלֹהִים יְרָא וְאֶת־מִצְוֹתָיו שְׁמוֹר כִּי־זֶה כָּל־הָאָדָם: תְּהִלַּת יְהוָה יְדַבֶּר־פִּי וִיבָרֵךְ כָּל־בָּשָׂר שֵׁם קָדְשׁוֹ לְעוֹלָם וָעֶד: וַאֲנַחְנוּ | נְבָרֵךְ יָהּ מֵעַתָּה וְעַד־עוֹלָם הַלְלוּיָהּ:

קודם מים אחרונים יאמר פסוק זה:

[ח]זֶה | חֵלֶק־אָדָם רָשָׁע מֵאֱלֹהִים וְנַחֲלַת אִמְרוֹ מֵאֵל:

תו"א א) תהלים קלז: ב) שם קכו: ג) שם פז: ד) שם לד ב: ה) קהלת יב יג: ו) תהלים קמה כא: ז) שם קטו יח: ח) איוב כ כט:

ואחר מים אחרונים יאמר פסוק זה:

1   וַיְדַבֵּר אֵלַי זֶה הַשֻּׁלְחָן אֲשֶׁר לִפְנֵי יְהוָה:

אם מברכין בזימון אומר המברך:

2   הַב לָן וְנִבְרִיךְ:

3   (או בל"א רַבּוֹתַי מִיר וֶועלִין בֶּענְטְשִׁין):

4   ועונין המסובין יְהִי שֵׁם יְהוָה מְבֹרָךְ מֵעַתָּה וְעַד עוֹלָם:

5   המברך אומר בִּרְשׁוּת מָרָנָן וְרַבָּנָן וְרַבּוֹתַי נְבָרֵךְ שֶׁאָכַלְנוּ מִשֶּׁלּוֹ:

6   ועונין המסובין בָּרוּךְ שֶׁאָכַלְנוּ מִשֶּׁלּוֹ וּבְטוּבוֹ חָיִינוּ:

7   ומי שלא אכל עמהם עונה בָּרוּךְ וּמְבֹרָךְ שְׁמוֹ תָּמִיד לְעוֹלָם וָעֶד:

8   ואם הם עשרה אומר המברך נְבָרֵךְ אֱלֹהֵינוּ שֶׁאָכַלְנוּ מִשֶּׁלּוֹ:

9   ועונין המסובין בָּרוּךְ אֱלֹהֵינוּ שֶׁאָכַלְנוּ מִשֶּׁלּוֹ וּבְטוּבוֹ חָיִינוּ:

10   ומי שלא אכל עונה בָּרוּךְ אֱלֹהֵינוּ וּמְבֹרָךְ שְׁמוֹ תָּמִיד לְעוֹלָם וָעֶד:

בסעודת נשואין אומר המברך

11   נְבָרֵךְ אֱלֹהֵינוּ שֶׁהַשִּׂמְחָה בִּמְעוֹנוֹ שֶׁאָכַלְנוּ מִשֶּׁלּוֹ:

ועונין המסובין

12   בָּרוּךְ אֱלֹהֵינוּ שֶׁהַשִּׂמְחָה בִּמְעוֹנוֹ שֶׁאָכַלְנוּ מִשֶּׁלּוֹ וּבְטוּבוֹ חָיִינוּ:

13   בָּרוּךְ אַתָּה יְהוָה אֱלֹהֵינוּ מֶלֶךְ הָעוֹלָם הַזָּן אֶת־

14   הָעוֹלָם כֻּלּוֹ בְּטוּבוֹ בְּחֵן בְּחֶסֶד וּבְרַחֲמִים הוּא

15   נוֹתֵן לֶחֶם לְכָל־בָּשָׂר כִּי לְעוֹלָם חַסְדּוֹ : וּבְטוּבוֹ

16   הַגָּדוֹל עִמָּנוּ תָּמִיד לֹא־חָסֵר לָנוּ וְאַל יֶחְסַר־לָנוּ מָזוֹן

17   לְעוֹלָם וָעֶד : בַּעֲבוּר שְׁמוֹ הַגָּדוֹל כִּי הוּא אֵל זָן

18   וּמְפַרְנֵס לַכֹּל וּמֵטִיב לַכֹּל וּמֵכִין מָזוֹן לְכָל־בְּרִיּוֹתָיו

19   אֲשֶׁר בָּרָא כָּאָמוּר פּוֹתֵחַ אֶת־יָדֶךָ וּמַשְׂבִּיעַ לְכָל־חַי

20   רָצוֹן: בָּרוּךְ אַתָּה יְהוָה הַזָּן אֶת־הַכֹּל:

21   נוֹדֶה לְךָ יְהוָה אֱלֹהֵינוּ עַל שֶׁהִנְחַלְתָּ לַאֲבוֹתֵינוּ אֶרֶץ חֶמְדָּה טוֹבָה

22   וּרְחָבָה וְעַל שֶׁהוֹצֵאתָנוּ יְהוָה אֱלֹהֵינוּ מֵאֶרֶץ מִצְרַיִם

23   וּפְדִיתָנוּ מִבֵּית עֲבָדִים וְעַל־בְּרִיתְךָ שֶׁחָתַמְתָּ בִּבְשָׂרֵנוּ וְעַל

24   תּוֹרָתְךָ שֶׁלִּמַּדְתָּנוּ וְעַל חֻקֶּיךָ שֶׁהוֹדַעְתָּנוּ וְעַל חַיִּים חֵן וָחֶסֶד

שחוננתנו

_____

תו"א א) יחזקאל מא כב: ב) תהלים קמה טז:

שֶׁחוֹנַנְתָּנוּ וְעַל אֲכִילַת מָזוֹן שָׁאַתָּה זָן וּמְפַרְנֵס אוֹתָנוּ תָּמִיד בְּכָל יוֹם וּבְכָל־עֵת וּבְכָל־שָׁעָה:

בחנוכה ופורים אומרים כאן ועל הנסים ואם שכח אזי כשיגיע אצל הרחמן יאמר הרחמן הוא יעשה לנו נסים כמו שעשה לאבותינו בימים ההם בזמן הזה בימי וכו׳:

וְעַל הַנִּסִּים וְעַל הַפֻּרְקָן וְעַל הַגְּבוּרוֹת וְעַל הַתְּשׁוּעוֹת וְעַל הַנִּפְלָאוֹת שֶׁעָשִׂיתָ לַאֲבוֹתֵינוּ בַּיָּמִים הָהֵם בִּזְּמַן הַזֶּה:

לחנוכה

בִּימֵי מַתִּתְיָהוּ בֶּן־יוֹחָנָן כֹּהֵן גָּדוֹל חַשְׁמוֹנָאִי וּבָנָיו כְּשֶׁעָמְדָה מַלְכוּת יָוָן הָרְשָׁעָה עַל עַמְּךָ יִשְׂרָאֵל לְהַשְׁכִּיחָם תּוֹרָתֶךָ וּלְהַעֲבִירָם מֵחֻקֵּי רְצוֹנֶךָ וְאַתָּה בְּרַחֲמֶיךָ הָרַבִּים עָמַדְתָּ לָהֶם בְּעֵת צָרָתָם רַבְתָּ אֶת־רִיבָם דַּנְתָּ אֶת־דִּינָם נָקַמְתָּ אֶת־נִקְמָתָם מָסַרְתָּ גִבּוֹרִים בְּיַד חַלָּשִׁים וְרַבִּים בְּיַד מְעַטִּים וּטְמֵאִים בְּיַד טְהוֹרִים וּרְשָׁעִים בְּיַד צַדִּיקִים וְזֵדִים בְּיַד עוֹסְקֵי תוֹרָתֶךָ וּלְךָ עָשִׂיתָ שֵׁם גָּדוֹל וְקָדוֹשׁ בְּעוֹלָמֶךָ וּלְעַמְּךָ יִשְׂרָאֵל עָשִׂיתָ תְּשׁוּעָה גְדוֹלָה וּפֻרְקָן כְּהַיּוֹם הַזֶּה וְאַחַר כַּךְ בָּאוּ בָנֶיךָ לִדְבִיר בֵּיתֶךָ וּפִנּוּ אֶת־הֵיכָלֶךָ וְטִהֲרוּ אֶת־מִקְדָּשֶׁךָ וְהִדְלִיקוּ נֵרוֹת בְּחַצְרוֹת קָדְשֶׁךָ וְקָבְעוּ שְׁמוֹנַת יְמֵי חֲנֻכָּה אֵלּוּ לְהוֹדוֹת וּלְהַלֵּל לְשִׁמְךָ הַגָּדוֹל:

לפורים

בִּימֵי מָרְדְּכַי וְאֶסְתֵּר בְּשׁוּשַׁן הַבִּירָה כְּשֶׁעָמַד עֲלֵיהֶם הָמָן הָרָשָׁע בִּקֵּשׁ לְהַשְׁמִיד לַהֲרֹג וּלְאַבֵּד אֶת־כָּל־הַיְּהוּדִים מִנַּעַר וְעַד־זָקֵן טַף וְנָשִׁים בְּיוֹם אֶחָד בִּשְׁלֹשָׁה עָשָׂר לְחֹדֶשׁ שְׁנֵים־עָשָׂר הוּא־חֹדֶשׁ אֲדָר וּשְׁלָלָם לָבוֹז וְאַתָּה בְּרַחֲמֶיךָ הָרַבִּים הֵפַרְתָּ אֶת־עֲצָתוֹ וְקִלְקַלְתָּ אֶת־מַחֲשַׁבְתּוֹ וַהֲשֵׁבוֹתָ לּוֹ גְּמוּלוֹ בְּרֹאשׁוֹ וְתָלוּ אוֹתוֹ וְאֶת־בָּנָיו עַל הָעֵץ:

וְעַל הַכֹּל יְהֹוָה אֱלֹהֵינוּ אֲנַחְנוּ מוֹדִים לָךְ וּמְבָרְכִים אוֹתָךְ יִתְבָּרַךְ שִׁמְךָ בְּפִי כָּל־חַי תָּמִיד לְעוֹלָם וָעֶד: כַּכָּתוּב וְאָכַלְתָּ[א] וְשָׂבָעְתָּ וּבֵרַכְתָּ אֶת־יְהֹוָה אֱלֹהֶיךָ עַל־הָאָרֶץ הַטֹּבָה אֲשֶׁר נָתַן־לָךְ: בָּרוּךְ אַתָּה יְהֹוָה עַל־הָאָרֶץ וְעַל־הַמָּזוֹן:

רַחֵם יְהֹוָה אֱלֹהֵינוּ עַל־יִשְׂרָאֵל עַמֶּךָ וְעַל־יְרוּשָׁלַיִם עִירֶךָ וְעַל צִיּוֹן מִשְׁכַּן כְּבוֹדֶךָ וְעַל מַלְכוּת בֵּית

דוד

תו״א א) דברים ח י:

דָּוִד מְשִׁיחֶךָ וְעַל־הַבַּיִת הַגָּדוֹל וְהַקָּדוֹשׁ שֶׁנִּקְרָא שִׁמְךָ עָלָיו: אֱלֹהֵינוּ אָבִינוּ רְעֵנוּ (בשבת* רוֹעֵנוּ) זוּנֵנוּ פַּרְנְסֵנוּ וְכַלְכְּלֵנוּ וְהַרְוִיחֵנוּ וְהַרְוַח לָנוּ יְהֹוָה אֱלֹהֵינוּ מְהֵרָה מִכָּל־צָרוֹתֵינוּ: וְנָא אַל־תַּצְרִיכֵנוּ יְהֹוָה אֱלֹהֵינוּ · לֹא לִידֵי מַתְּנַת בָּשָׂר וָדָם וְלֹא לִידֵי הַלְוָאָתָם כִּי אִם לְיָדְךָ הַמְּלֵאָה הַפְּתוּחָה הַקְּדוֹשָׁה וְהָרְחָבָה שֶׁלֹּא נֵבוֹשׁ וְלֹא נִכָּלֵם לְעוֹלָם וָעֶד:

בשבת רְצֵה וְהַחֲלִיצֵנוּ יְהֹוָה אֱלֹהֵינוּ בְּמִצְוֹתֶיךָ וּבְמִצְוַת יוֹם הַשְּׁבִיעִי הַשַּׁבָּת הַגָּדוֹל וְהַקָּדוֹשׁ הַזֶּה כִּי יוֹם זֶה גָּדוֹל וְקָדוֹשׁ הוּא לְפָנֶיךָ · לִשְׁבָּת־בּוֹ וְלָנוּחַ־בּוֹ בְּאַהֲבָה כְּמִצְוַת רְצוֹנֶךָ · וּבִרְצוֹנְךָ הָנִיחַ לָנוּ יְהֹוָה אֱלֹהֵינוּ שֶׁלֹּא תְהֵא צָרָה וְיָגוֹן וַאֲנָחָה בְּיוֹם מְנוּחָתֵנוּ · וְהַרְאֵנוּ יְהֹוָה אֱלֹהֵינוּ בְּנֶחָמַת צִיּוֹן עִירֶךָ · וּבְבִנְיַן יְרוּשָׁלַיִם עִיר קָדְשֶׁךָ כִּי אַתָּה הוּא בַּעַל הַיְשׁוּעוֹת וּבַעַל הַנֶּחָמוֹת:

בר"ח וביו"ט ובחוה"מ

אֱלֹהֵינוּ וֵאלֹהֵי אֲבוֹתֵינוּ יַעֲלֶה וְיָבֹא · וְיַגִּיעַ וְיֵרָאֶה וְיֵרָצֶה · וְיִשָּׁמַע וְיִפָּקֵד וְיִזָּכֵר · זִכְרוֹנֵנוּ וּפִקְדוֹנֵנוּ · וְזִכְרוֹן אֲבוֹתֵינוּ · וְזִכְרוֹן מָשִׁיחַ בֶּן־דָּוִד עַבְדֶּךָ · וְזִכְרוֹן יְרוּשָׁלַיִם עִיר קָדְשֶׁךָ · וְזִכְרוֹן כָּל־עַמְּךָ בֵּית יִשְׂרָאֵל לְפָנֶיךָ לִפְלֵיטָה לְטוֹבָה · לְחֵן וּלְחֶסֶד וּלְרַחֲמִים וּלְחַיִּים טוֹבִים וּלְשָׁלוֹם · בְּיוֹם בר"ח רֹאשׁ הַחֹדֶשׁ הַזֶּה · בפסח חַג הַמַּצּוֹת הַזֶּה · בשבועות חַג הַשָּׁבֻעוֹת הַזֶּה · בסוכות חַג הַסֻּכּוֹת הַזֶּה · בשמ"ע שְׁמִינִי עֲצֶרֶת הַחַג הַזֶּה · בר"ה הַזִּכָּרוֹן הַזֶּה · בשלש רגלים (חוץ מחש"מ) ובר"ה בְּיוֹם טוֹב מִקְרָא קֹדֶשׁ הַזֶּה · זָכְרֵנוּ יְהֹוָה אֱלֹהֵינוּ בּוֹ לְטוֹבָה · וּפָקְדֵנוּ בוֹ לִבְרָכָה וְהוֹשִׁיעֵנוּ בוֹ לְחַיִּים טוֹבִים: וּבִדְבַר יְשׁוּעָה וְרַחֲמִים חוּס וְחָנֵּנוּ וְרַחֵם עָלֵינוּ וְהוֹשִׁיעֵנוּ כִּי אֵלֶיךָ עֵינֵינוּ · כִּי אֵל מֶלֶךְ חַנּוּן וְרַחוּם אָתָּה:

וּבְנֵה יְרוּשָׁלַיִם עִיר הַקֹּדֶשׁ בִּמְהֵרָה בְיָמֵינוּ · בָּרוּךְ אַתָּה יְהֹוָה בֹּנֵה בְרַחֲמָיו יְרוּשָׁלָיִם · אָמֵן:

שכח ולא אמר רצה בשבת אפילו בסעודה שלישית אם הוא קודם שקיעת החמה ונזכר קודם ברכת הטוב והמטיב אומר:

בָּרוּךְ אַתָּה יְהֹוָה אֱלֹהֵינוּ מֶלֶךְ הָעוֹלָם שֶׁנָּתַן שַׁבָּתוֹת לִמְנוּחָה

*) וביום טוב

לעמו

לְעַמּוֹ יִשְׂרָאֵל בְּאַהֲבָה לְאוֹת וְלִבְרִית · בָּרוּךְ אַתָּה יְהֹוָה מְקַדֵּשׁ הַשַּׁבָּת: ואם טעה ולא אמר יעלה ויבא ביו״ט אומר בָּרוּךְ אַתָּה יְהֹוָה אֱלֹהֵינוּ מֶלֶךְ הָעוֹלָם אֲשֶׁר נָתַן יָמִים טוֹבִים לְעַמּוֹ יִשְׂרָאֵל לְשָׂשׂוֹן וּלְשִׂמְחָה אֶת־יוֹם חַג (פלוני) הַזֶּה · בָּרוּךְ אַתָּה יְהֹוָה מְקַדֵּשׁ יִשְׂרָאֵל וְהַזְּמַנִּים: בר״ה אומר בָּרוּךְ אַתָּה יְהֹוָה אֱלֹהֵינוּ מֶלֶךְ הָעוֹלָם אֲשֶׁר נָתַן יָמִים טוֹבִים לְעַמּוֹ יִשְׂרָאֵל לְזִכָּרוֹן אֶת־יוֹם הַזִּכָּרוֹן הַזֶּה · בָּרוּךְ אַתָּה יְהֹוָה מְקַדֵּשׁ יִשְׂרָאֵל וְיוֹם הַזִּכָּרוֹן: בחוש״מ אומר בָּרוּךְ אַתָּה יְהֹוָה אֱלֹהֵינוּ מֶלֶךְ הָעוֹלָם אֲשֶׁר נָתַן מוֹעֲדִים לְעַמּוֹ יִשְׂרָאֵל לְשָׂשׂוֹן וּלְשִׂמְחָה אֶת־יוֹם חַג (פלוני) הַזֶּה: (ואינו חותם) וכן בר״ח אומר בָּרוּךְ אַתָּה יְהֹוָה אֱלֹהֵינוּ מֶלֶךְ הָעוֹלָם שֶׁנָּתַן רָאשֵׁי חֳדָשִׁים לְעַמּוֹ יִשְׂרָאֵל לְזִכָּרוֹן: ואינו חותם: ואם חל יו״ט (או ר״ה או ר״ח) בשבת ולא הזכיר לא של שבת ולא של יו״ט (או ר״ה או ר״ח) כוללן יחד ואומר בָּרוּךְ אַתָּה יְהֹוָה אֱלֹהֵינוּ מֶלֶךְ הָעוֹלָם שֶׁנָּתַן שַׁבָּתוֹת לִמְנוּחָה לְעַמּוֹ יִשְׂרָאֵל בְּאַהֲבָה לְאוֹת וְלִבְרִית · וְיָמִים טוֹבִים (בחוה״מ וּמוֹעֲדִים) לְשָׂשׂוֹן וּלְשִׂמְחָה אֶת־יוֹם חַג (פלוני) הַזֶּה (בר״ה וְיָמִים טוֹבִים לְזִכָּרוֹן אֶת־־יוֹם הַזִּכָּרוֹן הַזֶּה בר״ח וְרָאשֵׁי חֳדָשִׁים לְזִכָּרוֹן) · וחותם בָּרוּךְ אַתָּה יְיָ מְקַדֵּשׁ הַשַּׁבָּת וְיִשְׂרָאֵל · וְהַזְּמַנִּים: בר״ה וְיוֹם הַזִּכָּרוֹן: בר״ח וְרָאשֵׁי חֳדָשִׁים:

וכל זה כשנזכר קודם שהתחיל ברכת הטוב והמטיב אבל אם נזכר אחר שהתחיל ברכת הטוב והמטיב אפילו לא אמר אלא תיבת ברוך בלבד צריך לחזור לראש. בד״א בשבת ויו״ט של שלש רגלים אבל בחש״מ ור״ח אם לא נזכר עד שהתחיל הטוב והמטיב אינו חוזר וכן בסעודה שלישית של שבת ויו״ט וכן בר״ה ביום אבל בליל ר״ה חוזר:

בָּרוּךְ אַתָּה יְהֹוָה אֱלֹהֵינוּ מֶלֶךְ הָעוֹלָם הָאֵל · אָבִינוּ מַלְכֵּנוּ · אַדִּירֵנוּ בּוֹרְאֵנוּ גֹּאֲלֵנוּ יוֹצְרֵנוּ · קְדוֹשֵׁנוּ קְדוֹשׁ יַעֲקֹב רוֹעֵנוּ רוֹעֵה יִשְׂרָאֵל הַמֶּלֶךְ הַטּוֹב וְהַמֵּטִיב לַכֹּל בְּכָל יוֹם וָיוֹם · הוּא הֵטִיב לָנוּ · הוּא מֵטִיב לָנוּ · הוּא יֵיטִיב לָנוּ · הוּא גְמָלָנוּ הוּא גוֹמְלֵנוּ הוּא יִגְמְלֵנוּ לָעַד · לְחֵן וּלְחֶסֶד וּלְרַחֲמִים · וּלְרֶוַח הַצָּלָה וְהַצְלָחָה · בְּרָכָה וִישׁוּעָה · נֶחָמָה פַּרְנָסָה וְכַלְכָּלָה וְרַחֲמִים וְחַיִּים

ושלום

1 וְשָׁלוֹם וְכָל־טוֹב וּמִכָּל־טוּב לְעוֹלָם אַל יַחְסְרֵנוּ:

2 הָרַחֲמָן הוּא יִמְלוֹךְ עָלֵינוּ לְעוֹלָם וָעֶד: הָרַחֲמָן הוּא

3 יִתְבָּרֵךְ בַּשָּׁמַיִם וּבָאָרֶץ: הָרַחֲמָן הוּא יִשְׁתַּבַּח לְדוֹר

4 דוֹרִים וְיִתְפָּאַר בָּנוּ לָעַד וּלְנֵצַח נְצָחִים וְיִתְהַדַּר בָּנוּ

5 לָעַד וּלְעוֹלְמֵי עוֹלָמִים: הָרַחֲמָן הוּא יְפַרְנְסֵנוּ בְּכָבוֹד:

6 הָרַחֲמָן הוּא יִשְׁבּוֹר עוֹל גָּלוּת מֵעַל צַוָּארֵנוּ וְהוּא

7 יוֹלִיכֵנוּ קוֹמְמִיּוּת לְאַרְצֵנוּ: הָרַחֲמָן הוּא יִשְׁלַח בְּרָכָה

8 מְרֻבָּה בְּבַיִת זֶה וְעַל שֻׁלְחָן זֶה שֶׁאָכַלְנוּ עָלָיו: הָרַחֲמָן

9 הוּא יִשְׁלַח לָנוּ אֶת־אֵלִיָּהוּ הַנָּבִיא זָכוּר לַטּוֹב וִיבַשֶּׂר־

10 לָנוּ בְּשׂוֹרוֹת טוֹבוֹת יְשׁוּעוֹת וְנֶחָמוֹת: הָרַחֲמָן הוּא

11 יְבָרֵךְ אֶת־אָבִי מוֹרִי בַּעַל הַבַּיִת הַזֶּה וְאֶת־אִמִּי מוֹרָתִי

12 בַּעֲלַת הַבַּיִת הַזֶּה אוֹתָם וְאֶת־בֵּיתָם וְאֶת־זַרְעָם וְאֶת־

13 כָּל־אֲשֶׁר לָהֶם אוֹתָנוּ וְאֶת־כָּל־אֲשֶׁר לָנוּ: כְּמוֹ שֶׁבֵּרַךְ

14 אֶת־אֲבוֹתֵינוּ אַבְרָהָם יִצְחָק וְיַעֲקֹב בַּכֹּל מִכֹּל כֹּל כֵּן

15 יְבָרֵךְ אוֹתָנוּ (בני ברית) כֻּלָּנוּ יַחַד בִּבְרָכָה שְׁלֵמָה

16 וְנֹאמַר אָמֵן:

17 מִמָּרוֹם יְלַמְּדוּ עָלָיו וְעָלֵינוּ זְכוּת שֶׁתְּהֵא לְמִשְׁמֶרֶת שָׁלוֹם וְנִשָּׂא

18 בְרָכָה מֵאֵת יְהוָה וּצְדָקָה מֵאֱלֹהֵי יִשְׁעֵנוּ וְנִמְצָא חֵן וְשֵׂכֶל

19 טוֹב בְּעֵינֵי אֱלֹהִים וְאָדָם: הרחמן לברית מילה תמצא לקמן ע׳ 95.

20 בשבת הָרַחֲמָן הוּא יַנְחִילֵנוּ לְיוֹם שֶׁכֻּלּוֹ שַׁבָּת וּמְנוּחָה לְחַיֵּי הָעוֹלָמִים:

21 בר״ח הָרַחֲמָן הוּא יְחַדֵּשׁ עָלֵינוּ אֶת־הַחֹדֶשׁ הַזֶּה לְטוֹבָה וְלִבְרָכָה:

22 ביו״ט הָרַחֲמָן הוּא יַנְחִילֵנוּ לְיוֹם שֶׁכֻּלּוֹ טוֹב:

23 בסוכות הָרַחֲמָן הוּא יָקִים לָנוּ אֶת־סֻכַּת דָּוִד הַנּוֹפֶלֶת:

24 לר״ה הָרַחֲמָן הוּא יְחַדֵּשׁ עָלֵינוּ אֶת הַשָּׁנָה הַזֹּאת לְטוֹבָה וְלִבְרָכָה:

הָרַחֲמָן הוּא יְזַכֵּנוּ לִימוֹת הַמָּשִׁיחַ וּלְחַיֵּי הָעוֹלָם הַבָּא · [א]מַגְדִּיל (בשבת ויו״ט ור״ח* [ב]מִגְדּוֹל) יְשׁוּעוֹת מַלְכּוֹ וְעֹשֶׂה חֶסֶד לִמְשִׁיחוֹ לְדָוִד וּלְזַרְעוֹ עַד עוֹלָם: עֹשֶׂה שָׁלוֹם בִּמְרוֹמָיו הוּא יַעֲשֶׂה שָׁלוֹם עָלֵינוּ וְעַל כָּל־יִשְׂרָאֵל וְאִמְרוּ אָמֵן:

[ג]יְראוּ אֶת־יְהֹוָה קְדֹשָׁיו כִּי־אֵין מַחְסוֹר לִירֵאָיו: [ד]כְּפִירִים רָשׁוּ וְרָעֵבוּ וְדֹרְשֵׁי יְהֹוָה לֹא־יַחְסְרוּ כָל־טוֹב: [ה]הוֹדוּ לַיהֹוָה כִּי־טוֹב כִּי לְעוֹלָם חַסְדּוֹ: [ו]פּוֹתֵחַ אֶת־יָדֶךָ וּמַשְׂבִּיעַ לְכָל־חַי רָצוֹן: [ז]בָּרוּךְ הַגֶּבֶר אֲשֶׁר יִבְטַח בַּיהֹוָה וְהָיָה יְהֹוָה מִבְטַחוֹ:

ומברך על הכוס

בָּרוּךְ אַתָּה יְהֹוָה אֱלֹהֵינוּ מֶלֶךְ הָעוֹלָם בּוֹרֵא פְּרִי הַגָּפֶן:

נוסח ברכה אחרונה מעין שלש

על תבשיל של ה׳ מיני דגן ועל היין ועל פירות מז׳ המינים שהם גפן תאנה ורמון זית ותמרה ואם אכל פירות מז׳ המינים ומיני מזונות ושתה יין יכלול הכל בברכה אחת ויאמר כך על המחיה ועל הכלכלה ועל הגפן ועל פרי הגפן ועל העץ ועל פרי העץ ועל תנובת השדה ועל ארץ חמדה כו׳ וחותם ונודה לך על הארץ ועל המחיה ועל פרי הגפן ועל הפירות ברוך אתה ה׳ על הארץ ועל המחיה ועל פרי הגפן והפירות:

בָּרוּךְ אַתָּה יְהֹוָה אֱלֹהֵינוּ מֶלֶךְ הָעוֹלָם עַל

על ה׳ מיני דגן	על היין	על פירות מז׳ מינים
הַמִּחְיָה וְעַל הַכַּלְכָּלָה	הַגֶּפֶן וְעַל פְּרִי הַגֶּפֶן	הָעֵץ וְעַל פְּרִי הָעֵץ

וְעַל תְּנוּבַת הַשָּׂדֶה וְעַל־אֶרֶץ חֶמְדָּה טוֹבָה וּרְחָבָה שֶׁרָצִיתָ וְהִנְחַלְתָּ לַאֲבוֹתֵינוּ לֶאֱכוֹל מִפִּרְיָהּ וְלִשְׂבּוֹעַ מִטּוּבָהּ רַחֶם נָא יְהֹוָה אֱלֹהֵינוּ עַל־יִשְׂרָאֵל עַמֶּךָ וְעַל־יְרוּשָׁלַיִם עִירֶךָ וְעַל־צִיּוֹן מִשְׁכַּן כְּבוֹדֶךָ וְעַל־מִזְבְּחֶךָ וְעַל־הֵיכָלֶךָ וּבְנֵה יְרוּשָׁלַיִם עִיר הַקֹּדֶשׁ בִּמְהֵרָה בְיָמֵינוּ וְהַעֲלֵנוּ לְתוֹכָהּ · וְשַׂמְּחֵנוּ בָהּ וּנְבָרֶכְךָ בִּקְדֻשָּׁה וּבְטָהֳרָה · בשבת וּרְצֵה וְהַחֲלִיצֵנוּ בְּיוֹם הַשַּׁבָּת הַזֶּה: בר״ח ויו״ט* וְזָכְרֵנוּ לְטוֹבָה בר״ח בְּיוֹם רֹאשׁ הַחֹדֶשׁ הַזֶּה בר״ה בְּיוֹם הַזִּכָּרוֹן הַזֶּה בפסח בְּיוֹם חַג הַמַּצּוֹת הַזֶּה בשבועות בְּיוֹם חַג הַשָּׁבֻעוֹת הַזֶּה בסוכות בְּיוֹם חַג הַסֻּכּוֹת הַזֶּה בשמע״צ בְּיוֹם שְׁמִינִי עֲצֶרֶת הַחַג הזה

*) ובחול המועד

תו״א א) תהלים יח נא: ב) ש״ב כב נא: ג) תהלים לד י: ד) שם לד יא: ה) שם קיח א. קלו א: ו) שם קמה טז: ז) ירמיה יז ז:

הַזֶּה · כִּי אַתָּה יְהֹוָה טוֹב וּמֵטִיב לַכֹּל וְנוֹדֶה לְּךָ עַל הָאָרֶץ וְעַל

על ה׳ מיני דגן	על היין	על פירות מז׳ מינים
הַמִּחְיָה · בָּרוּךְ אַתָּה יְהֹוָה עַל־הָאָרֶץ וְעַל־הַמִּחְיָה:	פְּרִי־הַגֶּפֶן · בָּרוּךְ אַתָּה יְהֹוָה עַל־הָאָרֶץ וְעַל פְּרִי הַגָּפֶן:	הַפֵּרוֹת · בָּרוּךְ אַתָּה יְהֹוָה עַל־הָאָרֶץ וְעַל־הַפֵּרוֹת:

ברכה אחרונה על שאר אוכלין ומשקין:

בָּרוּךְ אַתָּה יְהֹוָה אֱלֹהֵינוּ מֶלֶךְ הָעוֹלָם בּוֹרֵא נְפָשׁוֹת רַבּוֹת וְחֶסְרוֹנָן עַל כֹּל מַה־שֶּׁבָּרָאתָ לְהַחֲיוֹת בָּהֶם נֶפֶשׁ כָּל חָי · בָּרוּךְ חֵי הָעוֹלָמִים:

הרחמן לברית מילה

הָרַחֲמָן הוּא יְבָרֵךְ אֲבִי הַיֶּלֶד וְאִמּוֹ · וְיִזְכּוּ לְגַדְּלוֹ לְחַנְּכוֹ וּלְחַכְּמוֹ · מִיּוֹם הַשְּׁמִינִי וָהָלְאָה יֵרָצֶה דָמוֹ · וִיהִי יְהֹוָה אֱלֹהָיו עִמּוֹ:

הָרַחֲמָן הוּא יְבָרֵךְ בַּעַל בְּרִית הַמִּילָה · אֲשֶׁר שָׂשׂ לַעֲשׂוֹת צֶדֶק בְּגִילָה · וִישַׁלֵּם פָּעֳלוֹ וּמַשְׂכֻּרְתּוֹ כְּפוּלָה · וְיִתְּנֵהוּ לְמַעְלָה לְמָעְלָה:

הָרַחֲמָן הוּא יְבָרֵךְ רַךְ הַנִּמּוֹל לִשְׁמוֹנָה · וְיִהְיוּ יָדָיו וְלִבּוֹ לָאֵל אֱמוּנָה · וְיִזְכֶּה לִרְאוֹת פְּנֵי הַשְּׁכִינָה · שָׁלֹשׁ פְּעָמִים בַּשָּׁנָה:

הָרַחֲמָן הוּא יְבָרֵךְ הַמָּל בְּשַׂר הָעָרְלָה · וּפָרַע וּמָצַץ דְּמֵי הַמִּילָה · אִישׁ הַיָּרֵא וְרַךְ הַלֵּבָב עֲבוֹדָתוֹ פְּסוּלָה · אִם שְׁלָשׁ אֵלֶּה לֹא יַעֲשֶׂה לָהּ:

הָרַחֲמָן הוּא יִשְׁלַח לָנוּ מְשִׁיחוֹ הוֹלֵךְ תָּמִים · בִּזְכוּת חֲתַן לַמּוּלוֹת דָּמִים · לְבַשֵּׂר בְּשׂוֹרוֹת טוֹבוֹת וְנִחוּמִים · לְעַם אֶחָד מְפֻזָּר וּמְפוֹרָד בֵּין הָעַמִּים:

הָרַחֲמָן הוּא יִשְׁלַח לָנוּ כֹּהֵן צֶדֶק אֲשֶׁר לֻקַּח לְעֵילוֹם · עַד הוּכַן כִּסְאוֹ כַּשֶּׁמֶשׁ וְיַהֲלוֹם · וַיָּלֶט פָּנָיו בְּאַדַּרְתּוֹ וַיִּגְלוֹם · בְּרִיתִי הָיְתָה אִתּוֹ הַחַיִּים וְהַשָּׁלוֹם: וגומרים ברכת המזון.

אחר וידבר וסדר הקטורת אומרים אשרי

1 **אַשְׁרֵי** יוֹשְׁבֵי בֵיתֶךָ, עוֹד יְהַלְלוּךָ סֶּלָה: אַשְׁרֵי

2 הָעָם שֶׁכָּכָה לּוֹ, אַשְׁרֵי הָעָם שֶׁיְיָ אֱלֹהָיו:

3 תְּהִלָּה לְדָוִד, אֲרוֹמִמְךָ אֱלֹהַי הַמֶּלֶךְ, וַאֲבָרְכָה

4 שִׁמְךָ לְעוֹלָם וָעֶד: בְּכָל יוֹם אֲבָרְכֶךָּ, וַאֲהַלְלָה

5 שִׁמְךָ לְעוֹלָם וָעֶד: גָּדוֹל יְיָ וּמְהֻלָּל מְאֹד, וְלִגְדֻלָּתוֹ

6 אֵין חֵקֶר: דּוֹר לְדוֹר יְשַׁבַּח מַעֲשֶׂיךָ, וּגְבוּרֹתֶיךָ

7 יַגִּידוּ: הֲדַר כְּבוֹד הוֹדֶךָ, וְדִבְרֵי נִפְלְאֹתֶיךָ

8 אָשִׂיחָה: וֶעֱזוּז נוֹרְאֹתֶיךָ יֹאמֵרוּ, וּגְדֻלָּתְךָ

9 אֲסַפְּרֶנָּה: זֵכֶר רַב טוּבְךָ יַבִּיעוּ, וְצִדְקָתְךָ יְרַנֵּנוּ:

10 חַנּוּן וְרַחוּם יְיָ, אֶרֶךְ אַפַּיִם וּגְדָל חָסֶד: טוֹב יְיָ לַכֹּל,

11 וְרַחֲמָיו עַל כָּל מַעֲשָׂיו: יוֹדוּךָ יְיָ כָּל מַעֲשֶׂיךָ,

12 וַחֲסִידֶיךָ יְבָרְכוּכָה: כְּבוֹד מַלְכוּתְךָ יֹאמֵרוּ,

13 וּגְבוּרָתְךָ יְדַבֵּרוּ: לְהוֹדִיעַ לִבְנֵי הָאָדָם גְּבוּרֹתָיו,

14 וּכְבוֹד הֲדַר מַלְכוּתוֹ : מַלְכוּתְךָ מַלְכוּת כָּל

15 עוֹלָמִים, וּמֶמְשַׁלְתְּךָ בְּכָל דֹּר וָדֹר: סוֹמֵךְ יְיָ לְכָל

16 הַנֹּפְלִים, וְזוֹקֵף לְכָל הַכְּפוּפִים: עֵינֵי כֹל אֵלֶיךָ

17 יְשַׂבֵּרוּ, וְאַתָּה נוֹתֵן לָהֶם אֶת אָכְלָם בְּעִתּוֹ: פּוֹתֵחַ

18 אֶת יָדֶךָ, וּמַשְׂבִּיעַ לְכָל חַי רָצוֹן: צַדִּיק יְיָ בְּכָל

19 דְּרָכָיו, וְחָסִיד בְּכָל מַעֲשָׂיו: קָרוֹב יְיָ לְכָל קֹרְאָיו,

20 לְכֹל אֲשֶׁר יִקְרָאֻהוּ בֶאֱמֶת: רְצוֹן יְרֵאָיו יַעֲשֶׂה,

21 וְאֶת שַׁוְעָתָם יִשְׁמַע וְיוֹשִׁיעֵם: שׁוֹמֵר יְיָ אֶת כָּל

22 אֹהֲבָיו, וְאֵת כָּל הָרְשָׁעִים יַשְׁמִיד: תְּהִלַּת יְיָ

יְדַבֶּר פִּי, וִיבָרֵךְ כָּל בָּשָׂר שֵׁם קָדְשׁוֹ לְעוֹלָם וָעֶד:
וַאֲנַחְנוּ נְבָרֵךְ יָהּ, מֵעַתָּה וְעַד עוֹלָם הַלְלוּיָהּ:

לש״ץ חצי קדיש

יִתְגַּדַּל וְיִתְקַדַּשׁ שְׁמֵהּ רַבָּא. אמן בְּעָלְמָא דִּי בְרָא כִרְעוּתֵהּ וְיַמְלִיךְ מַלְכוּתֵהּ, וְיַצְמַח פּוּרְקָנֵהּ וִיקָרֵב מְשִׁיחֵהּ. אמן בְּחַיֵּיכוֹן וּבְיוֹמֵיכוֹן וּבְחַיֵּי דְכָל בֵּית יִשְׂרָאֵל, בַּעֲגָלָא וּבִזְמַן קָרִיב וְאִמְרוּ אָמֵן: יְהֵא שְׁמֵהּ רַבָּא מְבָרַךְ לְעָלַם וּלְעָלְמֵי עָלְמַיָּא. יִתְבָּרַךְ, וְיִשְׁתַּבַּח, וְיִתְפָּאַר, וְיִתְרוֹמַם, וְיִתְנַשֵּׂא, וְיִתְהַדָּר, וְיִתְעַלֶּה, וְיִתְהַלָּל, שְׁמֵהּ דְּקוּדְשָׁא בְּרִיךְ הוּא. אמן לְעֵלָּא מִן כָּל בִּרְכָתָא וְשִׁירָתָא, תֻּשְׁבְּחָתָא וְנֶחֱמָתָא, דַּאֲמִירָן בְּעָלְמָא, וְאִמְרוּ אָמֵן:

אֲדֹנָי, שְׂפָתַי תִּפְתָּח וּפִי יַגִּיד תְּהִלָּתֶךָ:

בָּרוּךְ אַתָּה יְיָ אֱלֹהֵינוּ וֵאלֹהֵי אֲבוֹתֵינוּ, אֱלֹהֵי אַבְרָהָם, אֱלֹהֵי יִצְחָק, וֵאלֹהֵי יַעֲקֹב, הָאֵל הַגָּדוֹל הַגִּבּוֹר וְהַנּוֹרָא, אֵל עֶלְיוֹן גּוֹמֵל חֲסָדִים טוֹבִים, קוֹנֵה הַכֹּל, וְזוֹכֵר חַסְדֵי אָבוֹת, וּמֵבִיא גוֹאֵל לִבְנֵי בְנֵיהֶם, לְמַעַן שְׁמוֹ בְּאַהֲבָה:

בעשי״ת זָכְרֵנוּ לְחַיִּים, מֶלֶךְ חָפֵץ בַּחַיִּים, וְכָתְבֵנוּ בְּסֵפֶר הַחַיִּים, לְמַעַנְךָ אֱלֹהִים חַיִּים:

מֶלֶךְ עוֹזֵר וּמוֹשִׁיעַ וּמָגֵן. בָּרוּךְ אַתָּה יְיָ, מָגֵן אַבְרָהָם:

אַתָּה גִּבּוֹר לְעוֹלָם אֲדֹנָי, מְחַיֵּה מֵתִים אַתָּה, רַב לְהוֹשִׁיעַ.

בקיץ מוֹרִיד הַטָּל: בחורף מַשִּׁיב הָרוּחַ וּמוֹרִיד הַגֶּשֶׁם:

מְכַלְכֵּל חַיִּים בְּחֶסֶד, מְחַיֵּה מֵתִים בְּרַחֲמִים רַבִּים, סוֹמֵךְ נוֹפְלִים, וְרוֹפֵא חוֹלִים, וּמַתִּיר אֲסוּרִים, וּמְקַיֵּם אֱמוּנָתוֹ לִישֵׁנֵי עָפָר. מִי כָמוֹךָ בַּעַל גְּבוּרוֹת, וּמִי דוֹמֶה לָּךְ מֶלֶךְ מֵמִית וּמְחַיֶּה וּמַצְמִיחַ יְשׁוּעָה:

בעשי״ת מִי כָמוֹךָ אַב הָרַחֲמָן זוֹכֵר יְצוּרָיו לְחַיִּים בְּרַחֲמִים:

וְנֶאֱמָן אַתָּה לְהַחֲיוֹת מֵתִים. בָּרוּךְ אַתָּה יְיָ, מְחַיֵּה הַמֵּתִים:

בחזרת הש״ץ אומרים כאן נקדישך*)

---

*) קדושה לש״ץ בחזרת התפלה:

נַקְדִּישָׁךְ וְנַעֲרִיצָךְ כְּנֹעַם שִׂיחַ סוֹד שַׂרְפֵי קֹדֶשׁ הַמְשַׁלְּשִׁים לְךָ קְדֻשָּׁה, כַּכָּתוּב עַל יַד נְבִיאֶךָ, וְקָרָא זֶה אֶל זֶה וְאָמַר: קו״ח קָדוֹשׁ

אַתָּה קָדוֹשׁ וְשִׁמְךָ קָדוֹשׁ, וּקְדוֹשִׁים בְּכָל יוֹם יְהַלְלוּךָ סֶּלָה. בָּרוּךְ אַתָּה יְיָ, הָאֵל הַקָּדוֹשׁ: (בעשי"ת הַמֶּלֶךְ הַקָּדוֹשׁ):

אַתָּה חוֹנֵן לְאָדָם דַּעַת, וּמְלַמֵּד לֶאֱנוֹשׁ בִּינָה. חָנֵּנוּ מֵאִתְּךָ חָכְמָה בִּינָה וָדָעַת. בָּרוּךְ אַתָּה יְיָ, חוֹנֵן הַדָּעַת:

הֲשִׁיבֵנוּ אָבִינוּ לְתוֹרָתֶךָ, וְקָרְבֵנוּ מַלְכֵּנוּ לַעֲבוֹדָתֶךָ, וְהַחֲזִירֵנוּ בִּתְשׁוּבָה שְׁלֵמָה לְפָנֶיךָ. בָּרוּךְ אַתָּה יְיָ, הָרוֹצֶה בִּתְשׁוּבָה:

סְלַח לָנוּ אָבִינוּ כִּי חָטָאנוּ, מְחוֹל לָנוּ מַלְכֵּנוּ כִּי פָשָׁעְנוּ, כִּי אֵל טוֹב וְסַלָּח אָתָּה. בָּרוּךְ אַתָּה יְיָ, חַנּוּן, הַמַּרְבֶּה לִסְלוֹחַ:

רְאֵה נָא בְעָנְיֵנוּ וְרִיבָה רִיבֵנוּ, וּגְאָלֵנוּ מְהֵרָה לְמַעַן שְׁמֶךָ, כִּי אֵל גּוֹאֵל חָזָק אָתָּה. בָּרוּךְ אַתָּה יְיָ, גּוֹאֵל יִשְׂרָאֵל:

בתענית צבור אומר הש"ץ כאן עננו*

רְפָאֵנוּ יְיָ וְנֵרָפֵא, הוֹשִׁיעֵנוּ וְנִוָּשֵׁעָה, כִּי תְהִלָּתֵנוּ אָתָּה, וְהַעֲלֵה אֲרוּכָה וּרְפוּאָה שְׁלֵמָה לְכָל מַכּוֹתֵינוּ, כִּי אֵל מֶלֶךְ רוֹפֵא נֶאֱמָן וְרַחֲמָן אָתָּה. בָּרוּךְ אַתָּה יְיָ, רוֹפֵא חוֹלֵי עַמּוֹ יִשְׂרָאֵל:

קָדוֹשׁ קָדוֹשׁ יְיָ צְבָאוֹת מְלֹא כָל הָאָרֶץ כְּבוֹדוֹ. חזן לְעֻמָּתָם מְשַׁבְּחִים וְאוֹמְרִים: קו"ה בָּרוּךְ כְּבוֹד יְיָ מִמְּקוֹמוֹ. חזן וּבְדִבְרֵי קָדְשְׁךָ כָּתוּב לֵאמֹר: קו"ה יִמְלֹךְ יְיָ לְעוֹלָם, אֱלֹהַיִךְ צִיּוֹן, לְדֹר וָדֹר הַלְלוּיָהּ:

אתה קדוש

*) עננו לש"ץ בחזרת התפלה

עֲנֵנוּ יְיָ עֲנֵנוּ בְּיוֹם צוֹם תַּעֲנִיתֵנוּ, כִּי בְצָרָה גְדוֹלָה אֲנָחְנוּ, אַל תֵּפֶן אֶל רִשְׁעֵנוּ, וְאַל תַּסְתֵּר פָּנֶיךָ מִמֶּנּוּ, וְאַל תִּתְעַלַּם מִתְּחִנָּתֵנוּ, הֱיֵה נָא קָרוֹב לְשַׁוְעָתֵנוּ, יְהִי נָא חַסְדְּךָ לְנַחֲמֵנוּ, טֶרֶם נִקְרָא אֵלֶיךָ עֲנֵנוּ, כַּדָּבָר שֶׁנֶּאֱמַר: וְהָיָה טֶרֶם יִקְרָאוּ וַאֲנִי אֶעֱנֶה, עוֹד הֵם מְדַבְּרִים וַאֲנִי אֶשְׁמָע, כִּי אַתָּה יְיָ הָעוֹנֶה בְּעֵת צָרָה, פּוֹדֶה וּמַצִּיל בְּכָל עֵת צָרָה וְצוּקָה. בָּרוּךְ אַתָּה יְיָ, הָעוֹנֶה לְעַמּוֹ יִשְׂרָאֵל בְּעֵת צָרָה:

רפאנו

1 בָּרֵךְ עָלֵינוּ יְיָ אֱלֹהֵינוּ אֶת הַשָּׁנָה הַזֹּאת, וְאֶת כָּל מִינֵי

2 תְבוּאָתָהּ לְטוֹבָה, וְתֵן (בקיץ בְּרָכָה) (בחורף טַל וּמָטָר

3 לִבְרָכָה) עַל פְּנֵי הָאֲדָמָה, וְשַׂבְּעֵנוּ מִטּוּבֶךְ, וּבָרֵךְ שְׁנָתֵנוּ

4 כַּשָּׁנִים הַטּוֹבוֹת לִבְרָכָה, כִּי אֵל טוֹב וּמֵטִיב אַתָּה וּמְבָרֵךְ

5 הַשָּׁנִים. בָּרוּךְ אַתָּה יְיָ, מְבָרֵךְ הַשָּׁנִים:

6 תְּקַע בְּשׁוֹפָר גָּדוֹל לְחֵרוּתֵנוּ, וְשָׂא נֵס לְקַבֵּץ גָּלֻיּוֹתֵינוּ,

7 וְקַבְּצֵנוּ יַחַד מֵאַרְבַּע כַּנְפוֹת הָאָרֶץ לְאַרְצֵנוּ.

8 בָּרוּךְ אַתָּה יְיָ, מְקַבֵּץ נִדְחֵי עַמּוֹ יִשְׂרָאֵל:

9 הָשִׁיבָה שׁוֹפְטֵינוּ כְּבָרִאשׁוֹנָה, וְיוֹעֲצֵינוּ כְּבַתְּחִלָּה, וְהָסֵר

10 מִמֶּנּוּ יָגוֹן וַאֲנָחָה, וּמְלוֹךְ עָלֵינוּ אַתָּה יְיָ לְבַדְּךָ

11 בְּחֶסֶד וּבְרַחֲמִים, בְּצֶדֶק וּבְמִשְׁפָּט. בָּרוּךְ אַתָּה יְיָ, מֶלֶךְ

12 אוֹהֵב צְדָקָה וּמִשְׁפָּט: (בעשי״ת הַמֶּלֶךְ הַמִּשְׁפָּט)

13 וְלַמַּלְשִׁינִים אַל תְּהִי תִקְוָה, וְכָל הַמִּינִים וְכָל הַזֵּדִים כְּרֶגַע

14 יֹאבֵדוּ וְכָל אֹיְבֵי עַמְּךָ מְהֵרָה יִכָּרֵתוּ, וּמַלְכוּת

15 הָרִשְׁעָה מְהֵרָה תְעַקֵּר וּתְשַׁבֵּר וּתְמַגֵּר, וְתַכְנִיעַ בִּמְהֵרָה

16 בְיָמֵינוּ. בָּרוּךְ אַתָּה יְיָ, שֹׁבֵר אֹיְבִים וּמַכְנִיעַ זֵדִים:

17 עַל הַצַּדִּיקִים וְעַל הַחֲסִידִים וְעַל זִקְנֵי עַמְּךָ בֵּית

18 יִשְׂרָאֵל, וְעַל פְּלֵיטַת בֵּית סוֹפְרֵיהֶם וְעַל גֵּרֵי הַצֶּדֶק

19 וְעָלֵינוּ, יֶהֱמוּ נָא רַחֲמֶיךָ יְיָ אֱלֹהֵינוּ, וְתֵן שָׂכָר טוֹב לְכָל

20 הַבּוֹטְחִים בְּשִׁמְךָ בֶּאֱמֶת, וְשִׂים חֶלְקֵנוּ עִמָּהֶם וּלְעוֹלָם

21 לֹא נֵבוֹשׁ כִּי בְךָ בָּטָחְנוּ. בָּרוּךְ אַתָּה יְיָ, מִשְׁעָן

22 וּמִבְטָח לַצַּדִּיקִים:

23 וְלִירוּשָׁלַיִם עִירְךָ בְּרַחֲמִים תָּשׁוּב, וְתִשְׁכֹּן בְּתוֹכָהּ

24 כַּאֲשֶׁר דִּבַּרְתָּ, וְכִסֵּא דָוִד עַבְדְּךָ מְהֵרָה

25 בְתוֹכָהּ תָּכִין, וּבְנֵה אוֹתָהּ בְּקָרוֹב בְּיָמֵינוּ בִּנְיַן עוֹלָם.

ברוך

1 (בתשעה באב במנחה אומרים כאן נחם‹א›) בָּרוּךְ אַתָּה יְיָ, בּוֹנֵה יְרוּשָׁלָיִם:

2 אֶת צֶמַח דָּוִד עַבְדְּךָ מְהֵרָה תַצְמִיחַ, וְקַרְנוֹ תָּרוּם

3 בִּישׁוּעָתֶךָ, כִּי לִישׁוּעָתְךָ קִוִּינוּ כָּל הַיּוֹם. בָּרוּךְ

4 אַתָּה יְיָ, מַצְמִיחַ קֶרֶן יְשׁוּעָה:

5 שְׁמַע קוֹלֵנוּ יְיָ אֱלֹהֵינוּ, אָב הָרַחֲמָן רַחֵם עָלֵינוּ, וְקַבֵּל

6 בְּרַחֲמִים וּבְרָצוֹן אֶת תְּפִלָּתֵנוּ, כִּי אֵל שׁוֹמֵעַ

7 תְּפִלּוֹת וְתַחֲנוּנִים אָתָּה, וּמִלְּפָנֶיךָ מַלְכֵּנוּ רֵיקָם אַל תְּשִׁיבֵנוּ.

יחיד בתעניתו וכן הש"ץ בתפלת לחש אומר כאן עננו עד וצוקה‹ב›

8 כִּי אַתָּה שׁוֹמֵעַ תְּפִלַּת כָּל פֶּה. בָּרוּךְ אַתָּה יְיָ, שׁוֹמֵעַ תְּפִלָּה:

9 רְצֵה יְיָ אֱלֹהֵינוּ בְּעַמְּךָ יִשְׂרָאֵל וְלִתְפִלָּתָם שְׁעֵה, וְהָשֵׁב

10 הָעֲבוֹדָה לִדְבִיר בֵּיתֶךָ, וְאִשֵּׁי יִשְׂרָאֵל וּתְפִלָּתָם

א) בתשעה באב במנחה אומרים זה:

11 נַחֵם יְיָ אֱלֹהֵינוּ, אֶת אֲבֵלֵי צִיּוֹן, וְאֶת אֲבֵלֵי יְרוּשָׁלַיִם, וְאֶת הָעִיר

12 הָאֲבֵלָה וְהַחֲרֵבָה וְהַבְּזוּיָה וְהַשּׁוֹמֵמָה. הָאֲבֵלָה מִבְּלִי בָנֶיהָ,

13 וְהַחֲרֵבָה מִמְּעוֹנוֹתֶיהָ, וְהַבְּזוּיָה מִכְּבוֹדָהּ, וְהַשּׁוֹמֵמָה מֵאֵין יוֹשֵׁב.

14 וְהִיא יוֹשֶׁבֶת וְרֹאשָׁהּ חָפוּי, כְּאִשָּׁה עֲקָרָה שֶׁלֹּא יָלָדָה, וַיְבַלְּעוּהָ

15 לִגְיוֹנוֹת, וַיִּירָשׁוּהָ עוֹבְדֵי פְסִילִים, וַיָּטִילוּ אֶת עַמְּךָ יִשְׂרָאֵל לֶחָרֶב,

16 וַיַּהַרְגוּ בְזָדוֹן חֲסִידֵי עֶלְיוֹן • עַל כֵּן צִיּוֹן בְּמַר תִּבְכֶּה, וִירוּשָׁלַיִם תִּתֵּן

17 קוֹלָהּ, לִבִּי לִבִּי, עַל חַלְלֵיהֶם. מֵעַי מֵעַי, עַל חַלְלֵיהֶם. כִּי אַתָּה יְיָ

18 בָּאֵשׁ הִצַּתָּהּ, וּבָאֵשׁ אַתָּה עָתִיד לִבְנוֹתָהּ. כָּאָמוּר: וַאֲנִי אֶהְיֶה לָּהּ

19 נְאֻם יְיָ חוֹמַת אֵשׁ סָבִיב, וּלְכָבוֹד אֶהְיֶה בְתוֹכָהּ. בָּרוּךְ אַתָּה יְיָ,

20 מְנַחֵם צִיּוֹן וּבוֹנֵה יְרוּשָׁלָיִם: את צמח

ב) בתענית ציבור אומרים זה קודם כי אתה שומע

21 עֲנֵנוּ יְיָ עֲנֵנוּ בְּיוֹם צוֹם תַּעֲנִיתֵנוּ, כִּי בְצָרָה גְדוֹלָה אֲנַחְנוּ, אַל תֵּפֶן

22 אֶל רִשְׁעֵנוּ, וְאַל תַּסְתֵּר פָּנֶיךָ מִמֶּנּוּ, וְאַל תִּתְעַלַּם מִתְּחִנָּתֵנוּ,

23 הֱיֵה נָא קָרוֹב לְשַׁוְעָתֵנוּ, יְהִי נָא חַסְדְּךָ לְנַחֲמֵנוּ, טֶרֶם נִקְרָא אֵלֶיךָ

24 עֲנֵנוּ, כַּדָּבָר שֶׁנֶּאֱמַר: וְהָיָה טֶרֶם יִקְרָאוּ וַאֲנִי אֶעֱנֶה, עוֹד הֵם

25 מְדַבְּרִים וַאֲנִי אֶשְׁמָע, כִּי אַתָּה יְיָ הָעוֹנֶה בְּעֵת צָרָה, פּוֹדֶה וּמַצִּיל

26 בְּכָל עֵת צָרָה וְצוּקָה: כי אתה שומע

תו"א א) זכריה ב ט:

בְּאַהֲבָה תְקַבֵּל בְּרָצוֹן, וּתְהִי לְרָצוֹן תָּמִיד עֲבוֹדַת יִשְׂרָאֵל עַמֶּךָ:

בראש חודש ובחול המועד אומרים כאן **יעלה ויבא**[א]

וְתֶחֱזֶינָה עֵינֵינוּ בְּשׁוּבְךָ לְצִיּוֹן בְּרַחֲמִים. בָּרוּךְ אַתָּה יְיָ, הַמַּחֲזִיר שְׁכִינָתוֹ לְצִיּוֹן:

מוֹדִים אֲנַחְנוּ לָךְ, שָׁאַתָּה הוּא יְיָ אֱלֹהֵינוּ וֵאלֹהֵי אֲבוֹתֵינוּ לְעוֹלָם וָעֶד, צוּר חַיֵּינוּ מָגֵן יִשְׁעֵנוּ, אַתָּה הוּא לְדוֹר וָדוֹר, נוֹדֶה לְּךָ וּנְסַפֵּר תְּהִלָּתֶךָ, עַל חַיֵּינוּ הַמְּסוּרִים בְּיָדֶךָ, וְעַל נִשְׁמוֹתֵינוּ הַפְּקוּדוֹת לָךְ, וְעַל נִסֶּיךָ שֶׁבְּכָל יוֹם עִמָּנוּ, וְעַל נִפְלְאוֹתֶיךָ וְטוֹבוֹתֶיךָ שֶׁבְּכָל עֵת, עֶרֶב וָבֹקֶר וְצָהֳרָיִם, הַטּוֹב, כִּי לֹא כָלוּ רַחֲמֶיךָ, הַמְרַחֵם, כִּי לֹא תַמּוּ חֲסָדֶיךָ, כִּי מֵעוֹלָם קִוִּינוּ לָךְ:

ועל

בחנוכה ובפורים אומרים כאן **ועל הנסים**[ב]

מודים דרבנן

מוֹדִים אֲנַחְנוּ לָךְ, שָׁאַתָּה הוּא יְיָ אֱלֹהֵינוּ וֵאלֹהֵי אֲבוֹתֵינוּ, אֱלֹהֵי כָל בָּשָׂר, יוֹצְרֵנוּ, יוֹצֵר בְּרֵאשִׁית, בְּרָכוֹת וְהוֹדָאוֹת לְשִׁמְךָ הַגָּדוֹל וְהַקָּדוֹשׁ, עַל שֶׁהֶחֱיִיתָנוּ וְקִיַּמְתָּנוּ, כֵּן תְּחַיֵּנוּ וּתְקַיְּמֵנוּ, וְתֶאֱסוֹף גָּלֻיּוֹתֵינוּ לְחַצְרוֹת קָדְשֶׁךָ, וְנָשׁוּב אֵלֶיךָ לִשְׁמוֹר חֻקֶּיךָ, וְלַעֲשׂוֹת רְצוֹנֶךָ, וּלְעָבְדְּךָ בְּלֵבָב שָׁלֵם, עַל שֶׁאֲנַחְנוּ מוֹדִים לָךְ, בָּרוּךְ אֵל הַהוֹדָאוֹת:

א) בראש חודש וחול המועד אומרים זה:

אֱלֹהֵינוּ וֵאלֹהֵי אֲבוֹתֵינוּ, יַעֲלֶה וְיָבֹא וְיַגִּיעַ, וְיֵרָאֶה וְיֵרָצֶה וְיִשָּׁמַע, וְיִפָּקֵד וְיִזָּכֵר זִכְרוֹנֵנוּ וּפִקְדוֹנֵנוּ, וְזִכְרוֹן אֲבוֹתֵינוּ, וְזִכְרוֹן מָשִׁיחַ בֶּן דָּוִד עַבְדֶּךָ, וְזִכְרוֹן יְרוּשָׁלַיִם עִיר קָדְשֶׁךָ, וְזִכְרוֹן כָּל עַמְּךָ בֵּית יִשְׂרָאֵל לְפָנֶיךָ, לִפְלֵיטָה לְטוֹבָה, לְחֵן וּלְחֶסֶד וּלְרַחֲמִים וּלְחַיִּים טוֹבִים וּלְשָׁלוֹם בְּיוֹם לראש חודש רֹאשׁ הַחֹדֶשׁ הַזֶּה. לחוה"מ פסח חַג הַמַּצּוֹת הַזֶּה. לחוה"מ סוכות חַג הַסֻּכּוֹת הַזֶּה. זָכְרֵנוּ יְיָ אֱלֹהֵינוּ בּוֹ לְטוֹבָה. וּפָקְדֵנוּ בוֹ לִבְרָכָה. וְהוֹשִׁיעֵנוּ בוֹ לְחַיִּים טוֹבִים. וּבִדְבַר יְשׁוּעָה וְרַחֲמִים, חוּס וְחָנֵּנוּ, וְרַחֵם עָלֵינוּ וְהוֹשִׁיעֵנוּ, כִּי אֵלֶיךָ עֵינֵינוּ, כִּי אֵל מֶלֶךְ חַנּוּן וְרַחוּם אָתָּה:

ותחזינה

ב) בחנוכה ובפורים אומרים זה:

וְעַל הַנִּסִּים וְעַל הַפֻּרְקָן וְעַל הַגְּבוּרוֹת וְעַל הַתְּשׁוּעוֹת וְעַל הַנִּפְלָאוֹת שֶׁעָשִׂיתָ לַאֲבוֹתֵינוּ בַּיָּמִים הָהֵם בִּזְּמַן הַזֶּה:

וְעַל כֻּלָּם יִתְבָּרַךְ וְיִתְרוֹמַם וְיִתְנַשֵּׂא שִׁמְךָ מַלְכֵּנוּ תָּמִיד לְעוֹלָם וָעֶד:

בעשי"ת וּכְתוֹב לְחַיִּים טוֹבִים כָּל בְּנֵי בְרִיתֶךָ.

וְכֹל הַחַיִּים יוֹדוּךָ סֶּלָה, וִיהַלְלוּ שִׁמְךָ הַגָּדוֹל לְעוֹלָם כִּי טוֹב, הָאֵל יְשׁוּעָתֵנוּ וְעֶזְרָתֵנוּ סֶלָה, הָאֵל הַטּוֹב. בָּרוּךְ אַתָּה יְיָ, הַטּוֹב שִׁמְךָ וּלְךָ נָאֶה לְהוֹדוֹת:

בתענית צבור אומר הש"ץ כאן אלהינו: *)

שִׂים שָׁלוֹם, טוֹבָה וּבְרָכָה, חַיִּים חֵן וָחֶסֶד וְרַחֲמִים, עָלֵינוּ וְעַל כָּל יִשְׂרָאֵל עַמֶּךָ. בָּרְכֵנוּ אָבִינוּ כֻּלָּנוּ כְּאֶחָד

באור

לחנוכה

בִּימֵי מַתִּתְיָהוּ בֶּן יוֹחָנָן כֹּהֵן גָּדוֹל, חַשְׁמוֹנָאִי וּבָנָיו, כְּשֶׁעָמְדָה מַלְכוּת יָוָן הָרְשָׁעָה, עַל עַמְּךָ יִשְׂרָאֵל, לְהַשְׁכִּיחָם תּוֹרָתֶךָ וּלְהַעֲבִירָם מֵחֻקֵּי רְצוֹנֶךָ, וְאַתָּה בְּרַחֲמֶיךָ הָרַבִּים, עָמַדְתָּ לָהֶם בְּעֵת צָרָתָם, רַבְתָּ אֶת רִיבָם, דַּנְתָּ אֶת דִּינָם, נָקַמְתָּ אֶת נִקְמָתָם, מָסַרְתָּ גִבּוֹרִים בְּיַד חַלָּשִׁים, וְרַבִּים בְּיַד מְעַטִּים, וּטְמֵאִים בְּיַד טְהוֹרִים, וּרְשָׁעִים בְּיַד צַדִּיקִים, וְזֵדִים בְּיַד עוֹסְקֵי תוֹרָתֶךָ. וּלְךָ עָשִׂיתָ שֵׁם גָּדוֹל וְקָדוֹשׁ בְּעוֹלָמֶךָ, וּלְעַמְּךָ יִשְׂרָאֵל עָשִׂיתָ תְּשׁוּעָה גְדוֹלָה וּפֻרְקָן כְּהַיּוֹם הַזֶּה. וְאַחַר כַּךְ בָּאוּ בָנֶיךָ לִדְבִיר בֵּיתֶךָ, וּפִנּוּ אֶת הֵיכָלֶךָ, וְטִהֲרוּ אֶת מִקְדָּשֶׁךָ, וְהִדְלִיקוּ נֵרוֹת בְּחַצְרוֹת קָדְשֶׁךָ, וְקָבְעוּ שְׁמוֹנַת יְמֵי חֲנֻכָּה אֵלּוּ, לְהוֹדוֹת וּלְהַלֵּל לְשִׁמְךָ הַגָּדוֹל: ועל כולם

לפורים

בִּימֵי מָרְדְּכַי וְאֶסְתֵּר בְּשׁוּשַׁן הַבִּירָה, כְּשֶׁעָמַד עֲלֵיהֶם הָמָן הָרָשָׁע, בִּקֵּשׁ לְהַשְׁמִיד לַהֲרוֹג וּלְאַבֵּד אֶת כָּל הַיְּהוּדִים, מִנַּעַר וְעַד זָקֵן, טַף וְנָשִׁים, בְּיוֹם אֶחָד, בִּשְׁלֹשָׁה עָשָׂר לְחֹדֶשׁ שְׁנֵים עָשָׂר הוּא חֹדֶשׁ אֲדָר, וּשְׁלָלָם לָבוֹז. וְאַתָּה בְּרַחֲמֶיךָ הָרַבִּים הֵפַרְתָּ אֶת עֲצָתוֹ, וְקִלְקַלְתָּ אֶת מַחֲשַׁבְתּוֹ, וַהֲשֵׁבוֹתָ לּוֹ גְּמוּלוֹ בְּרֹאשׁוֹ, וְתָלוּ אוֹתוֹ וְאֶת בָּנָיו עַל הָעֵץ: ועל כולם

---

*) לש"ץ בת"צ אֱלֹהֵינוּ וֵאלֹהֵי אֲבוֹתֵינוּ, בָּרְכֵנוּ בַבְּרָכָה הַמְשֻׁלֶּשֶׁת בַּתּוֹרָה הַכְּתוּבָה עַל יְדֵי מֹשֶׁה עַבְדֶּךָ, הָאֲמוּרָה מִפִּי אַהֲרֹן וּבָנָיו, כֹּהֲנִים עַם קְדוֹשֶׁךָ, כָּאָמוּר: יְבָרֶכְךָ יְיָ וְיִשְׁמְרֶךָ: אמן יָאֵר יְיָ פָּנָיו אֵלֶיךָ וִיחֻנֶּךָּ: אמן יִשָּׂא יְיָ פָּנָיו אֵלֶיךָ וְיָשֵׂם לְךָ שָׁלוֹם אמן: שים שלום

1 בְּאוֹר פָּנֶיךָ, כִּי בְאוֹר פָּנֶיךָ, נָתַתָּ לָּנוּ יְיָ אֱלֹהֵינוּ תּוֹרַת חַיִּים

2 וְאַהֲבַת חֶסֶד, וּצְדָקָה וּבְרָכָה וְרַחֲמִים וְחַיִּים וְשָׁלוֹם.

3 וְטוֹב בְּעֵינֶיךָ לְבָרֵךְ אֶת עַמְּךָ יִשְׂרָאֵל, בְּכָל עֵת וּבְכָל

4 שָׁעָה בִּשְׁלוֹמֶךָ. בעשי״ת ובספר בָּרוּךְ אַתָּה יְיָ, הַמְבָרֵךְ אֶת עַמּוֹ

5 יִשְׂרָאֵל בַּשָּׁלוֹם:

6 בעשי״ת וּבְסֵפֶר חַיִּים בְּרָכָה וְשָׁלוֹם וּפַרְנָסָה טוֹבָה, יְשׁוּעָה וְנֶחָמָה וּגְזֵרוֹת

7 טוֹבוֹת נִזָּכֵר וְנִכָּתֵב לְפָנֶיךָ, אֲנַחְנוּ וְכָל עַמְּךָ בֵּית יִשְׂרָאֵל,

8 לְחַיִּים טוֹבִים וּלְשָׁלוֹם. בָּרוּךְ אַתָּה יְיָ, הַמְבָרֵךְ אֶת עַמּוֹ יִשְׂרָאֵל בַּשָּׁלוֹם:

9 יִהְיוּ לְרָצוֹן אִמְרֵי פִי וְהֶגְיוֹן לִבִּי לְפָנֶיךָ, יְיָ צוּרִי וְגוֹאֲלִי:

10 אֱלֹהַי, נְצוֹר לְשׁוֹנִי מֵרָע, וּשְׂפָתַי מִדַּבֵּר מִרְמָה, וְלִמְקַלְלַי נַפְשִׁי

11 תִדּוֹם, וְנַפְשִׁי כֶּעָפָר לַכֹּל תִּהְיֶה. פְּתַח לִבִּי בְּתוֹרָתֶךָ,

12 וּבְמִצְוֹתֶיךָ תִּרְדּוֹף נַפְשִׁי, וְכָל הַחוֹשְׁבִים עָלַי רָעָה, מְהֵרָה הָפֵר

13 עֲצָתָם וְקַלְקֵל מַחֲשַׁבְתָּם. יִהְיוּ כְּמוֹץ לִפְנֵי רוּחַ וּמַלְאַךְ יְיָ דוֹחֶה.

14 לְמַעַן יֵחָלְצוּן יְדִידֶיךָ, הוֹשִׁיעָה יְמִינְךָ וַעֲנֵנִי. עֲשֵׂה לְמַעַן שְׁמֶךָ,

15 עֲשֵׂה לְמַעַן יְמִינֶךָ, עֲשֵׂה לְמַעַן תּוֹרָתֶךָ, עֲשֵׂה לְמַעַן קְדֻשָּׁתֶךָ.

16 יִהְיוּ לְרָצוֹן אִמְרֵי פִי וְהֶגְיוֹן לִבִּי לְפָנֶיךָ, יְיָ צוּרִי וְגוֹאֲלִי: עֹשֶׂה שָׁלוֹם

17 (בעשי״ת הַשָּׁלוֹם) בִּמְרוֹמָיו, הוּא יַעֲשֶׂה שָׁלוֹם עָלֵינוּ וְעַל כָּל יִשְׂרָאֵל,

18 וְאִמְרוּ אָמֵן:

19 יְהִי רָצוֹן מִלְּפָנֶיךָ, יְיָ אֱלֹהֵינוּ וֵאלֹהֵי אֲבוֹתֵינוּ, שֶׁיִּבָּנֶה בֵּית הַמִּקְדָּשׁ בִּמְהֵרָה

20 בְיָמֵינוּ, וְתֵן חֶלְקֵנוּ בְּתוֹרָתֶךָ:

בימים שאין אומרים תחנון אומר הש״ץ קדיש שלם:

21 אֱלֹהֵינוּ וֵאלֹהֵי אֲבוֹתֵינוּ, תָּבֹא לְפָנֶיךָ תְּפִלָּתֵנוּ, וְאַל תִּתְעַלַּם

22 מִתְּחִנָּתֵנוּ, שֶׁאֵין אָנוּ עַזֵּי פָנִים וּקְשֵׁי עֹרֶף, לוֹמַר לְפָנֶיךָ

23 יְיָ אֱלֹהֵינוּ וֵאלֹהֵי אֲבוֹתֵינוּ, צַדִּיקִים אֲנַחְנוּ וְלֹא חָטָאנוּ, אֲבָל

24 אֲנַחְנוּ וַאֲבוֹתֵינוּ חָטָאנוּ:

25 אָשַׁמְנוּ, בָּגַדְנוּ, גָּזַלְנוּ, דִּבַּרְנוּ דֹּפִי. הֶעֱוִינוּ,

26 וְהִרְשַׁעְנוּ, זַדְנוּ, חָמַסְנוּ, טָפַלְנוּ

27 שֶׁקֶר. יָעַצְנוּ רָע, כִּזַּבְנוּ, לַצְנוּ, מָרַדְנוּ, נִאַצְנוּ,

28 סָרַרְנוּ, עָוִינוּ, פָּשַׁעְנוּ, צָרַרְנוּ, קִשִּׁינוּ עֹרֶף.

רשענו

1 רָשַׁעְנוּ, שִׁחַתְנוּ, תִּעַבְנוּ, תָּעִינוּ, תִּעְתָּעְנוּ:

2 סַרְנוּ מִמִּצְוֹתֶיךָ וּמִמִּשְׁפָּטֶיךָ הַטּוֹבִים וְלֹא שָׁוָה לָנוּ. וְאַתָּה

3 צַדִּיק עַל כָּל הַבָּא עָלֵינוּ, כִּי אֱמֶת עָשִׂיתָ וַאֲנַחְנוּ הִרְשָׁעְנוּ:

4 אֵל אֶרֶךְ אַפַּיִם אַתָּה וּבַעַל הָרַחֲמִים נִקְרֵאתָ, וְדֶרֶךְ

5 תְּשׁוּבָה הוֹרֵיתָ. גְּדֻלַּת רַחֲמֶיךָ וַחֲסָדֶיךָ תִּזְכּוֹר הַיּוֹם

6 וּבְכָל יוֹם לְזֶרַע יְדִידֶיךָ. תֵּפֶן אֵלֵינוּ בְּרַחֲמִים, כִּי אַתָּה

7 הוּא בַּעַל הָרַחֲמִים. בְּתַחֲנוּן וּבִתְפִלָּה פָּנֶיךָ נְקַדֵּם,

8 כְּהוֹדַעְתָּ לֶעָנָיו מִקֶּדֶם. מֵחֲרוֹן אַפְּךָ שׁוּב, כְּמוֹ בְּתוֹרָתְךָ

9 כָּתוּב. וּבְצֵל כְּנָפֶיךָ נֶחֱסֶה וְנִתְלוֹנָן, כְּיוֹם וַיֵּרֶד יְיָ בֶּעָנָן.

10 תַּעֲבוֹר עַל פֶּשַׁע וְתִמְחֶה אָשָׁם, כְּיוֹם וַיִּתְיַצֵּב עִמּוֹ שָׁם.

11 תַּאֲזִין שַׁוְעָתֵנוּ וְתַקְשִׁיב מֶנּוּ מַאֲמָר, כְּיוֹם וַיִּקְרָא בְשֵׁם יְיָ

12 וְשָׁם נֶאֱמַר: המתפלל ביחיד אין אומר זה:

13 וַיַּעֲבֹר יְיָ עַל פָּנָיו וַיִּקְרָא

14 יְיָ יְיָ אֵל רַחוּם וְחַנּוּן אֶרֶךְ אַפַּיִם וְרַב חֶסֶד וֶאֱמֶת: נֹצֵר

15 חֶסֶד לָאֲלָפִים נֹשֵׂא עָוֹן וָפֶשַׁע וְחַטָּאָה וְנַקֵּה:

16 רַחוּם וְחַנּוּן חָטָאנוּ לְפָנֶיךָ רַחֵם עָלֵינוּ וְהוֹשִׁיעֵנוּ:

17 א לְדָוִד אֵלֶיךָ יְיָ נַפְשִׁי אֶשָּׂא: ב אֱלֹהַי בְּךָ בָטַחְתִּי אַל אֵבוֹשָׁה, אַל יַעַלְצוּ

18 אֹיְבַי לִי: ג גַּם כָּל קֹוֶיךָ לֹא יֵבֹשׁוּ, יֵבֹשׁוּ הַבּוֹגְדִים רֵיקָם: ד דְּרָכֶיךָ יְיָ

19 הוֹדִיעֵנִי, אֹרְחוֹתֶיךָ לַמְּדֵנִי: ה הַדְרִיכֵנִי בַאֲמִתֶּךָ וְלַמְּדֵנִי כִּי אַתָּה אֱלֹהֵי יִשְׁעִי,

20 אוֹתְךָ קִוִּיתִי כָּל הַיּוֹם: ו זְכֹר רַחֲמֶיךָ יְיָ וַחֲסָדֶיךָ כִּי מֵעוֹלָם הֵמָּה: ז חַטֹּאות נְעוּרַי

21 וּפְשָׁעַי אַל תִּזְכֹּר, כְּחַסְדְּךָ זְכָר לִי אַתָּה, לְמַעַן טוּבְךָ יְיָ: ח טוֹב וְיָשָׁר יְיָ עַל כֵּן

22 יוֹרֶה חַטָּאִים בַּדָּרֶךְ: ט יַדְרֵךְ עֲנָוִים בַּמִּשְׁפָּט וִילַמֵּד עֲנָוִים דַּרְכּוֹ: י כָּל אָרְחוֹת

23 יְיָ חֶסֶד וֶאֱמֶת, לְנֹצְרֵי בְרִיתוֹ וְעֵדֹתָיו: יא לְמַעַן שִׁמְךָ יְיָ וְסָלַחְתָּ לַעֲוֹנִי כִּי רַב

24 הוּא: יב מִי זֶה הָאִישׁ יְרֵא יְיָ, יוֹרֶנּוּ בְּדֶרֶךְ יִבְחָר: יג נַפְשׁוֹ בְּטוֹב תָּלִין וְזַרְעוֹ יִירַשׁ

25 אָרֶץ: יד סוֹד יְיָ לִירֵאָיו, וּבְרִיתוֹ לְהוֹדִיעָם: טו עֵינַי תָּמִיד אֶל יְיָ, כִּי הוּא יוֹצִיא

26 מֵרֶשֶׁת רַגְלָי: טז פְּנֵה אֵלַי וְחָנֵּנִי, כִּי יָחִיד וְעָנִי אָנִי: יז צָרוֹת לְבָבִי הִרְחִיבוּ,

27 מִמְּצוּקוֹתַי הוֹצִיאֵנִי: יח רְאֵה עָנְיִי וַעֲמָלִי, וְשָׂא לְכָל חַטֹּאותָי: יט רְאֵה אֹיְבַי

28 כִּי רָבּוּ, וְשִׂנְאַת חָמָס שְׂנֵאוּנִי: כ שָׁמְרָה נַפְשִׁי וְהַצִּילֵנִי, אַל אֵבוֹשׁ כִּי

29 חָסִיתִי בָךְ: כא תֹּם וָיֹשֶׁר יִצְּרוּנִי, כִּי קִוִּיתִיךָ: כב פְּדֵה אֱלֹהִים אֶת יִשְׂרָאֵל

30 מִכֹּל צָרוֹתָיו: וְהוּא יִפְדֶּה אֶת יִשְׂרָאֵל מִכֹּל עֲוֹנוֹתָיו:

בעשי״ת ובתענית צבור אומרים א״מ הארוך, תמצא לקמן ע׳ 254.

1   **אָבִינוּ** מַלְכֵּנוּ אָבִינוּ אָתָּה. אָבִינוּ מַלְכֵּנוּ אֵין לָנוּ מֶלֶךְ אֶלָּא אָתָּה. אָבִינוּ

2   מַלְכֵּנוּ רַחֵם עָלֵינוּ. אָבִינוּ מַלְכֵּנוּ חָנֵּנוּ וַעֲנֵנוּ כִּי אֵין בָּנוּ מַעֲשִׂים

3   עֲשֵׂה עִמָּנוּ צְדָקָה וָחֶסֶד לְמַעַן שִׁמְךָ הַגָּדוֹל וְהוֹשִׁיעֵנוּ:

4   **וַאֲנַחְנוּ** לֹא נֵדַע מַה נַּעֲשֶׂה, כִּי עָלֶיךָ עֵינֵינוּ. זְכֹר

5   רַחֲמֶיךָ יְיָ, וַחֲסָדֶיךָ, כִּי מֵעוֹלָם הֵמָּה. יְהִי

6   חַסְדְּךָ יְיָ עָלֵינוּ, כַּאֲשֶׁר יִחַלְנוּ לָךְ. אַל תִּזְכָּר לָנוּ עֲוֹנוֹת

7   רִאשֹׁנִים, מַהֵר יְקַדְּמוּנוּ רַחֲמֶיךָ, כִּי דַלּוֹנוּ מְאֹד. חָנֵּנוּ

8   יְיָ חָנֵּנוּ, כִּי רַב שָׂבַעְנוּ בוּז. בְּרֹגֶז רַחֵם תִּזְכּוֹר, בְּרֹגֶז

9   עֲקֵדָה תִּזְכּוֹר, בְּרֹגֶז תְּמִימוֹת תִּזְכּוֹר, בְּרֹגֶז אַהֲבָה

10   תִּזְכּוֹר: יְיָ הוֹשִׁיעָה הַמֶּלֶךְ יַעֲנֵנוּ בְיוֹם קָרְאֵנוּ. כִּי הוּא

11   יָדַע יִצְרֵנוּ, זָכוּר כִּי עָפָר אֲנָחְנוּ. עָזְרֵנוּ אֱלֹהֵי יִשְׁעֵנוּ עַל

12   דְּבַר כְּבוֹד שְׁמֶךָ, וְהַצִּילֵנוּ וְכַפֵּר עַל חַטֹּאתֵינוּ לְמַעַן שְׁמֶךָ:

הש״ץ אומר ק״ש תמצא בתפלת שחרית: (לדוד ה׳ אורי)

13   **עָלֵינוּ** לְשַׁבֵּחַ לַאֲדוֹן הַכֹּל, לָתֵת גְּדֻלָּה לְיוֹצֵר בְּרֵאשִׁית,

14   שֶׁלֹּא עָשָׂנוּ כְּגוֹיֵי הָאֲרָצוֹת, וְלֹא שָׂמָנוּ כְּמִשְׁפְּחוֹת

15   הָאֲדָמָה, שֶׁלֹּא שָׂם חֶלְקֵנוּ כָּהֶם, וְגֹרָלֵנוּ כְּכָל הֲמוֹנָם

16   שֶׁהֵם מִשְׁתַּחֲוִים לְהֶבֶל וָלָרִיק. וַאֲנַחְנוּ כּוֹרְעִים

17   וּמִשְׁתַּחֲוִים וּמוֹדִים, לִפְנֵי מֶלֶךְ מַלְכֵי הַמְּלָכִים,

18   הַקָּדוֹשׁ, בָּרוּךְ הוּא. שֶׁהוּא נוֹטֶה שָׁמַיִם

19   וְיֹסֵד אָרֶץ, וּמוֹשַׁב יְקָרוֹ בַּשָּׁמַיִם מִמַּעַל, וּשְׁכִינַת עֻזּוֹ

20   בְּגָבְהֵי מְרוֹמִים, הוּא אֱלֹהֵינוּ אֵין עוֹד. אֱמֶת מַלְכֵּנוּ,

21   אֶפֶס זוּלָתוֹ, כַּכָּתוּב בְּתוֹרָתוֹ: וְיָדַעְתָּ הַיּוֹם וַהֲשֵׁבֹתָ

22   אֶל לְבָבֶךָ, כִּי יְיָ הוּא הָאֱלֹהִים בַּשָּׁמַיִם מִמַּעַל, וְעַל

23   הָאָרֶץ מִתָּחַת, אֵין עוֹד:

24   **וְעַל** כֵּן נְקַוֶּה לְּךָ יְיָ אֱלֹהֵינוּ, לִרְאוֹת מְהֵרָה בְּתִפְאֶרֶת עֻזֶּךָ, לְהַעֲבִיר

25   גִּלּוּלִים מִן הָאָרֶץ, וְהָאֱלִילִים כָּרוֹת יִכָּרֵתוּן, לְתַקֵּן עוֹלָם

26   בְּמַלְכוּת שַׁדַּי. וְכָל בְּנֵי בָשָׂר יִקְרְאוּ בִשְׁמֶךָ, לְהַפְנוֹת אֵלֶיךָ כָּל

27   רִשְׁעֵי אָרֶץ. יַכִּירוּ וְיֵדְעוּ כָּל יוֹשְׁבֵי תֵבֵל, כִּי לְךָ תִּכְרַע כָּל בֶּרֶךְ,

תשבע

1 תִּשָׁבַּע כָּל לָשׁוֹן . לְפָנֶיךָ יְיָ אֱלֹהֵינוּ יִכְרְעוּ וְיִפּוֹלוּ, וְלִכְבוֹד שִׁמְךָ יְקָר

2 יִתֵּנוּ, וִיקַבְּלוּ כֻלָּם עֲלֵיהֶם אֶת עוֹל מַלְכוּתֶךָ, וְתִמְלוֹךְ עֲלֵיהֶם מְהֵרָה

3 לְעוֹלָם וָעֶד. כִּי הַמַּלְכוּת שֶׁלְּךָ הִיא, וּלְעוֹלְמֵי עַד תִּמְלוֹךְ בְּכָבוֹד,

4 כַּכָּתוּב בְּתוֹרָתֶךָ: יְיָ יִמְלֹךְ לְעֹלָם וָעֶד. וְנֶאֱמַר : וְהָיָה יְיָ לְמֶלֶךְ עַל

5 כָּל הָאָרֶץ, בַּיּוֹם הַהוּא יִהְיֶה יְיָ אֶחָד וּשְׁמוֹ אֶחָד: קדיש יתום

6 אַל־תִּירָא מִפַּחַד פִּתְאֹם, וּמִשּׁוֹאַת רְשָׁעִים כִּי תָבוֹא: עֻצוּ עֵצָה וְתֻפָר דַּבְּרוּ

7 דָבָר וְלֹא יָקוּם, כִּי עִמָּנוּ אֵל: וְעַד־זִקְנָה אֲנִי הוּא וְעַד־שֵׂיבָה אֲנִי אֶסְבֹּל

8 אֲנִי עָשִׂיתִי וַאֲנִי אֶשָּׂא וַאֲנִי אֶסְבֹּל וַאֲמַלֵּט:

9 אַךְ צַדִּיקִים יוֹדוּ לִשְׁמֶךָ יֵשְׁבוּ יְשָׁרִים אֶת פָּנֶיךָ:

⟨❦⟩

תפלת ערבית לחול

10 וְהוּא רַחוּם יְכַפֵּר עָוֹן וְלֹא יַשְׁחִית, וְהִרְבָּה לְהָשִׁיב אַפּוֹ, וְלֹא יָעִיר כָּל

11 חֲמָתוֹ. יְיָ הוֹשִׁיעָה, הַמֶּלֶךְ יַעֲנֵנוּ בְיוֹם קָרְאֵנוּ:

12 שִׁיר הַמַּעֲלוֹת הִנֵּה בָּרְכוּ אֶת יְיָ כָּל עַבְדֵי יְיָ הָעֹמְדִים בְּבֵית יְיָ בַּלֵּילוֹת:

13 שְׂאוּ יְדֵכֶם קֹדֶשׁ וּבָרְכוּ אֶת יְיָ: יְבָרֶכְךָ יְיָ מִצִּיּוֹן עֹשֵׂה שָׁמַיִם וָאָרֶץ:

14 יוֹמָם יְצַוֶּה יְיָ חַסְדּוֹ וּבַלַּיְלָה שִׁירֹה עִמִּי תְּפִלָּה לְאֵל חַיָּי: וּתְשׁוּעַת צַדִּיקִים מֵיְיָ

15 מָעוּזָּם בְּעֵת צָרָה: וַיַּעְזְרֵם יְיָ וַיְפַלְּטֵם יְפַלְּטֵם מֵרְשָׁעִים וְיוֹשִׁיעֵם כִּי חָסוּ בוֹ:

16 יְיָ צְבָאוֹת עִמָּנוּ מִשְׂגָּב לָנוּ אֱלֹהֵי יַעֲקֹב סֶלָה ג"פ : יְיָ צְבָאוֹת אַשְׁרֵי אָדָם בֹּטֵחַ

17 בָּךְ ג"פ : יְיָ הוֹשִׁיעָה הַמֶּלֶךְ יַעֲנֵנוּ בְיוֹם קָרְאֵנוּ ג"פ :

18 יִתְגַּדַּל וְיִתְקַדַּשׁ שְׁמֵהּ רַבָּא. אמן בְּעָלְמָא דִּי בְרָא כִרְעוּתֵהּ וְיַמְלִיךְ מַלְכוּתֵהּ,

19 וְיַצְמַח פּוּרְקָנֵהּ וִיקָרֵב מְשִׁיחֵהּ. אמן בְּחַיֵּיכוֹן וּבְיוֹמֵיכוֹן וּבְחַיֵּי דְכָל בֵּית

20 יִשְׂרָאֵל, בַּעֲגָלָא וּבִזְמַן קָרִיב, וְאִמְרוּ אָמֵן: יְהֵא שְׁמֵהּ רַבָּא מְבָרַךְ לְעָלַם וּלְעָלְמֵי

21 עָלְמַיָּא. יִתְבָּרַךְ, וְיִשְׁתַּבַּח, וְיִתְפָּאַר, וְיִתְרוֹמַם, וְיִתְנַשֵּׂא, וְיִתְהַדָּר, וְיִתְעַלֶּה,

22 וְיִתְהַלָּל, שְׁמֵהּ דְּקֻדְשָׁא בְּרִיךְ הוּא. אמן לְעֵלָּא מִן כָּל בִּרְכָתָא וְשִׁירָתָא,

23 תֻּשְׁבְּחָתָא וְנֶחֱמָתָא, דַּאֲמִירָן בְּעָלְמָא, וְאִמְרוּ אָמֵן:

24 חזן בָּרְכוּ אֶת יְיָ הַמְבֹרָךְ: קו"ח בָּרוּךְ יְיָ הַמְבֹרָךְ לְעוֹלָם וָעֶד: ואין עונין אחריו אמן:

25 בָּרוּךְ אַתָּה יְיָ אֱלֹהֵינוּ מֶלֶךְ הָעוֹלָם,

26 אֲשֶׁר בִּדְבָרוֹ מַעֲרִיב עֲרָבִים,

27 בְּחָכְמָה פּוֹתֵחַ שְׁעָרִים, וּבִתְבוּנָה

28 מְשַׁנֶּה עִתִּים, וּמַחֲלִיף אֶת הַזְּמַנִּים

1 וּמְסַדֵּר אֶת הַכּוֹכָבִים, בְּמִשְׁמְרוֹתֵיהֶם

2 בָּרָקִיעַ, כִּרְצוֹנוֹ. בּוֹרֵא יוֹם וָלַיְלָה, גּוֹלֵל

3 אוֹר מִפְּנֵי חֹשֶׁךְ, וְחֹשֶׁךְ מִפְּנֵי אוֹר,

4 וּמַעֲבִיר יוֹם וּמֵבִיא לָיְלָה, וּמַבְדִּיל בֵּין

5 יוֹם וּבֵין לָיְלָה, יְיָ צְבָאוֹת שְׁמוֹ. בָּרוּךְ

6 אַתָּה יְיָ, הַמַּעֲרִיב עֲרָבִים:

7 אַהֲבַת עוֹלָם בֵּית יִשְׂרָאֵל עַמְּךָ אָהַבְתָּ,

8 תּוֹרָה וּמִצְוֹת, חֻקִּים וּמִשְׁפָּטִים אוֹתָנוּ

9 לִמָּדְתָּ. עַל כֵּן יְיָ אֱלֹהֵינוּ, בְּשָׁכְבֵּנוּ וּבְקוּמֵנוּ

10 נָשִׂיחַ בְּחֻקֶּיךָ, וְנִשְׂמַח בְּדִבְרֵי תוֹרָתְךָ וּבְמִצְוֹתֶיךָ

11 לְעוֹלָם וָעֶד. כִּי הֵם חַיֵּינוּ וְאֹרֶךְ יָמֵינוּ, וּבָהֶם נֶהְגֶּה

12 יוֹמָם וָלָיְלָה, וְאַהֲבָתְךָ לֹא תָסוּר (נ״א אל תסיר) מִמֶּנּוּ

13 לְעוֹלָמִים. בָּרוּךְ אַתָּה יְיָ, אוֹהֵב עַמּוֹ יִשְׂרָאֵל:

14 שְׁמַע יִשְׂרָאֵל יְיָ אֱלֹהֵינוּ יְיָ | אֶחָד:

15 בָּרוּךְ שֵׁם כְּבוֹד מַלְכוּתוֹ לְעוֹלָם וָעֶד:

16 וְאָהַבְתָּ אֵת יְיָ אֱלֹהֶיךָ, בְּכָל לְבָבְךָ, וּבְכָל נַפְשְׁךָ, וּבְכָל

17 מְאֹדֶךָ: וְהָיוּ הַדְּבָרִים הָאֵלֶּה אֲשֶׁר אָנֹכִי מְצַוְּךָ

18 הַיּוֹם עַל לְבָבֶךָ: וְשִׁנַּנְתָּם לְבָנֶיךָ וְדִבַּרְתָּ בָּם, בְּשִׁבְתְּךָ

19 בְּבֵיתֶךָ, וּבְלֶכְתְּךָ בַדֶּרֶךְ, וּבְשָׁכְבְּךָ, וּבְקוּמֶךָ: וּקְשַׁרְתָּם

20 לְאוֹת עַל יָדֶךָ, וְהָיוּ לְטֹטָפֹת בֵּין עֵינֶיךָ: וּכְתַבְתָּם עַל

21 מְזֻזוֹת בֵּיתֶךָ, וּבִשְׁעָרֶיךָ:

והיה

1 וְהָיָה אִם שָׁמֹעַ תִּשְׁמְעוּ אֶל מִצְוֹתַי אֲשֶׁר אָנֹכִי מְצַוֶּה אֶתְכֶם הַיּוֹם,

2 לְאַהֲבָה אֶת יְיָ אֱלֹהֵיכֶם וּלְעָבְדוֹ, בְּכָל לְבַבְכֶם וּבְכָל נַפְשְׁכֶם:

3 וְנָתַתִּי מְטַר אַרְצְכֶם בְּעִתּוֹ יוֹרֶה וּמַלְקוֹשׁ, וְאָסַפְתָּ דְגָנֶךָ וְתִירֹשְׁךָ

4 וְיִצְהָרֶךָ: וְנָתַתִּי עֵשֶׂב בְּשָׂדְךָ לִבְהֶמְתֶּךָ, וְאָכַלְתָּ וְשָׂבָעְתָּ: הִשָּׁמְרוּ

5 לָכֶם פֶּן יִפְתֶּה לְבַבְכֶם, וְסַרְתֶּם וַעֲבַדְתֶּם אֱלֹהִים אֲחֵרִים וְהִשְׁתַּחֲוִיתֶם

6 לָהֶם: וְחָרָה אַף יְיָ בָּכֶם וְעָצַר אֶת הַשָּׁמַיִם וְלֹא יִהְיֶה מָטָר וְהָאֲדָמָה

7 לֹא תִתֵּן אֶת יְבוּלָהּ, וַאֲבַדְתֶּם מְהֵרָה מֵעַל הָאָרֶץ הַטֹּבָה אֲשֶׁר יְיָ

8 נֹתֵן לָכֶם: וְשַׂמְתֶּם אֶת דְּבָרַי אֵלֶּה עַל לְבַבְכֶם וְעַל נַפְשְׁכֶם

9 וּקְשַׁרְתֶּם אֹתָם לְאוֹת עַל יֶדְכֶם וְהָיוּ לְטוֹטָפֹת בֵּין עֵינֵיכֶם: וְלִמַּדְתֶּם

10 אֹתָם אֶת בְּנֵיכֶם לְדַבֵּר בָּם, בְּשִׁבְתְּךָ בְּבֵיתֶךָ וּבְלֶכְתְּךָ בַדֶּרֶךְ

11 וּבְשָׁכְבְּךָ וּבְקוּמֶךָ: וּכְתַבְתָּם עַל מְזוּזוֹת בֵּיתֶךָ וּבִשְׁעָרֶיךָ: לְמַעַן

12 יִרְבּוּ יְמֵיכֶם וִימֵי בְנֵיכֶם עַל הָאֲדָמָה אֲשֶׁר נִשְׁבַּע יְיָ לַאֲבֹתֵיכֶם לָתֵת

13 לָהֶם, כִּימֵי הַשָּׁמַיִם עַל הָאָרֶץ:

14 וַיֹּאמֶר יְיָ אֶל מֹשֶׁה לֵּאמֹר: דַּבֵּר אֶל בְּנֵי יִשְׂרָאֵל

15 וְאָמַרְתָּ אֲלֵהֶם וְעָשׂוּ לָהֶם צִיצִת עַל כַּנְפֵי

16 בִגְדֵיהֶם לְדֹרֹתָם, וְנָתְנוּ עַל צִיצִת הַכָּנָף, פְּתִיל תְּכֵלֶת:

17 וְהָיָה לָכֶם לְצִיצִת, וּרְאִיתֶם, אֹתוֹ, וּזְכַרְתֶּם, אֶת כָּל מִצְוֹת

18 יְיָ, וַעֲשִׂיתֶם, אֹתָם, וְלֹא תָתוּרוּ אַחֲרֵי לְבַבְכֶם וְאַחֲרֵי

19 עֵינֵיכֶם אֲשֶׁר אַתֶּם זֹנִים אַחֲרֵיהֶם: לְמַעַן תִּזְכְּרוּ וַעֲשִׂיתֶם

20 אֶת כָּל מִצְוֹתָי, וִהְיִיתֶם קְדֹשִׁים לֵאלֹהֵיכֶם: אֲנִי יְיָ

21 אֱלֹהֵיכֶם אֲשֶׁר הוֹצֵאתִי אֶתְכֶם מֵאֶרֶץ מִצְרַיִם לִהְיוֹת

22 לָכֶם לֵאלֹהִים, אֲנִי יְיָ אֱלֹהֵיכֶם:

23 אֱמֶת וֶאֱמוּנָה כָּל זֹאת, וְקַיָּם עָלֵינוּ, כִּי הוּא

24 יְיָ אֱלֹהֵינוּ וְאֵין זוּלָתוֹ, וַאֲנַחְנוּ יִשְׂרָאֵל

25 עַמּוֹ, הַפּוֹדֵנוּ מִיַּד מְלָכִים, מַלְכֵּנוּ הַגּוֹאֲלֵנוּ מִכַּף

26 כָּל הֶעָרִיצִים . הָאֵל הַנִּפְרָע לָנוּ מִצָּרֵינוּ,

והמשלם

1 וְהַמְשַׁלֵּם גְּמוּל לְכָל אֹיְבֵי נַפְשֵׁנוּ, הָעֹשֶׂה

2 גְדֹלוֹת עַד אֵין חֵקֶר, וְנִפְלָאוֹת עַד אֵין מִסְפָּר.

3 הַשָּׂם נַפְשֵׁנוּ בַּחַיִּים, וְלֹא נָתַן לַמּוֹט רַגְלֵנוּ,

4 הַמַּדְרִיכֵנוּ עַל בָּמוֹת אֹיְבֵינוּ, וַיָּרֶם קַרְנֵנוּ עַל כָּל

5 שֹׂנְאֵינוּ. הָאֵל הָעֹשֶׂה לָּנוּ נְקָמָה בְּפַרְעֹה,

6 וְאוֹתוֹת וּמוֹפְתִים בְּאַדְמַת בְּנֵי חָם. הַמַּכֶּה

7 בְעֶבְרָתוֹ כָּל בְּכוֹרֵי מִצְרָיִם, וַיּוֹצֵא אֶת עַמּוֹ

8 יִשְׂרָאֵל מִתּוֹכָם לְחֵרוּת עוֹלָם. הַמַּעֲבִיר בָּנָיו

9 בֵּין גִּזְרֵי יַם סוּף, וְאֶת רוֹדְפֵיהֶם וְאֶת שׂוֹנְאֵיהֶם

10 בִּתְהוֹמוֹת טִבַּע, וְרָאוּ בָנָיו גְּבוּרָתוֹ, שִׁבְּחוּ

11 וְהוֹדוּ לִשְׁמוֹ. וּמַלְכוּתוֹ בְרָצוֹן קִבְּלוּ עֲלֵיהֶם,

12 מֹשֶׁה וּבְנֵי יִשְׂרָאֵל לְךָ עָנוּ שִׁירָה בְּשִׂמְחָה רַבָּה,

13 וְאָמְרוּ כֻלָּם:

14 מִי כָמֹכָה בָּאֵלִם יְיָ, מִי כָּמֹכָה נֶאְדָּר

15 בַּקֹּדֶשׁ, נוֹרָא תְהִלֹּת עֹשֵׂה פֶלֶא:

16 מַלְכוּתְךָ רָאוּ בָנֶיךָ, בּוֹקֵעַ יָם לִפְנֵי

17 מֹשֶׁה, זֶה אֵלִי עָנוּ וְאָמְרוּ: יְיָ יִמְלֹךְ

18 לְעֹלָם וָעֶד. וְנֶאֱמַר: כִּי פָדָה יְיָ אֶת

19 יַעֲקֹב, וּגְאָלוֹ מִיַּד חָזָק מִמֶּנּוּ. בָּרוּךְ

20 אַתָּה יְיָ, גָּאַל יִשְׂרָאֵל:

השכיבנו

תו"א א) איוב ט י: ב) תהלים סו ט: ג) שמות טו יא: ד) שם שם יח: ה) ירמיה לא י:

1 הַשְׁכִּיבֵנוּ אָבִינוּ לְשָׁלוֹם, וְהַעֲמִידֵנוּ מַלְכֵּנוּ

2 לְחַיִּים טוֹבִים וּלְשָׁלוֹם וְתַקְּנֵנוּ

3 בְּעֵצָה טוֹבָה מִלְּפָנֶיךָ, וְהוֹשִׁיעֵנוּ מְהֵרָה לְמַעַן

4 שְׁמֶךָ, וּפְרוֹשׂ עָלֵינוּ סֻכַּת שְׁלוֹמֶךָ. וְהָגֵן בַּעֲדֵנוּ,

5 וְהָסֵר מֵעָלֵינוּ: אוֹיֵב, דֶּבֶר, וְחֶרֶב, וְרָעָב, וְיָגוֹן.

6 וְהָסֵר שָׂטָן מִלְּפָנֵינוּ וּמֵאַחֲרֵינוּ, וּבְצֵל כְּנָפֶיךָ

7 תַּסְתִּירֵנוּ, וְשָׁמוֹר צֵאתֵנוּ וּבוֹאֵנוּ לְחַיִּים טוֹבִים

8 וּלְשָׁלוֹם מֵעַתָּה וְעַד עוֹלָם, כִּי אֵל שׁוֹמְרֵנוּ וּמַצִּילֵנוּ

9 אָתָּה. בָּרוּךְ אַתָּה יְיָ, שׁוֹמֵר אֶת עַמּוֹ יִשְׂרָאֵל לָעַד:

לש״ץ חצי קדיש

מנהג העולם לומר קודם ח״ק בחול ברוך ה' לעולם אמן ואמן ובשבת ושמרו (וביו״ט ור״ה ויוה״כ פסוקים אחרים מעין קדושת היום) ויש להם על מה שיסמוכו אבל הנוהגין שלא לומר בחול ברוך ה' לעולם אמן ואמן מפני חשש הפסק גם בשבת (ויו״ט ור״ה ויוה״כ) אין להפסיק בפסוקים ואין להפסיק להכריז יע״ו בליל ר״ח:

10 אֲדֹנָי, שְׂפָתַי תִּפְתָּח וּפִי יַגִּיד תְּהִלָּתֶךָ:

11 בָּרוּךְ אַתָּה יְיָ אֱלֹהֵינוּ וֵאלֹהֵי אֲבוֹתֵינוּ, אֱלֹהֵי אַבְרָהָם,

12 אֱלֹהֵי יִצְחָק, וֵאלֹהֵי יַעֲקֹב, הָאֵל הַגָּדוֹל הַגִּבּוֹר

13 וְהַנּוֹרָא, אֵל עֶלְיוֹן גּוֹמֵל חֲסָדִים טוֹבִים, קוֹנֵה הַכֹּל, וְזוֹכֵר

14 חַסְדֵי אָבוֹת, וּמֵבִיא גוֹאֵל לִבְנֵי בְנֵיהֶם, לְמַעַן שְׁמוֹ בְּאַהֲבָה:

15 בעשי״ת זָכְרֵנוּ לְחַיִּים, מֶלֶךְ חָפֵץ בַּחַיִּים, וְכָתְבֵנוּ בְּסֵפֶר הַחַיִּים, לְמַעַנְךָ אֱלֹהִים חַיִּים.

16 מֶלֶךְ עוֹזֵר וּמוֹשִׁיעַ וּמָגֵן. בָּרוּךְ אַתָּה יְיָ, מָגֵן אַבְרָהָם:

17 אַתָּה גִבּוֹר לְעוֹלָם אֲדֹנָי, מְחַיֵּה מֵתִים אַתָּה, רַב לְהוֹשִׁיעַ.

18 בקיץ מוֹרִיד הַטָּל. בחורף מַשִּׁיב הָרוּחַ וּמוֹרִיד הַגֶּשֶׁם:

19 מְכַלְכֵּל חַיִּים בְּחֶסֶד, מְחַיֵּה מֵתִים בְּרַחֲמִים רַבִּים, סוֹמֵךְ

20 נוֹפְלִים, וְרוֹפֵא חוֹלִים, וּמַתִּיר אֲסוּרִים, וּמְקַיֵּם אֱמוּנָתוֹ

21 לִישֵׁנֵי עָפָר. מִי כָמוֹךָ בַּעַל גְּבוּרוֹת, וּמִי דוֹמֶה לָּךְ, מֶלֶךְ

22 מֵמִית וּמְחַיֶּה וּמַצְמִיחַ יְשׁוּעָה:

מי

בעשי״ת מִי כָמוֹךָ אָב הָרַחֲמָן זוֹכֵר יְצוּרָיו לְחַיִּים בְּרַחֲמִים:

וְנֶאֱמָן אַתָּה לְהַחֲיוֹת מֵתִים. בָּרוּךְ אַתָּה יְיָ, מְחַיֵּה הַמֵּתִים:

אַתָּה קָדוֹשׁ וְשִׁמְךָ קָדוֹשׁ, וּקְדוֹשִׁים בְּכָל יוֹם יְהַלְלוּךָ סֶּלָה. בָּרוּךְ אַתָּה יְיָ, הָאֵל הַקָּדוֹשׁ: (בעשי״ת הַמֶּלֶךְ הַקָּדוֹשׁ):

אַתָּה חוֹנֵן לְאָדָם דַּעַת, וּמְלַמֵּד לֶאֱנוֹשׁ בִּינָה.

(שו״ע) (א) אם טעה ולא הזכיר הבדלה בחונן הדעת משלים תפלתו ולא יחזור בשביל ההבדלה הואיל וצריך עדיין לאמרה על הכוס ויהיה יוצא י״ח רק שיזהר מלעשות שום מלאכה קודם שיבדיל על הכוס או יאמר אחר תפלה המבדיל בין קודש לחול בלא ברכה ויעשה מלאכה כמ״ש בסי׳ רצ״ט ואם שכח (ועשה מלאכה באיסור או) טעם מאומה קודם שיבדיל על הכוס צריך לחזור ולהתפלל ולהבדיל בתפלה וגם על הכוס שאינו יוצא בהבדלה שעל הכוס בלבדה הואיל ואינה כהוגן שטעם (או עשה מלאכה) קודם לה: (ב) אם טעה ולא הזכיר הבדלה בתפלה ואין לו כוס בלילה וסבור שאף למחר לא יהיה לו צריך לחזור ולהתפלל מיד ולהזכיר הבדלה בתפלה אע״פ שמצפה שיהיה לו אח״כ: (ג) במה דברים אמורים כשנזכר אחר סיום תפלתו ואז צריך לחזור לראש התפלה אם כבר עקר רגליו או שכבר סיים התחנונים שרגיל לומר לאחר תפלתו כמ״ש בסימן קי״ז או אפילו אם נזכר באמצע תפלתו אלא שכבר סיים ברכת שומע תפלה ואז צריך לחזור לראש ברכת אתה חונן אבל אם נזכר קודם שסיים ברכת ש״ת יאמרה בש״ת כו׳ ואף שיש אומרים כו׳ הבדלה אין לה ענין כלל לש״ת ודבריהם עיקר ולכן מי שיש לו כוס או שמצפה שיהיה לו כוס למחר אף שנזכר קודם ש״ת לא יאמרנה בש״ת מכל מקום מי שאינו מצפה כלל לכוס למחר ויצטרך לחזור ולהתפלל יש לו לאמרה בש״ת: (ד) בכל מקום שאין צריך לחזור בשביל ששכח להזכיר הבדלה אף אם נזכר מיד שהזכיר השם שבסיום ברכת אתה חונן או מיד שסיים ברכה זו אע״פ שלא פתח עדיין בברכה שלאחריה לא יחזור לראש ברכת אתה חונן כו׳ ואם נזכר קודם שהזכיר השם יתחיל מיד אתה חוננתנו ויגמור משם על הסדר וחננו מאתך וכו׳:

במוצאי שבת ויו״ט אפילו מיו״ט לחול המועד אומרים זה:

אַתָּה חוֹנַנְתָּנוּ לְמַדַּע תּוֹרָתֶךָ, וַתְּלַמְּדֵנוּ לַעֲשׂוֹת חֻקֵּי רְצוֹנֶךָ, וַתַּבְדֵּל יְיָ אֱלֹהֵינוּ בֵּין קֹדֶשׁ לְחוֹל בֵּין אוֹר לְחֹשֶׁךְ, בֵּין יִשְׂרָאֵל לָעַמִּים, בֵּין יוֹם הַשְּׁבִיעִי לְשֵׁשֶׁת יְמֵי הַמַּעֲשֶׂה, אָבִינוּ מַלְכֵּנוּ, הָחֵל עָלֵינוּ הַיָּמִים הַבָּאִים לִקְרָאתֵנוּ לְשָׁלוֹם, חֲשׂוּכִים מִכָּל חֵטְא וּמְנֻקִּים מִכָּל עָוֹן וּמְדֻבָּקִים בְּיִרְאָתֶךָ.

כל ימות החול אומר (חננו) ובמוצאי שבת ויום טוב אומר (וחננו):

וְ)חָנֵּנוּ מֵאִתְּךָ חָכְמָה בִּינָה וָדָעַת. בָּרוּךְ אַתָּה יְיָ, חוֹנֵן הַדָּעַת:

הֲשִׁיבֵנוּ אָבִינוּ לְתוֹרָתֶךָ, וְקָרְבֵנוּ מַלְכֵּנוּ לַעֲבוֹדָתֶךָ, וְהַחֲזִירֵנוּ בִּתְשׁוּבָה שְׁלֵמָה לְפָנֶיךָ. בָּרוּךְ אַתָּה יְיָ, הָרוֹצֶה בִּתְשׁוּבָה:

סְלַח לָנוּ אָבִינוּ כִּי חָטָאנוּ, מְחוֹל לָנוּ מַלְכֵּנוּ כִּי פָשָׁעְנוּ.

כי

כִּי אֵל טוֹב וְסַלָּח אָתָּה. בָּרוּךְ אַתָּה יְיָ, חַנּוּן, הַמַּרְבֶּה לִסְלוֹחַ:

רְאֵה נָא בְעָנְיֵנוּ וְרִיבָה רִיבֵנוּ, וּגְאָלֵנוּ מְהֵרָה לְמַעַן שְׁמֶךָ, כִּי אֵל גּוֹאֵל חָזָק אָתָּה. בָּרוּךְ אַתָּה יְיָ, גּוֹאֵל יִשְׂרָאֵל:

רְפָאֵנוּ יְיָ וְנֵרָפֵא, הוֹשִׁיעֵנוּ וְנִוָּשֵׁעָה, כִּי תְהִלָּתֵנוּ אָתָּה, וְהַעֲלֵה אֲרוּכָה וּרְפוּאָה שְׁלֵמָה לְכָל מַכּוֹתֵינוּ, כִּי אֵל מֶלֶךְ רוֹפֵא נֶאֱמָן וְרַחֲמָן אָתָּה. בָּרוּךְ אַתָּה יְיָ, רוֹפֵא חוֹלֵי עַמּוֹ יִשְׂרָאֵל:

בָּרֵךְ עָלֵינוּ יְיָ אֱלֹהֵינוּ אֶת הַשָּׁנָה הַזֹּאת, וְאֶת כָּל מִינֵי תְבוּאָתָהּ לְטוֹבָה, וְתֵן (בקיץ בְּרָכָה) (בחורף טַל וּמָטָר לִבְרָכָה) עַל פְּנֵי הָאֲדָמָה, וְשַׂבְּעֵנוּ מִטּוּבֶךָ, וּבָרֵךְ שְׁנָתֵנוּ כַּשָּׁנִים הַטּוֹבוֹת לִבְרָכָה, כִּי אֵל טוֹב וּמֵטִיב אַתָּה וּמְבָרֵךְ הַשָּׁנִים. בָּרוּךְ אַתָּה יְיָ, מְבָרֵךְ הַשָּׁנִים:

תְּקַע בְּשׁוֹפָר גָּדוֹל לְחֵרוּתֵנוּ, וְשָׂא נֵס לְקַבֵּץ גָּלֻיּוֹתֵינוּ, וְקַבְּצֵנוּ יַחַד מֵאַרְבַּע כַּנְפוֹת הָאָרֶץ לְאַרְצֵנוּ. בָּרוּךְ אַתָּה יְיָ, מְקַבֵּץ נִדְחֵי עַמּוֹ יִשְׂרָאֵל:

הָשִׁיבָה שׁוֹפְטֵינוּ כְּבָרִאשׁוֹנָה, וְיוֹעֲצֵינוּ כְּבַתְּחִלָּה, וְהָסֵר מִמֶּנּוּ יָגוֹן וַאֲנָחָה, וּמְלוֹךְ עָלֵינוּ אַתָּה יְיָ לְבַדְּךָ בְּחֶסֶד וּבְרַחֲמִים בְּצֶדֶק וּבְמִשְׁפָּט. בָּרוּךְ אַתָּה יְיָ, מֶלֶךְ אוֹהֵב צְדָקָה וּמִשְׁפָּט: (בעשי״ת הַמֶּלֶךְ הַמִּשְׁפָּט:)

וְלַמַּלְשִׁינִים אַל־תְּהִי תִקְוָה וְכָל־הַמִּינִים וְכָל־הַזֵּדִים כְּרֶגַע יֹאבֵדוּ וְכָל אֹיְבֵי עַמְּךָ מְהֵרָה יִכָּרֵתוּ וּמַלְכוּת הָרִשְׁעָה מְהֵרָה תְעַקֵּר וּתְשַׁבֵּר וּתְמַגֵּר, וְתַכְנִיעַ בִּמְהֵרָה בְיָמֵינוּ: בָּרוּךְ אַתָּה יְהֹוָה, שׁוֹבֵר אוֹיְבִים וּמַכְנִיעַ זֵדִים:

1 עַל הַצַּדִּיקִים וְעַל הַחֲסִידִים וְעַל זִקְנֵי עַמְּךָ בֵּית

2 יִשְׂרָאֵל, וְעַל פְּלֵיטַת בֵּית סוֹפְרֵיהֶם וְעַל גֵּרֵי

3 הַצֶּדֶק וְעָלֵינוּ, יֶהֱמוּ נָא רַחֲמֶיךָ יְיָ אֱלֹהֵינוּ, וְתֵן שָׂכָר טוֹב

4 לְכָל הַבּוֹטְחִים בְּשִׁמְךָ בֶּאֱמֶת, וְשִׂים חֶלְקֵנוּ עִמָּהֶם

5 וּלְעוֹלָם לֹא נֵבוֹשׁ כִּי בְךָ בָּטָחְנוּ. בָּרוּךְ אַתָּה יְיָ, מִשְׁעָן

6 וּמִבְטָח לַצַּדִּיקִים:

7 וְלִירוּשָׁלַיִם עִירְךָ בְּרַחֲמִים תָּשׁוּב, וְתִשְׁכּוֹן בְּתוֹכָהּ

8 כַּאֲשֶׁר דִּבַּרְתָּ, וְכִסֵּא דָוִד עַבְדְּךָ מְהֵרָה

9 בְּתוֹכָהּ תָּכִין, וּבְנֵה אוֹתָהּ בְּקָרוֹב בְּיָמֵינוּ בִּנְיַן עוֹלָם .

10 בָּרוּךְ אַתָּה יְיָ, בּוֹנֵה יְרוּשָׁלָיִם:

11 אֶת צֶמַח דָּוִד עַבְדְּךָ מְהֵרָה תַצְמִיחַ, וְקַרְנוֹ תָּרוּם

12 בִּישׁוּעָתֶךָ, כִּי לִישׁוּעָתְךָ קִוִּינוּ כָּל הַיּוֹם . בָּרוּךְ

13 אַתָּה יְיָ, מַצְמִיחַ קֶרֶן יְשׁוּעָה:

14 שְׁמַע קוֹלֵנוּ יְיָ אֱלֹהֵינוּ, אָב הָרַחֲמָן רַחֵם עָלֵינוּ, וְקַבֵּל

15 בְּרַחֲמִים וּבְרָצוֹן אֶת תְּפִלָּתֵנוּ, כִּי אֵל שׁוֹמֵעַ

16 תְּפִלּוֹת וְתַחֲנוּנִים אָתָּה, וּמִלְּפָנֶיךָ מַלְכֵּנוּ רֵיקָם אַל

17 תְּשִׁיבֵנוּ. כִּי אַתָּה שׁוֹמֵעַ תְּפִלַּת כָּל פֶּה. בָּרוּךְ אַתָּה

18 יְיָ, שׁוֹמֵעַ תְּפִלָּה:

19 רְצֵה יְיָ אֱלֹהֵינוּ בְּעַמְּךָ יִשְׂרָאֵל וְלִתְפִלָּתָם שְׁעֵה וְהָשֵׁב

20 הָעֲבוֹדָה לִדְבִיר בֵּיתֶךָ, וְאִשֵּׁי יִשְׂרָאֵל וּתְפִלָּתָם

21 בְּאַהֲבָה תְקַבֵּל בְּרָצוֹן, וּתְהִי לְרָצוֹן תָּמִיד עֲבוֹדַת

22 יִשְׂרָאֵל עַמֶּךָ:   <small>בראש חודש ובחול המועד אומרים כאן יעלה ויבא*)</small>

<small>א) בראש חודש וחול המועד אומרים זה:</small>

23 אֱלֹהֵינוּ וֵאלֹהֵי אֲבוֹתֵינוּ, יַעֲלֶה וְיָבֹא וְיַגִּיעַ, וְיֵרָאֶה וְיֵרָצֶה וְיִשָּׁמַע,

24 וְיִפָּקֵד וְיִזָּכֵר זִכְרוֹנֵנוּ וּפִקְדוֹנֵנוּ, וְזִכְרוֹן אֲבוֹתֵינוּ, וְזִכְרוֹן

וְתֶחֱזֶינָה עֵינֵינוּ בְּשׁוּבְךָ לְצִיּוֹן בְּרַחֲמִים. בָּרוּךְ אַתָּה יְיָ, הַמַּחֲזִיר שְׁכִינָתוֹ לְצִיּוֹן:

מוֹדִים אֲנַחְנוּ לָךְ, שָׁאַתָּה הוּא יְיָ אֱלֹהֵינוּ וֵאלֹהֵי אֲבוֹתֵינוּ לְעוֹלָם וָעֶד, צוּר חַיֵּינוּ מָגֵן יִשְׁעֵנוּ, אַתָּה הוּא לְדוֹר וָדוֹר, נוֹדֶה לְּךָ וּנְסַפֵּר תְּהִלָּתֶךָ, עַל חַיֵּינוּ הַמְּסוּרִים בְּיָדֶךָ, וְעַל נִשְׁמוֹתֵינוּ הַפְּקוּדוֹת לָךְ, וְעַל נִסֶּיךָ שֶׁבְּכָל יוֹם עִמָּנוּ, וְעַל נִפְלְאוֹתֶיךָ וְטוֹבוֹתֶיךָ שֶׁבְּכָל עֵת, עֶרֶב וָבֹקֶר וְצָהֳרָיִם, הַטּוֹב, כִּי לֹא כָלוּ רַחֲמֶיךָ, הַמְרַחֵם, כִּי לֹא תַמּוּ חֲסָדֶיךָ, כִּי מֵעוֹלָם קִוִּינוּ לָךְ:

בחנוכה ובפורים אומרים כאן ועל הנסים א)

מָשִׁיחַ בֶּן דָּוִד עַבְדֶּךָ, וְזִכְרוֹן יְרוּשָׁלַיִם עִיר קָדְשֶׁךָ, וְזִכְרוֹן כָּל עַמְּךָ בֵּית יִשְׂרָאֵל לְפָנֶיךָ, לִפְלֵיטָה לְטוֹבָה, לְחֵן וּלְחֶסֶד וּלְרַחֲמִים וּלְחַיִּים טוֹבִים וּלְשָׁלוֹם בְּיוֹם לר"ח רֹאשׁ הַחֹדֶשׁ הַזֶּה. לחוה"מ פסח חַג הַמַּצּוֹת הַזֶּה. לחוה"מ סוכות חַג הַסֻּכּוֹת הַזֶּה. זָכְרֵנוּ יְיָ אֱלֹהֵינוּ בּוֹ לְטוֹבָה. וּפָקְדֵנוּ בוֹ לִבְרָכָה. וְהוֹשִׁיעֵנוּ בוֹ לְחַיִּים טוֹבִים. וּבִדְבַר יְשׁוּעָה וְרַחֲמִים, חוּס וְחָנֵּנוּ, וְרַחֵם עָלֵינוּ וְהוֹשִׁיעֵנוּ, כִּי אֵלֶיךָ עֵינֵינוּ, כִּי אֵל מֶלֶךְ חַנּוּן וְרַחוּם אָתָּה:

ותחזינה

א) בחנוכה ובפורים אומרים זה:

וְעַל הַנִּסִּים וְעַל הַפֻּרְקָן וְעַל הַגְּבוּרוֹת וְעַל הַתְּשׁוּעוֹת וְעַל הַנִּפְלָאוֹת שֶׁעָשִׂיתָ לַאֲבוֹתֵינוּ בַּיָּמִים הָהֵם בִּזְּמַן הַזֶּה:

לחנוכה

בִּימֵי מַתִּתְיָהוּ בֶּן יוֹחָנָן כֹּהֵן גָּדוֹל, חַשְׁמוֹנָאִי וּבָנָיו, כְּשֶׁעָמְדָה מַלְכוּת יָוָן הָרְשָׁעָה, עַל עַמְּךָ יִשְׂרָאֵל, לְהַשְׁכִּיחָם תּוֹרָתֶךָ וּלְהַעֲבִירָם מֵחֻקֵּי רְצוֹנֶךָ, וְאַתָּה בְּרַחֲמֶיךָ הָרַבִּים, עָמַדְתָּ לָהֶם

בעת

לפורים

בִּימֵי מָרְדְּכַי וְאֶסְתֵּר בְּשׁוּשַׁן הַבִּירָה, כְּשֶׁעָמַד עֲלֵיהֶם הָמָן הָרָשָׁע, בִּקֵּשׁ לְהַשְׁמִיד לַהֲרוֹג וּלְאַבֵּד אֶת כָּל הַיְּהוּדִים, מִנַּעַר וְעַד זָקֵן, טַף וְנָשִׁים, בְּיוֹם אֶחָד, בִּשְׁלֹשָׁה עָשָׂר לְחֹדֶשׁ שְׁנֵים

עשר

וְעַל כֻּלָּם יִתְבָּרַךְ וְיִתְרוֹמַם וְיִתְנַשֵּׂא שִׁמְךָ מַלְכֵּנוּ תָּמִיד לְעוֹלָם וָעֶד:

בעשי"ת וּכְתוֹב לְחַיִּים טוֹבִים כָּל בְּנֵי בְרִיתֶךָ.

וְכֹל הַחַיִּים יוֹדוּךָ סֶּלָה, וִיהַלְלוּ שִׁמְךָ הַגָּדוֹל לְעוֹלָם כִּי טוֹב, הָאֵל יְשׁוּעָתֵנוּ וְעֶזְרָתֵנוּ סֶלָה, הָאֵל הַטּוֹב. בָּרוּךְ אַתָּה יְיָ, הַטּוֹב שִׁמְךָ וּלְךָ נָאֶה לְהוֹדוֹת:

שִׂים שָׁלוֹם, טוֹבָה וּבְרָכָה, חַיִּים חֵן וָחֶסֶד וְרַחֲמִים, עָלֵינוּ וְעַל כָּל יִשְׂרָאֵל עַמֶּךָ. בָּרְכֵנוּ אָבִינוּ כֻּלָּנוּ כְּאֶחָד בְּאוֹר פָּנֶיךָ, כִּי בְאוֹר פָּנֶיךָ, נָתַתָּ לָּנוּ יְיָ אֱלֹהֵינוּ תּוֹרַת חַיִּים וְאַהֲבַת חֶסֶד, וּצְדָקָה וּבְרָכָה וְרַחֲמִים וְחַיִּים וְשָׁלוֹם. וְטוֹב בְּעֵינֶיךָ לְבָרֵךְ אֶת עַמְּךָ יִשְׂרָאֵל, בְּכָל עֵת וּבְכָל שָׁעָה בִּשְׁלוֹמֶךָ. ובספר בָּרוּךְ אַתָּה יְיָ, הַמְבָרֵךְ אֶת עַמּוֹ יִשְׂרָאֵל בַּשָּׁלוֹם:

בעשי"ת וּבְסֵפֶר חַיִּים בְּרָכָה וְשָׁלוֹם וּפַרְנָסָה טוֹבָה, יְשׁוּעָה וְנֶחָמָה וּגְזֵרוֹת טוֹבוֹת נִזָּכֵר וְנִכָּתֵב לְפָנֶיךָ, אֲנַחְנוּ וְכָל עַמְּךָ בֵּית יִשְׂרָאֵל, לְחַיִּים טוֹבִים וּלְשָׁלוֹם. בָּרוּךְ אַתָּה יְיָ, הַמְבָרֵךְ אֶת עַמּוֹ יִשְׂרָאֵל בַּשָּׁלוֹם:

לחנוכה

בְּעֵת צָרָתָם. רַבְתָּ אֶת רִיבָם, דַּנְתָּ אֶת דִּינָם, נָקַמְתָּ אֶת נִקְמָתָם, מָסַרְתָּ גִבּוֹרִים בְּיַד חַלָּשִׁים, וְרַבִּים בְּיַד מְעַטִּים, וּטְמֵאִים בְּיַד טְהוֹרִים, וּרְשָׁעִים בְּיַד צַדִּיקִים, וְזֵדִים בְּיַד עוֹסְקֵי תוֹרָתֶךָ. וּלְךָ עָשִׂיתָ שֵׁם גָּדוֹל וְקָדוֹשׁ בְּעוֹלָמֶךָ, וּלְעַמְּךָ יִשְׂרָאֵל עָשִׂיתָ תְּשׁוּעָה גְדוֹלָה וּפֻרְקָן כְּהַיּוֹם הַזֶּה. וְאַחַר כֵּן בָּאוּ בָנֶיךָ לִדְבִיר בֵּיתֶךָ, וּפִנּוּ אֶת הֵיכָלֶךָ, וְטִהֲרוּ אֶת מִקְדָּשֶׁךָ, וְהִדְלִיקוּ נֵרוֹת בְּחַצְרוֹת קָדְשֶׁךָ, וְקָבְעוּ שְׁמוֹנַת יְמֵי חֲנֻכָּה אֵלּוּ, לְהוֹדוֹת וּלְהַלֵּל לְשִׁמְךָ הַגָּדוֹל: ועל כלם

לפורים

עָשָׂר הוּא חֹדֶשׁ אֲדָר, וּשְׁלָלָם לָבוֹז. וְאַתָּה בְּרַחֲמֶיךָ הָרַבִּים הֵפַרְתָּ אֶת עֲצָתוֹ, וְקִלְקַלְתָּ אֶת מַחֲשַׁבְתּוֹ, וַהֲשֵׁבוֹתָ לּוֹ גְּמוּלוֹ בְּרֹאשׁוֹ, וְתָלוּ אוֹתוֹ וְאֶת בָּנָיו עַל הָעֵץ. ועל כלם

1   יִהְיוּ לְרָצוֹן אִמְרֵי פִי וְהֶגְיוֹן לִבִּי לְפָנֶיךָ, יְיָ צוּרִי וְגוֹאֲלִי:

2   אֱלֹהַי, נְצוֹר לְשׁוֹנִי מֵרָע, וּשְׂפָתַי מִדַּבֵּר מִרְמָה, וְלִמְקַלְלַי נַפְשִׁי

3   תִדּוֹם, וְנַפְשִׁי כֶּעָפָר לַכֹּל תִּהְיֶה, פְּתַח לִבִּי בְּתוֹרָתֶךָ,

4   וּבְמִצְוֹתֶיךָ תִּרְדּוֹף נַפְשִׁי, וְכָל הַחוֹשְׁבִים עָלַי רָעָה, מְהֵרָה הָפֵר

5   עֲצָתָם וְקַלְקֵל מַחֲשַׁבְתָּם. יִהְיוּ כְּמוֹץ לִפְנֵי רוּחַ וּמַלְאַךְ יְיָ דֹּחֶה.

6   לְמַעַן יֵחָלְצוּן יְדִידֶיךָ, הוֹשִׁיעָה יְמִינְךָ וַעֲנֵנִי. עֲשֵׂה לְמַעַן שְׁמֶךָ,

7   עֲשֵׂה לְמַעַן יְמִינֶךָ, עֲשֵׂה לְמַעַן תּוֹרָתֶךָ, עֲשֵׂה לְמַעַן קְדֻשָּׁתֶךָ. יִהְיוּ

8   לְרָצוֹן אִמְרֵי פִי וְהֶגְיוֹן לִבִּי לְפָנֶיךָ, יְיָ צוּרִי וְגוֹאֲלִי: עֹשֶׂה שָׁלוֹם

9   (בעשי״ת הַשָּׁלוֹם) בִּמְרוֹמָיו, הוּא יַעֲשֶׂה שָׁלוֹם עָלֵינוּ וְעַל כָּל יִשְׂרָאֵל,

10   וְאִמְרוּ אָמֵן:

11   יְהִי רָצוֹן מִלְּפָנֶיךָ, יְיָ אֱלֹהֵינוּ וֵאלֹהֵי אֲבוֹתֵינוּ, שֶׁיִּבָּנֶה בֵּית הַמִּקְדָּשׁ בִּמְהֵרָה

12   בְיָמֵינוּ, וְתֵן חֶלְקֵנוּ בְּתוֹרָתֶךָ: הש״ץ אומר קדיש שלם. (ספירת העומר) עלינו. ק״י.

במוצאי שבת אומר הש״ץ חצי קדיש ואח״כ אומרים ויהי נועם. ואם חל יו״ט בזה השבוע אין אומרים ויהי נועם ואתה
קדוש. ואם חל ט״ב במוצש״ק א״א ויהי נועם ולא ויתן לך.

13   וִיהִי נֹעַם אֲדֹנָי אֱלֹהֵינוּ עָלֵינוּ, וּמַעֲשֵׂה

14   יָדֵינוּ כּוֹנְנָה עָלֵינוּ, וּמַעֲשֵׂה יָדֵינוּ כּוֹנְנֵהוּ:

15   יֹשֵׁב בְּסֵתֶר עֶלְיוֹן, בְּצֵל שַׁדַּי יִתְלוֹנָן: אֹמַר לַיְיָ מַחְסִי וּמְצוּדָתִי,

16   אֱלֹהַי אֶבְטַח בּוֹ: כִּי הוּא יַצִּילְךָ מִפַּח יָקוּשׁ, מִדֶּבֶר הַוּוֹת:

17   בְּאֶבְרָתוֹ יָסֶךְ לָךְ וְתַחַת כְּנָפָיו תֶּחְסֶה, צִנָּה וְסֹחֵרָה אֲמִתּוֹ: לֹא

18   תִירָא מִפַּחַד לָיְלָה, מֵחֵץ יָעוּף יוֹמָם: מִדֶּבֶר בָּאֹפֶל יַהֲלֹךְ, מִקֶּטֶב

19   יָשׁוּד צָהֳרָיִם: יִפֹּל מִצִּדְּךָ אֶלֶף וּרְבָבָה מִימִינֶךָ, אֵלֶיךָ לֹא יִגָּשׁ:

20   רַק בְּעֵינֶיךָ תַבִּיט, וְשִׁלֻּמַת רְשָׁעִים תִּרְאֶה: כִּי אַתָּה יְיָ מַחְסִי,

21   עֶלְיוֹן שַׂמְתָּ מְעוֹנֶךָ: לֹא תְאֻנֶּה אֵלֶיךָ רָעָה, וְנֶגַע לֹא יִקְרַב בְּאָהֳלֶךָ:

22   כִּי מַלְאָכָיו יְצַוֶּה לָּךְ, לִשְׁמָרְךָ בְּכָל דְּרָכֶיךָ: עַל כַּפַּיִם יִשָּׂאוּנְךָ, פֶּן

23   תִּגֹּף בָּאֶבֶן רַגְלֶךָ: עַל שַׁחַל וָפֶתֶן תִּדְרֹךְ, תִּרְמֹס כְּפִיר וְתַנִּין: כִּי

24   בִי חָשַׁק וַאֲפַלְּטֵהוּ, אֲשַׂגְּבֵהוּ כִּי יָדַע שְׁמִי: יִקְרָאֵנִי וְאֶעֱנֵהוּ, עִמּוֹ

25   אָנֹכִי בְצָרָה, אֲחַלְּצֵהוּ וַאֲכַבְּדֵהוּ: אֹרֶךְ יָמִים אַשְׂבִּיעֵהוּ, וְאַרְאֵהוּ

26   בִּישׁוּעָתִי: ארך

ואתה

תו״א א) תהלים ל יז: ב) שם צא:

1 וְאַתָּה קָדוֹשׁ, יוֹשֵׁב תְּהִלּוֹת יִשְׂרָאֵל. וְקָרָא זֶה אֶל זֶה וְאָמַר, קָדוֹשׁ קָדוֹשׁ קָדוֹשׁ

2 יְיָ צְבָאוֹת, מְלֹא כָל הָאָרֶץ כְּבוֹדוֹ. וּמְקַבְּלִין דֵּין מִן דֵּין וְאָמְרִין, קַדִּישׁ

3 בִּשְׁמֵי מְרוֹמָא עִלָּאָה בֵּית שְׁכִינְתֵּהּ, קַדִּישׁ עַל אַרְעָא עוֹבַד גְּבוּרְתֵּהּ, קַדִּישׁ

4 לְעָלַם וּלְעָלְמֵי עָלְמַיָּא. יְיָ צְבָאוֹת, מַלְיָא כָל אַרְעָא זִיו יְקָרֵהּ. וַתִּשָּׂאֵנִי רוּחַ,

5 וָאֶשְׁמַע אַחֲרַי, קוֹל רַעַשׁ גָּדוֹל, בָּרוּךְ כְּבוֹד יְיָ מִמְּקוֹמוֹ. וּנְטָלַתְנִי רוּחָא

6 וּשְׁמָעִית בַּתְרַי קָל זֵיעַ סַגִּיא דִמְשַׁבְּחִין וְאָמְרִין, בְּרִיךְ יְקָרָא דַיָי מֵאֲתַר בֵּית

7 שְׁכִינְתֵּהּ. יְיָ יִמְלֹךְ לְעֹלָם וָעֶד. יְיָ מַלְכוּתֵהּ קָאֵם לְעָלַם וּלְעָלְמֵי עָלְמַיָּא. יְיָ אֱלֹהֵי

8 אַבְרָהָם יִצְחָק וְיִשְׂרָאֵל אֲבוֹתֵינוּ, שָׁמְרָה זֹּאת לְעוֹלָם, לְיֵצֶר מַחְשְׁבוֹת לְבַב עַמֶּךָ,

9 וְהָכֵן לְבָבָם אֵלֶיךָ. וְהוּא רַחוּם, יְכַפֵּר עָוֹן וְלֹא יַשְׁחִית, וְהִרְבָּה לְהָשִׁיב אַפּוֹ,

10 וְלֹא יָעִיר כָּל חֲמָתוֹ. כִּי אַתָּה אֲדֹנָי טוֹב וְסַלָּח, וְרַב חֶסֶד לְכָל קֹרְאֶיךָ.

11 צִדְקָתְךָ צֶדֶק לְעוֹלָם, וְתוֹרָתְךָ אֱמֶת. תִּתֵּן אֱמֶת לְיַעֲקֹב, חֶסֶד לְאַבְרָהָם,

12 אֲשֶׁר נִשְׁבַּעְתָּ לַאֲבוֹתֵינוּ מִימֵי קֶדֶם. בָּרוּךְ אֲדֹנָי יוֹם יוֹם יַעֲמָס לָנוּ, הָאֵל

13 יְשׁוּעָתֵנוּ סֶלָה. יְיָ צְבָאוֹת עִמָּנוּ, מִשְׂגָּב לָנוּ, אֱלֹהֵי יַעֲקֹב סֶלָה. יְיָ צְבָאוֹת,

14 אַשְׁרֵי אָדָם בֹּטֵחַ בָּךְ. יְיָ הוֹשִׁיעָה, הַמֶּלֶךְ יַעֲנֵנוּ בְיוֹם קָרְאֵנוּ. בָּרוּךְ הוּא

15 אֱלֹהֵינוּ, שֶׁבְּרָאָנוּ לִכְבוֹדוֹ, וְהִבְדִּילָנוּ מִן הַתּוֹעִים, וְנָתַן לָנוּ תּוֹרַת אֱמֶת, וְחַיֵּי

16 עוֹלָם נָטַע בְּתוֹכֵנוּ. הוּא יִפְתַּח לִבֵּנוּ בְּתוֹרָתוֹ, וְיָשֵׂם בְּלִבֵּנוּ אַהֲבָתוֹ וְיִרְאָתוֹ,

17 וְלַעֲשׂוֹת רְצוֹנוֹ וּלְעָבְדוֹ בְּלֵבָב שָׁלֵם, לְמַעַן לֹא נִיגַע לָרִיק, וְלֹא נֵלֵד לַבֶּהָלָה.

18 וּבְכֵן יְהִי רָצוֹן מִלְּפָנֶיךָ יְיָ אֱלֹהֵינוּ וֵאלֹהֵי אֲבוֹתֵינוּ, שֶׁנִּשְׁמוֹר חֻקֶּיךָ בָּעוֹלָם הַזֶּה,

19 וְנִזְכֶּה וְנִחְיֶה וְנִרְאֶה, וְנִירַשׁ טוֹבָה וּבְרָכָה, לִשְׁנֵי יְמוֹת הַמָּשִׁיחַ וּלְחַיֵּי הָעוֹלָם

20 הַבָּא. לְמַעַן יְזַמֶּרְךָ כָבוֹד וְלֹא יִדֹּם, יְיָ אֱלֹהַי לְעוֹלָם אוֹדֶךָּ. בָּרוּךְ הַגֶּבֶר

21 אֲשֶׁר יִבְטַח בַּיָי, וְהָיָה יְיָ מִבְטַחוֹ. בִּטְחוּ בַיָי עֲדֵי עַד, כִּי בְּיָהּ יְיָ צוּר

22 עוֹלָמִים. וְיִבְטְחוּ בְךָ יוֹדְעֵי שְׁמֶךָ, כִּי לֹא עָזַבְתָּ דֹרְשֶׁיךָ יְיָ. יְיָ חָפֵץ לְמַעַן

23 צִדְקוֹ, יַגְדִּיל תּוֹרָה וְיַאְדִּיר:

הש"ץ אומר קדיש שלם. (ספירת העומר תמצא לקמן ע' 250).

24 עָלֵינוּ לְשַׁבֵּחַ לַאֲדוֹן הַכֹּל לָתֵת גְּדֻלָּה לְיוֹצֵר בְּרֵאשִׁית שֶׁלֹּא עָשָׂנוּ

25 כְּגוֹיֵי הָאֲרָצוֹת וְלֹא שָׂמָנוּ כְּמִשְׁפְּחוֹת הָאֲדָמָה שֶׁלֹּא שָׂם חֶלְקֵנוּ

26 כָּהֶם וְגוֹרָלֵנוּ כְּכָל הֲמוֹנָם שֶׁהֵם מִשְׁתַּחֲוִים לְהֶבֶל וְלָרִיק: וַאֲנַחְנוּ

27 כּוֹרְעִים וּמִשְׁתַּחֲוִים וּמוֹדִים לִפְנֵי מֶלֶךְ מַלְכֵי הַמְּלָכִים הַקָּדוֹשׁ בָּרוּךְ

28 הוּא: שֶׁהוּא נוֹטֶה שָׁמַיִם וְיוֹסֵד אָרֶץ וּמוֹשַׁב יְקָרוֹ בַּשָּׁמַיִם מִמַּעַל

29 וּשְׁכִינַת עֻזּוֹ בְּגָבְהֵי מְרוֹמִים: הוּא אֱלֹהֵינוּ אֵין עוֹד: אֱמֶת מַלְכֵּנוּ אֶפֶס

זולתו

זוּלָתוֹ כַּכָּתוּב בְּתוֹרָתוֹ וְיָדַעְתָּ הַיּוֹם וַהֲשֵׁבֹתָ אֶל־לְבָבֶךָ כִּי יְהֹוָה הוּא הָאֱלֹהִים בַּשָּׁמַיִם מִמַּעַל וְעַל־הָאָרֶץ מִתָּחַת אֵין עוֹד:

וְעַל כֵּן נְקַוֶּה לְּךָ יְיָ אֱלֹהֵינוּ, לִרְאוֹת מְהֵרָה בְּתִפְאֶרֶת עֻזֶּךָ, לְהַעֲבִיר גִּלּוּלִים מִן הָאָרֶץ, וְהָאֱלִילִים כָּרוֹת יִכָּרֵתוּן, לְתַקֵּן עוֹלָם בְּמַלְכוּת שַׁדַּי. וְכָל בְּנֵי בָשָׂר יִקְרְאוּ בִשְׁמֶךָ, לְהַפְנוֹת אֵלֶיךָ כָּל רִשְׁעֵי אָרֶץ. יַכִּירוּ וְיֵדְעוּ כָּל יוֹשְׁבֵי תֵבֵל, כִּי לְךָ תִּכְרַע כָּל בֶּרֶךְ, תִּשָּׁבַע כָּל לָשׁוֹן. לְפָנֶיךָ יְיָ אֱלֹהֵינוּ יִכְרְעוּ וְיִפֹּלוּ, וְלִכְבוֹד שִׁמְךָ יְקָר יִתֵּנוּ, וִיקַבְּלוּ כֻלָּם עֲלֵיהֶם אֶת עוֹל מַלְכוּתֶךָ, וְתִמְלוֹךְ עֲלֵיהֶם מְהֵרָה לְעוֹלָם וָעֶד. כִּי הַמַּלְכוּת שֶׁלְּךָ הִיא, וּלְעוֹלְמֵי עַד תִּמְלוֹךְ בְּכָבוֹד, כַּכָּתוּב בְּתוֹרָתֶךָ: יְיָ יִמְלֹךְ לְעֹלָם וָעֶד. וְנֶאֱמַר: וְהָיָה יְיָ לְמֶלֶךְ עַל כָּל הָאָרֶץ, בַּיּוֹם הַהוּא יִהְיֶה, יְיָ אֶחָד וּשְׁמוֹ אֶחָד: קדיש יתום

אַל תִּירָא מִפַּחַד פִּתְאֹם, וּמִשֹּׁאַת רְשָׁעִים כִּי תָבֹא: עֻצוּ עֵצָה וְתֻפָר, דַּבְּרוּ דָבָר וְלֹא יָקוּם כִּי עִמָּנוּ אֵל: וְעַד זִקְנָה אֲנִי הוּא, וְעַד שֵׂיבָה אֲנִי אֶסְבֹּל; אֲנִי עָשִׂיתִי וַאֲנִי אֶשָּׂא וַאֲנִי אֶסְבֹּל וַאֲמַלֵּט: אַךְ צַדִּיקִים יוֹדוּ לִשְׁמֶךָ יֵשְׁבוּ יְשָׁרִים אֶת פָּנֶיךָ:

סדר קריאת שמע על המטה

(בשבת ויו"ט א"א זה)

רִבּוֹנוֹ שֶׁל־עוֹלָם הֲרֵינִי מוֹחֵל לְכָל־מִי שֶׁהִכְעִיס וְהִקְנִיט אוֹתִי אוֹ שֶׁחָטָא כְּנֶגְדִּי בֵּין בְּגוּפִי בֵּין בְּמָמוֹנִי בֵּין בִּכְבוֹדִי בֵּין בְּכָל־אֲשֶׁר לִי בֵּין בְּאוֹנֶס בֵּין בְּרָצוֹן בֵּין בְּשׁוֹגֵג בֵּין בְּמֵזִיד בֵּין בְּדִבּוּר בֵּין בְּמַעֲשֶׂה בֵּין בְּגִלְגּוּל זֶה בֵּין בְּגִלְגּוּל אַחֵר לְכָל־בַּר יִשְׂרָאֵל וְלֹא יֵעָנֵשׁ שׁוּם אָדָם בְּסִבָּתִי יְהִי רָצוֹן מִלְּפָנֶיךָ יְיָ אֱלֹהַי וֵאלֹהֵי אֲבוֹתַי, שֶׁלֹּא אֶחֱטָא עוֹד וְלֹא אֶחֱזוֹר בָּהֶם וְלֹא אָשׁוּב עוֹד לְהַכְעִיסְךָ וְלֹא אֶעֱשֶׂה הָרַע בְּעֵינֶיךָ וּמַה־שֶּׁחָטָאתִי מְחוֹק בְּרַחֲמֶיךָ הָרַבִּים וְלֹא עַל יְדֵי יִסּוּרִים וָחֳלָיִם רָעִים: יִהְיוּ לְרָצוֹן אִמְרֵי־פִי וְהֶגְיוֹן לִבִּי לְפָנֶיךָ, יְיָ צוּרִי וְגֹאֲלִי: ע"כ

הַשְׁכִּיבֵנוּ אָבִינוּ לְשָׁלוֹם, וְהַעֲמִידֵנוּ מַלְכֵּנוּ לְחַיִּים טוֹבִים וּלְשָׁלוֹם וְתַקְּנֵנוּ בְּעֵצָה טוֹבָה מִלְּפָנֶיךָ, וְהוֹשִׁיעֵנוּ מְהֵרָה לְמַעַן

שְׁמֶךָ, וּפְרוֹשׂ עָלֵינוּ סֻכַּת שְׁלוֹמֶךָ. (בשבת ויו"ט א"א: וְהָגֵן בַּעֲדֵנוּ, וְהָסֵר מֵעָלֵינוּ: אוֹיֵב, דֶּבֶר, וְחֶרֶב, וְרָעָב, וְיָגוֹן. וְהָסֵר שָׂטָן מִלְּפָנֵינוּ וּמֵאַחֲרֵינוּ, וּבְצֵל כְּנָפֶיךָ תַּסְתִּירֵנוּ, וּשְׁמוֹר צֵאתֵנוּ וּבוֹאֵנוּ לְחַיִּים טוֹבִים וּלְשָׁלוֹם מֵעַתָּה וְעַד עוֹלָם. כִּי אֵל שׁוֹמְרֵנוּ וּמַצִּילֵנוּ אָתָּה ע"כ):

שְׁמַע יִשְׂרָאֵל יְיָ אֱלֹהֵינוּ יְיָ | אֶחָד:

בָּרוּךְ שֵׁם כְּבוֹד מַלְכוּתוֹ לְעוֹלָם וָעֶד:

וְאָהַבְתָּ אֵת יְיָ אֱלֹהֶיךָ, בְּכָל לְבָבְךָ, וּבְכָל נַפְשְׁךָ, וּבְכָל מְאֹדֶךָ: וְהָיוּ הַדְּבָרִים הָאֵלֶּה אֲשֶׁר אָנֹכִי מְצַוְּךָ הַיּוֹם עַל לְבָבֶךָ: וְשִׁנַּנְתָּם לְבָנֶיךָ וְדִבַּרְתָּ בָּם, בְּשִׁבְתְּךָ בְּבֵיתֶךָ, וּבְלֶכְתְּךָ בַדֶּרֶךְ, וּבְשָׁכְבְּךָ, וּבְקוּמֶךָ: וּקְשַׁרְתָּם לְאוֹת עַל יָדֶךָ, וְהָיוּ לְטֹטָפֹת בֵּין עֵינֶיךָ: וּכְתַבְתָּם עַל מְזֻזוֹת בֵּיתֶךָ, וּבִשְׁעָרֶיךָ:

וְהָיָה אִם שָׁמֹעַ תִּשְׁמְעוּ אֶל מִצְוֹתַי אֲשֶׁר אָנֹכִי מְצַוֶּה אֶתְכֶם הַיּוֹם, לְאַהֲבָה אֶת יְיָ אֱלֹהֵיכֶם וּלְעָבְדוֹ, בְּכָל לְבַבְכֶם וּבְכָל נַפְשְׁכֶם: וְנָתַתִּי מְטַר אַרְצְכֶם בְּעִתּוֹ יוֹרֶה וּמַלְקוֹשׁ, וְאָסַפְתָּ דְגָנֶךָ וְתִירֹשְׁךָ וְיִצְהָרֶךָ: וְנָתַתִּי עֵשֶׂב בְּשָׂדְךָ לִבְהֶמְתֶּךָ, וְאָכַלְתָּ וְשָׂבָעְתָּ: הִשָּׁמְרוּ לָכֶם פֶּן יִפְתֶּה לְבַבְכֶם, וְסַרְתֶּם וַעֲבַדְתֶּם אֱלֹהִים אֲחֵרִים וְהִשְׁתַּחֲוִיתֶם לָהֶם: וְחָרָה אַף יְיָ בָּכֶם וְעָצַר אֶת הַשָּׁמַיִם וְלֹא יִהְיֶה מָטָר וְהָאֲדָמָה לֹא תִתֵּן אֶת יְבוּלָהּ, וַאֲבַדְתֶּם מְהֵרָה מֵעַל הָאָרֶץ הַטֹּבָה אֲשֶׁר יְיָ נֹתֵן לָכֶם: וְשַׂמְתֶּם אֶת דְּבָרַי אֵלֶּה עַל לְבַבְכֶם וְעַל נַפְשְׁכֶם וּקְשַׁרְתֶּם אֹתָם לְאוֹת עַל יֶדְכֶם וְהָיוּ לְטוֹטָפֹת בֵּין עֵינֵיכֶם: וְלִמַּדְתֶּם אֹתָם אֶת בְּנֵיכֶם לְדַבֵּר בָּם, בְּשִׁבְתְּךָ בְּבֵיתֶךָ וּבְלֶכְתְּךָ בַדֶּרֶךְ וּבְשָׁכְבְּךָ וּבְקוּמֶךָ: וּכְתַבְתָּם עַל מְזוּזוֹת בֵּיתֶךָ וּבִשְׁעָרֶיךָ: לְמַעַן

1 יַרְבּוּ יְמֵיכֶם וִימֵי בְנֵיכֶם עַל הָאֲדָמָה אֲשֶׁר נִשְׁבַּע יְיָ לַאֲבֹתֵיכֶם לָתֵת

2 לָהֶם, כִּימֵי הַשָּׁמַיִם עַל הָאָרֶץ:

3 וַיֹּאמֶר יְיָ אֶל מֹשֶׁה לֵּאמֹר: דַּבֵּר אֶל בְּנֵי יִשְׂרָאֵל

4 וְאָמַרְתָּ אֲלֵהֶם וְעָשׂוּ לָהֶם צִיצִת עַל כַּנְפֵי

5 בִגְדֵיהֶם לְדֹרֹתָם, וְנָתְנוּ עַל צִיצִת הַכָּנָף, פְּתִיל תְּכֵלֶת:

6 וְהָיָה לָכֶם לְצִיצִת, וּרְאִיתֶם, אֹתוֹ, וּזְכַרְתֶּם, אֶת כָּל מִצְוֹת

7 יְיָ, וַעֲשִׂיתֶם, אֹתָם, וְלֹא תָתוּרוּ אַחֲרֵי לְבַבְכֶם וְאַחֲרֵי

8 עֵינֵיכֶם אֲשֶׁר אַתֶּם זֹנִים אַחֲרֵיהֶם: לְמַעַן תִּזְכְּרוּ וַעֲשִׂיתֶם

9 אֶת כָּל מִצְוֹתָי, וִהְיִיתֶם קְדֹשִׁים לֵאלֹהֵיכֶם: אֲנִי יְיָ

10 אֱלֹהֵיכֶם אֲשֶׁר הוֹצֵאתִי אֶתְכֶם מֵאֶרֶץ מִצְרַיִם לִהְיוֹת

11 לָכֶם לֵאלֹהִים, אֲנִי יְיָ אֱלֹהֵיכֶם: אֱמֶת.

12 יַעְלְזוּ חֲסִידִים בְּכָבוֹד יְרַנְּנוּ עַל מִשְׁכְּבוֹתָם: רוֹמְמוֹת אֵל

13 בִּגְרוֹנָם, וְחֶרֶב פִּיפִיּוֹת בְּיָדָם: ג"פ הִנֵּה מִטָּתוֹ

14 שֶׁלִּשְׁלֹמֹה שִׁשִּׁים גִּבֹּרִים סָבִיב לָהּ מִגִּבֹּרֵי יִשְׂרָאֵל: כֻּלָּם

15 אֲחֻזֵי חֶרֶב מְלֻמְּדֵי מִלְחָמָה, אִישׁ חַרְבּוֹ עַל יְרֵכוֹ מִפַּחַד

16 בַּלֵּילוֹת: ג"פ יְבָרֶכְךָ יְיָ וְיִשְׁמְרֶךָ: יָאֵר יְיָ פָּנָיו אֵלֶיךָ וִיחֻנֶּךָּ:

17 יִשָּׂא יְיָ פָּנָיו אֵלֶיךָ וְיָשֵׂם לְךָ שָׁלוֹם:

18 יֹשֵׁב בְּסֵתֶר עֶלְיוֹן, בְּצֵל שַׁדַּי יִתְלוֹנָן: אֹמַר לַיְיָ מַחְסִי וּמְצוּדָתִי,

19 אֱלֹהַי אֶבְטַח בּוֹ: כִּי הוּא יַצִּילְךָ מִפַּח יָקוּשׁ, מִדֶּבֶר הַוּוֹת:

20 בְּאֶבְרָתוֹ יָסֶךְ לָךְ וְתַחַת כְּנָפָיו תֶּחְסֶה, צִנָּה וְסֹחֵרָה אֲמִתּוֹ: לֹא

21 תִירָא מִפַּחַד לָיְלָה, מֵחֵץ יָעוּף יוֹמָם: מִדֶּבֶר בָּאֹפֶל יַהֲלֹךְ, מִקֶּטֶב

22 יָשׁוּד צָהֳרָיִם: יִפֹּל מִצִּדְּךָ אֶלֶף וּרְבָבָה מִימִינֶךָ, אֵלֶיךָ לֹא יִגָּשׁ:

23 רַק בְּעֵינֶיךָ תַבִּיט, וְשִׁלֻּמַת רְשָׁעִים תִּרְאֶה: כִּי אַתָּה יְיָ מַחְסִי,

24 עֶלְיוֹן שַׂמְתָּ מְעוֹנֶךָ:

תו"א א) שה"ש ג ז: ב) שם ג ח:

ביום שאין אומרים בו תחנון אין אומרים וידוי.

1 **אֱלֹהֵינוּ** וֵאלֹהֵי אֲבוֹתֵינוּ, תָּבֹא לְפָנֶיךָ תְּפִלָּתֵנוּ, וְאַל תִּתְעַלַּם

2 מִתְּחִנָּתֵנוּ, שֶׁאֵין אָנוּ עַזֵּי פָנִים וּקְשֵׁי עֹרֶף, לוֹמַר לְפָנֶיךָ

3 יְיָ אֱלֹהֵינוּ וֵאלֹהֵי אֲבוֹתֵינוּ, צַדִּיקִים אֲנַחְנוּ וְלֹא חָטָאנוּ, אֲבָל

4 אֲנַחְנוּ וַאֲבוֹתֵינוּ חָטָאנוּ:

5 **אָשַׁמְנוּ**, בָּגַדְנוּ, גָּזַלְנוּ, דִּבַּרְנוּ דֹפִי. הֶעֱוִינוּ,

6 וְהִרְשַׁעְנוּ, זַדְנוּ, חָמַסְנוּ, טָפַלְנוּ

7 שֶׁקֶר. יָעַצְנוּ רָע, כִּזַּבְנוּ, לַצְנוּ, מָרַדְנוּ, נִאַצְנוּ,

8 סָרַרְנוּ, עָוִינוּ, פָּשַׁעְנוּ, צָרַרְנוּ, קִשִּׁינוּ עֹרֶף.

9 רָשַׁעְנוּ, שִׁחַתְנוּ, תִּעַבְנוּ, תָּעִינוּ, תִּעְתָּעְנוּ:

10 סַרְנוּ מִמִּצְוֹתֶיךָ וּמִמִּשְׁפָּטֶיךָ הַטּוֹבִים וְלֹא שָׁוָה לָנוּ. וְאַתָּה

11 צַדִּיק עַל כָּל הַבָּא עָלֵינוּ, כִּי אֱמֶת עָשִׂיתָ וַאֲנַחְנוּ הִרְשָׁעְנוּ:

12 **מַה** נֹּאמַר לְפָנֶיךָ יוֹשֵׁב מָרוֹם, וּמַה נְּסַפֵּר לְפָנֶיךָ שׁוֹכֵן שְׁחָקִים.

13 הֲלֹא כָּל הַנִּסְתָּרוֹת וְהַנִּגְלוֹת אַתָּה יוֹדֵעַ:

14 **אַתָּה** יוֹדֵעַ רָזֵי עוֹלָם, וְתַעֲלֻמוֹת סִתְרֵי כָּל חָי: אַתָּה

15 חוֹפֵשׂ כָּל חַדְרֵי בָטֶן וּבוֹחֵן כְּלָיוֹת וָלֵב. אֵין דָּבָר

16 נֶעְלָם מִמֶּךָּ, וְאֵין נִסְתָּר מִנֶּגֶד עֵינֶיךָ: וּבְכֵן יְהִי רָצוֹן

17 מִלְּפָנֶיךָ יְיָ אֱלֹהֵינוּ וֵאלֹהֵי אֲבוֹתֵינוּ, שֶׁתְּרַחֵם עָלֵינוּ

18 וְתִמְחוֹל לָנוּ עַל כָּל חַטֹּאתֵינוּ, וּתְכַפֶּר לָנוּ עַל כָּל

19 עֲוֹנוֹתֵינוּ, וְתִמְחוֹל וְתִסְלַח לָנוּ עַל כָּל פְּשָׁעֵינוּ:

ואם ירצה לומר על חטא ימצא (לקמן) בתפלת יום כפור:

20 **אָנָּא** בְּכֹחַ גְּדֻלַּת יְמִינְךָ תַּתִּיר צְרוּרָה ·   אב״ג ית״ץ

21 קַבֵּל רִנַּת עַמְּךָ שַׂגְּבֵנוּ טַהֲרֵנוּ נוֹרָא ·   קר״ע שט״ן

22 נָא גִבּוֹר דּוֹרְשֵׁי יִחוּדְךָ כְּבָבַת שָׁמְרֵם ·   נג״ד יכ״ש

23 בָּרְכֵם טַהֲרֵם רַחֲמֵי צִדְקָתְךָ תָּמִיד גָּמְלֵם ·   בט״ר צת״ג

24 חָסִין קָדוֹשׁ בְּרוֹב טוּבְךָ נַהֵל עֲדָתֶךָ ·   חק״ב טנ״ע

25 יָחִיד גֵּאֶה לְעַמְּךָ פְּנֵה זוֹכְרֵי קְדֻשָּׁתֶךָ ·   יג״ל פז״ק

26 שַׁוְעָתֵנוּ קַבֵּל וּשְׁמַע צַעֲקָתֵנוּ יוֹדֵעַ תַּעֲלוּמוֹת ·   שק״ו צי״ת

27 בָּרוּךְ שֵׁם כְּבוֹד מַלְכוּתוֹ לְעוֹלָם וָעֶד:

בשבת ויו"ט א"א למנצח בבוא.

לַמְנַצֵּחַ מִזְמוֹר לְדָוִד: בְּבוֹא אֵלָיו נָתָן הַנָּבִיא כַּאֲשֶׁר בָּא אֶל בַּת שָׁבַע: חָנֵּנִי אֱלֹהִים כְּחַסְדֶּךָ, כְּרֹב רַחֲמֶיךָ מְחֵה פְשָׁעָי: הֶרֶב כַּבְּסֵנִי מֵעֲוֺנִי, וּמֵחַטָּאתִי טַהֲרֵנִי: כִּי פְשָׁעַי אֲנִי אֵדָע, וְחַטָּאתִי נֶגְדִּי תָמִיד: לְךָ לְבַדְּךָ חָטָאתִי וְהָרַע בְּעֵינֶיךָ עָשִׂיתִי לְמַעַן תִּצְדַּק בְּדָבְרֶךָ תִּזְכֶּה בְשָׁפְטֶךָ: הֵן בְּעָווֹן חוֹלָלְתִּי, וּבְחֵטְא יֶחֱמַתְנִי אִמִּי: הֵן אֱמֶת חָפַצְתָּ בַטֻּחוֹת, וּבְסָתֻם חָכְמָה תוֹדִיעֵנִי: תְּחַטְּאֵנִי בְאֵזוֹב וְאֶטְהָר, תְּכַבְּסֵנִי וּמִשֶּׁלֶג אַלְבִּין: תַּשְׁמִיעֵנִי שָׂשׂוֹן וְשִׂמְחָה, תָּגֵלְנָה עֲצָמוֹת דִּכִּיתָ: הַסְתֵּר פָּנֶיךָ מֵחֲטָאָי, וְכָל עֲוֺנֹתַי מְחֵה: לֵב טָהוֹר בְּרָא לִי אֱלֹהִים, וְרוּחַ נָכוֹן חַדֵּשׁ בְּקִרְבִּי: אַל תַּשְׁלִיכֵנִי מִלְּפָנֶיךָ, וְרוּחַ קָדְשְׁךָ אַל תִּקַּח מִמֶּנִּי: הָשִׁיבָה לִּי שְׂשׂוֹן יִשְׁעֶךָ, וְרוּחַ נְדִיבָה תִסְמְכֵנִי: אֲלַמְּדָה פֹשְׁעִים דְּרָכֶיךָ, וְחַטָּאִים אֵלֶיךָ יָשׁוּבוּ: הַצִּילֵנִי מִדָּמִים אֱלֹהִים אֱלֹהֵי תְּשׁוּעָתִי, תְּרַנֵּן לְשׁוֹנִי צִדְקָתֶךָ: אֲדֹנָי שְׂפָתַי תִּפְתָּח, וּפִי יַגִּיד תְּהִלָּתֶךָ: כִּי לֹא תַחְפֹּץ זֶבַח וְאֶתֵּנָה, עוֹלָה לֹא תִרְצֶה: זִבְחֵי אֱלֹהִים רוּחַ נִשְׁבָּרָה לֵב נִשְׁבָּר וְנִדְכֶּה, אֱלֹהִים לֹא תִבְזֶה: הֵיטִיבָה בִרְצוֹנְךָ אֶת צִיּוֹן, תִּבְנֶה חוֹמוֹת יְרוּשָׁלָיִם: אָז תַּחְפֹּץ זִבְחֵי צֶדֶק עוֹלָה וְכָלִיל, אָז יַעֲלוּ עַל מִזְבַּחֲךָ פָרִים:

שִׁיר[ב] לַמַּעֲלוֹת, אֶשָּׂא עֵינַי אֶל הֶהָרִים, מֵאַיִן יָבוֹא עֶזְרִי: עֶזְרִי מֵעִם יְיָ, עֹשֵׂה שָׁמַיִם וָאָרֶץ: אַל יִתֵּן לַמּוֹט רַגְלֶךָ, אַל יָנוּם שֹׁמְרֶךָ: הִנֵּה לֹא יָנוּם וְלֹא יִישָׁן, שׁוֹמֵר יִשְׂרָאֵל: יְיָ שֹׁמְרֶךָ, יְיָ צִלְּךָ עַל יַד יְמִינֶךָ: יוֹמָם הַשֶּׁמֶשׁ לֹא יַכֶּכָּה, וְיָרֵחַ בַּלָּיְלָה: יְיָ יִשְׁמָרְךָ מִכָּל רָע, יִשְׁמֹר אֶת נַפְשֶׁךָ: יְיָ יִשְׁמָר צֵאתְךָ וּבוֹאֶךָ, מֵעַתָּה וְעַד עוֹלָם:

תו"א א) תהלים נא: ב) שם קכא:

גָּד גְּדוּד יְגוּדֶנּוּ, וְהוּא יָגֻד עָקֵב: עָקֵב יָגֻד וְהוּא 1

יְגוּדֶנּוּ גְּדוּד גָּד גּ״פ: אִם תִּשְׁכַּב לֹא תִפְחָד, 2

וְשָׁכַבְתָּ וְעָרְבָה שְׁנָתֶךָ גּ״פ: בְּטוֹב אָלִין אָקִיץ 3

בְּרַחֲמִים גּ״פ: לִישׁוּעָתְךָ קִוִּיתִי יְיָ גּ״פ: אַתָּה 4

סֵתֶר לִי מִצַּר תִּצְּרֵנִי רָנֵּי פַלֵּט תְּסוֹבְבֵנִי סֶלָה גּ״פ: 5

תּוֹדִיעֵנִי אֹרַח חַיִּים שֹׂבַע שְׂמָחוֹת אֶת פָּנֶיךָ 6

נְעִמוֹת בִּימִינְךָ נֶצַח גּ״פ: אַתָּה תָקוּם תְּרַחֵם 7

צִיּוֹן, כִּי עֵת לְחֶנְנָהּ כִּי בָא מוֹעֵד: כִּדְנָה תֵּאמְרוּן 8

לְהוֹם, אֱלָהַיָּא דִּי שְׁמַיָּא וְאַרְקָא לָא עֲבַדוּ יֵאבַדוּ 9

מֵאַרְעָא וּמִן תְּחוֹת שְׁמַיָּא אֵלֶּה: בְּיָדְךָ אַפְקִיד 10

רוּחִי, פָּדִיתָה אוֹתִי יְיָ אֵל אֱמֶת: 11

בָּרוּךְ אַתָּה יְיָ אֱלֹהֵינוּ מֶלֶךְ הָעוֹלָם, 12

הַמַּפִּיל חֶבְלֵי שֵׁנָה עַל עֵינַי, 13

וּתְנוּמָה עַל עַפְעַפָּי, וּמֵאִיר לְאִישׁוֹן 14

בַּת עָיִן. וִיהִי רָצוֹן מִלְּפָנֶיךָ יְיָ אֱלֹהַי 15

וֵאלֹהֵי אֲבוֹתַי, שֶׁתַּשְׁכִּיבֵנִי לְשָׁלוֹם, 16

וְתַעֲמִידֵנִי לְחַיִּים טוֹבִים וּלְשָׁלוֹם, וְאַל 17

יְבַהֲלוּנִי רַעְיוֹנַי וַחֲלוֹמוֹת רָעִים 18

וְהִרְהוּרִים רָעִים, וּתְהֵא מִטָּתִי שְׁלֵמָה 19

לְפָנֶיךָ

תו״א א) בראשית מט יט: ב) משלי ג כד: ג) בראשית מט יח: ד) תהלים לב ז: ה) שם טז יא: ו) שם קב יד:
ז) ירמיה י יא: ח) תהלים לא ו:

לְפָנֶיךָ, וְהָאֵר עֵינַי פֶּן אִישַׁן הַמָּוֶת. בָּרוּךְ אַתָּה יְיָ, הַמֵּאִיר לָעוֹלָם כֻּלּוֹ בִּכְ*בוֹדוֹ:

מנחה לערב שבת

אומרים הודו בכל ערב שבת קודם מנחה לבד כשחל יום טוב או חול המועד בערב שבת א"א הודו:

הוֹדוּ לַייָ כִּי טוֹב, כִּי לְעוֹלָם חַסְדּוֹ: יֹאמְרוּ גְּאוּלֵי יְיָ, אֲשֶׁר גְּאָלָם מִיַּד צָר: וּמֵאֲרָצוֹת קִבְּצָם מִמִּזְרָח וּמִמַּעֲרָב, מִצָּפוֹן וּמִיָּם: תָּעוּ בַמִּדְבָּר בִּישִׁימוֹן דָּרֶךְ, עִיר מוֹשָׁב לֹא מָצָאוּ: רְעֵבִים גַּם צְמֵאִים, נַפְשָׁם בָּהֶם תִּתְעַטָּף: וַיִּצְעֲקוּ אֶל יְיָ בַּצַּר לָהֶם, מִמְּצוּקוֹתֵיהֶם יַצִּילֵם: וַיַּדְרִיכֵם בְּדֶרֶךְ יְשָׁרָה, לָלֶכֶת אֶל עִיר מוֹשָׁב: יוֹדוּ לַייָ חַסְדּוֹ, וְנִפְלְאוֹתָיו לִבְנֵי אָדָם: כִּי הִשְׂבִּיעַ נֶפֶשׁ שֹׁקֵקָה, וְנֶפֶשׁ רְעֵבָה מִלֵּא טוֹב: יֹשְׁבֵי חֹשֶׁךְ וְצַלְמָוֶת, אֲסִירֵי עֳנִי וּבַרְזֶל: כִּי הִמְרוּ אִמְרֵי אֵל, וַעֲצַת עֶלְיוֹן נָאָצוּ: וַיַּכְנַע בֶּעָמָל לִבָּם, כָּשְׁלוּ וְאֵין עֹזֵר: וַיִּזְעֲקוּ אֶל יְיָ בַּצַּר לָהֶם, מִמְּצוּקוֹתֵיהֶם יוֹשִׁיעֵם: יוֹצִיאֵם מֵחֹשֶׁךְ וְצַלְמָוֶת וּמוֹסְרוֹתֵיהֶם יְנַתֵּק: יוֹדוּ לַייָ חַסְדּוֹ, וְנִפְלְאוֹתָיו לִבְנֵי אָדָם: כִּי שִׁבַּר דַּלְתוֹת נְחֹשֶׁת, וּבְרִיחֵי בַרְזֶל גִּדֵּעַ: אֱוִילִים מִדֶּרֶךְ פִּשְׁעָם, וּמֵעֲוֹנוֹתֵיהֶם יִתְעַנּוּ: כָּל אֹכֶל תְּתַעֵב נַפְשָׁם, וַיַּגִּיעוּ עַד שַׁעֲרֵי מָוֶת: וַיִּזְעֲקוּ אֶל יְיָ בַּצַּר לָהֶם, מִמְּצוּקוֹתֵיהֶם יוֹשִׁיעֵם: יִשְׁלַח דְּבָרוֹ וְיִרְפָּאֵם, וִימַלֵּט מִשְּׁחִיתוֹתָם: יוֹדוּ לַייָ חַסְדּוֹ, וְנִפְלְאוֹתָיו לִבְנֵי אָדָם: וְיִזְבְּחוּ זִבְחֵי תוֹדָה, וִיסַפְּרוּ מַעֲשָׂיו בְּרִנָּה: יוֹרְדֵי הַיָּם בָּאֳנִיּוֹת, עוֹשֵׂי מְלָאכָה בְּמַיִם רַבִּים: הֵמָּה רָאוּ מַעֲשֵׂי יְיָ, וְנִפְלְאוֹתָיו בִּמְצוּלָה: וַיֹּאמֶר וַיַּעֲמֵד רוּחַ סְעָרָה, וַתְּרוֹמֵם גַּלָּיו: יַעֲלוּ שָׁמַיִם יֵרְדוּ תְהוֹמוֹת, נַפְשָׁם בְּרָעָה תִתְמוֹגָג: יָחוֹגּוּ וְיָנוּעוּ כַּשִּׁכּוֹר, וְכָל חָכְמָתָם תִּתְבַּלָּע: וַיִּצְעֲקוּ אֶל יְיָ בַּצַּר לָהֶם, וּמִמְּצוּקוֹתֵיהֶם יוֹצִיאֵם: יָקֵם סְעָרָה לִדְמָמָה, וַיֶּחֱשׁוּ גַּלֵּיהֶם: וַיִּשְׂמְחוּ כִי יִשְׁתֹּקוּ, וַיַּנְחֵם אֶל מְחוֹז חֶפְצָם: יוֹדוּ לַייָ חַסְדּוֹ, וְנִפְלְאוֹתָיו לִבְנֵי אָדָם: וִירוֹמְמוּהוּ בִּקְהַל עָם, וּבְמוֹשַׁב זְקֵנִים יְהַלְלוּהוּ: יָשֵׂם נְהָרוֹת לְמִדְבָּר, וּמֹצָאֵי מַיִם לְצִמָּאוֹן: אֶרֶץ פְּרִי לִמְלֵחָה, מֵרָעַת יוֹשְׁבֵי בָהּ: יָשֵׂם מִדְבָּר לַאֲגַם מַיִם, וְאֶרֶץ צִיָּה לְמֹצָאֵי מָיִם: וַיּוֹשֶׁב שָׁם רְעֵבִים, וַיְכוֹנְנוּ עִיר מוֹשָׁב: וַיִּזְרְעוּ שָׂדוֹת וַיִּטְּעוּ כְרָמִים, וַיַּעֲשׂוּ פְּרִי תְבוּאָה: וַיְבָרְכֵם וַיִּרְבּוּ מְאֹד, וּבְהֶמְתָּם לֹא יַמְעִיט: וַיִּמְעֲטוּ וַיָּשֹׁחוּ, מֵעֹצֶר רָעָה וְיָגוֹן: שֹׁפֵךְ בּוּז עַל נְדִיבִים, וַיַּתְעֵם בְּתֹהוּ לֹא דָרֶךְ: וַיְשַׂגֵּב אֶבְיוֹן מֵעוֹנִי, וַיָּשֶׂם כַּצֹּאן מִשְׁפָּחוֹת: יִרְאוּ יְשָׁרִים וְיִשְׂמָחוּ, וְכָל עַוְלָה קָפְצָה פִּיהָ: מִי חָכָם וְיִשְׁמָר אֵלֶּה, וְיִתְבּוֹנְנוּ חַסְדֵי יְיָ:

פָּתַח אֵלִיָּהוּ וְאָמַר: רִבּוֹן עָלְמִין, דְּאַנְתְּ הוּא חָד וְלָא בְחֻשְׁבָּן, אַנְתְּ הוּא עִלָּאָה עַל־כָּל־עִלָּאִין, סְתִימָא עַל־כָּל־סְתִימִין, לֵית מַחֲשָׁבָה תְּפִיסָא בָךְ כְּלָל: אַנְתְּ הוּא דְאַפִּיקַת עֲשַׂר תִּקּוּנִין, וְקָרֵינָן לְהוֹן עֲשַׂר סְפִירָן, לְאַנְהָגָא בְהוֹן עָלְמִין סְתִימִין דְּלָא אִתְגַּלְיָן, וְעָלְמִין דְּאִתְגַּלְיָן, וּבְהוֹן אִתְכְּסִיאַת מִבְּנֵי נָשָׁא, וְאַנְתְּ הוּא דְקָשִׁיר לוֹן וּמְיַחֵד לוֹן, וּבְגִין דְּאַנְתְּ מִלְּגָו, כָּל־מָאן דְּאַפְרֵישׁ חַד מֵחַבְרֵיהּ מֵאִלֵּין עֲשַׂר סְפִירָן, אִתְחֲשִׁיב לֵיהּ כְּאִלּוּ אַפְרֵישׁ בָּךְ: וְאִלֵּין עֲשַׂר סְפִירָן אִנּוּן אָזְלִין כְּסִדְרָן, חַד אֲרִיךְ וְחַד קְצִיר וְחַד בֵּינוּנִי: וְאַנְתְּ הוּא דְאַנְהִיג לוֹן, וְלֵית מָאן דְּאַנְהִיג לָךְ, לָא לְעֵלָּא וְלָא לְתַתָּא וְלָא מִכָּל־סִטְרָא: לְבוּשִׁין תְּקִינַת לוֹן, דְּמִנַּיְהוּ פָּרְחִין נִשְׁמָתִין לִבְנֵי נָשָׁא: וְכַמָּה גוּפִין תְּקִינַת לוֹן, דְּאִתְקְרִיאוּ גוּפִין לְגַבֵּי לְבוּשִׁין דִּמְכַסְּיָן עֲלֵיהוֹן וְאִתְקְרִיאוּ בְּתִקּוּנָא דָא: חֶסֶד דְּרוֹעָא יְמִינָא: גְּבוּרָה דְּרוֹעָא שְׂמָאלָא: תִּפְאֶרֶת גּוּפָא: נֶצַח וְהוֹד תְּרֵין שׁוֹקִין: יְסוֹד סִיּוּמָא דְגוּפָא אוֹת בְּרִית קֹדֶשׁ: מַלְכוּת פֶּה, תּוֹרָה שֶׁבְּעַל פֶּה קָרֵינָן לָהּ: חָכְמָה מוֹחָא אִיהִי מַחֲשָׁבָה מִלְּגָו: בִּינָה לִבָּא וּבָהּ הַלֵּב מֵבִין, וְעַל אִלֵּין תְּרֵין כְּתִיב הַנִּסְתָּרוֹת לַיהוָה אֱלֹהֵינוּ: כֶּתֶר עֶלְיוֹן אִיהוּ כֶּתֶר מַלְכוּת, וַעֲלֵיהּ אִתְּמַר מַגִּיד מֵרֵאשִׁית אַחֲרִית, וְאִיהוּ קַרְקַפְתָּא דִתְפִלִּין, מִלְּגָו אִיהוּ שֵׁם מַה כזה יו"ד ה"א וא"ו ה"א דְּאִיהוּ אֹרַח אֲצִילוּת, וְאִיהוּ שַׁקְיוּ דְאִילָנָא בִּדְרוֹעוֹי וְעַנְפּוֹי, כְּמַיָּא דְאַשְׁקֵי לְאִילָנָא וְאִתְרַבֵּי בְּהַהוּא שַׁקְיוּ: רִבּוֹן עָלְמִין, אַנְתְּ הוּא עִלַּת הָעִלּוֹת וְסִבַּת הַסִּבּוֹת, דְּאַשְׁקֵי לְאִילָנָא בְּהַהוּא נְבִיעוּ: וְהַהוּא נְבִיעוּ אִיהוּ כְּנִשְׁמָתָא לְגוּפָא, *דְּאִיהִי חַיִּים לְגוּפָא: וּבָךְ לֵית דִּמְיוֹן וְדִיוֹקְנָא מִכָּל־מַה דִּלְגָו וּלְבַר: וּבְרָאתָ שְׁמַיָּא וְאַרְעָא, וְאַפִּיקַת מִנְּהוֹן שִׁמְשָׁא וְסִיהֲרָא וְכוֹכְבַיָּא וּמַזָּלַיָּא: וּבְאַרְעָא, אִילָנִין וְדִשְׁאִין וְגִנְתָּא דְעֵדֶן וְעִשְׂבִּין וְחֵיוָן וּבְעִירִין וְעוֹפִין וְנוּנִין וּבְנֵי נָשָׁא, לְאִשְׁתְּמוֹדְעָא בְהוֹן עִלָּאִין, וְאֵיךְ יִתְנַהֲגוּן עִלָּאִין וְתַתָּאִין, וְאֵיךְ אִשְׁתְּמוֹדְעָן עִלָּאֵי מִתַּתָּאֵי, וְלֵית דְּיָדַע בָּךְ כְּלָל: וּבַר מִנָּךְ לֵית יְחוּדָא בְּעִלָּאֵי וְתַתָּאֵי, וְאַנְתְּ אִשְׁתְּמוֹדָע עִלַּת עַל־כֹּלָּא וְאָדוֹן עַל כֹּלָּא: וְכָל־סְפִירָא אִית לָהּ שֵׁם יְדִיעָא,

*) ס"א דאיהו

ובהון

וּבְהוֹן אִתְקְרִיאוּ מַלְאָכַיָּא: וְאַנְתְּ לֵית לָךְ שֵׁם יְדִיעָא, דְּאַנְתְּ הוּא מְמַלֵּא כָל־שְׁמָהָן: וְאַנְתְּ הוּא שְׁלִימוּ דְכֻלְּהוּ: וְכַד אַנְתְּ תִּסְתַּלַּק מִנַּיְהוּ, אִשְׁתְּאָרוּ כֻּלְּהוּ שְׁמָהָן כְּגוּפָא בְּלָא נִשְׁמָתָא: אַנְתְּ הוּא חַכִּים וְלָא בְחָכְמָה יְדִיעָא, אַנְתְּ הוּא מֵבִין וְלָא בְּבִינָה יְדִיעָא: לֵית לָךְ אֲתַר יְדִיעָא: אֶלָּא לְאִשְׁתְּמוֹדְעָא תּוּקְפָךְ וְחֵילָךְ לִבְנֵי נָשָׁא, וּלְאַחֲזָאָה לוֹן אֵיךְ מִתְנַהֵג עָלְמָא בְּדִינָא וּבְרַחֲמֵי, דְּאִית צֶדֶק וּמִשְׁפָּט כְּפוּם עוֹבְדֵיהוֹן דִּבְנֵי נָשָׁא: דִּין אִיהוּ גְּבוּרָה, מִשְׁפָּט עַמּוּדָא דְאֶמְצָעִיתָא, צֶדֶק מַלְכוּתָא קַדִּישָׁא, מֹאזְנֵי צֶדֶק תְּרֵין סַמְכֵי קְשׁוֹט, הִין צֶדֶק אוֹת בְּרִית קֹדֶשׁ, כֹּלָּא לְאַחֲזָאָה אֵיךְ מִתְנַהֵג עָלְמָא, אֲבָל לָאו דְּאִית לָךְ צֶדֶק יְדִיעָא דְאִיהוּ דִין, וְלָא מִשְׁפָּט יְדִיעָא דְאִיהוּ רַחֲמֵי, וְלָא מִכָּל אִלֵּין מִדּוֹת כְּלָל: בָּרוּךְ יְהֹוָה לְעוֹלָם אָמֵן וְאָמֵן:

יְ דִיד נֶפֶשׁ אָב הָרַחֲמָן · מְשׁוֹךְ עַבְדְּךָ אֶל־רְצוֹנֶךָ · יָרוּץ עַבְדְּךָ
כְּמוֹ אַיָּל · יִשְׁתַּחֲוֶה אֶל מוּל הֲדָרֶךָ · יֶעֱרַב לוֹ יְדִידוֹתֶיךָ ·
מִנֹּפֶת צוּף וְכָל־טָעַם:

הָ דוּר נָאֶה זִיו הָעוֹלָם · נַפְשִׁי חוֹלַת אַהֲבָתֶךָ · אָנָּא אֵל־נָא רְפָא
נָא לָהּ · בְּהַרְאוֹת לָהּ נֹעַם זִיוֶךָ · אָז תִּתְחַזֵּק וְתִתְרַפֵּא ·
וְהָיְתָה לָהּ שִׂמְחַת עוֹלָם:

וָ תִיק יֶהֱמוּ רַחֲמֶיךָ · וְחוּסָה נָא עַל בֵּן אֲהוּבֶךָ · כִּי־זֶה כַּמָּה
נִכְסוֹף נִכְסַפְתִּי לִרְאוֹת בְּתִפְאֶרֶת עֻזֶּךָ · אֵלֶּה חָמְדָה לִבִּי
וְחוּסָה נָּא וְאַל תִּתְעַלָּם:

הִ גָּלֶה נָא וּפְרוֹס חֲבִיבִי עָלַי אֶת־סֻכַּת שְׁלוֹמֶךָ · תָּאִיר אֶרֶץ
מִכְּבוֹדֶךָ · נָגִילָה וְנִשְׂמְחָה בָּךְ · מַהֵר אָהוּב כִּי בָא מוֹעֵד ·
וְחָנֵּנוּ כִּימֵי עוֹלָם:

אח"כ מתפללים כל סדר תפלת מנחה לחול (ואין אומרים תחנון), תמצא לעיל עמוד 96.

(שו"ע) (א) מצוה לרחוץ כל גופו לכתחלה בערב שבת בחמין מפני כבוד השבת ואם אי אפשר לו ירחץ פניו ידיו ורגליו בחמין כו׳ ומצוה לחוף הראש ולגלח הצפרנים בכל ערב שבת ואם היו שערות ראשו גדולות מצוה לגלחן כו׳ ונוהגין בקצת מקומות שלא להסתפר בראש חודש אפילו חל בערב שבת: (ב) השורף צפרנים חסיד. קוברן צדיק. זורקן רשע שמא תעבור עליהן אשה עוברה וכו׳. אבל מותר לזורקן בבית המדרש וכיוצא בו, מקום שאין נשים מצויות לעבור שם: (ג) סמוך לחשיכה קודם בין השמשות צריך אדם לשאול לאנשי ביתו אם הפרישו חלה כו׳ וצריך להזהירם קודם בין השמשות שידליקו את הנר ויפסקו מלעשות מלאכה וכשהוא שואלם ומזהירם על דברים אלו צריך שיאמר בלשון רכה כדי שיקבלו ממנו ולא ימהר להזכירם בעוד היום גדול שלא יפשעו ויאמרו עדיין יש שהות ואם אינו בביתו כשמגיע סמוך לחשיכה אלא בבית הכנסת או במקום אחר צריך לשלוח שליח לביתו להזכירם על דברים אלו:

בִּרְכוֹת הַדְלָקַת הַנֵּרוֹת

ערב שבת
בָּרוּךְ אַתָּה יְהוָה אֱלֹהֵינוּ מֶלֶךְ הָעוֹלָם אֲשֶׁר קִדְּשָׁנוּ בְּמִצְוֹתָיו, וְצִוָּנוּ לְהַדְלִיק נֵר שֶׁל שַׁבָּת קֹדֶשׁ:

ערב יום טוב
בָּרוּךְ אַתָּה יְהוָה אֱלֹהֵינוּ מֶלֶךְ הָעוֹלָם אֲשֶׁר קִדְּשָׁנוּ בְּמִצְוֹתָיו, וְצִוָּנוּ לְהַדְלִיק נֵר שֶׁל יוֹם טוֹב: שהחיינו

ערב שבת ויו"ט
בָּרוּךְ אַתָּה יְהוָה אֱלֹהֵינוּ מֶלֶךְ הָעוֹלָם אֲשֶׁר קִדְּשָׁנוּ בְּמִצְוֹתָיו, וְצִוָּנוּ לְהַדְלִיק נֵר שֶׁל שַׁבָּת וְשֶׁל יוֹם טוֹב: שהחיינו

ערב ר"ה
בָּרוּךְ אַתָּה יְהוָה אֱלֹהֵינוּ מֶלֶךְ הָעוֹלָם אֲשֶׁר קִדְּשָׁנוּ בְּמִצְוֹתָיו, וְצִוָּנוּ לְהַדְלִיק נֵר שֶׁל יוֹם הַזִּכָּרוֹן: שהחיינו

ערב ר"ה שחל בשבת
בָּרוּךְ אַתָּה יְהוָה אֱלֹהֵינוּ מֶלֶךְ הָעוֹלָם אֲשֶׁר קִדְּשָׁנוּ בְּמִצְוֹתָיו, וְצִוָּנוּ לְהַדְלִיק נֵר שֶׁל שַׁבָּת וְשֶׁל יוֹם הַזִּכָּרוֹן: שהחיינו

ערב יום כפור
בָּרוּךְ אַתָּה יְהוָה אֱלֹהֵינוּ מֶלֶךְ הָעוֹלָם אֲשֶׁר קִדְּשָׁנוּ בְּמִצְוֹתָיו, וְצִוָּנוּ לְהַדְלִיק נֵר שֶׁל יוֹם הַכִּפּוּרִים: שהחיינו

ערב יום כפור שחל בשבת
בָּרוּךְ אַתָּה יְהוָה אֱלֹהֵינוּ מֶלֶךְ הָעוֹלָם אֲשֶׁר קִדְּשָׁנוּ בְּמִצְוֹתָיו, וְצִוָּנוּ לְהַדְלִיק נֵר שֶׁל שַׁבָּת וְשֶׁל יוֹם הַכִּפּוּרִים: שהחיינו

*) בָּרוּךְ אַתָּה יְהוָה אֱלֹהֵינוּ מֶלֶךְ הָעוֹלָם שֶׁהֶחֱיָנוּ וְקִיְּמָנוּ וְהִגִּיעָנוּ לַזְּמַן הַזֶּה:

*) אין מברכים שהחינו בערב שביעי ואחרון של פסח.

יו"ט* וחוה"מ שחל בשבת א"א לכו נרננה רק מתחילין לומר מזמור לדוד:

לְכוּ[א] נְרַנְּנָה לַייָ, נָרִיעָה לְצוּר יִשְׁעֵנוּ: נְקַדְּמָה פָנָיו בְּתוֹדָה, בִּזְמִרוֹת נָרִיעַ לוֹ: כִּי אֵל גָּדוֹל יְיָ, וּמֶלֶךְ גָּדוֹל עַל כָּל אֱלֹהִים: אֲשֶׁר בְּיָדוֹ מֶחְקְרֵי אָרֶץ, וְתוֹעֲפוֹת הָרִים לוֹ: אֲשֶׁר לוֹ הַיָּם וְהוּא עָשָׂהוּ, וְיַבֶּשֶׁת יָדָיו יָצָרוּ: בֹּאוּ נִשְׁתַּחֲוֶה וְנִכְרָעָה, נִבְרְכָה לִפְנֵי יְיָ עֹשֵׂנוּ: כִּי הוּא אֱלֹהֵינוּ וַאֲנַחְנוּ עַם מַרְעִיתוֹ וְצֹאן יָדוֹ, הַיּוֹם אִם בְּקֹלוֹ תִשְׁמָעוּ: אַל תַּקְשׁוּ לְבַבְכֶם כִּמְרִיבָה, כְּיוֹם מַסָּה בַּמִּדְבָּר: אֲשֶׁר נִסּוּנִי אֲבוֹתֵיכֶם, בְּחָנוּנִי, גַּם רָאוּ פָעֳלִי: אַרְבָּעִים שָׁנָה אָקוּט בְּדוֹר וָאֹמַר עַם תֹּעֵי לֵבָב הֵם וְהֵם לֹא יָדְעוּ דְרָכָי: אֲשֶׁר נִשְׁבַּעְתִּי בְאַפִּי, אִם יְבֹאוּן אֶל מְנוּחָתִי:

שִׁירוּ[ב] לַייָ שִׁיר חָדָשׁ, שִׁירוּ לַייָ כָּל הָאָרֶץ: שִׁירוּ לַייָ בָּרְכוּ שְׁמוֹ, בַּשְּׂרוּ מִיּוֹם לְיוֹם יְשׁוּעָתוֹ: סַפְּרוּ בַגּוֹיִם כְּבוֹדוֹ, בְּכָל הָעַמִּים נִפְלְאוֹתָיו: כִּי

* ומוצאי יו"ט

גדול

תו"א א) תהלים צה: ב) שם צו:

גָּדוֹל יְיָ וּמְהֻלָּל מְאֹד, נוֹרָא הוּא עַל כָּל אֱלֹהִים: כִּי כָּל אֱלֹהֵי הָעַמִּים אֱלִילִים | וַייָ שָׁמַיִם עָשָׂה: הוֹד וְהָדָר לְפָנָיו, עֹז וְתִפְאֶרֶת בְּמִקְדָּשׁוֹ: הָבוּ לַייָ מִשְׁפְּחוֹת עַמִּים, הָבוּ לַייָ כָּבוֹד וָעֹז: הָבוּ לַייָ כְּבוֹד שְׁמוֹ, שְׂאוּ מִנְחָה וּבֹאוּ לְחַצְרוֹתָיו: הִשְׁתַּחֲווּ לַייָ בְּהַדְרַת קֹדֶשׁ, חִילוּ מִפָּנָיו כָּל הָאָרֶץ: אִמְרוּ בַגּוֹיִם יְיָ מָלָךְ, אַף תִּכּוֹן תֵּבֵל בַּל תִּמּוֹט, יָדִין עַמִּים בְּמֵישָׁרִים: יִשְׂמְחוּ הַשָּׁמַיִם וְתָגֵל הָאָרֶץ, יִרְעַם הַיָּם וּמְלֹאוֹ: יַעֲלֹז שָׂדַי וְכָל אֲשֶׁר בּוֹ, אָז יְרַנְּנוּ כָּל עֲצֵי יָעַר: לִפְנֵי יְיָ כִּי בָא כִּי בָא לִשְׁפֹּט הָאָרֶץ יִשְׁפֹּט תֵּבֵל בְּצֶדֶק, וְעַמִּים בֶּאֱמוּנָתוֹ:

תהלים צז

יְיָ מָלָךְ תָּגֵל הָאָרֶץ, יִשְׂמְחוּ אִיִּים רַבִּים: עָנָן וַעֲרָפֶל סְבִיבָיו, צֶדֶק וּמִשְׁפָּט מְכוֹן כִּסְאוֹ: אֵשׁ לְפָנָיו תֵּלֵךְ, וּתְלַהֵט סָבִיב צָרָיו: הֵאִירוּ בְרָקָיו תֵּבֵל רָאֲתָה וַתָּחֵל הָאָרֶץ: הָרִים כַּדּוֹנַג נָמַסּוּ מִלִּפְנֵי יְיָ, מִלִּפְנֵי אֲדוֹן כָּל הָאָרֶץ: הִגִּידוּ הַשָּׁמַיִם צִדְקוֹ, וְרָאוּ כָל הָעַמִּים כְּבוֹדוֹ: יֵבֹשׁוּ כָּל עֹבְדֵי פֶסֶל הַמִּתְהַלְלִים בָּאֱלִילִים, הִשְׁתַּחֲווּ לוֹ כָּל אֱלֹהִים: שָׁמְעָה וַתִּשְׂמַח צִיּוֹן, וַתָּגֵלְנָה בְּנוֹת יְהוּדָה, לְמַעַן מִשְׁפָּטֶיךָ יְיָ: כִּי אַתָּה יְיָ עֶלְיוֹן עַל כָּל הָאָרֶץ, מְאֹד נַעֲלֵיתָ עַל כָּל אֱלֹהִים: אֹהֲבֵי יְיָ שִׂנְאוּ רָע, שֹׁמֵר נַפְשׁוֹת חֲסִידָיו, מִיַּד רְשָׁעִים יַצִּילֵם: אוֹר זָרֻעַ לַצַּדִּיק, וּלְיִשְׁרֵי לֵב שִׂמְחָה: שִׂמְחוּ צַדִּיקִים בַּייָ, וְהוֹדוּ לְזֵכֶר קָדְשׁוֹ:

מִזְמוֹר[א], שִׁירוּ לַייָ שִׁיר חָדָשׁ, כִּי נִפְלָאוֹת עָשָׂה, הוֹשִׁיעָה לּוֹ יְמִינוֹ וּזְרוֹעַ קָדְשׁוֹ: הוֹדִיעַ יְיָ יְשׁוּעָתוֹ, לְעֵינֵי הַגּוֹיִם גִּלָּה צִדְקָתוֹ: זָכַר חַסְדּוֹ וֶאֱמוּנָתוֹ לְבֵית יִשְׂרָאֵל, רָאוּ כָל אַפְסֵי אָרֶץ אֵת יְשׁוּעַת אֱלֹהֵינוּ: הָרִיעוּ לַייָ כָּל הָאָרֶץ, פִּצְחוּ וְרַנְּנוּ וְזַמֵּרוּ: זַמְּרוּ לַייָ בְּכִנּוֹר, בְּכִנּוֹר וְקוֹל זִמְרָה: בַּחֲצֹצְרוֹת וְקוֹל שׁוֹפָר, הָרִיעוּ לִפְנֵי הַמֶּלֶךְ יְיָ: יִרְעַם הַיָּם וּמְלֹאוֹ, תֵּבֵל וְיֹשְׁבֵי בָהּ: נְהָרוֹת יִמְחֲאוּ כָף, יַחַד הָרִים יְרַנֵּנוּ: לִפְנֵי יְיָ כִּי בָא לִשְׁפֹּט הָאָרֶץ, יִשְׁפֹּט תֵּבֵל בְּצֶדֶק, וְעַמִּים בְּמֵישָׁרִים:

יְיָ[ב] מָלָךְ יִרְגְּזוּ עַמִּים, יֹשֵׁב כְּרוּבִים תָּנוּט הָאָרֶץ: יְיָ בְּצִיּוֹן גָּדוֹל, וְרָם הוּא עַל כָּל הָעַמִּים: יוֹדוּ שִׁמְךָ גָּדוֹל וְנוֹרָא, קָדוֹשׁ הוּא: וְעֹז מֶלֶךְ מִשְׁפָּט אָהֵב, אַתָּה כּוֹנַנְתָּ מֵישָׁרִים, מִשְׁפָּט וּצְדָקָה בְּיַעֲקֹב אַתָּה עָשִׂיתָ: רוֹמְמוּ יְיָ אֱלֹהֵינוּ וְהִשְׁתַּחֲווּ לַהֲדֹם רַגְלָיו, קָדוֹשׁ הוּא: מֹשֶׁה וְאַהֲרֹן בְּכֹהֲנָיו וּשְׁמוּאֵל בְּקֹרְאֵי שְׁמוֹ, קוֹרְאִים[ג] אֶל יְיָ וְהוּא יַעֲנֵם: בְּעַמּוּד עָנָן יְדַבֵּר אֲלֵיהֶם, שָׁמְרוּ עֵדֹתָיו וְחֹק נָתַן לָמוֹ: יְיָ אֱלֹהֵינוּ אַתָּה עֲנִיתָם, אֵל נֹשֵׂא הָיִיתָ לָהֶם, וְנֹקֵם עַל עֲלִילוֹתָם: רוֹמְמוּ יְיָ אֱלֹהֵינוּ וְהִשְׁתַּחֲווּ לְהַר קָדְשׁוֹ, כִּי קָדוֹשׁ יְיָ אֱלֹהֵינוּ:

מזמור

תו"א א) תהלים צח: ב) שם צט: ג) הא' נחה:

מִזְמוֹר[א] לְדָוִד, הָבוּ לַיְיָ בְּנֵי אֵלִים, הָבוּ לַיְיָ כָּבוֹד וָעֹז: הָבוּ לַיְיָ כְּבוֹד שְׁמוֹ, הִשְׁתַּחֲווּ לַיְיָ בְּהַדְרַת קֹדֶשׁ: קוֹל יְיָ עַל הַמָּיִם, אֵל הַכָּבוֹד הִרְעִים, יְיָ עַל מַיִם רַבִּים: קוֹל יְיָ בַּכֹּחַ, קוֹל יְיָ בֶּהָדָר: קוֹל יְיָ שֹׁבֵר אֲרָזִים, וַיְשַׁבֵּר יְיָ אֶת אַרְזֵי הַלְּבָנוֹן: וַיַּרְקִידֵם כְּמוֹ עֵגֶל, לְבָנוֹן וְשִׂרְיוֹן כְּמוֹ בֶן רְאֵמִים: קוֹל יְיָ חֹצֵב לַהֲבוֹת אֵשׁ: קוֹל יְיָ יָחִיל מִדְבָּר, יָחִיל יְיָ מִדְבַּר קָדֵשׁ: קוֹל יְיָ יְחוֹלֵל אַיָּלוֹת וַיֶּחֱשֹׂף יְעָרוֹת, וּבְהֵיכָלוֹ, כֻּלּוֹ אֹמֵר כָּבוֹד: יְיָ לַמַּבּוּל יָשָׁב, וַיֵּשֶׁב יְיָ מֶלֶךְ לְעוֹלָם: יְיָ עֹז לְעַמּוֹ יִתֵּן, יְיָ יְבָרֵךְ אֶת עַמּוֹ בַשָּׁלוֹם:

אָנָּא בְּכֹחַ גְּדֻלַּת יְמִינְךָ תַּתִּיר צְרוּרָה· אב"ג ית"ץ
קַבֵּל רִנַּת עַמְּךָ שַׂגְּבֵנוּ טַהֲרֵנוּ נוֹרָא· קר"ע שט"ן
נָא גִבּוֹר דּוֹרְשֵׁי יִחוּדְךָ כְּבָבַת שָׁמְרֵם· נג"ד יכ"ש
בָּרְכֵם טַהֲרֵם רַחֲמֵי צִדְקָתְךָ תָּמִיד גָּמְלֵם· בט"ר צת"ג
חֲסִין קָדוֹשׁ בְּרוֹב טוּבְךָ נַהֵל עֲדָתֶךָ· חק"ב טנ"ע
יָחִיד גֵּאֶה לְעַמְּךָ פְּנֵה זוֹכְרֵי קְדֻשָּׁתֶךָ· יג"ל פז"ק
שַׁוְעָתֵנוּ קַבֵּל וּשְׁמַע צַעֲקָתֵנוּ יוֹדֵעַ תַּעֲלוּמוֹת· שק"ו צי"ת
בָּרוּךְ שֵׁם כְּבוֹד מַלְכוּתוֹ לְעוֹלָם וָעֶד:

לְכָה דוֹדִי לִקְרַאת כַּלָּה, פְּנֵי שַׁבָּת נְקַבְּלָה: לכה

שָׁמוֹר וְזָכוֹר בְּדִבּוּר אֶחָד, הִשְׁמִיעָנוּ אֵל הַמְיֻחָד, יְיָ אֶחָד וּשְׁמוֹ אֶחָד, לְשֵׁם וּלְתִפְאֶרֶת וְלִתְהִלָּה: לכה

תו"א א) תהלים כט:

לִקְרַאת שַׁבָּת לְכוּ וְנֵלְכָה, כִּי הִיא מְקוֹר הַבְּרָכָה, מֵרֹאשׁ מִקֶּדֶם נְסוּכָה, סוֹף מַעֲשֶׂה בְּמַחֲשָׁבָה תְּחִלָּה: לכה

מִקְדַּשׁ מֶלֶךְ עִיר מְלוּכָה, קוּמִי צְאִי מִתּוֹךְ הַהֲפֵכָה, רַב לָךְ שֶׁבֶת בְּעֵמֶק הַבָּכָא, וְהוּא יַחֲמוֹל עָלַיִךְ חֶמְלָה: לכה

הִתְנַעֲרִי מֵעָפָר קוּמִי, לִבְשִׁי בִּגְדֵי תִפְאַרְתֵּךְ עַמִּי, עַל יַד בֶּן יִשַׁי בֵּית הַלַּחְמִי, קָרְבָה אֶל נַפְשִׁי גְאָלָהּ: לכה

הִתְעוֹרְרִי הִתְעוֹרְרִי, כִּי בָא אוֹרֵךְ קוּמִי אוֹרִי, עוּרִי עוּרִי שִׁיר דַּבֵּרִי, כְּבוֹד יְיָ עָלַיִךְ נִגְלָה: לכה

לֹא תֵבֹשִׁי וְלֹא תִכָּלְמִי, מַה תִּשְׁתּוֹחֲחִי וּמַה תֶּהֱמִי, בָּךְ יֶחֱסוּ עֲנִיֵּי עַמִּי, וְנִבְנְתָה הָעִיר עַל תִּלָּהּ:[א] לכה

וְהָיוּ לִמְשִׁסָּה שֹׁאסָיִךְ, וְרָחֲקוּ כָּל מְבַלְּעָיִךְ, יָשִׂישׂ עָלַיִךְ אֱלֹהָיִךְ, כִּמְשׂוֹשׂ חָתָן עַל כַּלָּה: לכה

יָמִין וּשְׂמֹאל תִּפְרוֹצִי, וְאֶת יְיָ תַּעֲרִיצִי, עַל יַד אִישׁ בֶּן פַּרְצִי, וְנִשְׂמְחָה וְנָגִילָה: לכה

בּוֹאִי בְשָׁלוֹם עֲטֶרֶת בַּעְלָהּ, גַּם בְּרִנָּה (ביו"ט * בְּשִׂמְחָה) וּבְצָהֳלָה, תּוֹךְ אֱמוּנֵי עַם סְגֻלָּה, בּוֹאִי כַלָּה בּוֹאִי כַלָּה (ויאמר בלחש פעם שלישית בּוֹאִי כַלָּה שַׁבָּת מַלְכְּתָא): לכה

* ובחוה"מ

תו"א א) ירמיה ל יח (בשינוי):

תהלים צב

1 **מִזְמוֹר** שִׁיר לְיוֹם הַשַּׁבָּת: טוֹב לְהֹדוֹת לַיָי, וּלְזַמֵּר לְשִׁמְךָ

2 עֶלְיוֹן: לְהַגִּיד בַּבֹּקֶר חַסְדֶּךָ, וֶאֱמוּנָתְךָ בַּלֵּילוֹת: עֲלֵי

3 עָשׂוֹר וַעֲלֵי נָבֶל, עֲלֵי הִגָּיוֹן בְּכִנּוֹר: כִּי שִׂמַּחְתַּנִי יְיָ בְּפָעֳלֶךָ,

4 בְּמַעֲשֵׂי יָדֶיךָ אֲרַנֵּן: מַה גָּדְלוּ מַעֲשֶׂיךָ יְיָ, מְאֹד עָמְקוּ מַחְשְׁבֹתֶיךָ:

5 אִישׁ בַּעַר לֹא יֵדָע, וּכְסִיל לֹא יָבִין אֶת זֹאת: בִּפְרֹחַ רְשָׁעִים כְּמוֹ

6 עֵשֶׂב, וַיָּצִיצוּ כָּל פֹּעֲלֵי אָוֶן, לְהִשָּׁמְדָם עֲדֵי עַד: וְאַתָּה מָרוֹם לְעֹלָם

7 יְיָ: כִּי הִנֵּה אֹיְבֶיךָ יְיָ, כִּי הִנֵּה אֹיְבֶיךָ יֹאבֵדוּ, יִתְפָּרְדוּ כָּל פֹּעֲלֵי

8 אָוֶן: וַתָּרֶם כִּרְאֵים קַרְנִי, בַּלֹּתִי בְּשֶׁמֶן רַעֲנָן: וַתַּבֵּט עֵינִי בְּשׁוּרָי,

9 בַּקָּמִים עָלַי מְרֵעִים, תִּשְׁמַעְנָה אָזְנָי: צַדִּיק כַּתָּמָר יִפְרָח, כְּאֶרֶז

10 בַּלְּבָנוֹן יִשְׂגֶּה: שְׁתוּלִים בְּבֵית יְיָ, בְּחַצְרוֹת אֱלֹהֵינוּ יַפְרִיחוּ: עוֹד

11 יְנוּבוּן בְּשֵׂיבָה, דְּשֵׁנִים וְרַעֲנַנִּים יִהְיוּ: לְהַגִּיד כִּי יָשָׁר יְיָ, צוּרִי

12 וְלֹא עַוְלָתָה עלתה כ' בּוֹ :

שם צג

13 **יְיָ** מָלָךְ גֵּאוּת לָבֵשׁ, לָבֵשׁ יְיָ, עֹז הִתְאַזָּר, אַף תִּכּוֹן תֵּבֵל בַּל תִּמּוֹט:

14 נָכוֹן כִּסְאֲךָ מֵאָז, מֵעוֹלָם אָתָּה: נָשְׂאוּ נְהָרוֹת יְיָ, נָשְׂאוּ נְהָרוֹת

15 קוֹלָם, יִשְׂאוּ נְהָרוֹת דָּכְיָם: מִקֹּלוֹת מַיִם רַבִּים אַדִּירִים מִשְׁבְּרֵי

16 יָם, אַדִּיר בַּמָּרוֹם יְיָ: עֵדֹתֶיךָ נֶאֶמְנוּ מְאֹד, לְבֵיתְךָ נָאֲוָה (נ״א נָאוָה)

17 קֹדֶשׁ, יְיָ, לְאֹרֶךְ יָמִים: קדיש יתום

בשבת קודם ברכו אומרים זה:

18 **כְּגַוְנָא** דְאִנּוּן מִתְיַחֲדִין לְעֵלָּא בְּאֶחָד אוֹף הָכִי אִיהִי

19 אִתְיַחֲדַת לְתַתָּא בְּרָזָא דְאֶחָד לְמֶהֱוֵי עִמְּהוֹן

20 לְעֵלָּא חַד לָקֳבֵל חַד. קוּדְשָׁא בְּרִיךְ הוּא אֶחָד לְעֵלָּא,

21 לָא יָתִיב עַל כּוּרְסַיָּא דִיקָרֵיהּ עַד דְּאִתְעֲבִידַת אִיהִי

22 בְּרָזָא דְאֶחָד כְּגַוְנָא דִילֵיהּ לְמֶהֱוֵי אֶחָד בְּאֶחָד. וְהָא

23 אוּקִימְנָא רָזָא דַיְיָ אֶחָד וּשְׁמוֹ אֶחָד.

24 **רָזָא** דְשַׁבָּת אִיהִי שַׁבָּת דְּאִתְאַחֲדַת בְּרָזָא דְאֶחָד

25 לְמִשְׁרֵי עֲלָהּ רָזָא דְאֶחָד. צְלוֹתָא דְמַעֲלֵי שַׁבַּתָּא

26 דְּהָא אִתְאַחֲדַת כּוּרְסַיָּא יַקִּירָא קַדִּישָׁא בְּרָזָא דְאֶחָד,

27 וְאִתְתַּקְּנַת לְמִשְׁרֵי עֲלָהּ מַלְכָּא קַדִּישָׁא עִלָּאָה. כַּד

עיל

עַיִּל שַׁבַּתָּא אִיהִי אִתְיַחֲדַת וְאִתְפְּרַשַׁת מִסִּטְרָא אָחֳרָא. וְכָל־דִּינִין מִתְעַבְּרִין מִנָּהּ וְאִיהִי אִשְׁתְּאֲרַת בְּיִחוּדָא דִּנְהִירוּ קַדִּישָׁא וְאִתְעַטְּרַת בְּכַמָּה עִטְרִין לְגַבֵּי מַלְכָּא קַדִּישָׁא. וְכָל־שׁוּלְטָנֵי רוּגְזִין וּמָאֲרֵי דְדִינָא כֻּלְּהוּ עַרְקִין וְאִתְעַבָּרוּ מִנָּהּ. וְלֵית שׁוּלְטָנָא אָחֳרָא בְּכֻלְּהוּ עָלְמִין וְאַנְפָּהָא נְהִירִין בִּנְהִירוּ עִלָּאָה וְאִתְעַטְּרַת לְתַתָּא בְּעַמָּא קַדִּישָׁא. וְכֻלְּהוּ מִתְעַטְּרִין בְּנִשְׁמָתִין חַדְתִּין. כְּדֵין שֵׁירוּתָא דִּצְלוֹתָא לְבָרְכָא לָהּ בְּחֶדְוָה בִּנְהִירוּ דְאַנְפִּין: חצי קדיש. ברכו

אם מתפלל ביחידות יאמר זה אחר בנהירו דאנפין:

וְלוֹמַר בָּרְכוּ אֶת־יְיָ הַמְבֹרָךְ, אֶת־דַּיְקָא דָא שַׁבַּת דְּמַעֲלֵי שַׁבַּתָּא: בָּרוּךְ יְיָ הַמְבֹרָךְ דָּא אַפִּיקוּ דְבִרְכָאָן מִמְּקוֹרָא דְחַיֵּי וַאֲתַר דְּנָפִיק מִנֵּיהּ כָּל־שַׁקְיוּ לְאַשְׁקָאָה לְכֹלָּא. וּבְגִין דְּאִיהוּ מְקוֹרָא בְּרָזָא דְאָת קַיָּמָא קָרֵינָן לֵיהּ הַמְבֹרָךְ אִיהוּ מַבּוּעָא דְבֵירָא וְכֵיוָן דִּמְטָאן הָתָם הָא כֻּלְּהוּ לְעוֹלָם וָעֶד. וְדָא אִיהוּ בָּרוּךְ יְיָ הַמְבֹרָךְ לְעוֹלָם וָעֶד:

ברוך אתה וכו׳

ביום טוב מתחילין שיר המעלות

שִׁיר הַמַּעֲלוֹת הִנֵּה בָּרְכוּ אֶת יְיָ כָּל עַבְדֵי יְיָ הָעֹמְדִים בְּבֵית יְיָ בַּלֵּילוֹת: שְׂאוּ יְדֵיכֶם קֹדֶשׁ וּבָרְכוּ אֶת יְיָ: יְבָרֶכְךָ יְיָ מִצִּיּוֹן עֹשֵׂה שָׁמַיִם וָאָרֶץ: יוֹמָם יְצַוֶּה יְיָ חַסְדּוֹ וּבַלַּיְלָה שִׁירֹה עִמִּי תְּפִלָּה לְאֵל חַיָּי: וּתְשׁוּעַת צַדִּיקִים מֵיְיָ מָעוּזָּם בְּעֵת צָרָה: וַיַּעְזְרֵם יְיָ וַיְפַלְּטֵם יְפַלְּטֵם מֵרְשָׁעִים וְיוֹשִׁיעֵם כִּי חָסוּ בוֹ: יְיָ צְבָאוֹת עִמָּנוּ מִשְׂגָּב לָנוּ אֱלֹהֵי יַעֲקֹב סֶלָה ג״פ: יְיָ צְבָאוֹת אַשְׁרֵי אָדָם בֹּטֵחַ בָּךְ ג״פ: יְיָ הוֹשִׁיעָה הַמֶּלֶךְ יַעֲנֵנוּ בְיוֹם קָרְאֵנוּ ג״פ:

יִתְגַּדַּל וְיִתְקַדַּשׁ שְׁמֵהּ רַבָּא. אמן בְּעָלְמָא דִּי בְרָא כִרְעוּתֵהּ וְיַמְלִיךְ מַלְכוּתֵהּ, וְיַצְמַח פּוּרְקָנֵהּ וִיקָרֵב מְשִׁיחֵהּ. אמן בְּחַיֵּיכוֹן וּבְיוֹמֵיכוֹן וּבְחַיֵּי דְכָל בֵּית יִשְׂרָאֵל, בַּעֲגָלָא וּבִזְמַן קָרִיב, וְאִמְרוּ אָמֵן: יְהֵא שְׁמֵהּ רַבָּא מְבָרַךְ לְעָלַם וּלְעָלְמֵי עָלְמַיָּא. יִתְבָּרַךְ, וְיִשְׁתַּבַּח, וְיִתְפָּאַר, וְיִתְרוֹמַם, וְיִתְנַשֵּׂא, וְיִתְהַדָּר וְיִתְעַלֶּה, וְיִתְהַלָּל, שְׁמֵהּ דְּקוּדְשָׁא בְּרִיךְ הוּא. אמן לְעֵלָּא מִן כָּל בִּרְכָתָא וְשִׁירָתָא, תֻּשְׁבְּחָתָא וְנֶחֱמָתָא, דַּאֲמִירָן בְּעָלְמָא, וְאִמְרוּ אָמֵן:

חזן בָּרְכוּ אֶת יְיָ הַמְבֹרָךְ:

קהל וחזן בָּרוּךְ יְיָ הַמְבֹרָךְ לְעוֹלָם וָעֶד:

ואין עונין אחריו אמן:

בָּרוּךְ אַתָּה יְיָ אֱלֹהֵינוּ מֶלֶךְ הָעוֹלָם, אֲשֶׁר בִּדְבָרוֹ מַעֲרִיב עֲרָבִים, בְּחָכְמָה פּוֹתֵחַ שְׁעָרִים, וּבִתְבוּנָה מְשַׁנֶּה עִתִּים, וּמַחֲלִיף אֶת הַזְּמַנִּים, וּמְסַדֵּר אֶת הַכּוֹכָבִים, בְּמִשְׁמְרוֹתֵיהֶם בָּרָקִיעַ, כִּרְצוֹנוֹ. בּוֹרֵא יוֹם וָלָיְלָה, גּוֹלֵל אוֹר מִפְּנֵי חֹשֶׁךְ, וְחֹשֶׁךְ מִפְּנֵי אוֹר, וּמַעֲבִיר יוֹם וּמֵבִיא לָיְלָה, וּמַבְדִּיל בֵּין יוֹם וּבֵין לָיְלָה, יְיָ צְבָאוֹת שְׁמוֹ. בָּרוּךְ אַתָּה יְיָ, הַמַּעֲרִיב עֲרָבִים:

אַהֲבַת עוֹלָם בֵּית יִשְׂרָאֵל עַמְּךָ אָהָבְתָּ, תּוֹרָה וּמִצְוֹת חֻקִּים וּמִשְׁפָּטִים אוֹתָנוּ לִמַּדְתָּ. עַל כֵּן יְיָ אֱלֹהֵינוּ, בְּשָׁכְבֵנוּ וּבְקוּמֵנוּ נָשִׂיחַ בְּחֻקֶּיךָ, וְנִשְׂמַח בְּדִבְרֵי תוֹרָתֶךָ וּבְמִצְוֹתֶיךָ לְעוֹלָם וָעֶד. כִּי הֵם חַיֵּינוּ וְאֹרֶךְ יָמֵינוּ, וּבָהֶם נֶהְגֶּה יוֹמָם וָלָיְלָה, וְאַהֲבָתְךָ לֹא תָסוּר (נ״א אַל תָּסִיר) מִמֶּנּוּ לְעוֹלָמִים. בָּרוּךְ אַתָּה יְיָ, אוֹהֵב עַמּוֹ יִשְׂרָאֵל:

שְׁמַע יִשְׂרָאֵל יְיָ אֱלֹהֵינוּ יְיָ | אֶחָד:

בָּרוּךְ שֵׁם כְּבוֹד מַלְכוּתוֹ לְעוֹלָם וָעֶד:

וְאָהַבְתָּ אֵת יְיָ אֱלֹהֶיךָ, בְּכָל לְבָבְךָ, וּבְכָל נַפְשְׁךָ, וּבְכָל מְאֹדֶךָ: וְהָיוּ הַדְּבָרִים הָאֵלֶּה אֲשֶׁר אָנֹכִי מְצַוְּךָ הַיּוֹם עַל לְבָבֶךָ: וְשִׁנַּנְתָּם לְבָנֶיךָ וְדִבַּרְתָּ בָּם, בְּשִׁבְתְּךָ בְּבֵיתֶךָ, וּבְלֶכְתְּךָ בַדֶּרֶךְ, וּבְשָׁכְבְּךָ, וּבְקוּמֶךָ: וּקְשַׁרְתָּם לְאוֹת עַל יָדֶךָ, וְהָיוּ לְטֹטָפֹת בֵּין עֵינֶיךָ: וּכְתַבְתָּם עַל מְזֻזוֹת בֵּיתֶךָ, וּבִשְׁעָרֶיךָ:

וְהָיָה אִם שָׁמֹעַ תִּשְׁמְעוּ אֶל מִצְוֹתַי אֲשֶׁר אָנֹכִי מְצַוֶּה אֶתְכֶם הַיּוֹם, לְאַהֲבָה אֶת יְיָ אֱלֹהֵיכֶם וּלְעָבְדוֹ, בְּכָל לְבַבְכֶם וּבְכָל נַפְשְׁכֶם: וְנָתַתִּי מְטַר אַרְצְכֶם בְּעִתּוֹ יוֹרֶה וּמַלְקוֹשׁ, וְאָסַפְתָּ דְגָנֶךָ וְתִירֹשְׁךָ וְיִצְהָרֶךָ: וְנָתַתִּי עֵשֶׂב בְּשָׂדְךָ לִבְהֶמְתֶּךָ, וְאָכַלְתָּ וְשָׂבָעְתָּ: הִשָּׁמְרוּ לָכֶם פֶּן יִפְתֶּה לְבַבְכֶם, וְסַרְתֶּם וַעֲבַדְתֶּם אֱלֹהִים אֲחֵרִים וְהִשְׁתַּחֲוִיתֶם לָהֶם: וְחָרָה אַף יְיָ בָּכֶם וְעָצַר אֶת הַשָּׁמַיִם וְלֹא יִהְיֶה מָטָר וְהָאֲדָמָה לֹא תִתֵּן אֶת יְבוּלָהּ, וַאֲבַדְתֶּם מְהֵרָה מֵעַל הָאָרֶץ הַטֹּבָה אֲשֶׁר יְיָ נֹתֵן לָכֶם: וְשַׂמְתֶּם אֶת דְּבָרַי אֵלֶּה עַל לְבַבְכֶם וְעַל נַפְשְׁכֶם וּקְשַׁרְתֶּם אֹתָם לְאוֹת עַל יֶדְכֶם וְהָיוּ לְטוֹטָפֹת בֵּין עֵינֵיכֶם: וְלִמַּדְתֶּם אֹתָם אֶת בְּנֵיכֶם לְדַבֵּר בָּם, בְּשִׁבְתְּךָ בְּבֵיתֶךָ וּבְלֶכְתְּךָ בַדֶּרֶךְ וּבְשָׁכְבְּךָ וּבְקוּמֶךָ: וּכְתַבְתָּם עַל מְזוּזוֹת בֵּיתֶךָ וּבִשְׁעָרֶיךָ: לְמַעַן יִרְבּוּ יְמֵיכֶם וִימֵי בְנֵיכֶם עַל הָאֲדָמָה אֲשֶׁר נִשְׁבַּע יְיָ לַאֲבֹתֵיכֶם לָתֵת לָהֶם, כִּימֵי הַשָּׁמַיִם עַל הָאָרֶץ:

וַיֹּאמֶר יְיָ אֶל מֹשֶׁה לֵּאמֹר: דַּבֵּר אֶל בְּנֵי יִשְׂרָאֵל וְאָמַרְתָּ אֲלֵהֶם וְעָשׂוּ לָהֶם צִיצִת עַל כַּנְפֵי בִגְדֵיהֶם לְדֹרֹתָם, וְנָתְנוּ עַל צִיצִת הַכָּנָף, פְּתִיל תְּכֵלֶת: וְהָיָה לָכֶם לְצִיצִת, וּרְאִיתֶם אֹתוֹ וּזְכַרְתֶּם אֶת כָּל מִצְוֹת יְיָ וַעֲשִׂיתֶם אֹתָם, וְלֹא תָתֻרוּ אַחֲרֵי לְבַבְכֶם וְאַחֲרֵי

עֵינֵיכֶם אֲשֶׁר אַתֶּם זֹנִים אַחֲרֵיהֶם: לְמַעַן תִּזְכְּרוּ וַעֲשִׂיתֶם אֶת כָּל מִצְוֺתָי, וִהְיִיתֶם קְדֹשִׁים לֵאלֹהֵיכֶם: אֲנִי יְיָ אֱלֹהֵיכֶם אֲשֶׁר הוֹצֵאתִי אֶתְכֶם מֵאֶרֶץ מִצְרַיִם לִהְיוֹת לָכֶם לֵאלֹהִים, אֲנִי יְיָ אֱלֹהֵיכֶם:

אֱמֶת וֶאֱמוּנָה כָּל זֹאת, וְקַיָּם עָלֵינוּ, כִּי הוּא יְיָ אֱלֹהֵינוּ וְאֵין זוּלָתוֹ, וַאֲנַחְנוּ יִשְׂרָאֵל עַמּוֹ, הַפּוֹדֵנוּ מִיַּד מְלָכִים, מַלְכֵּנוּ הַגּוֹאֲלֵנוּ מִכַּף כָּל הֶעָרִיצִים. הָאֵל הַנִּפְרָע לָנוּ מִצָּרֵינוּ, וְהַמְשַׁלֵּם גְּמוּל לְכָל אֹיְבֵי נַפְשֵׁנוּ, הָעֹשֶׂה גְדֹלוֹת עַד אֵין חֵקֶר, וְנִפְלָאוֹת עַד אֵין מִסְפָּר. הַשָּׂם נַפְשֵׁנוּ בַּחַיִּים, וְלֹא נָתַן לַמּוֹט רַגְלֵנוּ, הַמַּדְרִיכֵנוּ עַל בָּמוֹת אֹיְבֵינוּ, וַיָּרֶם קַרְנֵנוּ עַל כָּל שֹׂנְאֵינוּ. הָאֵל הָעֹשֶׂה לָּנוּ נְקָמָה בְּפַרְעֹה, וְאוֹתוֹת וּמוֹפְתִים בְּאַדְמַת בְּנֵי חָם. הַמַּכֶּה בְעֶבְרָתוֹ כָּל בְּכוֹרֵי מִצְרָיִם, וַיּוֹצֵא אֶת עַמּוֹ יִשְׂרָאֵל מִתּוֹכָם לְחֵרוּת עוֹלָם. הַמַּעֲבִיר בָּנָיו בֵּין גִּזְרֵי יַם סוּף, וְאֶת רוֹדְפֵיהֶם וְאֶת שׂוֹנְאֵיהֶם בִּתְהוֹמוֹת טִבַּע, וְרָאוּ בָנָיו גְּבוּרָתוֹ, שִׁבְּחוּ וְהוֹדוּ לִשְׁמוֹ. וּמַלְכוּתוֹ בְּרָצוֹן קִבְּלוּ עֲלֵיהֶם, מֹשֶׁה וּבְנֵי יִשְׂרָאֵל לְךָ עָנוּ שִׁירָה בְּשִׂמְחָה רַבָּה, וְאָמְרוּ כֻלָּם:

מִי כָמֹכָה בָּאֵלִם יְיָ, מִי כָּמֹכָה נֶאְדָּר

בְּקֹדֶשׁ, נוֹרָא תְהִלֹּת עֹשֵׂה פֶלֶא: מַלְכוּתְךָ רָאוּ בָנֶיךָ, בּוֹקֵעַ יָם לִפְנֵי מֹשֶׁה, זֶה אֵלִי עָנוּ וְאָמְרוּ: יְיָ יִמְלֹךְ לְעֹלָם וָעֶד. וְנֶאֱמַר: כִּי פָדָה יְיָ אֶת יַעֲקֹב, וּגְאָלוֹ מִיַּד חָזָק מִמֶּנּוּ. בָּרוּךְ אַתָּה יְיָ, גָּאַל יִשְׂרָאֵל:

הַשְׁכִּיבֵנוּ אָבִינוּ לְשָׁלוֹם, וְהַעֲמִידֵנוּ מַלְכֵּנוּ לְחַיִּים טוֹבִים וּלְשָׁלוֹם, וְתַקְּנֵנוּ בְּעֵצָה טוֹבָה מִלְּפָנֶיךָ, וְהוֹשִׁיעֵנוּ מְהֵרָה לְמַעַן שְׁמֶךָ, וּפְרוֹשׂ עָלֵינוּ סֻכַּת שְׁלוֹמֶךָ. בָּרוּךְ אַתָּה יְיָ, הַפּוֹרֵשׂ סֻכַּת שָׁלוֹם עָלֵינוּ וְעַל כָּל עַמּוֹ יִשְׂרָאֵל וְעַל יְרוּשָׁלָיִם: *לש"ץ חצי קדיש*

מנהג העולם לומר קודם ח"ק בחול ברוך ה' לעולם אמן ואמן ובשבת ושמרו (וביו"ט ור"ה ויוה"כ פסוקים אחרים מעין קדושת היום) ויש להם על מה שיסמוכו. אבל הנוהגין שלא לומר בחול ברוך ה' לעולם אמן ואמן מפני חשש הפסק גם בשבת (ויו"ט ור"ה ויוה"כ) אין להפסיק בפסוקים ואין להפסיק להכריז יעו"י בליל ר"ח:

לשבת

וְשָׁמְרוּ[א] בְנֵי יִשְׂרָאֵל אֶת הַשַּׁבָּת לַעֲשׂוֹת אֶת הַשַּׁבָּת לְדֹרֹתָם, בְּרִית עוֹלָם: בֵּינִי וּבֵין בְּנֵי יִשְׂרָאֵל[ב] אוֹת הִיא לְעֹלָם, כִּי שֵׁשֶׁת יָמִים עָשָׂה יְיָ אֶת הַשָּׁמַיִם וְאֶת הָאָרֶץ, וּבַיּוֹם הַשְּׁבִיעִי שָׁבַת וַיִּנָּפַשׁ: ח"ק

לשלש רגלים

וַיְדַבֵּר[ג] מֹשֶׁה אֶת מֹעֲדֵי יְיָ, אֶל בְּנֵי יִשְׂרָאֵל: ח"ק

לראש השנה

תִּקְעוּ[ד] בַחֹדֶשׁ שׁוֹפָר, בַּכֶּסֶה[ה] לְיוֹם חַגֵּנוּ: כִּי חֹק לְיִשְׂרָאֵל הוּא, מִשְׁפָּט לֵאלֹהֵי יַעֲקֹב: ח"ק

ליום כפור

כִּי[ו] בַיּוֹם הַזֶּה יְכַפֵּר עֲלֵיכֶם לְטַהֵר אֶתְכֶם, מִכֹּל חַטֹּאתֵיכֶם, לִפְנֵי יְיָ תִּטְהָרוּ: ח"ק

תו"א א) שמות לא טז: ב) שם לא יז: ג) ויקרא כג מד: ד) תהלים פא ד: ה) שם פא ה: ו) ויקרא טז ל:

1 אֲדֹנָי, שְׂפָתַי תִּפְתָּח וּפִי יַגִּיד תְּהִלָּתֶךָ:

2 בָּרוּךְ אַתָּה יְיָ אֱלֹהֵינוּ וֵאלֹהֵי אֲבוֹתֵינוּ, אֱלֹהֵי אַבְרָהָם אֱלֹהֵי

3 יִצְחָק וֵאלֹהֵי יַעֲקֹב, הָאֵל הַגָּדוֹל הַגִּבּוֹר וְהַנּוֹרָא, אֵל

4 עֶלְיוֹן, גּוֹמֵל חֲסָדִים טוֹבִים, קוֹנֵה הַכֹּל, וְזוֹכֵר חַסְדֵי אָבוֹת, וּמֵבִיא

5 גוֹאֵל לִבְנֵי בְנֵיהֶם לְמַעַן שְׁמוֹ בְּאַהֲבָה:

6 בש״ת זָכְרֵנוּ לְחַיִּים, מֶלֶךְ חָפֵץ בַּחַיִּים, וְכָתְבֵנוּ בְּסֵפֶר הַחַיִּים, לְמַעַנְךָ אֱלֹהִים חַיִּים.

7 מֶלֶךְ עוֹזֵר וּמוֹשִׁיעַ וּמָגֵן. בָּרוּךְ אַתָּה יְיָ, מָגֵן אַבְרָהָם:

8 אַתָּה גִבּוֹר לְעוֹלָם אֲדֹנָי, מְחַיֵּה מֵתִים אַתָּה, רַב לְהוֹשִׁיעַ.

9 בקיץ מוֹרִיד הַטָּל.   בחורף מַשִּׁיב הָרוּחַ וּמוֹרִיד הַגָּשֶׁם:

10 מְכַלְכֵּל חַיִּים בְּחֶסֶד, מְחַיֵּה מֵתִים בְּרַחֲמִים רַבִּים, סוֹמֵךְ נוֹפְלִים,

11 וְרוֹפֵא חוֹלִים, וּמַתִּיר אֲסוּרִים, וּמְקַיֵּם אֱמוּנָתוֹ לִישֵׁנֵי

12 עָפָר, מִי כָמוֹךָ בַּעַל גְּבוּרוֹת וּמִי דוֹמֶה לָּךְ, מֶלֶךְ מֵמִית וּמְחַיֶּה

13 וּמַצְמִיחַ יְשׁוּעָה:

14 בש״ת מִי כָמוֹךָ אַב הָרַחֲמָן זוֹכֵר יְצוּרָיו לְחַיִּים בְּרַחֲמִים:

15 וְנֶאֱמָן אַתָּה לְהַחֲיוֹת מֵתִים. בָּרוּךְ אַתָּה יְיָ, מְחַיֵּה הַמֵּתִים:

16 אַתָּה קָדוֹשׁ וְשִׁמְךָ קָדוֹשׁ, וּקְדוֹשִׁים בְּכָל יוֹם יְהַלְלוּךָ סֶּלָה.

17 בָּרוּךְ אַתָּה יְיָ, הָאֵל הַקָּדוֹשׁ: (בש״ת הַמֶּלֶךְ הַקָּדוֹשׁ):

18 אַתָּה קִדַּשְׁתָּ אֶת יוֹם הַשְּׁבִיעִי לִשְׁמֶךָ,

19 תַּכְלִית מַעֲשֵׂה שָׁמַיִם וָאָרֶץ,

20 בֵּרַכְתּוֹ מִכָּל הַיָּמִים, וְקִדַּשְׁתּוֹ מִכָּל

21 הַזְּמַנִּים, וְכֵן כָּתוּב בְּתוֹרָתֶךָ:

22 וַיְכֻלּוּ הַשָּׁמַיִם וְהָאָרֶץ וְכָל צְבָאָם: וַיְכַל

23 אֱלֹהִים בַּיּוֹם הַשְּׁבִיעִי מְלַאכְתּוֹ אֲשֶׁר

24 עָשָׂה וַיִּשְׁבֹּת בַּיּוֹם הַשְּׁבִיעִי מִכָּל מְלַאכְתּוֹ

25 אֲשֶׁר עָשָׂה: וַיְבָרֶךְ אֱלֹהִים אֶת יוֹם הַשְּׁבִיעִי

ויקדש

תו״א א) בראשית ב א:

וַיְקַדֵּשׁ אֹתוֹ, כִּי בוֹ שָׁבַת מִכָּל מְלַאכְתּוֹ אֲשֶׁר בָּרָא אֱלֹהִים לַעֲשׂוֹת:

יִשְׂמְחוּ בְמַלְכוּתְךָ שׁוֹמְרֵי שַׁבָּת וְקוֹרְאֵי עֹנֶג, עַם מְקַדְּשֵׁי שְׁבִיעִי, כֻּלָּם יִשְׂבְּעוּ וְיִתְעַנְּגוּ מִטּוּבֶךָ, וּבַשְּׁבִיעִי רָצִיתָ בּוֹ וְקִדַּשְׁתּוֹ, חֶמְדַּת יָמִים אוֹתוֹ קָרָאתָ, זֵכֶר לְמַעֲשֵׂה בְרֵאשִׁית:

אֱלֹהֵינוּ וֵאלֹהֵי אֲבוֹתֵינוּ, רְצֵה נָא בִמְנוּחָתֵנוּ, קַדְּשֵׁנוּ בְּמִצְוֹתֶיךָ וְתֵן חֶלְקֵנוּ בְּתוֹרָתֶךָ, שַׂבְּעֵנוּ מִטּוּבֶךָ וְשַׂמַּח נַפְשֵׁנוּ בִּישׁוּעָתֶךָ, וְטַהֵר לִבֵּנוּ לְעָבְדְּךָ בֶּאֱמֶת, וְהַנְחִילֵנוּ יְיָ אֱלֹהֵינוּ בְּאַהֲבָה וּבְרָצוֹן שַׁבַּת קָדְשֶׁךָ, וְיָנוּחוּ בָהּ כָּל יִשְׂרָאֵל מְקַדְּשֵׁי שְׁמֶךָ. בָּרוּךְ אַתָּה יְיָ, מְקַדֵּשׁ הַשַּׁבָּת:

רְצֵה יְיָ אֱלֹהֵינוּ בְּעַמְּךָ יִשְׂרָאֵל, וְלִתְפִלָּתָם שְׁעֵה, וְהָשֵׁב הָעֲבוֹדָה לִדְבִיר בֵּיתֶךָ, וְאִשֵּׁי יִשְׂרָאֵל וּתְפִלָּתָם בְּאַהֲבָה תְקַבֵּל בְּרָצוֹן, וּתְהִי לְרָצוֹן תָּמִיד עֲבוֹדַת יִשְׂרָאֵל עַמֶּךָ:

בשבת ר"ח ובשבת חוה"מ אומרים כאן יעלה ויבא[א]

וְתֶחֱזֶינָה עֵינֵינוּ בְּשׁוּבְךָ לְצִיּוֹן בְּרַחֲמִים. בָּרוּךְ אַתָּה יְיָ, הַמַּחֲזִיר שְׁכִינָתוֹ לְצִיּוֹן:

מוֹדִים אֲנַחְנוּ לָךְ שָׁאַתָּה הוּא יְיָ אֱלֹהֵינוּ וֵאלֹהֵי אֲבוֹתֵינוּ לְעוֹלָם וָעֶד, צוּר חַיֵּינוּ מָגֵן יִשְׁעֵנוּ, אַתָּה הוּא לְדוֹר וָדוֹר, נוֹדֶה

א) בשבת ראש חודש ושבת חול המועד אומרים זה:

אֱלֹהֵינוּ וֵאלֹהֵי אֲבוֹתֵינוּ, יַעֲלֶה וְיָבוֹא וְיַגִּיעַ, וְיֵרָאֶה וְיֵרָצֶה וְיִשָּׁמַע, וְיִפָּקֵד וְיִזָּכֵר זִכְרוֹנֵנוּ וּפִקְדוֹנֵנוּ, וְזִכְרוֹן אֲבוֹתֵינוּ, וְזִכְרוֹן מָשִׁיחַ בֶּן דָּוִד עַבְדֶּךָ, וְזִכְרוֹן יְרוּשָׁלַיִם עִיר קָדְשֶׁךָ, וְזִכְרוֹן כָּל עַמְּךָ בֵּית יִשְׂרָאֵל לְפָנֶיךָ, לִפְלֵיטָה לְטוֹבָה, לְחֵן וּלְחֶסֶד וּלְרַחֲמִים וּלְחַיִּים טוֹבִים וּלְשָׁלוֹם בְּיוֹם לשר"ח רֹאשׁ הַחֹדֶשׁ הַזֶּה. לשחוהמ"פ חַג הַמַּצּוֹת הַזֶּה. לשחוה"מ סוכות חַג הַסֻּכּוֹת הַזֶּה. זָכְרֵנוּ יְיָ אֱלֹהֵינוּ בּוֹ לְטוֹבָה. וּפָקְדֵנוּ בוֹ לִבְרָכָה. וְהוֹשִׁיעֵנוּ בוֹ לְחַיִּים טוֹבִים. וּבִדְבַר יְשׁוּעָה וְרַחֲמִים, חוּס וְחָנֵּנוּ, וְרַחֵם עָלֵינוּ וְהוֹשִׁיעֵנוּ, כִּי אֵלֶיךָ עֵינֵינוּ, כִּי אֵל מֶלֶךְ חַנּוּן וְרַחוּם אָתָּה:

1   לְךָ וּנְסַפֵּר תְּהִלָּתֶךָ, עַל חַיֵּינוּ הַמְּסוּרִים בְּיָדֶךָ, וְעַל נִשְׁמוֹתֵינוּ

2   הַפְּקוּדוֹת לָךְ, וְעַל נִסֶּיךָ שֶׁבְּכָל יוֹם עִמָּנוּ, וְעַל נִפְלְאוֹתֶיךָ וְטוֹבוֹתֶיךָ

3   שֶׁבְּכָל עֵת, עֶרֶב וָבֹקֶר וְצָהֳרָיִם, הַטּוֹב, כִּי לֹא כָלוּ רַחֲמֶיךָ,

4   וְהַמְרַחֵם, כִּי לֹא תַמּוּ חֲסָדֶיךָ, כִּי מֵעוֹלָם קִוִּינוּ לָךְ:

בשבת חנוכה אומרים כאן וְעַל הנסים א)

5   **וְעַל** כֻּלָּם יִתְבָּרֵךְ וְיִתְרוֹמַם וְיִתְנַשֵּׂא שִׁמְךָ מַלְכֵּנוּ תָּמִיד לְעוֹלָם וָעֶד:

6   בש״ת וּכְתֹב לְחַיִּים טוֹבִים כָּל בְּנֵי בְרִיתֶךָ.

7   **וְכֹל** הַחַיִּים יוֹדוּךָ סֶּלָה, וִיהַלְלוּ שִׁמְךָ הַגָּדוֹל לְעוֹלָם כִּי טוֹב הָאֵל

8   יְשׁוּעָתֵנוּ וְעֶזְרָתֵנוּ סֶלָה, הָאֵל הַטּוֹב. בָּרוּךְ אַתָּה יְיָ, הַטּוֹב

9   שִׁמְךָ וּלְךָ נָאֶה לְהוֹדוֹת:

10   **שִׂים** שָׁלוֹם, טוֹבָה וּבְרָכָה, חַיִּים חֵן וָחֶסֶד וְרַחֲמִים, עָלֵינוּ וְעַל כָּל

11   יִשְׂרָאֵל עַמֶּךָ. בָּרְכֵנוּ אָבִינוּ כֻּלָּנוּ כְּאֶחָד, בְּאוֹר פָּנֶיךָ, כִּי בְאוֹר

12   פָּנֶיךָ, נָתַתָּ לָּנוּ יְיָ אֱלֹהֵינוּ תּוֹרַת חַיִּים, וְאַהֲבַת חֶסֶד, וּצְדָקָה

13   וּבְרָכָה וְרַחֲמִים וְחַיִּים וְשָׁלוֹם. וְטוֹב בְּעֵינֶיךָ לְבָרֵךְ אֶת עַמְּךָ יִשְׂרָאֵל

14   בְּכָל עֵת וּבְכָל שָׁעָה בִּשְׁלוֹמֶךָ. בש״ת וּבספר בָּרוּךְ אַתָּה יְיָ, הַמְבָרֵךְ אֶת

15   עַמּוֹ יִשְׂרָאֵל בַּשָּׁלוֹם:

16   בש״ת **וּבְסֵפֶר** חַיִּים בְּרָכָה וְשָׁלוֹם וּפַרְנָסָה טוֹבָה יְשׁוּעָה וְנֶחָמָה וּגְזֵרוֹת

17   טוֹבוֹת נִזָּכֵר וְנִכָּתֵב לְפָנֶיךָ, אֲנַחְנוּ וְכָל עַמְּךָ בֵּית יִשְׂרָאֵל,

18   לְחַיִּים טוֹבִים וּלְשָׁלוֹם. בָּרוּךְ אַתָּה יְיָ, הַמְבָרֵךְ אֶת עַמּוֹ יִשְׂרָאֵל בַּשָּׁלוֹם:

א) בשבת חנוכה אומרים זה:

19   **וְעַל** הַנִּסִּים וְעַל הַפֻּרְקָן וְעַל הַגְּבוּרוֹת וְעַל הַתְּשׁוּעוֹת וְעַל הַנִּפְלָאוֹת

20   שֶׁעָשִׂיתָ לַאֲבוֹתֵינוּ בַּיָּמִים הָהֵם בִּזְּמַן הַזֶּה:

21   **בִּימֵי** מַתִּתְיָהוּ בֶּן יוֹחָנָן כֹּהֵן גָּדוֹל חַשְׁמוֹנַאי וּבָנָיו כְּשֶׁעָמְדָה מַלְכוּת יָוָן

22   הָרְשָׁעָה עַל עַמְּךָ יִשְׂרָאֵל לְהַשְׁכִּיחָם תּוֹרָתֶךָ וּלְהַעֲבִירָם מֵחֻקֵּי רְצוֹנֶךָ,

23   וְאַתָּה בְּרַחֲמֶיךָ הָרַבִּים עָמַדְתָּ לָהֶם בְּעֵת צָרָתָם. רַבְתָּ אֶת רִיבָם, דַּנְתָּ אֶת

24   דִּינָם, נָקַמְתָּ אֶת נִקְמָתָם, מָסַרְתָּ גִבּוֹרִים בְּיַד חַלָּשִׁים, וְרַבִּים בְּיַד מְעַטִּים,

25   וּטְמֵאִים בְּיַד טְהוֹרִים, וּרְשָׁעִים בְּיַד צַדִּיקִים, וְזֵדִים בְּיַד עוֹסְקֵי תוֹרָתֶךָ. וּלְךָ

26   עָשִׂיתָ שֵׁם גָּדוֹל וְקָדוֹשׁ בְּעוֹלָמֶךָ, וּלְעַמְּךָ יִשְׂרָאֵל עָשִׂיתָ תְּשׁוּעָה גְדוֹלָה וּפֻרְקָן

27   כְּהַיּוֹם הַזֶּה. וְאַחַר כֵּן בָּאוּ בָנֶיךָ לִדְבִיר בֵּיתֶךָ, וּפִנּוּ אֶת הֵיכָלֶךָ, וְטִהֲרוּ אֶת

28   מִקְדָּשֶׁךָ, וְהִדְלִיקוּ נֵרוֹת בְּחַצְרוֹת קָדְשֶׁךָ, וְקָבְעוּ שְׁמוֹנַת יְמֵי חֲנֻכָּה אֵלּוּ,

29   לְהוֹדוֹת וּלְהַלֵּל לְשִׁמְךָ הַגָּדוֹל: וְעַל כּוּלָם

יִהְיוּ לְרָצוֹן אִמְרֵי פִי וְהֶגְיוֹן לִבִּי לְפָנֶיךָ, יְיָ צוּרִי וְגוֹאֲלִי:

אֱלֹהַי, נְצוֹר לְשׁוֹנִי מֵרָע, וּשְׂפָתַי מִדַּבֵּר מִרְמָה, וְלִמְקַלְלַי נַפְשִׁי תִדּוֹם, וְנַפְשִׁי כֶּעָפָר לַכֹּל תִּהְיֶה. פְּתַח לִבִּי בְּתוֹרָתֶךָ וּבְמִצְוֹתֶיךָ תִּרְדּוֹף נַפְשִׁי, וְכָל הַחוֹשְׁבִים עָלַי רָעָה, מְהֵרָה הָפֵר עֲצָתָם וְקַלְקֵל מַחֲשַׁבְתָּם. יִהְיוּ כְּמוֹץ לִפְנֵי רוּחַ וּמַלְאַךְ יְיָ דּוֹחֶה. לְמַעַן יֵחָלְצוּן יְדִידֶיךָ, הוֹשִׁיעָה יְמִינְךָ וַעֲנֵנִי. עֲשֵׂה לְמַעַן שְׁמֶךָ, עֲשֵׂה לְמַעַן יְמִינֶךָ, עֲשֵׂה לְמַעַן תּוֹרָתֶךָ. עֲשֵׂה לְמַעַן קְדֻשָּׁתֶךָ. יִהְיוּ לְרָצוֹן אִמְרֵי פִי וְהֶגְיוֹן לִבִּי לְפָנֶיךָ, יְיָ צוּרִי וְגוֹאֲלִי: עֹשֶׂה שָׁלוֹם (בש"ת הַשָּׁלוֹם) בִּמְרוֹמָיו, הוּא יַעֲשֶׂה שָׁלוֹם עָלֵינוּ וְעַל כָּל יִשְׂרָאֵל, וְאִמְרוּ אָמֵן:

יְהִי רָצוֹן מִלְּפָנֶיךָ יְיָ אֱלֹהֵינוּ וֵאלֹהֵי אֲבוֹתֵינוּ, שֶׁיִּבָּנֶה בֵּית הַמִּקְדָּשׁ בִּמְהֵרָה בְיָמֵינוּ, וְתֵן חֶלְקֵנוּ בְּתוֹרָתֶךָ:

(שו"ע) (א) אחר תפלת לחש בערבית נוהגין לחזור ולומר ויכלו כו׳ ונוהגין לאמרו כולם ביחד בקול רם ומעומד כו׳ ואם שכח לאמרו בבית הכנסת טוב שיאמר אותו שבקידוש מעומד: (ב) יום טוב שחל להיות בשבת אינו מזכיר יום טוב בברכה מעין ז׳: (ג) מקום שמתפללין בו בעשרה באקראי בעלמא כגון אותן שעושים לפרקים מנין בביתם וכן בבית חתנים ואבלים שעושים מנין בביתם אין לומר שם ברכת מעין ז׳ כו׳ ואם קובעים מקום להתפלל בו בי׳ איזה זמן כגון בירידין שרגילים לקבוע מקום על כמה שבועות יש מי שהורה לאמרה שם: (ד) יחיד מתחיל מגן אבות. ובשבת שחל בו יום א׳ של פסח אין אומרים ברכת מעין שבע:

וַיְכֻלּוּ הַשָּׁמַיִם וְהָאָרֶץ וְכָל צְבָאָם: וַיְכַל אֱלֹהִים בַּיּוֹם הַשְּׁבִיעִי מְלַאכְתּוֹ אֲשֶׁר עָשָׂה, וַיִּשְׁבֹּת בַּיּוֹם הַשְּׁבִיעִי מִכָּל מְלַאכְתּוֹ אֲשֶׁר עָשָׂה: וַיְבָרֶךְ אֱלֹהִים אֶת יוֹם הַשְּׁבִיעִי וַיְקַדֵּשׁ אֹתוֹ, כִּי בוֹ שָׁבַת מִכָּל מְלַאכְתּוֹ אֲשֶׁר בָּרָא אֱלֹהִים לַעֲשׂוֹת:

ואומר הש"ץ ברכה מעין ז׳ וא"א בליל א׳ של פסח

בָּרוּךְ אַתָּה יְיָ אֱלֹהֵינוּ וֵאלֹהֵי אֲבוֹתֵינוּ אֱלֹהֵי אַבְרָהָם אֱלֹהֵי יִצְחָק וֵאלֹהֵי יַעֲקֹב, הָאֵל הַגָּדוֹל הַגִּבּוֹר וְהַנּוֹרָא אֵל עֶלְיוֹן קוֹנֵה שָׁמַיִם וָאָרֶץ:

מָגֵן אָבוֹת בִּדְבָרוֹ מְחַיֵּה מֵתִים בְּמַאֲמָרוֹ הָאֵל (בש"ת הַמֶּלֶךְ) הַקָּדוֹשׁ שֶׁאֵין כָּמוֹהוּ הַמֵּנִיחַ לְעַמּוֹ

1 בְּיוֹם שַׁבַּת קָדְשׁוֹ, כִּי בָם רָצָה לְהָנִיחַ לָהֶם, לְפָנָיו

2 נַעֲבוֹד בְּיִרְאָה וָפַחַד וְנוֹדֶה לִשְׁמוֹ בְּכָל יוֹם תָּמִיד, מֵעֵין

3 הַבְּרָכוֹת, אֵל הַהוֹדָאוֹת אֲדוֹן הַשָּׁלוֹם, מְקַדֵּשׁ הַשַּׁבָּת

4 וּמְבָרֵךְ שְׁבִיעִי, וּמֵנִיחַ בִּקְדֻשָּׁה, לְעַם מְדֻשְּׁנֵי עֹנֶג, זֵכֶר

5 לְמַעֲשֵׂה בְרֵאשִׁית:

6 אֱלֹהֵינוּ וֵאלֹהֵי אֲבוֹתֵינוּ, רְצֵה נָא בִמְנוּחָתֵנוּ, קַדְּשֵׁנוּ

7 בְּמִצְוֹתֶיךָ וְתֵן חֶלְקֵנוּ בְּתוֹרָתֶךָ, שַׂבְּעֵנוּ

8 מִטּוּבֶךָ וְשַׂמַּח נַפְשֵׁנוּ בִּישׁוּעָתֶךָ, וְטַהֵר לִבֵּנוּ לְעָבְדְּךָ

9 בֶּאֱמֶת, וְהַנְחִילֵנוּ יְיָ אֱלֹהֵינוּ בְּאַהֲבָה וּבְרָצוֹן שַׁבַּת קָדְשֶׁךָ,

10 וְיָנוּחוּ בָהּ כָּל יִשְׂרָאֵל מְקַדְּשֵׁי שְׁמֶךָ. בָּרוּךְ אַתָּה יְיָ,

11 מְקַדֵּשׁ הַשַּׁבָּת:

קדיש שלם:

תהלים כג

12 מִזְמוֹר לְדָוִד, יְיָ רֹעִי לֹא אֶחְסָר: בִּנְאוֹת דֶּשֶׁא יַרְבִּיצֵנִי, עַל מֵי מְנֻחֹת

13 יְנַהֲלֵנִי: נַפְשִׁי יְשׁוֹבֵב יַנְחֵנִי בְמַעְגְּלֵי צֶדֶק לְמַעַן שְׁמוֹ: גַּם כִּי אֵלֵךְ

14 בְּגֵיא צַלְמָוֶת לֹא אִירָא רָע, כִּי אַתָּה עִמָּדִי, שִׁבְטְךָ וּמִשְׁעַנְתֶּךָ הֵמָּה יְנַחֲמֻנִי:

15 תַּעֲרֹךְ לְפָנַי שֻׁלְחָן נֶגֶד צֹרְרָי, דִּשַּׁנְתָּ בַשֶּׁמֶן רֹאשִׁי כּוֹסִי רְוָיָה: אַךְ טוֹב וָחֶסֶד

16 יִרְדְּפוּנִי כָּל יְמֵי חַיָּי, וְשַׁבְתִּי בְּבֵית יְיָ לְאֹרֶךְ יָמִים: ח״ק

17 חזן בָּרְכוּ אֶת יְיָ הַמְבֹרָךְ:

18 קהל וחזן בָּרוּךְ יְיָ הַמְבֹרָךְ לְעוֹלָם וָעֶד: ואין עונין אמן:

(ספירת העומר תמצא לקמן ע׳ 250).

19 עָלֵינוּ לְשַׁבֵּחַ לַאֲדוֹן הַכֹּל לָתֵת גְּדֻלָּה לְיוֹצֵר בְּרֵאשִׁית שֶׁלֹּא עָשָׂנוּ

20 כְּגוֹיֵי הָאֲרָצוֹת וְלֹא שָׂמָנוּ כְּמִשְׁפְּחוֹת הָאֲדָמָה שֶׁלֹּא שָׂם

21 חֶלְקֵנוּ כָּהֶם וְגוֹרָלֵנוּ כְּכָל-הֲמוֹנָם שֶׁהֵם מִשְׁתַּחֲוִים לְהֶבֶל וָרִיק:

22 וַאֲנַחְנוּ כּוֹרְעִים וּמִשְׁתַּחֲוִים וּמוֹדִים לִפְנֵי מֶלֶךְ מַלְכֵי הַמְּלָכִים

23 הַקָּדוֹשׁ בָּרוּךְ הוּא: שֶׁהוּא נוֹטֶה שָׁמַיִם וְיוֹסֵד אָרֶץ וּמוֹשַׁב יְקָרוֹ

24 בַּשָּׁמַיִם מִמַּעַל וּשְׁכִינַת עֻזּוֹ בְּגָבְהֵי מְרוֹמִים: הוּא אֱלֹהֵינוּ אֵין עוֹד.

25 אֱמֶת מַלְכֵּנוּ אֶפֶס זוּלָתוֹ כַּכָּתוּב בְּתוֹרָתוֹ וְיָדַעְתָּ הַיּוֹם וַהֲשֵׁבֹתָ

אל

אֶל־לְבָבֶךָ כִּי יְהֹוָה הוּא הָאֱלֹהִים בַּשָּׁמַיִם מִמַּעַל וְעַל־הָאָרֶץ מִתָּחַת אֵין עוֹד׃

וְעַל־כֵּן נְקַוֶּה לְּךָ יְהֹוָה אֱלֹהֵינוּ לִרְאוֹת מְהֵרָה בְּתִפְאֶרֶת עֻזֶּךָ לְהַעֲבִיר גִּלּוּלִים מִן הָאָרֶץ וְהָאֱלִילִים כָּרוֹת יִכָּרֵתוּן לְתַקֵּן עוֹלָם בְּמַלְכוּת שַׁדַּי וְכָל־בְּנֵי־בָשָׂר יִקְרְאוּ בִשְׁמֶךָ לְהַפְנוֹת אֵלֶיךָ כָּל־רִשְׁעֵי אָרֶץ · יַכִּירוּ וְיֵדְעוּ כָּל־יוֹשְׁבֵי תֵבֵל כִּי לְךָ תִּכְרַע כָּל־בֶּרֶךְ תִּשָּׁבַע כָּל־לָשׁוֹן · לְפָנֶיךָ יְהֹוָה אֱלֹהֵינוּ יִכְרְעוּ וְיִפֹּלוּ וְלִכְבוֹד שִׁמְךָ יְקָר יִתֵּנוּ · וִיקַבְּלוּ כֻלָּם עֲלֵיהֶם אֶת־עֹל מַלְכוּתֶךָ · וְתִמְלוֹךְ עֲלֵיהֶם מְהֵרָה לְעוֹלָם וָעֶד · כִּי הַמַּלְכוּת שֶׁלְּךָ הִיא וּלְעוֹלְמֵי עַד תִּמְלוֹךְ בְּכָבוֹד כַּכָּתוּב בְּתוֹרָתֶךָ יְהֹוָה ׀ יִמְלֹךְ לְעֹלָם וָעֶד׃ וְנֶאֱמַר וְהָיָה יְהֹוָה לְמֶלֶךְ עַל־כָּל־הָאָרֶץ בַּיּוֹם הַהוּא יִהְיֶה יְהֹוָה אֶחָד וּשְׁמוֹ אֶחָד׃

קדיש יתום

אַל תִּירָא מִפַּחַד פִּתְאֹם וּמִשֹּׁאַת רְשָׁעִים כִּי תָבֹא׃ עֻצוּ עֵצָה וְתֻפָר דַּבְּרוּ דָבָר וְלֹא יָקוּם כִּי עִמָּנוּ אֵל׃ וְעַד זִקְנָה אֲנִי הוּא וְעַד־שֵׂיבָה אֲנִי אֶסְבֹּל אֲנִי עָשִׂיתִי וַאֲנִי אֶשָּׂא וַאֲנִי אֶסְבֹּל וַאֲמַלֵּט׃

אַךְ צַדִּיקִים יוֹדוּ לִשְׁמֶךָ יֵ*שְׁבוּ יְשָׁרִים אֶת פָּנֶיךָ׃

כשבא מבית הכנסת לביתו יאמר זה:

שָׁלוֹם עֲלֵיכֶם מַלְאֲכֵי הַשָּׁרֵת מַלְאֲכֵי עֶלְיוֹן מִמֶּלֶךְ מַלְ*כֵי הַמְּ*לָכִים הַקָּדוֹשׁ בָּרוּךְ הוּא׃ ג״פ

בּוֹאֲכֶם לְשָׁלוֹם מַלְאֲכֵי הַשָּׁלוֹם מַלְאֲכֵי עֶלְיוֹן מִמֶּלֶךְ מַלְ*כֵי הַמְּ*לָכִים הַקָּדוֹשׁ בָּרוּךְ הוּא׃ ג״פ

בָּרְ*כוּנִי לְשָׁלוֹם מַלְאֲכֵי הַשָּׁלוֹם

1   מַלְאֲכֵי עֶלְיוֹן מִמֶּלֶךְ מַלְכֵי

2   הַמְּלָכִים הַקָּדוֹשׁ בָּרוּךְ הוּא: ג״פ

3   צֵאתְכֶם לְשָׁלוֹם מַלְאֲכֵי הַשָּׁלוֹם

4   מַלְאֲכֵי עֶלְיוֹן מִמֶּלֶךְ מַלְכֵי

5   הַמְּלָכִים הַקָּדוֹשׁ בָּרוּךְ הוּא: ג״פ

6   כִּי מַלְאָכָיו יְצַוֶּה לָךְ, לִשְׁמָרְךָ בְּכָל דְּרָכֶיךָ:

7   יְיָ יִשְׁמָר צֵאתְךָ וּבוֹאֶךָ, מֵעַתָּה וְעַד עוֹלָם:

8   אֵשֶׁת חַיִל מִי יִמְצָא, וְרָחֹק מִפְּנִינִים מִכְרָהּ: בָּטַח בָּהּ

9   לֵב בַּעְלָהּ, וְשָׁלָל לֹא יֶחְסָר: גְּמָלַתְהוּ טוֹב וְלֹא

10   רָע, כֹּל יְמֵי חַיֶּיהָ: דָּרְשָׁה צֶמֶר וּפִשְׁתִּים, וַתַּעַשׂ בְּחֵפֶץ

11   כַּפֶּיהָ: הָיְתָה כָּאֳנִיּוֹת סוֹחֵר, מִמֶּרְחָק תָּבִיא לַחְמָהּ:

12   וַתָּקָם בְּעוֹד לַיְלָה, וַתִּתֵּן טֶרֶף לְבֵיתָהּ, וְחֹק לְנַעֲרֹתֶיהָ:

13   זָמְמָה שָׂדֶה וַתִּקָּחֵהוּ, מִפְּרִי כַפֶּיהָ נָטְעָה כָּרֶם: חָגְרָה

14   בְעוֹז מָתְנֶיהָ, וַתְּאַמֵּץ זְרוֹעֹתֶיהָ: טָעֲמָה כִּי טוֹב סַחְרָהּ,

15   לֹא יִכְבֶּה בַלַּיְלָה נֵרָהּ: יָדֶיהָ שִׁלְּחָה בַכִּישׁוֹר, וְכַפֶּיהָ תָּמְכוּ

16   פָלֶךְ: כַּפָּהּ פָּרְשָׂה לֶעָנִי, וְיָדֶיהָ שִׁלְּחָה לָאֶבְיוֹן: לֹא

17   תִירָא לְבֵיתָהּ מִשָּׁלֶג, כִּי כָל בֵּיתָהּ לָבֻשׁ שָׁנִים: מַרְבַדִּים

18   עָשְׂתָה לָּהּ, שֵׁשׁ וְאַרְגָּמָן לְבוּשָׁהּ: נוֹדַע בַּשְּׁעָרִים

19   בַּעְלָהּ, בְּשִׁבְתּוֹ עִם זִקְנֵי אָרֶץ: סָדִין עָשְׂתָה וַתִּמְכֹּר,

20   וַחֲגוֹר נָתְנָה לַכְּנַעֲנִי: עוֹז וְהָדָר לְבוּשָׁהּ, וַתִּשְׂחַק לְיוֹם

21   אַחֲרוֹן: פִּיהָ פָּתְחָה בְחָכְמָה, וְתוֹרַת חֶסֶד עַל לְשׁוֹנָהּ:

22   צוֹפִיָּה הֲלִיכוֹת בֵּיתָהּ, וְלֶחֶם עַצְלוּת לֹא תֹאכֵל: קָמוּ

בניה

תו״א א) משלי לא י:

בָּנֶיהָ וַיְאַשְּׁרוּהָ, בַּעְלָהּ וַיְהַלְלָהּ: רַבּוֹת בָּנוֹת עָשׂוּ
חָיִל, וְאַתְּ עָלִית עַל כֻּלָּנָה: שֶׁקֶר הַחֵן וְהֶבֶל הַיֹּפִי,
אִשָּׁה יִרְאַת יְיָ הִיא תִתְהַלָּל: תְּנוּ לָהּ מִפְּרִי יָדֶיהָ,
וִיהַלְלוּהָ בַשְּׁעָרִים מַעֲשֶׂיהָ:

סדר קידוש לליל שבת

מִזְמוֹר לְדָוִד, יְיָ רֹעִי לֹא אֶחְסָר: בִּנְאוֹת דֶּשֶׁא יַרְבִּיצֵנִי, עַל מֵי מְנוּחוֹת
יְנַהֲלֵנִי: נַפְשִׁי יְשׁוֹבֵב, יַנְחֵנִי בְמַעְגְּלֵי צֶדֶק לְמַעַן שְׁמוֹ: גַּם כִּי אֵלֵךְ
בְּגֵיא צַלְמָוֶת לֹא אִירָא רָע, כִּי אַתָּה עִמָּדִי, שִׁבְטְךָ וּמִשְׁעַנְתֶּךָ הֵמָּה יְנַחֲמֻנִי:
תַּעֲרֹךְ לְפָנַי שֻׁלְחָן נֶגֶד צֹרְרָי, דִּשַּׁנְתָּ בַשֶּׁמֶן רֹאשִׁי, כּוֹסִי רְוָיָה: אַךְ טוֹב
וָחֶסֶד יִרְדְּפוּנִי כָּל יְמֵי חַיָּי, וְשַׁבְתִּי בְּבֵית יְיָ לְאֹרֶךְ יָמִים:

דָּא הִיא סְעוּדָתָא דַחֲקַל תַּפּוּחִין קַדִּישִׁין:

אַתְקִינוּ סְעוּדָתָא דִמְהֵימְנוּתָא שְׁלֵמָתָא חֶדְוָתָא דְמַלְכָּא קַדִּישָׁא אַתְקִינוּ
סְעוּדָתָא דְמַלְכָּא דָּא הִיא סְעוּדָתָא דַחֲקַל תַּפּוּחִין קַדִּישִׁין, וּזְעֵיר
אַנְפִּין וְעַתִּיקָא קַדִּישָׁא אַתְיָן לְסַעֲדָא בַּהֲדָהּ:

יוֹם הַשִּׁשִּׁי: וַיְכֻלּוּ הַשָּׁמַיִם וְהָאָרֶץ וְכָל־
צְבָאָם: וַיְכַל אֱלֹהִים בַּיּוֹם הַשְּׁבִיעִי
מְלַאכְתּוֹ אֲשֶׁר עָשָׂה, וַיִּשְׁבֹּת בַּיּוֹם הַשְּׁבִיעִי
מִכָּל־מְלַאכְתּוֹ אֲשֶׁר עָשָׂה: וַיְבָרֶךְ אֱלֹהִים
אֶת־יוֹם הַשְּׁבִיעִי, וַיְקַדֵּשׁ אֹתוֹ, כִּי בוֹ שָׁבַת
מִכָּל־מְלַאכְתּוֹ, אֲשֶׁר בָּרָא אֱלֹהִים לַעֲשׂוֹת:

על היין סַבְרִי מָרָנָן:
בָּרוּךְ אַתָּה יְיָ אֱלֹהֵינוּ מֶלֶךְ
הָעוֹלָם, בּוֹרֵא פְּרִי הַגָּפֶן:

על הפת*
בָּרוּךְ אַתָּה יְיָ אֱלֹהֵינוּ מֶלֶךְ הָעוֹלָם,
הַמּוֹצִיא לֶחֶם מִן הָאָרֶץ:

בָּרוּךְ אַתָּה יְיָ אֱלֹהֵינוּ מֶלֶךְ הָעוֹלָם, אֲשֶׁר
קִדְּשָׁנוּ בְּמִצְוֹתָיו וְרָצָה בָנוּ, וְשַׁבַּת

קדשו

*) מנהגנו — גם בקידוש על הפת אומרים סברי מרנן.

קִדְּשׁוֹ בְּאַהֲבָה וּבְרָצוֹן הִנְחִילָנוּ, זִכָּרוֹן לְמַעֲשֵׂה בְרֵאשִׁית, תְּחִלָּה לְמִקְרָאֵי קֹדֶשׁ, זֵכֶר לִיצִיאַת מִצְרָיִם. כִּי בָנוּ בָחַרְתָּ, וְאוֹתָנוּ קִדַּשְׁתָּ מִכָּל הָעַמִּים, וְשַׁבַּת קָדְשְׁךָ בְּאַהֲבָה וּבְרָצוֹן הִנְחַלְתָּנוּ. בָּרוּךְ אַתָּה יְיָ מְקַדֵּשׁ הַשַּׁבָּת:

בשבת חול המועד סוכות כשמקדש בסוכה מברך תיכף ברכה זו:

בָּרוּךְ אַתָּה יְיָ אֱלֹהֵינוּ מֶלֶךְ הָעוֹלָם, אֲשֶׁר קִדְּשָׁנוּ בְּמִצְוֹתָיו וְצִוָּנוּ לֵישֵׁב בַּסֻּכָּה:

אֲזַמֵּר בִּשְׁבָחִין, לְמֵיעַל גּוֹ פִתְחִין, דִּבְחַקַל תַּפּוּחִין, דְּאִנּוּן קַדִּישִׁין:

נְזַמִּין לַהּ הַשְׁתָּא, בְּפָתוֹרָא חֲדַתָּא, וּבִמְנַרְתָּא טָבְתָא, דְּנַהֲרָא עַל רֵישִׁין:

יְמִינָא וּשְׂמָאלָא, וּבֵינַיְהוּ כַלָּה, בְּקִשּׁוּטִין אָזְלָא, וּמָאנִין וּלְבוּשִׁין:

יְחַבֵּק לַהּ בַּעְלָהּ, וּבִיסוֹדָא דִילָהּ, דְּעָבֵד נַיְחָא לַהּ, יְהֵא כָתִישׁ כְּתִישִׁין:

צְוָחִין אַף עָקְתִין, בְּטֵלִין וּשְׁבִיתִין, בְּרַם אַנְפִּין חֲדַתִּין, וְרוּחִין עִם נַפְשִׁין:

חֲדוּ סַגֵּי יֵיתֵי, וְעַל חֲדָא תַּרְתֵּי, נְהוֹרָא לַהּ יִמְטֵי, וּבִרְכָאן דִּנְפִישִׁין:

קְרִיבוּ שׁוֹשְׁבִינִין, עֲבִידוּ תִקּוּנִין, לְאַפָּשָׁא זִינִין, וְנוּנִין עִם רַחֲשִׁין:

לְמֶעְבַּד נִשְׁמָתִין, וְרוּחִין חֲדַתִּין, בְּתַרְתֵּין וּבִתְלָתִין, וּבִתְלָתָא שִׁבְשִׁין:

וְעִטּוּרִין שַׁבְעִין לַהּ, וּמַלְכָּא דִּלְעֵלָּא, דְּיִתְעַטַּר כֹּלָּא, בְּקַדִּישׁ קַדִּישִׁין:

רְשִׁימִין וּסְתִימִין, בְּגוֹ כָל עָלְמִין, בְּרַם עַתִּיק יוֹמִין, הֲלָא בַטִּישׁ בַּטִּישִׁין:

יְהֵא רַעֲוָא קַמֵּהּ, דְּתִשְׁרֵי עַל עַמֵּהּ, דְּיִתְעַנַּג לִשְׁמֵהּ, בִּמְתִיקִין וְדוּבְשִׁין:

אֲסַדֵּר לִדְרוֹמָא, מְנַרְתָּא דִסְתִימָא, וְשֻׁלְחָן עִם נַהֲמָא, בִּצְפוֹנָא אַרְשִׁין:

בְּחַמְרָא גוֹ כַסָּא, וּמְדָאנֵי אָסָא, לְאָרוּס וַאֲרוּסָה, לְהִתְקַפָּא חַלָּשִׁין:

נְעַבֵּיד לְהוֹן כִּתְרִין, בְּמִלִּין יַקִּירִין, בְּשַׁבְעִין עִטּוּרִין, דְּעַל גַּבֵּי חַמְשִׁין:

שְׁכִינְתָּא תִתְעַטַּר, בְּשִׁית נַהֲמֵי לִסְטַר, בְּוָוִין תִּתְקַטַּר (ס"א בווין תתקטר, בשית נהמי לסטר). וְזִינִין דִּכְנִישִׁין:

שְׁבִיתִין וּשְׁבִיקִין, מְסָאֲבִין דְּרַחֲקִין, חֲבִילִין דִּמְעִיקִין, וְכָל זִינֵי חֲבוּשִׁין:

לְמִבְצַע עַל רִפְתָּא, כְּזֵיתָא וּכְבֵיעֲתָא, תְּרֵין יוּדִין נַקְטָא, סְתִימִין וּפְרִישִׁין:

מְשַׁח זֵיתָא דַכְיָא, דְּטַחֲנִין רֵיחַיָּא, וְנַגְדִין נַחְלַיָּא, בְּגַוַּהּ בִּלְחִישִׁין:

הֲלָא נֵימָא רָזִין, וּמִלִּין דִּגְנִיזִין, דְּלֵיתֵיהוֹן מִתְחַזְיָן, טְמִירִין וּכְבִישִׁין:

אִתְעַטָּרַת כַּלָּה, בְּרָזִין דִּלְעֵלָּא, בְּגוֹ הַאי הִלּוּלָא, דְּעִירִין קַדִּישִׁין:

1 **וִיהֵא** רַעֲוָא מִן קֳדָם עַתִּיקָא קַדִּישָׁא דְּכָל קַדִּישִׁין, וּטְמִירָא דְּכָל טְמִירִין

2 סְתִימָא דְכֹלָּא דְּיִתְמַשֵּׁךְ טַלָּא עִלָּאָה מִנֵּיהּ לְמַלְּיָא רֵישָׁא דִּזְעֵיר אַנְפִּין

3 וּלְהַטִּיל לַחֲקַל תַּפּוּחִין קַדִּישִׁין בִּנְהִירוּ דְּאַנְפִּין בְּרַעֲוָא וּבְחֶדְוָתָא דְּכֹלָּא:

━━━━━◦❈◦━━━━━

שַׁחֲרִית לְשַׁבָּת וְיוֹם טוֹב

מתחילין להתפלל מן ברכת השחר עד אחר איזהו מקומן ואח״כ אומרים זה:

4 **הוֹדוּ** לַיָי קִרְאוּ בִשְׁמוֹ, הוֹדִיעוּ בָעַמִּים עֲלִילוֹתָיו: שִׁירוּ

5 לוֹ זַמְּרוּ לוֹ, שִׂיחוּ בְּכָל נִפְלְאוֹתָיו: הִתְהַלְלוּ

6 בְּשֵׁם קָדְשׁוֹ, יִשְׂמַח לֵב מְבַקְשֵׁי יְיָ: דִּרְשׁוּ יְיָ וְעֻזּוֹ,

7 בַּקְּשׁוּ פָנָיו תָּמִיד: זִכְרוּ נִפְלְאוֹתָיו אֲשֶׁר עָשָׂה, מֹפְתָיו

8 וּמִשְׁפְּטֵי פִיהוּ: זֶרַע יִשְׂרָאֵל עַבְדּוֹ, בְּנֵי יַעֲקֹב בְּחִירָיו:

9 הוּא יְיָ אֱלֹהֵינוּ, בְּכָל הָאָרֶץ מִשְׁפָּטָיו: זִכְרוּ לְעוֹלָם

10 בְּרִיתוֹ, דָּבָר צִוָּה לְאֶלֶף דּוֹר: אֲשֶׁר כָּרַת אֶת אַבְרָהָם,

11 וּשְׁבוּעָתוֹ לְיִצְחָק: וַיַּעֲמִידֶהָ לְיַעֲקֹב לְחֹק, לְיִשְׂרָאֵל בְּרִית

12 עוֹלָם: לֵאמֹר לְךָ אֶתֵּן אֶרֶץ כְּנָעַן, חֶבֶל נַחֲלַתְכֶם:

13 בִּהְיוֹתְכֶם מְתֵי מִסְפָּר, כִּמְעַט וְגָרִים בָּהּ: וַיִּתְהַלְּכוּ מִגּוֹי

14 אֶל גּוֹי, וּמִמַּמְלָכָה אֶל עַם אַחֵר: לֹא הִנִּיחַ לְאִישׁ

15 לְעָשְׁקָם, וַיּוֹכַח עֲלֵיהֶם מְלָכִים: אַל תִּגְּעוּ בִּמְשִׁיחָי,

16 וּבִנְבִיאַי אַל תָּרֵעוּ: שִׁירוּ לַיָי כָּל הָאָרֶץ, בַּשְּׂרוּ מִיּוֹם

17 אֶל יוֹם יְשׁוּעָתוֹ: סַפְּרוּ בַגּוֹיִם אֶת כְּבוֹדוֹ, בְּכָל הָעַמִּים

18 נִפְלְאוֹתָיו: כִּי גָדוֹל יְיָ וּמְהֻלָּל מְאֹד, וְנוֹרָא הוּא עַל כָּל

19 אֱלֹהִים: כִּי כָּל אֱלֹהֵי הָעַמִּים אֱלִילִים | וַיְיָ שָׁמַיִם עָשָׂה:

20 הוֹד וְהָדָר לְפָנָיו, עֹז וְחֶדְוָה בִּמְקוֹמוֹ: הָבוּ לַיָי מִשְׁפְּחוֹת

21 עַמִּים, הָבוּ לַיָי כָּבוֹד וָעֹז: הָבוּ לַיָי כְּבוֹד שְׁמוֹ, שְׂאוּ

22 מִנְחָה וּבֹאוּ לְפָנָיו, הִשְׁתַּחֲווּ לַיָי בְּהַדְרַת קֹדֶשׁ: חִילוּ

23 מִלְּפָנָיו כָּל הָאָרֶץ, אַף תִּכּוֹן תֵּבֵל בַּל תִּמּוֹט: יִשְׂמְחוּ

השמים

הַשָּׁמַיִם וְתָגֵל הָאָרֶץ, וְיֹאמְרוּ בַגּוֹיִם יְיָ מָלָךְ: יִרְעַם הַיָּם וּמְלוֹאוֹ, יַעֲלֹץ הַשָּׂדֶה וְכָל אֲשֶׁר בּוֹ: אָז יְרַנְּנוּ עֲצֵי הַיָּעַר, מִלִּפְנֵי יְיָ כִּי בָא לִשְׁפּוֹט אֶת הָאָרֶץ: הוֹדוּ לַייָ כִּי טוֹב, כִּי לְעוֹלָם חַסְדּוֹ: וְאִמְרוּ הוֹשִׁיעֵנוּ אֱלֹהֵי יִשְׁעֵנוּ וְקַבְּצֵנוּ וְהַצִּילֵנוּ מִן הַגּוֹיִם לְהוֹדוֹת לְשֵׁם קָדְשֶׁךָ, לְהִשְׁתַּבֵּחַ בִּתְהִלָּתֶךָ: בָּרוּךְ יְיָ אֱלֹהֵי יִשְׂרָאֵל מִן הָעוֹלָם וְעַד הָעוֹלָם, וַיֹּאמְרוּ כָל הָעָם אָמֵן וְהַלֵּל לַייָ: רוֹמְמוּ יְיָ אֱלֹהֵינוּ וְהִשְׁתַּחֲווּ לַהֲדֹם רַגְלָיו, קָדוֹשׁ הוּא: רוֹמְמוּ יְיָ אֱלֹהֵינוּ וְהִשְׁתַּחֲווּ לְהַר קָדְשׁוֹ, כִּי קָדוֹשׁ יְיָ אֱלֹהֵינוּ: וְהוּא רַחוּם יְכַפֵּר עָוֹן וְלֹא יַשְׁחִית וְהִרְבָּה לְהָשִׁיב אַפּוֹ, וְלֹא יָעִיר כָּל חֲמָתוֹ: אַתָּה יְיָ לֹא תִכְלָא רַחֲמֶיךָ מִמֶּנִּי, חַסְדְּךָ וַאֲמִתְּךָ תָּמִיד יִצְּרוּנִי: זְכֹר רַחֲמֶיךָ יְיָ וַחֲסָדֶיךָ, כִּי מֵעוֹלָם הֵמָּה: תְּנוּ עֹז לֵאלֹהִים עַל יִשְׂרָאֵל גַּאֲוָתוֹ, וְעֻזּוֹ בַּשְּׁחָקִים: נוֹרָא אֱלֹהִים מִמִּקְדָּשֶׁיךָ, אֵל יִשְׂרָאֵל הוּא נוֹתֵן עֹז וְתַעֲצֻמוֹת לָעָם, בָּרוּךְ אֱלֹהִים: אֵל נְקָמוֹת יְיָ, אֵל נְקָמוֹת הוֹפִיעַ: הִנָּשֵׂא שֹׁפֵט הָאָרֶץ, הָשֵׁב גְּמוּל עַל גֵּאִים: לַייָ הַיְשׁוּעָה, עַל עַמְּךָ בִרְכָתֶךָ סֶּלָה: יְיָ צְבָאוֹת עִמָּנוּ, מִשְׂגָּב לָנוּ אֱלֹהֵי יַעֲקֹב סֶלָה: יְיָ צְבָאוֹת, אַשְׁרֵי אָדָם בֹּטֵחַ בָּךְ: יְיָ הוֹשִׁיעָה, הַמֶּלֶךְ יַעֲנֵנוּ בְיוֹם קָרְאֵנוּ: הוֹשִׁיעָה אֶת עַמֶּךָ וּבָרֵךְ אֶת נַחֲלָתֶךָ, וּרְעֵם וְנַשְּׂאֵם עַד הָעוֹלָם: נַפְשֵׁנוּ חִכְּתָה לַייָ, עֶזְרֵנוּ וּמָגִנֵּנוּ הוּא: כִּי בוֹ יִשְׂמַח לִבֵּנוּ, כִּי בְשֵׁם קָדְשׁוֹ בָטָחְנוּ: יְהִי חַסְדְּךָ יְיָ עָלֵינוּ, כַּאֲשֶׁר יִחַלְנוּ לָךְ: הַרְאֵנוּ יְיָ חַסְדֶּךָ, וְיֶשְׁעֲךָ תִּתֶּן לָנוּ: קוּמָה עֶזְרָתָה לָנוּ, וּפְדֵנוּ לְמַעַן חַסְדֶּךָ: אָנֹכִי יְיָ אֱלֹהֶיךָ הַמַּעַלְךָ מֵאֶרֶץ מִצְרָיִם, הַרְחֶב פִּיךָ וַאֲמַלְאֵהוּ:

אשרי

אַשְׁרֵי הָעָם שֶׁכָּכָה לּוֹ, אַשְׁרֵי הָעָם שֶׁיְיָ אֱלֹהָיו: וַאֲנִי בְּחַסְדְּךָ בָטַחְתִּי יָגֵל לִבִּי בִּישׁוּעָתֶךָ, אָשִׁירָה לַייָ כִּי גָמַל עָלָי:

מִזְמוֹר שִׁיר חֲנֻכַּת הַבַּיִת לְדָוִד: אֲרוֹמִמְךָ יְיָ כִּי דִלִּיתָנִי, וְלֹא שִׂמַּחְתָּ אֹיְבַי לִי: יְיָ אֱלֹהָי, שִׁוַּעְתִּי אֵלֶיךָ וַתִּרְפָּאֵנִי: יְיָ הֶעֱלִיתָ מִן שְׁאוֹל נַפְשִׁי, חִיִּיתַנִי מִיָּרְדִי בוֹר: זַמְּרוּ לַייָ חֲסִידָיו, וְהוֹדוּ לְזֵכֶר קָדְשׁוֹ: כִּי רֶגַע בְּאַפּוֹ, חַיִּים בִּרְצוֹנוֹ, בָּעֶרֶב יָלִין בֶּכִי וְלַבֹּקֶר רִנָּה: וַאֲנִי אָמַרְתִּי בְשַׁלְוִי, בַּל אֶמּוֹט לְעוֹלָם: יְיָ בִּרְצוֹנְךָ הֶעֱמַדְתָּה לְהַרְרִי עֹז, הִסְתַּרְתָּ פָנֶיךָ, הָיִיתִי נִבְהָל: אֵלֶיךָ יְיָ אֶקְרָא, וְאֶל יְיָ אֶתְחַנָּן: מַה בֶּצַע בְּדָמִי בְּרִדְתִּי אֶל שָׁחַת, הֲיוֹדְךָ עָפָר הֲיַגִּיד אֲמִתֶּךָ: שְׁמַע יְיָ וְחָנֵּנִי, יְיָ הֱיֵה עוֹזֵר לִי: הָפַכְתָּ מִסְפְּדִי לְמָחוֹל לִי, פִּתַּחְתָּ שַׂקִּי וַתְּאַזְּרֵנִי שִׂמְחָה: לְמַעַן יְזַמֶּרְךָ כָבוֹד וְלֹא יִדֹּם, יְיָ אֱלֹהַי, לְעוֹלָם אוֹדֶךָּ:

יְיָ מֶלֶךְ, יְיָ מָלָךְ, יְיָ יִמְלֹךְ לְעוֹלָם וָעֶד ב״פ: וְהָיָה יְיָ לְמֶלֶךְ עַל כָּל הָאָרֶץ בַּיּוֹם הַהוּא יִהְיֶה יְיָ אֶחָד וּשְׁמוֹ אֶחָד:

הוֹשִׁיעֵנוּ יְיָ אֱלֹהֵינוּ, וְקַבְּצֵנוּ מִן הַגּוֹיִם לְהוֹדוֹת לְשֵׁם קָדְשֶׁךָ, לְהִשְׁתַּבֵּחַ בִּתְהִלָּתֶךָ: בָּרוּךְ יְיָ אֱלֹהֵי יִשְׂרָאֵל מִן הָעוֹלָם וְעַד הָעוֹלָם וְאָמַר כָּל הָעָם אָמֵן הַלְלוּיָהּ: כֹּל הַנְּשָׁמָה תְּהַלֵּל יָהּ הַלְלוּיָהּ:

לַמְנַצֵּחַ[א] **מִזְמוֹר לְדָוִד: הַשָּׁמַיִם מְסַפְּרִים כְּבוֹד אֵל, וּמַעֲשֵׂה יָדָיו מַגִּיד הָרָקִיעַ: יוֹם לְיוֹם יַבִּיעַ אֹמֶר, וְלַיְלָה לְּלַיְלָה יְחַוֶּה דָּעַת: אֵין אֹמֶר וְאֵין דְּבָרִים, בְּלִי נִשְׁמָע קוֹלָם: בְּכָל הָאָרֶץ יָצָא קַוָּם וּבִקְצֵה תֵבֵל מִלֵּיהֶם, לַשֶּׁמֶשׁ שָׂם אֹהֶל בָּהֶם: וְהוּא כְּחָתָן יֹצֵא מֵחֻפָּתוֹ, יָשִׂישׂ כְּגִבּוֹר לָרוּץ אֹרַח: מִקְצֵה הַשָּׁמַיִם מוֹצָאוֹ, וּתְקוּפָתוֹ עַל**

קצותם

תו״א א) תהלים יט:

1 ‏ קְצוֹתָם, וְאֵין נִסְתָּר מֵחַמָּתוֹ: תּוֹרַת יְיָ

2 ‏ תְּמִימָה מְשִׁיבַת נָפֶשׁ, עֵדוּת יְיָ נֶאֱמָנָה

3 ‏ מַחְכִּימַת פֶּתִי: פִּקּוּדֵי יְיָ יְשָׁרִים מְשַׂמְּחֵי

4 ‏ לֵב, מִצְוַת יְיָ בָּרָה מְאִירַת עֵינָיִם: יִרְאַת

5 ‏ יְיָ טְהוֹרָה עוֹמֶדֶת לָעַד, מִשְׁפְּטֵי יְיָ

6 ‏ אֱמֶת, צָדְקוּ יַחְדָּו: הַנֶּחֱמָדִים מִזָּהָב

7 ‏ וּמִפַּז רָב, וּמְתוּקִים מִדְּבַשׁ וְנֹפֶת

8 ‏ צוּפִים: גַּם עַבְדְּךָ נִזְהָר בָּהֶם, בְּשָׁמְרָם

9 ‏ עֵקֶב רָב: שְׁגִיאוֹת מִי יָבִין, מִנִּסְתָּרוֹת

10 ‏ נַקֵּנִי: גַּם מִזֵּדִים חֲשֹׂךְ עַבְדֶּךָ, אַל

11 ‏ יִמְשְׁלוּ בִי, אָז אֵיתָם, וְנִקֵּיתִי מִפֶּשַׁע

12 ‏ רָב: יִהְיוּ לְרָצוֹן אִמְרֵי פִי, וְהֶגְיוֹן לִבִּי

13 ‏ לְפָנֶיךָ, יְיָ צוּרִי וְגוֹאֲלִי:

14 ‏ רַנְּנוּ צַדִּיקִים בַּיְיָ, לַיְשָׁרִים נָאוָה תְהִלָּה: הוֹדוּ לַייָ

15 ‏ בְּכִנּוֹר, בְּנֵבֶל עָשׂוֹר זַמְּרוּ לוֹ: שִׁירוּ לוֹ שִׁיר חָדָשׁ,

16 ‏ הֵיטִיבוּ נַגֵּן בִּתְרוּעָה: כִּי יָשָׁר דְּבַר יְיָ, וְכָל מַעֲשֵׂהוּ

17 ‏ בֶּאֱמוּנָה: אֹהֵב צְדָקָה וּמִשְׁפָּט, חֶסֶד יְיָ מָלְאָה הָאָרֶץ:

18 ‏ בִּדְבַר יְיָ שָׁמַיִם נַעֲשׂוּ, וּבְרוּחַ פִּיו כָּל צְבָאָם: כֹּנֵס כַּנֵּד

19 ‏ מֵי הַיָּם, נֹתֵן בְּאוֹצָרוֹת תְּהוֹמוֹת: יִירְאוּ מֵיְיָ כָּל הָאָרֶץ,

20 ‏ מִמֶּנּוּ יָגוּרוּ כָּל יֹשְׁבֵי תֵבֵל: כִּי הוּא אָמַר וַיֶּהִי, הוּא צִוָּה

‏ ויעמד

‏ תו״א א) תהלים לג:

וַיַּעֲמֹד: יְיָ הֵפִיר עֲצַת גּוֹיִם, הֵנִיא מַחְשְׁבוֹת עַמִּים: עֲצַת יְיָ לְעוֹלָם תַּעֲמֹד, מַחְשְׁבוֹת לִבּוֹ לְדֹר וָדֹר: אַשְׁרֵי הַגּוֹי אֲשֶׁר יְיָ אֱלֹהָיו, הָעָם | בָּחַר לְנַחֲלָה לוֹ: מִשָּׁמַיִם הִבִּיט יְיָ, רָאָה אֶת כָּל בְּנֵי הָאָדָם: מִמְּכוֹן שִׁבְתּוֹ הִשְׁגִּיחַ, אֶל כָּל יֹשְׁבֵי הָאָרֶץ: הַיֹּצֵר יַחַד לִבָּם, הַמֵּבִין אֶל כָּל מַעֲשֵׂיהֶם: אֵין הַמֶּלֶךְ נוֹשָׁע בְּרָב חָיִל, גִּבּוֹר לֹא יִנָּצֵל בְּרָב כֹּחַ: שֶׁקֶר הַסּוּס לִתְשׁוּעָה, וּבְרֹב חֵילוֹ לֹא יְמַלֵּט: הִנֵּה עֵין יְיָ אֶל יְרֵאָיו, לַמְיַחֲלִים לְחַסְדּוֹ: לְהַצִּיל מִמָּוֶת נַפְשָׁם, וּלְחַיּוֹתָם בָּרָעָב: נַפְשֵׁנוּ חִכְּתָה לַייָ, עֶזְרֵנוּ וּמָגִנֵּנוּ הוּא: כִּי בוֹ יִשְׂמַח לִבֵּנוּ, כִּי בְשֵׁם קָדְשׁוֹ בָטָחְנוּ:

יְהִי חַסְדְּךָ יְיָ עָלֵינוּ, כַּאֲשֶׁר יִחַלְנוּ לָךְ:

לְדָוִד[א] בְּשַׁנּוֹתוֹ אֶת טַעְמוֹ לִפְנֵי אֲבִימֶלֶךְ, וַיְגָרְשֵׁהוּ וַיֵּלַךְ: אֲבָרְכָה אֶת יְיָ בְּכָל עֵת, תָּמִיד תְּהִלָּתוֹ בְּפִי: בַּייָ תִּתְהַלֵּל נַפְשִׁי, יִשְׁמְעוּ עֲנָוִים וְיִשְׂמָחוּ: גַּדְּלוּ לַייָ אִתִּי, וּנְרוֹמְמָה שְׁמוֹ יַחְדָּו: דָּרַשְׁתִּי אֶת יְיָ וְעָנָנִי, וּמִכָּל מְגוּרוֹתַי הִצִּילָנִי: הִבִּיטוּ אֵלָיו וְנָהָרוּ, וּפְנֵיהֶם אַל יֶחְפָּרוּ: זֶה עָנִי קָרָא וַייָ שָׁמֵעַ, וּמִכָּל צָרוֹתָיו הוֹשִׁיעוֹ: חֹנֶה מַלְאַךְ יְיָ, סָבִיב לִירֵאָיו וַיְחַלְּצֵם: טַעֲמוּ וּרְאוּ כִּי טוֹב יְיָ, אַשְׁרֵי הַגֶּבֶר יֶחֱסֶה בּוֹ: יְראוּ[ב] אֶת יְיָ קְדֹשָׁיו, כִּי אֵין מַחְסוֹר לִירֵאָיו: כְּפִירִים רָשׁוּ וְרָעֵבוּ, וְדֹרְשֵׁי יְיָ לֹא יַחְסְרוּ כָל טוֹב: לְכוּ בָנִים שִׁמְעוּ לִי, יִרְאַת יְיָ אֲלַמֶּדְכֶם: מִי הָאִישׁ

החפץ

תו"א א) תהלים לד: ב) האל"ף נחה:

הֶחָפֵץ חַיִּים, אֹהֵב יָמִים לִרְאוֹת טוֹב: נְצֹר לְשׁוֹנְךָ מֵרָע, וּשְׂפָתֶיךָ מִדַּבֵּר מִרְמָה: סוּר מֵרָע וַעֲשֵׂה טוֹב, בַּקֵּשׁ שָׁלוֹם וְרָדְפֵהוּ: עֵינֵי יְיָ אֶל צַדִּיקִים, וְאָזְנָיו אֶל שַׁוְעָתָם: פְּנֵי יְיָ בְּעֹשֵׂי רָע, לְהַכְרִית מֵאֶרֶץ זִכְרָם: צָעֲקוּ וַייָ שָׁמֵעַ, וּמִכָּל צָרוֹתָם הִצִּילָם: קָרוֹב יְיָ לְנִשְׁבְּרֵי לֵב, וְאֶת דַּכְּאֵי רוּחַ יוֹשִׁיעַ: רַבּוֹת רָעוֹת צַדִּיק, וּמִכֻּלָּם יַצִּילֶנּוּ יְיָ: שֹׁמֵר כָּל עַצְמוֹתָיו, אַחַת מֵהֵנָּה לֹא נִשְׁבָּרָה: תְּמוֹתֵת רָשָׁע רָעָה, וְשֹׂנְאֵי צַדִּיק יֶאְשָׁמוּ: פּוֹדֶה יְיָ נֶפֶשׁ עֲבָדָיו, וְלֹא יֶאְשְׁמוּ כָּל הַחוֹסִים בּוֹ:

[א]תְּפִלָּה לְמֹשֶׁה אִישׁ הָאֱלֹהִים, אֲדֹנָי מָעוֹן אַתָּה הָיִיתָ לָּנוּ, בְּדֹר וָדֹר: בְּטֶרֶם הָרִים יֻלָּדוּ וַתְּחוֹלֵל אֶרֶץ וְתֵבֵל, וּמֵעוֹלָם עַד עוֹלָם אַתָּה אֵל: תָּשֵׁב אֱנוֹשׁ עַד דַּכָּא, וַתֹּאמֶר שׁוּבוּ בְנֵי אָדָם: כִּי אֶלֶף שָׁנִים בְּעֵינֶיךָ כְּיוֹם אֶתְמוֹל כִּי יַעֲבֹר, וְאַשְׁמוּרָה בַלָּיְלָה: זְרַמְתָּם שֵׁנָה יִהְיוּ, בַּבֹּקֶר כֶּחָצִיר יַחֲלֹף: בַּבֹּקֶר יָצִיץ וְחָלָף, לָעֶרֶב יְמוֹלֵל וְיָבֵשׁ: כִּי כָלִינוּ בְאַפֶּךָ, וּבַחֲמָתְךָ נִבְהָלְנוּ: שַׁתָּה שת כ׳ עֲוֹנֹתֵינוּ לְנֶגְדֶּךָ, עֲלֻמֵנוּ לִמְאוֹר פָּנֶיךָ: כִּי כָל יָמֵינוּ פָּנוּ בְעֶבְרָתֶךָ, כִּלִּינוּ שָׁנֵינוּ כְמוֹ הֶגֶה: יְמֵי שְׁנוֹתֵינוּ בָהֶם שִׁבְעִים שָׁנָה, וְאִם בִּגְבוּרֹת שְׁמוֹנִים שָׁנָה, וְרָהְבָּם עָמָל וָאָוֶן, כִּי גָז חִישׁ וַנָּעֻפָה: מִי יוֹדֵעַ עֹז אַפֶּךָ, וּכְיִרְאָתְךָ עֶבְרָתֶךָ: לִמְנוֹת יָמֵינוּ

תו"א א) תהלים צ:

כֵּן הוֹדַע, וְנָבִא לְבַב חָכְמָה: שׁוּבָה יְיָ עַד מָתָי, וְהִנָּחֵם עַל עֲבָדֶיךָ: שַׂבְּעֵנוּ בַבֹּקֶר חַסְדֶּךָ, וּנְרַנְּנָה וְנִשְׂמְחָה בְּכָל יָמֵינוּ: שַׂמְּחֵנוּ כִּימוֹת עִנִּיתָנוּ, שְׁנוֹת רָאִינוּ רָעָה: יֵרָאֶה אֶל עֲבָדֶיךָ פָעֳלֶךָ, וַהֲדָרְךָ עַל בְּנֵיהֶם: וִיהִי נֹעַם אֲדֹנָי אֱלֹהֵינוּ עָלֵינוּ וּמַעֲשֵׂה יָדֵינוּ כּוֹנְנָה עָלֵינוּ, וּמַעֲשֵׂה יָדֵינוּ כּוֹנְנֵהוּ:

יֹשֵׁב בְּסֵתֶר עֶלְיוֹן, בְּצֵל שַׁדַּי יִתְלוֹנָן: אֹמַר לַייָ מַחְסִי וּמְצוּדָתִי, אֱלֹהַי אֶבְטַח בּוֹ: כִּי הוּא יַצִּילְךָ מִפַּח יָקוּשׁ, מִדֶּבֶר הַוּוֹת: בְּאֶבְרָתוֹ יָסֶךְ לָךְ וְתַחַת כְּנָפָיו תֶּחְסֶה, צִנָּה וְסֹחֵרָה אֲמִתּוֹ: לֹא תִירָא מִפַּחַד לָיְלָה, מֵחֵץ יָעוּף יוֹמָם: מִדֶּבֶר בָּאֹפֶל יַהֲלֹךְ, מִקֶּטֶב יָשׁוּד צָהֳרָיִם: יִפֹּל מִצִּדְּךָ אֶלֶף וּרְבָבָה מִימִינֶךָ, אֵלֶיךָ לֹא יִגָּשׁ: רַק בְּעֵינֶיךָ תַבִּיט, וְשִׁלֻּמַת רְשָׁעִים תִּרְאֶה: כִּי אַתָּה יְיָ מַחְסִי, עֶלְיוֹן שַׂמְתָּ מְעוֹנֶךָ: לֹא תְאֻנֶּה אֵלֶיךָ רָעָה, וְנֶגַע לֹא יִקְרַב בְּאָהֳלֶךָ: כִּי מַלְאָכָיו יְצַוֶּה לָּךְ, לִשְׁמָרְךָ בְּכָל דְּרָכֶיךָ: עַל כַּפַּיִם יִשָּׂאוּנְךָ, פֶּן תִּגֹּף בָּאֶבֶן רַגְלֶךָ: עַל שַׁחַל וָפֶתֶן תִּדְרֹךְ, תִּרְמֹס כְּפִיר וְתַנִּין: כִּי בִי חָשַׁק וַאֲפַלְּטֵהוּ, אֲשַׂגְּבֵהוּ כִּי יָדַע שְׁמִי: יִקְרָאֵנִי וְאֶעֱנֵהוּ, עִמּוֹ אָנֹכִי בְצָרָה, אֲחַלְּצֵהוּ וַאֲכַבְּדֵהוּ: אֹרֶךְ יָמִים אַשְׂבִּיעֵהוּ, וְאַרְאֵהוּ בִּישׁוּעָתִי:

מִזְמוֹר, שִׁירוּ לַייָ שִׁיר חָדָשׁ כִּי נִפְלָאוֹת עָשָׂה, הוֹשִׁיעָה לּוֹ יְמִינוֹ וּזְרוֹעַ קָדְשׁוֹ: הוֹדִיעַ יְיָ יְשׁוּעָתוֹ, לְעֵינֵי הַגּוֹיִם גִּלָּה צִדְקָתוֹ: זָכַר חַסְדּוֹ וֶאֱמוּנָתוֹ לְבֵית יִשְׂרָאֵל, רָאוּ כָל אַפְסֵי אָרֶץ אֵת יְשׁוּעַת אֱלֹהֵינוּ: הָרִיעוּ לַייָ כָּל הָאָרֶץ, פִּצְחוּ וְרַנְּנוּ וְזַמֵּרוּ: זַמְּרוּ לַייָ בְּכִנּוֹר, בְּכִנּוֹר וְקוֹל זִמְרָה: בַּחֲצֹצְרוֹת וְקוֹל שׁוֹפָר, הָרִיעוּ לִפְנֵי הַמֶּלֶךְ יְיָ: יִרְעַם הַיָּם וּמְלֹאוֹ, תֵּבֵל וְיֹשְׁבֵי בָהּ: נְהָרוֹת יִמְחֲאוּ כָף, יַחַד הָרִים יְרַנֵּנוּ: לִפְנֵי יְיָ כִּי בָא לִשְׁפֹּט הָאָרֶץ, יִשְׁפֹּט תֵּבֵל בְּצֶדֶק, וְעַמִּים בְּמֵישָׁרִים:

שִׁיר[א] לַמַּעֲלוֹת, אֶשָּׂא עֵינַי אֶל הֶהָרִים, מֵאַיִן יָבוֹא עֶזְרִי: עֶזְרִי מֵעִם יְיָ, עֹשֵׂה שָׁמַיִם וָאָרֶץ: אַל יִתֵּן לַמּוֹט רַגְלֶךָ, אַל יָנוּם שֹׁמְרֶךָ: הִנֵּה לֹא יָנוּם וְלֹא יִישָׁן, שׁוֹמֵר יִשְׂרָאֵל: יְיָ שֹׁמְרֶךָ, יְיָ צִלְּךָ עַל יַד יְמִינֶךָ: יוֹמָם הַשֶּׁמֶשׁ לֹא יַכֶּכָּה, וְיָרֵחַ בַּלָּיְלָה: יְיָ יִשְׁמָרְךָ מִכָּל רָע, יִשְׁמֹר אֶת נַפְשֶׁךָ: יְיָ יִשְׁמָר צֵאתְךָ וּבוֹאֶךָ, מֵעַתָּה וְעַד עוֹלָם:

שיר

תו"א א) תהלים קכא:

שִׁיר[א] הַמַּעֲלוֹת לְדָוִד, שָׂמַחְתִּי בְּאֹמְרִים לִי, בֵּית יְיָ נֵלֵךְ: עֹמְדוֹת הָיוּ רַגְלֵינוּ, בִּשְׁעָרַיִךְ יְרוּשָׁלָיִם: יְרוּשָׁלַיִם הַבְּנוּיָה, כְּעִיר שֶׁחֻבְּרָה לָּהּ יַחְדָּו: שֶׁשָּׁם עָלוּ שְׁבָטִים שִׁבְטֵי יָהּ עֵדוּת לְיִשְׂרָאֵל, לְהוֹדוֹת לְשֵׁם יְיָ: כִּי שָׁמָּה יָשְׁבוּ כִסְאוֹת לְמִשְׁפָּט, כִּסְאוֹת לְבֵית דָּוִד: שַׁאֲלוּ שְׁלוֹם יְרוּשָׁלָיִם, יִשְׁלָיוּ אֹהֲבָיִךְ: יְהִי שָׁלוֹם בְּחֵילֵךְ, שַׁלְוָה בְּאַרְמְנוֹתָיִךְ: לְמַעַן אַחַי וְרֵעָי, אֲדַבְּרָה נָּא שָׁלוֹם בָּךְ: לְמַעַן בֵּית יְיָ אֱלֹהֵינוּ אֲבַקְשָׁה טוֹב לָךְ:

שִׁיר[ב] הַמַּעֲלוֹת, אֵלֶיךָ נָשָׂאתִי אֶת עֵינַי, הַיֹּשְׁבִי בַּשָּׁמָיִם: הִנֵּה כְעֵינֵי עֲבָדִים אֶל יַד אֲדוֹנֵיהֶם, כְּעֵינֵי שִׁפְחָה אֶל יַד גְּבִרְתָּהּ, כֵּן עֵינֵינוּ אֶל יְיָ אֱלֹהֵינוּ, עַד שֶׁיְּחָנֵּנוּ: חָנֵּנוּ יְיָ חָנֵּנוּ, כִּי רַב שָׂבַעְנוּ בוּז: רַבַּת שָׂבְעָה לָּהּ נַפְשֵׁנוּ הַלַּעַג הַשַּׁאֲנַנִּים, הַבּוּז לִגְאֵי יוֹנִים:

שִׁיר[ג] הַמַּעֲלוֹת לְדָוִד, לוּלֵי יְיָ שֶׁהָיָה לָנוּ, יֹאמַר נָא יִשְׂרָאֵל: לוּלֵי יְיָ שֶׁהָיָה לָנוּ, בְּקוּם עָלֵינוּ אָדָם: אֲזַי חַיִּים בְּלָעוּנוּ, בַּחֲרוֹת אַפָּם בָּנוּ: אֲזַי הַמַּיִם שְׁטָפוּנוּ, נַחְלָה עָבַר עַל נַפְשֵׁנוּ: אֲזַי עָבַר עַל נַפְשֵׁנוּ, הַמַּיִם הַזֵּידוֹנִים: בָּרוּךְ יְיָ, שֶׁלֹּא נְתָנָנוּ טֶרֶף לְשִׁנֵּיהֶם: נַפְשֵׁנוּ כְּצִפּוֹר נִמְלְטָה מִפַּח יוֹקְשִׁים, הַפַּח נִשְׁבָּר, וַאֲנַחְנוּ נִמְלָטְנוּ: עֶזְרֵנוּ בְּשֵׁם יְיָ, עֹשֵׂה שָׁמַיִם וָאָרֶץ:

הַלְלוּיָהּ[ד] | הַלְלוּ אֶת שֵׁם יְיָ, הַלְלוּ עַבְדֵי יְיָ: שֶׁעֹמְדִים בְּבֵית יְיָ בְּחַצְרוֹת בֵּית אֱלֹהֵינוּ: הַלְלוּיָהּ כִּי טוֹב יְיָ, זַמְּרוּ לִשְׁמוֹ כִּי נָעִים: כִּי יַעֲקֹב בָּחַר לוֹ יָהּ, יִשְׂרָאֵל לִסְגֻלָּתוֹ: כִּי אֲנִי יָדַעְתִּי כִּי גָדוֹל יְיָ, וַאֲדֹנֵינוּ מִכָּל אֱלֹהִים: כֹּל אֲשֶׁר חָפֵץ יְיָ עָשָׂה, בַּשָּׁמַיִם וּבָאָרֶץ בַּיַּמִּים וְכָל תְּהֹמוֹת: מַעֲלֶה נְשִׂאִים מִקְצֵה הָאָרֶץ, בְּרָקִים לַמָּטָר עָשָׂה, מוֹצֵא רוּחַ מֵאוֹצְרוֹתָיו: שֶׁהִכָּה בְּכוֹרֵי מִצְרָיִם, מֵאָדָם עַד בְּהֵמָה: שָׁלַח אוֹתֹת וּמֹפְתִים בְּתוֹכֵכִי מִצְרָיִם, בְּפַרְעֹה וּבְכָל עֲבָדָיו: שֶׁהִכָּה גּוֹיִם רַבִּים, וְהָרַג מְלָכִים עֲצוּמִים: לְסִיחוֹן מֶלֶךְ הָאֱמֹרִי וּלְעוֹג מֶלֶךְ הַבָּשָׁן, וּלְכֹל מַמְלְכוֹת כְּנָעַן: וְנָתַן אַרְצָם נַחֲלָה, נַחֲלָה לְיִשְׂרָאֵל עַמּוֹ: יְיָ, שִׁמְךָ לְעוֹלָם, יְיָ,

זכרך

תו"א א) תהלים קכב: ב) שם קכג: ג) שם קכד: ד) שם קלה:

זִכְרְךָ לְדֹר וָדֹר: כִּי יָדִין יְיָ עַמּוֹ, וְעַל עֲבָדָיו יִתְנֶחָם: עֲצַבֵּי הַגּוֹיִם כֶּסֶף וְזָהָב, מַעֲשֵׂה יְדֵי אָדָם: פֶּה לָהֶם וְלֹא יְדַבֵּרוּ, עֵינַיִם לָהֶם וְלֹא יִרְאוּ: אָזְנַיִם לָהֶם וְלֹא יַאֲזִינוּ, אַף אֵין יֶשׁ רוּחַ בְּפִיהֶם: כְּמוֹהֶם יִהְיוּ עֹשֵׂיהֶם, כֹּל אֲשֶׁר בֹּטֵחַ בָּהֶם: בֵּית יִשְׂרָאֵל בָּרְכוּ אֶת יְיָ, בֵּית אַהֲרֹן בָּרְכוּ אֶת יְיָ: בֵּית הַלֵּוִי בָּרְכוּ אֶת יְיָ, יִרְאֵי יְיָ בָּרְכוּ אֶת יְיָ: בָּרוּךְ יְיָ מִצִּיּוֹן, שֹׁכֵן יְרוּשָׁלָיִם, הַלְלוּיָהּ:

[א] הוֹדוּ לַייָ כִּי טוֹב, כִּי לְעוֹלָם חַסְדּוֹ:
הוֹדוּ לֵאלֹהֵי הָאֱלֹהִים, כִּי לְעוֹלָם חַסְדּוֹ:
הוֹדוּ לַאֲדֹנֵי הָאֲדֹנִים, כִּי לְעוֹלָם חַסְדּוֹ:
לְעֹשֵׂה נִפְלָאוֹת גְּדֹלוֹת לְבַדּוֹ, כִּי לְעוֹלָם חַסְדּוֹ:
לְעֹשֵׂה הַשָּׁמַיִם בִּתְבוּנָה, כִּי לְעוֹלָם חַסְדּוֹ:
לְרוֹקַע הָאָרֶץ עַל הַמָּיִם, כִּי לְעוֹלָם חַסְדּוֹ:
לְעֹשֵׂה אוֹרִים גְּדֹלִים, כִּי לְעוֹלָם חַסְדּוֹ:
אֶת הַשֶּׁמֶשׁ לְמֶמְשֶׁלֶת בַּיּוֹם, כִּי לְעוֹלָם חַסְדּוֹ:
אֶת הַיָּרֵחַ וְכוֹכָבִים לְמֶמְשְׁלוֹת בַּלָּיְלָה,
כִּי לְעוֹלָם חַסְדּוֹ:
לְמַכֵּה מִצְרַיִם בִּבְכוֹרֵיהֶם, כִּי לְעוֹלָם חַסְדּוֹ:
וַיּוֹצֵא יִשְׂרָאֵל מִתּוֹכָם, כִּי לְעוֹלָם חַסְדּוֹ:
בְּיָד חֲזָקָה וּבִזְרוֹעַ נְטוּיָה, כִּי לְעוֹלָם חַסְדּוֹ:
לְגֹזֵר יַם סוּף לִגְזָרִים, כִּי לְעוֹלָם חַסְדּוֹ:
וְהֶעֱבִיר יִשְׂרָאֵל בְּתוֹכוֹ, כִּי לְעוֹלָם חַסְדּוֹ:

ונער

תו"א א) תהלים קלו:

וְנִעֵר פַּרְעֹה וְחֵילוֹ בְיַם סוּף, הָ כִּי לְעוֹלָם חַסְדּוֹ:
לְמוֹלִיךְ עַמּוֹ בַּמִּדְבָּר, כִּי לְעוֹלָם חַסְדּוֹ:
לְמַכֵּה מְלָכִים גְּדוֹלִים, כִּי לְעוֹלָם חַסְדּוֹ:
וַיַּהֲרֹג מְלָכִים אַדִּירִים, כִּי לְעוֹלָם חַסְדּוֹ:
לְסִיחוֹן מֶלֶךְ הָאֱמֹרִי, כִּי לְעוֹלָם חַסְדּוֹ:
וּלְעוֹג מֶלֶךְ הַבָּשָׁן, כִּי לְעוֹלָם חַסְדּוֹ:
וְנָתַן אַרְצָם לְנַחֲלָה, וָ כִּי לְעוֹלָם חַסְדּוֹ:
נַחֲלָה לְיִשְׂרָאֵל עַבְדּוֹ, כִּי לְעוֹלָם חַסְדּוֹ:
שֶׁבְּשִׁפְלֵנוּ זָכַר לָנוּ, כִּי לְעוֹלָם חַסְדּוֹ:
וַיִּפְרְקֵנוּ מִצָּרֵינוּ, כִּי לְעוֹלָם חַסְדּוֹ:
נֹתֵן לֶחֶם לְכָל בָּשָׂר, כִּי לְעוֹלָם חַסְדּוֹ:
הוֹדוּ לְאֵל הַשָּׁמָיִם, הָ כִּי לְעוֹלָם חַסְדּוֹ:

הָאַדֶּרֶת וְהָאֱמוּנָה לְחַי עוֹלָמִים:
הַבִּינָה וְהַבְּרָכָה לְחַי עוֹלָמִים:
הַגַּאֲוָה וְהַגְּדֻלָּה לְחַי עוֹלָמִים:
הַדֵּעָה וְהַדִּבּוּר לְחַי עוֹלָמִים:
הַהוֹד וְהֶהָדָר לְחַי עוֹלָמִים:
הַוַּעַד וְהַוָּתִיקוּת לְחַי עוֹלָמִים:
הַזִּיו וְהַזֹּהַר לְחַי עוֹלָמִים:
הַחַיִל וְהַחֹסֶן לְחַי עוֹלָמִים:
הַטֶּכֶס וְהַטֹּהַר לְחַי עוֹלָמִים:
הַיִּחוּד וְהַיִּרְאָה לְחַי עוֹלָמִים:
הַכֶּתֶר וְהַכָּבוֹד לְחַי עוֹלָמִים:
הַלֶּקַח וְהַלִּבּוּב לְחַי עוֹלָמִים:
הַמְּלוּכָה וְהַמֶּמְשָׁלָה לְחַי עוֹלָמִים:
הַנּוֹי וְהַנֵּצַח לְחַי עוֹלָמִים:
הַסִּגּוּי וְהַשֶּׂגֶב לְחַי עוֹלָמִים:
הָעוֹז וְהָעֲנָוָה לְחַי עוֹלָמִים:
הַפְּדוּת וְהַפְּאֵר לְחַי עוֹלָמִים:
הַצְּבִי וְהַצֶּדֶק לְחַי עוֹלָמִים:
הַקְּרִיאָה וְהַקְּדֻשָּׁה לְחַי עוֹלָמִים:
הָרוֹן וְהָרוֹמֵמוּת לְחַי עוֹלָמִים:
הַשִּׁיר וְהַשֶּׁבַח לְחַי עוֹלָמִים:
הַתְּהִלָּה וְהַתִּפְאֶרֶת לְחַי עוֹלָמִים:

לְשֵׁם יִחוּד קוּדְשָׁא בְּרִיךְ הוּא וּשְׁכִינְתֵּהּ לְיַחֲדָא שֵׁם י"ה בו"ה בְּיִחוּדָא שְׁלִים בְּשֵׁם כָּל יִשְׂרָאֵל:

בָּרוּךְ שֶׁאָמַר וְהָיָה הָעוֹלָם, בָּרוּךְ הוּא, בָּרוּךְ אוֹמֵר וְעוֹשֶׂה, בָּרוּךְ גּוֹזֵר וּמְקַיֵּם, בָּרוּךְ עוֹשֶׂה בְרֵאשִׁית, בָּרוּךְ מְרַחֵם עַל הָאָרֶץ, בָּרוּךְ מְרַחֵם עַל הַבְּרִיּוֹת, בָּרוּךְ מְשַׁלֵּם שָׂכָר טוֹב לִירֵאָיו, בָּרוּךְ חַי לָעַד וְקַיָּם לָנֶצַח, בָּרוּךְ פּוֹדֶה וּמַצִּיל, בָּרוּךְ שְׁמוֹ. בָּרוּךְ אַתָּה יְיָ אֱלֹהֵינוּ מֶלֶךְ הָעוֹלָם, הָאֵל, אָב הָרַחֲמָן, הַמְהֻלָּל בְּפֶה עַמּוֹ, מְשֻׁבָּח וּמְפֹאָר בִּלְשׁוֹן חֲסִידָיו וַעֲבָדָיו, וּבְשִׁירֵי דָוִד עַבְדֶּךָ. נְהַלֶּלְךָ יְיָ אֱלֹהֵינוּ, בִּשְׁבָחוֹת וּבִזְמִירוֹת, נְגַדֶּלְךָ וּנְשַׁבֵּחֲךָ וּנְפָאֶרְךָ, וְנַמְלִיכְךָ וְנַזְכִּיר שִׁמְךָ מַלְכֵּנוּ אֱלֹהֵינוּ. יָחִיד, חֵי הָעוֹלָמִים מֶלֶךְ. מְשֻׁבָּח וּמְפֹאָר עֲדֵי עַד שְׁמוֹ הַגָּדוֹל. בָּרוּךְ אַתָּה יְיָ, מֶלֶךְ מְהֻלָּל בַּתִּשְׁבָּחוֹת:

מִזְמוֹר שִׁיר לְיוֹם הַשַּׁבָּת: טוֹב לְהֹדוֹת לַייָ, וּלְזַמֵּר לְשִׁמְךָ עֶלְיוֹן: לְהַגִּיד בַּבֹּקֶר חַסְדֶּךָ, וֶאֱמוּנָתְךָ בַּלֵּילוֹת: עֲלֵי עָשׂוֹר וַעֲלֵי נָבֶל, עֲלֵי הִגָּיוֹן בְּכִנּוֹר: כִּי שִׂמַּחְתַּנִי יְיָ בְּפָעֳלֶךָ, בְּמַעֲשֵׂי יָדֶיךָ אֲרַנֵּן: מַה גָּדְלוּ מַעֲשֶׂיךָ יְיָ, מְאֹד עָמְקוּ מַחְשְׁבֹתֶיךָ: אִישׁ בַּעַר לֹא יֵדָע, וּכְסִיל לֹא יָבִין אֶת זֹאת: בִּפְרֹחַ רְשָׁעִים כְּמוֹ עֵשֶׂב, וַיָּצִיצוּ כָּל פֹּעֲלֵי אָוֶן, לְהִשָּׁמְדָם עֲדֵי עַד: וְאַתָּה מָרוֹם לְעֹלָם יְיָ: כִּי הִנֵּה אֹיְבֶיךָ יְיָ, כִּי הִנֵּה אֹיְבֶיךָ יֹאבֵדוּ, יִתְפָּרְדוּ כָּל פֹּעֲלֵי אָוֶן: וַתָּרֶם כִּרְאֵים קַרְנִי, בַּלֹּתִי בְּשֶׁמֶן רַעֲנָן: וַתַּבֵּט עֵינִי בְּשׁוּרָי, בַּקָּמִים עָלַי מְרֵעִים, תִּשְׁמַעְנָה אָזְנָי: צַדִּיק כַּתָּמָר יִפְרָח, כְּאֶרֶז בַּלְּבָנוֹן יִשְׂגֶּה: שְׁתוּלִים בְּבֵית יְיָ, בְּחַצְרוֹת אֱלֹהֵינוּ יַפְרִיחוּ: עוֹד יְנוּבוּן בְּשֵׂיבָה, דְּשֵׁנִים וְרַעֲנַנִּים יִהְיוּ: לְהַגִּיד כִּי יָשָׁר יְיָ, צוּרִי וְלֹא עַוְלָתָה עלתה כ׳ בּוֹ:

1   יְיָ מָלָךְ גֵּאוּת לָבֵשׁ, לָבֵשׁ יְיָ, עֹז הִתְאַזָּר, אַף תִּכּוֹן תֵּבֵל בַּל תִּמּוֹט:

2   נָכוֹן כִּסְאֲךָ מֵאָז, מֵעוֹלָם אָתָּה: נָשְׂאוּ נְהָרוֹת יְיָ, נָשְׂאוּ נְהָרוֹת

3   קוֹלָם, יִשְׂאוּ נְהָרוֹת דָּכְיָם: מִקֹּלוֹת מַיִם רַבִּים אַדִּירִים מִשְׁבְּרֵי

4   יָם, אַדִּיר בַּמָּרוֹם יְיָ: עֵדֹתֶיךָ נֶאֶמְנוּ מְאֹד, לְבֵיתְךָ נָאֲוָה (נ״א נַאֲוָה)

5   קֹדֶשׁ, יְיָ, לְאֹרֶךְ יָמִים:

6   יְהִי כְבוֹד יְיָ לְעוֹלָם, יִשְׂמַח יְיָ בְּמַעֲשָׂיו. יְהִי שֵׁם יְיָ

7   מְבֹרָךְ, מֵעַתָּה וְעַד עוֹלָם. מִמִּזְרַח שֶׁמֶשׁ עַד

8   מְבוֹאוֹ, מְהֻלָּל שֵׁם יְיָ. רָם עַל כָּל גּוֹיִם׀ יְיָ, עַל הַשָּׁמַיִם

9   כְּבוֹדוֹ. יְיָ, שִׁמְךָ לְעוֹלָם, יְיָ, זִכְרְךָ לְדֹר וָדֹר. יְיָ בַּשָּׁמַיִם

10   הֵכִין כִּסְאוֹ, וּמַלְכוּתוֹ בַּכֹּל מָשָׁלָה. יִשְׂמְחוּ הַשָּׁמַיִם

11   וְתָגֵל הָאָרֶץ, וְיֹאמְרוּ בַגּוֹיִם יְיָ מָלָךְ. יְיָ מֶלֶךְ, יְיָ מָלָךְ,

12   יְיָ יִמְלֹךְ לְעוֹלָם וָעֶד. יְיָ מֶלֶךְ עוֹלָם וָעֶד, אָבְדוּ גוֹיִם

13   מֵאַרְצוֹ. יְיָ הֵפִיר עֲצַת גּוֹיִם, הֵנִיא מַחְשְׁבוֹת עַמִּים.

14   רַבּוֹת מַחֲשָׁבוֹת בְּלֶב אִישׁ, וַעֲצַת יְיָ הִיא תָקוּם. עֲצַת

15   יְיָ לְעוֹלָם תַּעֲמֹד, מַחְשְׁבוֹת לִבּוֹ לְדֹר וָדֹר. כִּי הוּא

16   אָמַר וַיֶּהִי, הוּא צִוָּה וַיַּעֲמֹד. כִּי בָחַר יְיָ בְּצִיּוֹן, אִוָּהּ

17   לְמוֹשָׁב לוֹ. כִּי יַעֲקֹב בָּחַר לוֹ יָהּ, יִשְׂרָאֵל לִסְגֻלָּתוֹ.

18   כִּי לֹא יִטֹּשׁ יְיָ עַמּוֹ, וְנַחֲלָתוֹ לֹא יַעֲזֹב. וְהוּא רַחוּם,

19   יְכַפֵּר עָוֹן וְלֹא יַשְׁחִית, וְהִרְבָּה לְהָשִׁיב אַפּוֹ, וְלֹא יָעִיר

20   כָּל חֲמָתוֹ. יְיָ הוֹשִׁיעָה הַמֶּלֶךְ יַעֲנֵנוּ בְיוֹם קָרְאֵנוּ:

21   **אַשְׁרֵי** יוֹשְׁבֵי בֵיתֶךָ, עוֹד יְהַלְלוּךָ סֶּלָה: אַשְׁרֵי

22   הָעָם שֶׁכָּכָה לּוֹ, אַשְׁרֵי הָעָם שֶׁיְיָ אֱלֹהָיו:

23   תְּהִלָּה לְדָוִד, אֲרוֹמִמְךָ אֱלוֹהַי הַמֶּלֶךְ, וַאֲבָרְכָה

24   שִׁמְךָ לְעוֹלָם וָעֶד: בְּכָל יוֹם אֲבָרְכֶךָּ, וַאֲהַלְלָה

25   שִׁמְךָ לְעוֹלָם וָעֶד: גָּדוֹל יְיָ וּמְהֻלָּל מְאֹד, וְלִגְדֻלָּתוֹ

אין

1 אֵין חֵקֶר: דּוֹר לְדוֹר יְשַׁבַּח מַעֲשֶׂיךָ, וּגְבוּרֹתֶיךָ

2 יַגִּידוּ: הֲדַר כְּבוֹד הוֹדֶךָ, וְדִבְרֵי נִפְלְאֹתֶיךָ

3 אָשִׂיחָה: וֶעֱזוּז נוֹרְאֹתֶיךָ יֹאמֵרוּ, וּגְדֻלָּתְךָ

4 אֲסַפְּרֶנָּה: זֵכֶר רַב טוּבְךָ יַבִּיעוּ, וְצִדְקָתְךָ יְרַנֵּנוּ:

5 חַנּוּן וְרַחוּם יְיָ, אֶרֶךְ אַפַּיִם וּגְדָל חָסֶד: טוֹב יְיָ לַכֹּל,

6 וְרַחֲמָיו עַל כָּל מַעֲשָׂיו: יוֹדוּךָ יְיָ כָּל מַעֲשֶׂיךָ

7 וַחֲסִידֶיךָ יְבָרְכוּכָה: כְּבוֹד מַלְכוּתְךָ יֹאמֵרוּ,

8 וּגְבוּרָתְךָ יְדַבֵּרוּ: לְהוֹדִיעַ לִבְנֵי הָאָדָם גְּבוּרֹתָיו,

9 וּכְבוֹד הֲדַר מַלְכוּתוֹ: מַלְכוּתְךָ מַלְכוּת כָּל

10 עוֹלָמִים, וּמֶמְשַׁלְתְּךָ בְּכָל דֹּר וָדֹר: סוֹמֵךְ יְיָ לְכָל

11 הַנֹּפְלִים, וְזוֹקֵף לְכָל הַכְּפוּפִים: עֵינֵי כֹל אֵלֶיךָ

12 יְשַׂבֵּרוּ, וְאַתָּה נוֹתֵן לָהֶם אֶת אָכְלָם בְּעִתּוֹ: פּוֹתֵחַ

13 אֶת יָדֶךָ, וּמַשְׂבִּיעַ לְכָל חַי רָצוֹן: צַדִּיק יְיָ בְּכָל

14 דְּרָכָיו, וְחָסִיד בְּכָל מַעֲשָׂיו: קָרוֹב יְיָ לְכָל קֹרְאָיו,

15 לְכֹל אֲשֶׁר יִקְרָאֻהוּ בֶאֱמֶת: רְצוֹן יְרֵאָיו יַעֲשֶׂה,

16 וְאֶת שַׁוְעָתָם יִשְׁמַע וְיוֹשִׁיעֵם: שׁוֹמֵר יְיָ אֶת כָּל

17 אֹהֲבָיו, וְאֵת כָּל הָרְשָׁעִים יַשְׁמִיד: תְּהִלַּת יְיָ

18 יְדַבֶּר פִּי, וִיבָרֵךְ כָּל בָּשָׂר שֵׁם קָדְשׁוֹ לְעוֹלָם וָעֶד:

19 וַאֲנַחְנוּ נְבָרֵךְ יָהּ, מֵעַתָּה וְעַד עוֹלָם הַלְלוּיָהּ:

20 הַלְלוּיָהּ, הַלְלִי נַפְשִׁי אֶת יְיָ: אֲהַלְלָה יְיָ בְּחַיָּי, אֲזַמְּרָה

21 לֵאלֹהַי בְּעוֹדִי: אַל תִּבְטְחוּ בִנְדִיבִים, בְּבֶן

22 אָדָם שֶׁאֵין לוֹ תְשׁוּעָה: תֵּצֵא רוּחוֹ יָשֻׁב לְאַדְמָתוֹ,

1 בַּיּוֹם הַהוּא אָבְדוּ עֶשְׁתֹּנֹתָיו: אַשְׁרֵי שֶׁאֵל יַעֲקֹב

2 בְּעֶזְרוֹ, שִׂבְרוֹ עַל יְיָ אֱלֹהָיו: עֹשֶׂה שָׁמַיִם וָאָרֶץ, אֶת

3 הַיָּם וְאֶת כָּל אֲשֶׁר בָּם, הַשֹּׁמֵר אֱמֶת לְעוֹלָם: עֹשֶׂה

4 מִשְׁפָּט לַעֲשׁוּקִים, נֹתֵן לֶחֶם לָרְעֵבִים, יְיָ מַתִּיר אֲסוּרִים:

5 יְיָ פֹּקֵחַ עִוְרִים, יְיָ זֹקֵף כְּפוּפִים, יְיָ אֹהֵב צַדִּיקִים: יְיָ שֹׁמֵר

6 אֶת גֵּרִים, יָתוֹם וְאַלְמָנָה יְעוֹדֵד, וְדֶרֶךְ רְשָׁעִים יְעַוֵּת:

7 יִמְלֹךְ יְיָ לְעוֹלָם, אֱלֹהַיִךְ צִיּוֹן, לְדֹר וָדֹר הַלְלוּיָהּ:

8 הַלְלוּיָהּ, כִּי טוֹב זַמְּרָה אֱלֹהֵינוּ, כִּי נָעִים נָאוָה

9 תְהִלָּה: בּוֹנֵה יְרוּשָׁלַיִם יְיָ, נִדְחֵי

10 יִשְׂרָאֵל יְכַנֵּס: הָרוֹפֵא לִשְׁבוּרֵי לֵב, וּמְחַבֵּשׁ

11 לְעַצְּבוֹתָם: מוֹנֶה מִסְפָּר לַכּוֹכָבִים, לְכֻלָּם שֵׁמוֹת

12 יִקְרָא: גָּדוֹל אֲדוֹנֵינוּ וְרַב כֹּחַ, לִתְבוּנָתוֹ אֵין מִסְפָּר:

13 מְעוֹדֵד עֲנָוִים יְיָ, מַשְׁפִּיל רְשָׁעִים עֲדֵי אָרֶץ: עֱנוּ

14 לַיְיָ בְּתוֹדָה, זַמְּרוּ לֵאלֹהֵינוּ בְכִנּוֹר: הַמְכַסֶּה

15 שָׁמַיִם בְּעָבִים, הַמֵּכִין לָאָרֶץ מָטָר, הַמַּצְמִיחַ

16 הָרִים חָצִיר: נוֹתֵן לִבְהֵמָה לַחְמָהּ, לִבְנֵי עֹרֵב

17 אֲשֶׁר יִקְרָאוּ: לֹא בִגְבוּרַת הַסּוּס יֶחְפָּץ, לֹא

18 בְשׁוֹקֵי הָאִישׁ יִרְצֶה: רוֹצֶה יְיָ אֶת יְרֵאָיו, אֶת

19 הַמְיַחֲלִים לְחַסְדּוֹ: שַׁבְּחִי יְרוּשָׁלַיִם אֶת יְיָ, הַלְלִי

20 אֱלֹהַיִךְ צִיּוֹן: כִּי חִזַּק בְּרִיחֵי שְׁעָרָיִךְ, בֵּרַךְ:

21 בָּנַיִךְ בְּקִרְבֵּךְ: הַשָּׂם גְּבוּלֵךְ שָׁלוֹם, חֵלֶב חִטִּים

22 יַשְׂבִּיעֵךְ: הַשֹּׁלֵחַ אִמְרָתוֹ אָרֶץ, עַד מְהֵרָה יָרוּץ

דברו

1 דְּבָרוֹ: הַנֹּתֵן שֶׁלֶג כַּצָּמֶר, כְּפוֹר כָּאֵפֶר יְפַזֵּר:

2 מַשְׁלִיךְ קַרְחוֹ כְפִתִּים, לִפְנֵי קָרָתוֹ מִי יַעֲמֹד:

3 יִשְׁלַח דְּבָרוֹ וְיַמְסֵם, יַשֵּׁב רוּחוֹ יִזְּלוּ מָיִם: מַגִּיד

4 דְּבָרָיו לְיַעֲקֹב, חֻקָּיו וּמִשְׁפָּטָיו לְיִשְׂרָאֵל: לֹא

5 עָשָׂה כֵן לְכָל גּוֹי, וּמִשְׁפָּטִים בַּל יְדָעוּם, הַלְלוּיָהּ:

6 הַלְלוּיָהּ, הַלְלוּ אֶת יְיָ מִן הַשָּׁמַיִם, הַלְלוּהוּ בַּמְּרוֹמִים:

7 הַלְלוּהוּ כָל מַלְאָכָיו, הַלְלוּהוּ כָּל צְבָאָיו:

8 הַלְלוּהוּ שֶׁמֶשׁ וְיָרֵחַ, הַלְלוּהוּ כָּל כּוֹכְבֵי אוֹר: הַלְלוּהוּ

9 שְׁמֵי הַשָּׁמָיִם, וְהַמַּיִם אֲשֶׁר מֵעַל הַשָּׁמָיִם: יְהַלְלוּ אֶת

10 שֵׁם יְיָ, כִּי הוּא צִוָּה וְנִבְרָאוּ: וַיַּעֲמִידֵם לָעַד לְעוֹלָם, חָק

11 נָתַן וְלֹא יַעֲבוֹר: הַלְלוּ אֶת יְיָ מִן הָאָרֶץ, תַּנִּינִים וְכָל

12 תְּהֹמוֹת: אֵשׁ וּבָרָד שֶׁלֶג וְקִיטוֹר, רוּחַ סְעָרָה עֹשָׂה

13 דְבָרוֹ: הֶהָרִים וְכָל גְּבָעוֹת, עֵץ פְּרִי וְכָל אֲרָזִים:

14 הַחַיָּה וְכָל בְּהֵמָה, רֶמֶשׂ וְצִפּוֹר כָּנָף: מַלְכֵי אֶרֶץ וְכָל

15 לְאֻמִּים, שָׂרִים וְכָל שֹׁפְטֵי אָרֶץ: בַּחוּרִים וְגַם בְּתוּלוֹת,

16 זְקֵנִים עִם נְעָרִים: יְהַלְלוּ אֶת שֵׁם יְיָ כִּי נִשְׂגָּב שְׁמוֹ

17 לְבַדּוֹ, הוֹדוֹ עַל אֶרֶץ וְשָׁמָיִם: וַיָּרֶם קֶרֶן לְעַמּוֹ, תְּהִלָּה

18 לְכָל חֲסִידָיו, לִבְנֵי יִשְׂרָאֵל עַם קְרֹבוֹ, הַלְלוּיָהּ:

19 הַלְלוּיָהּ, שִׁירוּ לַיְיָ שִׁיר חָדָשׁ, תְּהִלָּתוֹ בִּקְהַל

20 חֲסִידִים: יִשְׂמַח יִשְׂרָאֵל בְּעֹשָׂיו, בְּנֵי

21 צִיּוֹן יָגִילוּ בְמַלְכָּם: יְהַלְלוּ שְׁמוֹ בְמָחוֹל, בְּתֹף

22 וְכִנּוֹר יְזַמְּרוּ לוֹ: כִּי רוֹצֶה יְיָ בְּעַמּוֹ, יְפָאֵר עֲנָוִים

23 בִּישׁוּעָה: יַעְלְזוּ חֲסִידִים בְּכָבוֹד, יְרַנְּנוּ עַל

משכבותם

1 מִשְׁכְּבוֹתָם: רוֹמְמוֹת אֵל בִּגְרוֹנָם, וְחֶרֶב פִּיפִיּוֹת

2 בְּיָדָם: לַעֲשׂוֹת נְקָמָה בַּגּוֹיִם, תּוֹכֵחוֹת בַּלְאֻמִּים:

3 לֶאְסֹר מַלְכֵיהֶם בְּזִקִּים, וְנִכְבְּדֵיהֶם בְּכַבְלֵי

4 בַרְזֶל: לַעֲשׂוֹת בָּהֶם מִשְׁפָּט כָּתוּב, הָדָר הוּא

5 לְכָל חֲסִידָיו הַלְלוּיָהּ:

6 הַלְלוּיָהּ, הַלְלוּ אֵל בְּקָדְשׁוֹ, הַלְלוּהוּ בִּרְקִיעַ עֻזּוֹ:

7 הַלְלוּהוּ בִגְבוּרֹתָיו, הַלְלוּהוּ כְּרֹב גֻּדְלוֹ: הַלְלוּהוּ

8 בְּתֵקַע שׁוֹפָר, הַלְלוּהוּ בְּנֵבֶל וְכִנּוֹר: הַלְלוּהוּ בְּתֹף וּמָחוֹל,

9 הַלְלוּהוּ בְּמִנִּים וְעֻגָב: הַלְלוּהוּ בְּצִלְצְלֵי שָׁמַע, הַלְלוּהוּ

10 בְּצִלְצְלֵי תְרוּעָה: כֹּל הַנְּשָׁמָה תְּהַלֵּל יָהּ הַלְלוּיָהּ: כֹּל

11 הַנְּשָׁמָה תְּהַלֵּל יָהּ הַלְלוּיָהּ:

12 בָּרוּךְ יְיָ לְעוֹלָם אָמֵן וְאָמֵן: בָּרוּךְ יְיָ מִצִּיּוֹן שֹׁכֵן

13 יְרוּשָׁלָיִם הַלְלוּיָהּ: בָּרוּךְ יְיָ אֱלֹהִים אֱלֹהֵי

14 יִשְׂרָאֵל, עֹשֵׂה נִפְלָאוֹת לְבַדּוֹ: וּבָרוּךְ שֵׁם כְּבוֹדוֹ

15 לְעוֹלָם, וְיִמָּלֵא כְבוֹדוֹ אֶת כָּל הָאָרֶץ, אָמֵן וְאָמֵן:

16 וַיְבָרֶךְ דָּוִיד אֶת יְיָ לְעֵינֵי כָּל הַקָּהָל, וַיֹּאמֶר דָּוִיד: בָּרוּךְ

17 אַתָּה יְיָ אֱלֹהֵי יִשְׂרָאֵל אָבִינוּ, מֵעוֹלָם וְעַד

18 עוֹלָם. לְךָ יְיָ הַגְּדֻלָּה, וְהַגְּבוּרָה, וְהַתִּפְאֶרֶת, וְהַנֵּצַח,

19 וְהַהוֹד, כִּי כֹל בַּשָּׁמַיִם וּבָאָרֶץ, לְךָ יְיָ הַמַּמְלָכָה

20 וְהַמִּתְנַשֵּׂא, לְכֹל לְרֹאשׁ. וְהָעֹשֶׁר וְהַכָּבוֹד מִלְּפָנֶיךָ,

21 וְאַתָּה מוֹשֵׁל בַּכֹּל, וּבְיָדְךָ, כֹּחַ וּגְבוּרָה, וּבְיָדְךָ, לְגַדֵּל

22 וּלְחַזֵּק לַכֹּל. וְעַתָּה אֱלֹהֵינוּ, מוֹדִים אֲנַחְנוּ לָךְ, וּמְהַלְלִים

23 לְשֵׁם תִּפְאַרְתֶּךָ. וִיבָרְכוּ שֵׁם כְּבוֹדֶךָ, וּמְרוֹמַם עַל כָּל

1 בְּרָכָה וּתְהִלָּה . אַתָּה הוּא יְיָ לְבַדֶּךָ , אַתָּה עָשִׂיתָ

2 אֶת הַשָּׁמַיִם , שְׁמֵי הַשָּׁמַיִם , וְכָל צְבָאָם , הָאָרֶץ וְכָל

3 אֲשֶׁר עָלֶיהָ , הַיַּמִּים וְכָל אֲשֶׁר בָּהֶם , וְאַתָּה מְחַיֶּה אֶת

4 כֻּלָּם , וּצְבָא הַשָּׁמַיִם לְךָ מִשְׁתַּחֲוִים : אַתָּה הוּא יְיָ

5 הָאֱלֹהִים אֲשֶׁר בָּחַרְתָּ בְּאַבְרָם , וְהוֹצֵאתוֹ מֵאוּר כַּשְׂדִּים ,

6 וְשַׂמְתָּ שְּׁמוֹ אַבְרָהָם . וּמָצָאתָ אֶת לְבָבוֹ נֶאֱמָן לְפָנֶיךָ

7 וְכָרוֹת עִמּוֹ הַבְּרִית , לָתֵת אֶת אֶרֶץ הַכְּנַעֲנִי הַחִתִּי

8 הָאֱמֹרִי וְהַפְּרִזִּי וְהַיְבוּסִי וְהַגִּרְגָּשִׁי לָתֵת לְזַרְעוֹ ,

9 וַתָּקֶם אֶת דְּבָרֶיךָ כִּי צַדִּיק אָתָּה : וַתֵּרֶא אֶת עֳנִי

10 אֲבוֹתֵינוּ בְּמִצְרָיִם , וְאֶת זַעֲקָתָם שָׁמַעְתָּ עַל יַם סוּף :

11 וַתִּתֵּן אֹתֹת וּמֹפְתִים בְּפַרְעֹה וּבְכָל עֲבָדָיו וּבְכָל עַם

12 אַרְצוֹ , כִּי יָדַעְתָּ כִּי הֵזִידוּ עֲלֵיהֶם , וַתַּעַשׂ לְךָ שֵׁם כְּהַיּוֹם

13 הַזֶּה : וְהַיָּם בָּקַעְתָּ לִפְנֵיהֶם וַיַּעַבְרוּ בְתוֹךְ הַיָּם בַּיַּבָּשָׁה ,

14 וְאֶת רֹדְפֵיהֶם הִשְׁלַכְתָּ בִמְצוֹלֹת , כְּמוֹ אֶבֶן בְּמַיִם עַזִּים :

15 וַיּוֹשַׁע יְיָ בַּיּוֹם הַהוּא אֶת יִשְׂרָאֵל מִיַּד מִצְרָיִם , וַיַּרְא

16 יִשְׂרָאֵל אֶת מִצְרַיִם מֵת עַל שְׂפַת הַיָּם : וַיַּרְא

17 יִשְׂרָאֵל אֶת הַיָּד הַגְּדֹלָה אֲשֶׁר עָשָׂה יְיָ בְּמִצְרַיִם וַיִּירְאוּ

18 הָעָם אֶת יְיָ , וַיַּאֲמִינוּ בַּיְיָ וּבְמֹשֶׁה עַבְדּוֹ :

19 אָז יָשִׁיר מֹשֶׁה וּבְנֵי יִשְׂרָאֵל אֶת הַשִּׁירָה הַזֹּאת לַיְיָ

20 וַיֹּאמְרוּ לֵאמֹר : אָשִׁירָה לַיְיָ כִּי גָאֹה גָּאָה סוּס וְרֹכְבוֹ

21 רָמָה בַיָּם : עָזִּי וְזִמְרָת יָהּ , וַיְהִי לִי לִישׁוּעָה , זֶה אֵלִי

22 וְאַנְוֵהוּ , אֱלֹהֵי אָבִי וַאֲרֹמְמֶנְהוּ : יְיָ אִישׁ מִלְחָמָה , יְיָ שְׁמוֹ :

23 מַרְכְּבֹת פַּרְעֹה וְחֵילוֹ יָרָה בַיָּם , וּמִבְחַר שָׁלִשָׁיו טֻבְּעוּ

24 בְיַם סוּף : תְּהֹמֹת יְכַסְיֻמוּ , יָרְדוּ בִמְצוֹלֹת כְּמוֹ אָבֶן :

25 יְמִינְךָ יְיָ נֶאְדָּרִי בַּכֹּחַ , יְמִינְךָ יְיָ תִּרְעַץ אוֹיֵב : וּבְרֹב

גאונך

1   גְּאוֹנְךָ תַּהֲרֹס קָמֶיךָ , תְּשַׁלַּח חֲרֹנְךָ יֹאכְלֵמוֹ כַּקַּשׁ :

2   וּבְרוּחַ אַפֶּיךָ נֶעֶרְמוּ מַיִם, נִצְּבוּ כְמוֹ נֵד נֹזְלִים, קָפְאוּ

3   תְהֹמֹת בְּלֶב יָם: אָמַר אוֹיֵב, אֶרְדֹּף אַשִּׂיג אֲחַלֵּק שָׁלָל,

4   תִּמְלָאֵמוֹ נַפְשִׁי, אָרִיק חַרְבִּי, תּוֹרִישֵׁמוֹ יָדִי: נָשַׁפְתָּ

5   בְרוּחֲךָ כִּסָּמוֹ יָם, צָלֲלוּ כַּעוֹפֶרֶת בְּמַיִם אַדִּירִים: מִי

6   כָמֹכָה בָּאֵלִם יְיָ, מִי כָּמֹכָה נֶאְדָּר בַּקֹּדֶשׁ, נוֹרָא תְהִלֹּת,

7   עֹשֵׂה פֶלֶא: נָטִיתָ יְמִינְךָ, תִּבְלָעֵמוֹ אָרֶץ: נָחִיתָ בְחַסְדְּךָ

8   עַם זוּ גָּאָלְתָּ, נֵהַלְתָּ בְעָזְּךָ אֶל נְוֵה קָדְשֶׁךָ: שָׁמְעוּ

9   עַמִּים יִרְגָּזוּן , חִיל אָחַז יֹשְׁבֵי פְּלָשֶׁת: אָז נִבְהֲלוּ

10   אַלּוּפֵי אֱדוֹם אֵילֵי מוֹאָב יֹאחֲזֵמוֹ רָעַד , נָמֹגוּ כֹּל

11   יֹשְׁבֵי כְנָעַן: תִּפֹּל עֲלֵיהֶם אֵימָתָה וָפַחַד בִּגְדֹל זְרוֹעֲךָ

12   יִדְּמוּ כָּאָבֶן, עַד יַעֲבֹר עַמְּךָ יְיָ, עַד יַעֲבֹר עַם זוּ קָנִיתָ:

13   תְּבִאֵמוֹ וְתִטָּעֵמוֹ בְּהַר נַחֲלָתְךָ, מָכוֹן לְשִׁבְתְּךָ פָּעַלְתָּ

14   יְיָ, מִקְּדָשׁ אֲדֹנָי, כּוֹנֲנוּ יָדֶיךָ: יְיָ יִמְלֹךְ לְעֹלָם וָעֶד: יְיָ

15   יִמְלֹךְ לְעֹלָם וָעֶד: יְיָ מַלְכוּתֵהּ קָאֵם לְעָלַם וּלְעָלְמֵי עָלְמַיָּא:

16   כִּי בָא סוּס פַּרְעֹה בְּרִכְבּוֹ וּבְפָרָשָׁיו בַּיָּם וַיָּשֶׁב יְיָ עֲלֵהֶם

17   אֶת מֵי הַיָּם וּבְנֵי יִשְׂרָאֵל הָלְכוּ בַיַּבָּשָׁה בְּתוֹךְ הַיָּם: כִּי

18   לַיְיָ הַמְּלוּכָה וּמוֹשֵׁל בַּגּוֹיִם: וְעָלוּ מוֹשִׁיעִים בְּהַר צִיּוֹן

19   לִשְׁפֹּט אֶת הַר עֵשָׂו, וְהָיְתָה לַיְיָ הַמְּלוּכָה: וְהָיָה יְיָ לְמֶלֶךְ

20   עַל כָּל הָאָרֶץ, בַּיּוֹם הַהוּא יִהְיֶה יְיָ אֶחָד וּשְׁמוֹ אֶחָד:

21   **נִשְׁמַת** כָּל חַי תְּבָרֵךְ אֶת שִׁמְךָ יְיָ

22   אֱלֹהֵינוּ, וְרוּחַ כָּל בָּשָׂר תְּפָאֵר

23   וּתְרוֹמֵם זִכְרְךָ מַלְכֵּנוּ תָּמִיד , מִן

24   הָעוֹלָם וְעַד הָעוֹלָם אַתָּה אֵל ,

ומבלעדיך

1 וּמִבַּלְעָדֶיךָ אֵין לָנוּ מֶלֶךְ גּוֹאֵל וּמוֹשִׁיעַ,

2 פּוֹדֶה וּמַצִּיל וּמְפַרְנֵס וְעוֹנֶה וּמְרַחֵם

3 בְּכָל עֵת צָרָה וְצוּקָה, אֵין לָנוּ מֶלֶךְ

4 אֶלָּא אָתָּה, אֱלֹהֵי הָרִאשׁוֹנִים

5 וְהָאַחֲרוֹנִים. אֱלוֹהַּ כָּל בְּרִיּוֹת, אֲדוֹן

6 כָּל תּוֹלָדוֹת, הַמְהֻלָּל בְּרֹב

7 הַתִּשְׁבָּחוֹת, הַמְנַהֵג עוֹלָמוֹ בְּחֶסֶד

8 וּבְרִיּוֹתָיו בְּרַחֲמִים, וַיְיָ הִנֵּה לֹא יָנוּם

9 וְלֹא יִישָׁן, הַמְעוֹרֵר יְשֵׁנִים, וְהַמֵּקִיץ

10 נִרְדָּמִים, וְהַמֵּשִׂיחַ אִלְּמִים, וְהַמַּתִּיר

11 אֲסוּרִים, וְהַסּוֹמֵךְ נוֹפְלִים, וְהַזּוֹקֵף

12 כְּפוּפִים, לְךָ לְבַדְּךָ אֲנַחְנוּ מוֹדִים. אִלּוּ

13 פִינוּ מָלֵא שִׁירָה כַיָּם, וּלְשׁוֹנֵנוּ רִנָּה

14 כַּהֲמוֹן גַּלָּיו, וְשִׂפְתוֹתֵינוּ שֶׁבַח

15 כְּמֶרְחֲבֵי רָקִיעַ, וְעֵינֵינוּ מְאִירוֹת

16 כַּשֶּׁמֶשׁ וְכַיָּרֵחַ, וְיָדֵינוּ פְרוּשׂוֹת כְּנִשְׁרֵי

17 שָׁמָיִם, וְרַגְלֵינוּ קַלּוֹת כָּאַיָּלוֹת, אֵין אָנוּ

18 מַסְפִּיקִים לְהוֹדוֹת לְךָ יְיָ אֱלֹהֵינוּ וֵאלֹהֵי

19 אֲבוֹתֵינוּ, וּלְבָרֵךְ אֶת שִׁמְךָ עַל אַחַת

מאלף

מֵאֶלֶף אַלְפֵי אֲלָפִים, וְרִבֵּי רְבָבוֹת פְּעָמִים, הַטּוֹבוֹת נִסִּים וְנִפְלָאוֹת שֶׁעָשִׂיתָ עִמָּנוּ וְעִם אֲבוֹתֵינוּ מִלְּפָנִים: מִמִּצְרַיִם גְּאַלְתָּנוּ, יְיָ אֱלֹהֵינוּ, מִבֵּית עֲבָדִים פְּדִיתָנוּ, בְּרָעָב זַנְתָּנוּ, וּבְשָׂבָע כִּלְכַּלְתָּנוּ, מֵחֶרֶב הִצַּלְתָּנוּ, וּמִדֶּבֶר מִלַּטְתָּנוּ, וּמֵחֳלָיִם רָעִים וְנֶאֱמָנִים דִּלִּיתָנוּ. עַד הֵנָּה עֲזָרוּנוּ רַחֲמֶיךָ, וְלֹא עֲזָבוּנוּ חֲסָדֶיךָ, וְאַל תִּטְּשֵׁנוּ יְיָ אֱלֹהֵינוּ, לָנֶצַח. עַל כֵּן, אֵבָרִים שֶׁפִּלַּגְתָּ בָּנוּ, וְרוּחַ וּנְשָׁמָה שֶׁנָּפַחְתָּ בְּאַפֵּינוּ, וְלָשׁוֹן אֲשֶׁר שַׂמְתָּ בְּפִינוּ. הֵן הֵם: יוֹדוּ וִיבָרְכוּ וִישַׁבְּחוּ וִיפָאֲרוּ, וִירוֹמְמוּ וְיַעֲרִיצוּ, וְיַקְדִּישׁוּ וְיַמְלִיכוּ אֶת שִׁמְךָ מַלְכֵּנוּ. כִּי כָל פֶּה, לְךָ יוֹדֶה. וְכָל לָשׁוֹן לְךָ תִשָּׁבַע. וְכָל עַיִן לְךָ תְצַפֶּה. וְכָל בֶּרֶךְ, לְךָ תִכְרַע. וְכָל קוֹמָה, לְפָנֶיךָ תִשְׁתַּחֲוֶה. וְכָל הַלְּבָבוֹת יִירָאוּךָ. וְכָל קֶרֶב וּכְלָיוֹת יְזַמְּרוּ לִשְׁמֶךָ.

כַּדָּבָר שֶׁכָּתוּב, כָּל[א] עַצְמוֹתַי תֹּאמַרְנָה: יְיָ, מִי כָמוֹךָ, מַצִּיל עָנִי מֵחָזָק מִמֶּנּוּ, וְעָנִי וְאֶבְיוֹן מִגֹּזְלוֹ. מִי יִדְמֶה לָּךְ, וּמִי יִשְׁוֶה לָּךְ, וּמִי יַעֲרָךְ לָךְ, הָאֵל הַגָּדוֹל, הַגִּבּוֹר וְהַנּוֹרָא, אֵל עֶלְיוֹן קֹנֵה שָׁמַיִם וָאָרֶץ. נְהַלֶּלְךָ, וּנְשַׁבֵּחֲךָ, וּנְפָאֶרְךָ, וּנְבָרֵךְ אֶת שֵׁם קָדְשֶׁךָ, כָּאָמוּר: לְדָוִד[ב], בָּרְכִי נַפְשִׁי אֶת יְיָ, וְכָל קְרָבַי אֶת שֵׁם קָדְשׁוֹ:

הָאֵל בְּתַעֲצֻמוֹת עֻזֶּךָ, הַגָּדוֹל בִּכְבוֹד שְׁמֶךָ, הַגִּבּוֹר לָנֶצַח, וְהַנּוֹרָא בְּנוֹרְאוֹתֶיךָ:

הַמֶּלֶךְ הַיּוֹשֵׁב עַל כִּסֵּא רָם וְנִשָּׂא:

שׁוֹכֵן עַד, מָרוֹם וְקָדוֹשׁ שְׁמוֹ, וְכָתוּב רַנְּנוּ[ג] צַדִּיקִים בַּייָ, לַיְשָׁרִים נָאוָה תְהִלָּה. בְּפִי יְשָׁרִים תִּתְרוֹמָם, וּבְשִׂפְתֵי צַדִּיקִים תִּתְבָּרַךְ,

ובלשון

תו"א א) תהלים לה י: ב) שם קג א: ג) שם לג א:

1 וּבִלְשׁוֹן חֲסִידִים תִּתְקַדַּשׁ, וּבְקֶרֶב קְדוֹשִׁים

2 תִּתְהַלָּל:

3 וּבְמַקְהֲלוֹת רִבְבוֹת עַמְּךָ בֵּית יִשְׂרָאֵל, בְּרִנָּה יִתְפָּאַר

4 שִׁמְךָ מַלְכֵּנוּ בְּכָל דּוֹר וָדוֹר. שֶׁכֵּן חוֹבַת

5 כָּל הַיְצוּרִים, לְפָנֶיךָ יְיָ אֱלֹהֵינוּ וֵאלֹהֵי אֲבוֹתֵינוּ: לְהוֹדוֹת,

6 לְהַלֵּל, לְשַׁבֵּחַ, לְפָאֵר, לְרוֹמֵם, לְהַדֵּר, לְבָרֵךְ,

7 לְעַלֵּה וּלְקַלֵּס, עַל כָּל דִּבְרֵי שִׁירוֹת וְתִשְׁבְּחוֹת דָּוִד בֶּן

8 יִשַׁי עַבְדְּךָ, מְשִׁיחֶךָ:

9 וּבְכֵן יִשְׁתַּבַּח שִׁמְךָ לָעַד מַלְכֵּנוּ, הָאֵל, הַמֶּלֶךְ

10 הַגָּדוֹל וְהַקָּדוֹשׁ, בַּשָּׁמַיִם וּבָאָרֶץ. כִּי לְךָ

11 נָאֶה יְיָ אֱלֹהֵינוּ וֵאלֹהֵי אֲבוֹתֵינוּ לְעוֹלָם וָעֶד: שִׁיר

12 וּשְׁבָחָה, הַלֵּל וְזִמְרָה, עֹז וּמֶמְשָׁלָה, נֶצַח, גְּדֻלָּה

13 וּגְבוּרָה, תְּהִלָּה וְתִפְאֶרֶת, קְדֻשָּׁה וּמַלְכוּת:

14 בְּרָכוֹת וְהוֹדָאוֹת, לְשִׁמְךָ הַגָּדוֹל וְהַקָּדוֹשׁ,

15 וּמֵעוֹלָם עַד עוֹלָם אַתָּה אֵל. בָּרוּךְ אַתָּה יְיָ, אֵל

16 מֶלֶךְ גָּדוֹל וּמְהֻלָּל בַּתִּשְׁבָּחוֹת, אֵל הַהוֹדָאוֹת,

17 אֲדוֹן הַנִּפְלָאוֹת, בּוֹרֵא כָּל הַנְּשָׁמוֹת, רִבּוֹן כָּל

18 הַמַּעֲשִׂים, הַבּוֹחֵר בְּשִׁירֵי זִמְרָה, מֶלֶךְ יָחִיד

19 חֵי הָעוֹלָמִים: ח״ק

בעשי״ת מיום א׳ דר״ה עד אחר יוה״כ קודם חצי קדיש יאמר זה:

תהלים קל

20 **שִׁיר** הַמַּעֲלוֹת מִמַּעֲמַקִּים קְרָאתִיךָ יְיָ: אֲדֹנָי שִׁמְעָה בְקוֹלִי תִּהְיֶינָה אָזְנֶיךָ

21 קַשֻּׁבוֹת, לְקוֹל תַּחֲנוּנָי: אִם עֲוֹנוֹת תִּשְׁמָר יָהּ אֲדֹנָי מִי יַעֲמֹד: כִּי עִמְּךָ

22 הַסְּלִיחָה לְמַעַן תִּוָּרֵא: קִוִּיתִי יְיָ קִוְּתָה נַפְשִׁי, וְלִדְבָרוֹ הוֹחָלְתִּי: נַפְשִׁי לַאדֹנָי,

23 מִשֹּׁמְרִים לַבֹּקֶר שֹׁמְרִים לַבֹּקֶר: יַחֵל יִשְׂרָאֵל אֶל יְיָ כִּי עִם יְיָ הַחֶסֶד, וְהַרְבֵּה

24 עִמּוֹ פְדוּת: וְהוּא יִפְדֶּה אֶת יִשְׂרָאֵל מִכֹּל עֲוֹנוֹתָיו: ח״ק

חזן ‎1 בָּרְכוּ אֶת יְיָ הַמְבֹרָךְ:

קהל וחזן ‎2 בָּרוּךְ יְיָ הַמְבֹרָךְ לְעוֹלָם וָעֶד:

ואין עונין אחריו אמן:

‎3 בָּרוּךְ אַתָּה יְיָ, אֱלֹהֵינוּ מֶלֶךְ הָעוֹלָם,
‎4 יוֹצֵר אוֹר וּבוֹרֵא חֹשֶׁךְ, עֹשֶׂה
‎5 שָׁלוֹם וּבוֹרֵא אֶת הַכֹּל:

כשחל יום טוב בחול אומרים המאיר לארץ(*

‎6 הַכֹּל יוֹדוּךָ, וְהַכֹּל יְשַׁבְּחוּךָ, וְהַכֹּל יֹאמְרוּ: אֵין
‎7 קָדוֹשׁ כַּיְיָ. הַכֹּל יְרוֹמְמוּךָ סֶּלָה, יוֹצֵר
‎8 הַכֹּל. הָאֵל, הַפּוֹתֵחַ בְּכָל יוֹם דַּלְתוֹת שַׁעֲרֵי
‎9 מִזְרָח, וּבוֹקֵעַ חַלּוֹנֵי רָקִיעַ, מוֹצִיא חַמָּה מִמְּקוֹמָהּ,
‎10 וּלְבָנָה מִמְּכוֹן שִׁבְתָּהּ, וּמֵאִיר לְעוֹלָם כֻּלּוֹ
‎11 וּלְיוֹשְׁבָיו, שֶׁבָּרָא בְּמִדַּת הָרַחֲמִים. הַמֵּאִיר
‎12 לָאָרֶץ וְלַדָּרִים עָלֶיהָ בְּרַחֲמִים, וּבְטוּבוֹ מְחַדֵּשׁ
‎13 בְּכָל יוֹם תָּמִיד מַעֲשֵׂה בְרֵאשִׁית. מָה רַבּוּ
‎14 מַעֲשֶׂיךָ יְיָ, כֻּלָּם בְּחָכְמָה עָשִׂיתָ, מָלְאָה הָאָרֶץ
‎15 קִנְיָנֶךָ. הַמֶּלֶךְ הַמְרוֹמָם לְבַדּוֹ מֵאָז, הַמְשֻׁבָּח
‎16 וְהַמְפֹאָר וְהַמִּתְנַשֵּׂא מִימוֹת עוֹלָם. אֱלֹהֵי עוֹלָם,

ברחמיך

(* ליום טוב כשחל בחול

‎17 הַמֵּאִיר לָאָרֶץ, וְלַדָּרִים עָלֶיהָ, בְּרַחֲמִים. וּבְטוּבוֹ
‎18 מְחַדֵּשׁ בְּכָל יוֹם תָּמִיד מַעֲשֵׂה בְרֵאשִׁית.
‎19 מָה רַבּוּ מַעֲשֶׂיךָ יְיָ, כֻּלָּם בְּחָכְמָה עָשִׂיתָ, מָלְאָה

הארץ

1 בְּרַחֲמֶיךָ הָרַבִּים רַחֵם עָלֵינוּ, אֲדוֹן עֻזֵּנוּ צוּר

2 מִשְׂגַּבֵּנוּ, מָגֵן יִשְׁעֵנוּ מִשְׂגָּב בַּעֲדֵנוּ. אֵין עֲרוֹךְ

3 לְךָ וְאֵין זוּלָתֶךָ, אֶפֶס בִּלְתֶּךָ, וּמִי דוֹמֶה לָךְ. אֵין

4 עֲרוֹךְ לְךָ יְיָ אֱלֹהֵינוּ בָּעוֹלָם הַזֶּה, וְאֵין זוּלָתְךָ

5 מַלְכֵּנוּ לְחַיֵּי הָעוֹלָם הַבָּא. אֶפֶס בִּלְתְּךָ גּוֹאֲלֵנוּ

6 לִימוֹת הַמָּשִׁיחַ, וְאֵין דּוֹמֶה לְךָ מוֹשִׁיעֵנוּ

7 לִתְחִיַּת הַמֵּתִים:

8 אֵל אָדוֹן עַל כָּל הַמַּעֲשִׂים, בָּרוּךְ

9 וּמְבֹרָךְ בְּפִי כָּל הַנְּשָׁמָה, גָּדְלוֹ

10 וְטוּבוֹ מָלֵא עוֹלָם, דַּעַת וּתְבוּנָה

11 סֹבְבִים הוֹדוֹ. הַמִּתְגָּאֶה עַל חַיּוֹת

12 הַקֹּדֶשׁ, וְנֶהְדָּר בְּכָבוֹד עַל הַמֶּרְכָּבָה,

13 זְכוּת וּמִישׁוֹר לִפְנֵי כִסְאוֹ, חֶסֶד

14 וְרַחֲמִים מָלֵא כְבוֹדוֹ. טוֹבִים מְאוֹרוֹת,

15 שֶׁבָּרָא אֱלֹהֵינוּ. יְצָרָם בְּדַעַת בְּבִינָה

16 וּבְהַשְׂכֵּל, כֹּחַ וּגְבוּרָה נָתַן בָּהֶם,

17 לִהְיוֹת מוֹשְׁלִים בְּקֶרֶב תֵּבֵל. מְלֵאִים

זיו

ליום טוב כשחל בחול

18 הָאָרֶץ קִנְיָנֶךָ. הַמֶּלֶךְ הַמְּרוֹמָם לְבַדּוֹ מֵאָז, הַמְּשֻׁבָּח,

19 וְהַמְּפֹאָר, וְהַמִּתְנַשֵּׂא מִימוֹת עוֹלָם. אֱלֹהֵי עוֹלָם,

ברחמיך

1 זִיו וּמְפִיקִים נֹגַהּ, נָאֶה זִיוָם בְּכָל

2 הָעוֹלָם, שְׂמֵחִים בְּצֵאתָם וְשָׂשִׂים

3 בְּבוֹאָם, עֹשִׂים בְּאֵימָה רְצוֹן קוֹנָם.

4 פְּאֵר וְכָבוֹד נוֹתְנִים לִשְׁמוֹ, צָהֳלָה

5 וְרִנָּה לְזֵכֶר מַלְכוּתוֹ, קָרָא לַשֶּׁמֶשׁ

6 וַיִּזְרַח אוֹר, רָאָה וְהִתְקִין צוּרַת הַלְּבָנָה.

7 שֶׁבַח נוֹתְנִים לוֹ כָּל צְבָא מָרוֹם,

8 תִּפְאֶרֶת וּגְדֻלָּה, שְׂרָפִים וְחַיּוֹת וְאוֹפַנֵּי

9 הַקֹּדֶשׁ:

(שו"ע) (א) שכח לומר לאל אשר שבת בתוך התפלה נכון לאומרו אחר התפלה הואיל והוא מדבר בשבח השבת ומכל
מקום אם נזכר בתוך התפלה אפילו קודם שסיים ברכת יוצר לא יחזור לראש הברכה בשבילו:

10 לָאֵל אֲשֶׁר שָׁבַת מִכָּל הַמַּעֲשִׂים, בַּיּוֹם הַשְּׁבִיעִי

11 נִתְעַלָּה וְיָשַׁב עַל כִּסֵּא כְבוֹדוֹ. תִּפְאֶרֶת

12 עָטָה לְיוֹם הַמְּנוּחָה, עֹנֶג קָרָא לְיוֹם הַשַּׁבָּת,

13 זֶה שֶׁבַח יוֹם הַשְּׁבִיעִי, שֶׁבּוֹ שָׁבַת אֵל

מכל

ליום טוב כשחל בחול

14 בְּרַחֲמֶיךָ הָרַבִּים רַחֵם עָלֵינוּ, אֲדוֹן עֻזֵּנוּ, צוּר מִשְׂגַּבֵּנוּ,

15 מָגֵן יִשְׁעֵנוּ, מִשְׂגָּב בַּעֲדֵנוּ. אֵל בָּרוּךְ, גְּדוֹל דֵּעָה, הֵכִין

16 וּפָעַל זָהֳרֵי חַמָּה, טוֹב יָצַר כָּבוֹד לִשְׁמוֹ, מְאוֹרוֹת נָתַן

17 סְבִיבוֹת עֻזּוֹ, פִּנּוֹת צְבָאָיו קְדוֹשִׁים, רוֹמְמֵי שַׁדַּי תָּמִיד

18 מְסַפְּרִים כְּבוֹד אֵל וּקְדֻשָּׁתוֹ. תִּתְבָּרַךְ יְיָ אֱלֹהֵינוּ

בשמים

1 מִכָּל מְלַאכְתּוֹ. וְיוֹם הַשְּׁבִיעִי מְשַׁבֵּחַ וְאוֹמֵר:

2 מִזְמוֹר שִׁיר לְיוֹם הַשַּׁבָּת, טוֹב לְהוֹדוֹת לַיְיָ.

3 לְפִיכָךְ יְפָאֲרוּ וִיבָרְכוּ לָאֵל כָּל יְצוּרָיו, שֶׁבַח,

4 יְקָר וּגְדֻלָּה וְכָבוֹד, יִתְּנוּ לָאֵל מֶלֶךְ יוֹצֵר כֹּל,

5 הַמַּנְחִיל מְנוּחָה לְעַמּוֹ יִשְׂרָאֵל בִּקְדֻשָּׁתוֹ בְּיוֹם

6 שַׁבַּת קֹדֶשׁ. שִׁמְךָ יְיָ אֱלֹהֵינוּ יִתְקַדַּשׁ, וְזִכְרְךָ

7 מַלְכֵּנוּ יִתְפָּאַר, בַּשָּׁמַיִם מִמַּעַל וְעַל הָאָרֶץ

8 מִתָּחַת. עַל כָּל שֶׁבַח מַעֲשֵׂה יָדֶיךָ, וְעַל מְאוֹרֵי

9 אוֹר שֶׁיָּצַרְתָּ יְפָאֲרוּךָ סֶּלָה:

10 תִּתְבָּרַךְ לָנֶצַח צוּרֵנוּ מַלְכֵּנוּ וְגֹאֲלֵנוּ בּוֹרֵא קְדוֹשִׁים,

11 יִשְׁתַּבַּח שִׁמְךָ לָעַד מַלְכֵּנוּ יוֹצֵר מְשָׁרְתִים,

12 וַאֲשֶׁר מְשָׁרְתָיו, כֻּלָּם עוֹמְדִים בְּרוּם עוֹלָם, וּמַשְׁמִיעִים

13 בְּיִרְאָה יַחַד בְּקוֹל, דִּבְרֵי אֱלֹהִים חַיִּים וּמֶלֶךְ עוֹלָם. כֻּלָּם

14 אֲהוּבִים, כֻּלָּם בְּרוּרִים, כֻּלָּם גִּבּוֹרִים, כֻּלָּם קְדוֹשִׁים, וְכֻלָּם

15 עֹשִׂים בְּאֵימָה וּבְיִרְאָה רְצוֹן קוֹנָם. וְכֻלָּם פּוֹתְחִים אֶת

16 פִּיהֶם בִּקְדֻשָּׁה וּבְטָהֳרָה, בְּשִׁירָה וּבְזִמְרָה, וּמְבָרְכִים

17 וּמְשַׁבְּחִים, וּמְפָאֲרִים וּמַעֲרִיצִים וּמַקְדִּישִׁים וּמַמְלִיכִים:

18 אֶת שֵׁם הָאֵל, הַמֶּלֶךְ הַגָּדוֹל, הַגִּבּוֹר וְהַנּוֹרָא

19 קָדוֹשׁ הוּא. וְכֻלָּם מְקַבְּלִים עֲלֵיהֶם עַל

מלכות

ליום טוב כשחל בחול

20 בַּשָּׁמַיִם מִמַּעַל, וְעַל הָאָרֶץ מִתָּחַת, עַל כָּל שֶׁבַח

21 מַעֲשֵׂה יָדֶיךָ, וְעַל מְאוֹרֵי אוֹר שֶׁיָּצַרְתָּ יְפָאֲרוּךָ סֶּלָה:

תתברך לנצח

מַלְכוּת שָׁמַיִם זֶה מִזֶּה, וְנוֹתְנִים בְּאַהֲבָה רְשׁוּת זֶה לָזֶה, לְהַקְדִּישׁ לְיוֹצְרָם בְּנַחַת־רוּחַ, בְּשָׂפָה בְרוּרָה וּבִנְעִימָה קְדוֹשָׁה. כֻּלָּם כְּאֶחָד עוֹנִים בְּאֵימָה וְאוֹמְרִים בְּיִרְאָה:

קָדוֹשׁ ׀ קָדוֹשׁ קָדוֹשׁ יְיָ צְבָאוֹת, מְלֹא כָל הָאָרֶץ כְּבוֹדוֹ:

וְהָאוֹפַנִּים וְחַיּוֹת הַקֹּדֶשׁ בְּרַעַשׁ גָּדוֹל מִתְנַשְּׂאִים לְעֻמַּת הַשְּׂרָפִים, לְעֻמָּתָם מְשַׁבְּחִים וְאוֹמְרִים:

בָּרוּךְ כְּבוֹד יְיָ מִמְּקוֹמוֹ:

לְאֵל בָּרוּךְ נְעִימוֹת יִתֵּנוּ, לְמֶלֶךְ אֵל חַי וְקַיָּם, זְמִרוֹת יֹאמֵרוּ וְתִשְׁבָּחוֹת יַשְׁמִיעוּ, כִּי הוּא לְבַדּוֹ מָרוֹם וְקָדוֹשׁ, פּוֹעֵל גְּבוּרוֹת, עוֹשֶׂה חֲדָשׁוֹת, בַּעַל מִלְחָמוֹת, זוֹרֵעַ צְדָקוֹת, מַצְמִיחַ יְשׁוּעוֹת, בּוֹרֵא רְפוּאוֹת, נוֹרָא תְהִלּוֹת, אֲדוֹן הַנִּפְלָאוֹת, הַמְחַדֵּשׁ בְּטוּבוֹ בְּכָל יוֹם תָּמִיד מַעֲשֵׂה בְרֵאשִׁית. כָּאָמוּר, לְעֹשֵׂה אוֹרִים גְּדֹלִים, כִּי לְעוֹלָם חַסְדּוֹ. בָּרוּךְ אַתָּה יְיָ, יוֹצֵר הַמְּאוֹרוֹת:

אַהֲבַת עוֹלָם אֲהַבְתָּנוּ יְהֹוָה אֱלֹהֵינוּ חֶמְלָה גְדוֹלָה וִיתֵרָה חָמַלְתָּ עָלֵינוּ: אָבִינוּ מַלְכֵּנוּ בַּעֲבוּר שִׁמְךָ הַגָּדוֹל וּבַעֲבוּר אֲבוֹתֵינוּ שֶׁבָּטְחוּ בְךָ וַתְּלַמְּדֵם חֻקֵּי חַיִּים לַעֲשׂוֹת רְצוֹנְךָ בְּלֵבָב שָׁלֵם כֵּן תְּחָנֵּנוּ וּתְלַמְּדֵנוּ: אָבִינוּ אָב הָרַחֲמָן הַמְרַחֵם רַחֵם־נָא עָלֵינוּ

1 וְתֵן בְּלִבֵּנוּ בִּינָה לְהָבִין וּלְהַשְׂכִּיל לִשְׁמֹעַ לִלְמֹד וּלְלַמֵּד
2 לִשְׁמֹר וְלַעֲשׂוֹת וּלְקַיֵּם אֶת־כָּל־דִּבְרֵי תַלְמוּד תּוֹרָתֶךָ
3 בְּאַהֲבָה: וְהָאֵר עֵינֵינוּ בְּתוֹרָתֶךָ וְדַבֵּק לִבֵּנוּ בְּמִצְוֹתֶיךָ
4 וְיַחֵד לְבָבֵנוּ לְאַהֲבָה וּלְיִרְאָה אֶת־שְׁמֶךָ וְלֹא־נֵבוֹשׁ
5 וְלֹא־נִכָּלֵם וְלֹא־נִכָּשֵׁל לְעוֹלָם וָעֶד: כִּי בְשֵׁם קָדְשְׁךָ
6 הַגָּדוֹל וְהַנּוֹרָא בָּטָחְנוּ נָגִילָה וְנִשְׂמְחָה בִּישׁוּעָתֶךָ:
7 וְרַחֲמֶיךָ יְהוָה אֱלֹהֵינוּ וַחֲסָדֶיךָ הָרַבִּים אַל יַעַזְבוּנוּ נֶצַח
8 סֶלָה וָעֶד: מַהֵר וְהָבֵא עָלֵינוּ בְּרָכָה וְשָׁלוֹם מְהֵרָה:
9 וַהֲבִיאֵנוּ לְשָׁלוֹם מֵאַרְבַּע כַּנְפוֹת הָאָרֶץ: וּשְׁבוֹר עַל
10 הַגּוֹיִם מֵעַל צַוָּארֵנוּ וְתוֹלִיכֵנוּ מְהֵרָה קוֹמְמִיּוּת
11 לְאַרְצֵנוּ: כִּי אֵל פּוֹעֵל יְשׁוּעוֹת אָתָּה וּבָנוּ בָחַרְתָּ מִכָּל־
12 עַם וְלָשׁוֹן · וְקֵרַבְתָּנוּ מַלְכֵּנוּ לְשִׁמְךָ הַגָּדוֹל בְּאַהֲבָה
13 לְהוֹדוֹת לְךָ וּלְיַחֶדְךָ וּלְאַהֲבָה אֶת־שְׁמֶךָ: בָּרוּךְ אַתָּה
14 יְהוָה הַבּוֹחֵר בְּעַמּוֹ יִשְׂרָאֵל בְּאַהֲבָה:

15 # שְׁמַע יִשְׂרָאֵל יְיָ אֱלֹהֵינוּ יְיָ | אֶחָד:

16 בָּרוּךְ שֵׁם כְּבוֹד מַלְכוּתוֹ לְעוֹלָם וָעֶד:

17 וְאָהַבְתָּ אֵת יְיָ אֱלֹהֶיךָ, בְּכָל לְבָבְךָ, וּבְכָל נַפְשְׁךָ, וּבְכָל
18 מְאֹדֶךָ: וְהָיוּ הַדְּבָרִים הָאֵלֶּה אֲשֶׁר אָנֹכִי מְצַוְּךָ
19 הַיּוֹם עַל לְבָבֶךָ: וְשִׁנַּנְתָּם לְבָנֶיךָ וְדִבַּרְתָּ בָּם, בְּשִׁבְתְּךָ
20 בְּבֵיתֶךָ, וּבְלֶכְתְּךָ בַדֶּרֶךְ, וּבְשָׁכְבְּךָ, וּבְקוּמֶךָ: וּקְשַׁרְתָּם
21 לְאוֹת עַל יָדֶךָ, וְהָיוּ לְטֹטָפֹת בֵּין עֵינֶיךָ: וּכְתַבְתָּם עַל
22 מְזֻזוֹת בֵּיתֶךָ, וּבִשְׁעָרֶיךָ:

23 וְהָיָה אִם שָׁמֹעַ תִּשְׁמְעוּ אֶל מִצְוֹתַי אֲשֶׁר אָנֹכִי מְצַוֶּה אֶתְכֶם הַיּוֹם,
24 לְאַהֲבָה אֵת יְיָ אֱלֹהֵיכֶם וּלְעָבְדוֹ, בְּכָל לְבַבְכֶם וּבְכָל נַפְשְׁכֶם:
25 וְנָתַתִּי מְטַר אַרְצְכֶם בְּעִתּוֹ יוֹרֶה וּמַלְקוֹשׁ, וְאָסַפְתָּ דְגָנֶךָ וְתִירֹשְׁךָ
26 וְיִצְהָרֶךָ: וְנָתַתִּי עֵשֶׂב בְּשָׂדְךָ לִבְהֶמְתֶּךָ, וְאָכַלְתָּ וְשָׂבָעְתָּ: הִשָּׁמְרוּ

לכם

1 לָכֶם פֶּן יִפְתֶּה לְבַבְכֶם, וְסַרְתֶּם וַעֲבַדְתֶּם אֱלֹהִים אֲחֵרִים וְהִשְׁתַּחֲוִיתֶם

2 לָהֶם: וְחָרָה אַף יְיָ בָּכֶם וְעָצַר אֶת הַשָּׁמַיִם וְלֹא יִהְיֶה מָטָר וְהָאֲדָמָה

3 לֹא תִתֵּן אֶת יְבוּלָהּ, וַאֲבַדְתֶּם מְהֵרָה מֵעַל הָאָרֶץ הַטֹּבָה אֲשֶׁר יְיָ

4 נֹתֵן לָכֶם: וְשַׂמְתֶּם אֶת דְּבָרַי אֵלֶּה עַל לְבַבְכֶם וְעַל נַפְשְׁכֶם

5 וּקְשַׁרְתֶּם אֹתָם לְאוֹת עַל יֶדְכֶם וְהָיוּ לְטוֹטָפֹת בֵּין עֵינֵיכֶם: וְלִמַּדְתֶּם

6 אֹתָם אֶת בְּנֵיכֶם לְדַבֵּר בָּם, בְּשִׁבְתְּךָ בְּבֵיתֶךָ וּבְלֶכְתְּךָ בַדֶּרֶךְ

7 וּבְשָׁכְבְּךָ וּבְקוּמֶךָ: וּכְתַבְתָּם עַל מְזוּזוֹת בֵּיתֶךָ וּבִשְׁעָרֶיךָ: לְמַעַן

8 יִרְבּוּ יְמֵיכֶם וִימֵי בְנֵיכֶם עַל הָאֲדָמָה אֲשֶׁר נִשְׁבַּע יְיָ לַאֲבֹתֵיכֶם לָתֵת

9 לָהֶם, כִּימֵי הַשָּׁמַיִם עַל הָאָרֶץ:

10 וַיֹּאמֶר יְיָ אֶל מֹשֶׁה לֵּאמֹר: דַּבֵּר אֶל בְּנֵי יִשְׂרָאֵל

11 וְאָמַרְתָּ אֲלֵהֶם וְעָשׂוּ לָהֶם צִיצִת עַל כַּנְפֵי

12 בִגְדֵיהֶם לְדֹרֹתָם, וְנָתְנוּ עַל צִיצִת הַכָּנָף, פְּתִיל תְּכֵלֶת:

13 וְהָיָה לָכֶם לְצִיצִת, וּרְאִיתֶם, אֹתוֹ, וּזְכַרְתֶּם, אֶת כָּל מִצְוֹת

14 יְיָ, וַעֲשִׂיתֶם, אֹתָם, וְלֹא תָתוּרוּ אַחֲרֵי לְבַבְכֶם וְאַחֲרֵי

15 עֵינֵיכֶם אֲשֶׁר אַתֶּם זֹנִים אַחֲרֵיהֶם: לְמַעַן תִּזְכְּרוּ וַעֲשִׂיתֶם

16 אֶת כָּל מִצְוֹתָי, וִהְיִיתֶם קְדֹשִׁים לֵאלֹהֵיכֶם: אֲנִי יְיָ

17 אֱלֹהֵיכֶם אֲשֶׁר הוֹצֵאתִי אֶתְכֶם מֵאֶרֶץ מִצְרַיִם לִהְיוֹת

18 לָכֶם לֵאלֹהִים, אֲנִי יְיָ אֱלֹהֵיכֶם:

19 אֱמֶת, וְיַצִּיב, וְנָכוֹן, וְקַיָּם, וְיָשָׁר, וְנֶאֱמָן; וְאָהוּב

20 וְחָבִיב, וְנֶחְמָד וְנָעִים, וְנוֹרָא וְאַדִּיר,

21 וּמְתֻקָּן וּמְקֻבָּל, וְטוֹב וְיָפֶה, הַדָּבָר הַזֶּה עָלֵינוּ

22 לְעוֹלָם וָעֶד: אֱמֶת, אֱלֹהֵי עוֹלָם מַלְכֵּנוּ צוּר

23 יַעֲקֹב מָגֵן יִשְׁעֵנוּ, לְדֹר וָדֹר הוּא קַיָּם, וּשְׁמוֹ קַיָּם,

24 וְכִסְאוֹ נָכוֹן, וּמַלְכוּתוֹ וֶאֱמוּנָתוֹ לָעַד קַיָּמֶת.

25 וּדְבָרָיו חָיִים וְקַיָּמִים, נֶאֱמָנִים וְנֶחֱמָדִים לָעַד

ולעולמי

וּלְעוֹלְמֵי עוֹלָמִים, עַל אֲבוֹתֵינוּ וְעָלֵינוּ, עַל בָּנֵינוּ וְעַל דּוֹרוֹתֵינוּ, וְעַל כָּל דּוֹרוֹת זֶרַע יִשְׂרָאֵל עֲבָדֶיךָ:

עַל הָרִאשׁוֹנִים וְעַל הָאַחֲרוֹנִים דָּבָר טוֹב וְקַיָּם בֶּאֱמֶת וּבֶאֱמוּנָה, חוֹק וְלֹא יַעֲבוֹר. אֱמֶת, שָׁאַתָּה הוּא יְיָ אֱלֹהֵינוּ וֵאלֹהֵי אֲבוֹתֵינוּ, מַלְכֵּנוּ מֶלֶךְ אֲבוֹתֵינוּ, גּוֹאֲלֵנוּ גֹּאֵל אֲבוֹתֵינוּ, צוּרֵנוּ צוּר יְשׁוּעָתֵנוּ, פּוֹדֵנוּ וּמַצִּילֵנוּ מֵעוֹלָם הוּא שְׁמֶךָ, וְאֵין לָנוּ עוֹד אֱלֹהִים זוּלָתְךָ סֶלָה:

עֶזְרַת אֲבוֹתֵינוּ אַתָּה הוּא מֵעוֹלָם, מָגֵן וּמוֹשִׁיעַ לָהֶם וְלִבְנֵיהֶם אַחֲרֵיהֶם בְּכָל דּוֹר וָדוֹר:

בְּרוּם עוֹלָם מוֹשָׁבֶךָ, וּמִשְׁפָּטֶיךָ וְצִדְקָתְךָ עַד אַפְסֵי אָרֶץ. אֱמֶת, אַשְׁרֵי אִישׁ שֶׁיִּשְׁמַע לְמִצְוֹתֶיךָ, וְתוֹרָתְךָ וּדְבָרְךָ יָשִׂים עַל לִבּוֹ. אֱמֶת, אַתָּה הוּא אָדוֹן לְעַמֶּךָ, וּמֶלֶךְ גִּבּוֹר לָרִיב רִיבָם לְאָבוֹת וּבָנִים. אֱמֶת, אַתָּה הוּא רִאשׁוֹן, וְאַתָּה הוּא אַחֲרוֹן, וּמִבַּלְעָדֶיךָ אֵין לָנוּ מֶלֶךְ גּוֹאֵל וּמוֹשִׁיעַ. אֱמֶת, מִמִּצְרַיִם גְּאַלְתָּנוּ יְיָ אֱלֹהֵינוּ, וּמִבֵּית עֲבָדִים פְּדִיתָנוּ. כָּל בְּכוֹרֵיהֶם הָרָגְתָּ, וּבְכוֹרְךָ יִשְׂרָאֵל גָּאָלְתָּ, וְיַם סוּף לָהֶם בָּקַעְתָּ, וְזֵדִים טִבַּעְתָּ, וִידִידִים הֶעֱבַרְתָּ, וַיְכַסּוּ מַיִם צָרֵיהֶם, אֶחָד מֵהֶם לֹא נוֹתָר. עַל זֹאת שִׁבְּחוּ אֲהוּבִים, וְרוֹמְמוּ לָאֵל, וְנָתְנוּ יְדִידִים זְמִרוֹת שִׁירוֹת וְתִשְׁבָּחוֹת, בְּרָכוֹת

1 וְהוֹדָאוֹת לְמֶלֶךְ אֵל חַי וְקַיָּם: רָם וְנִשָּׂא גָּדוֹל

2 וְנוֹרָא, מַשְׁפִּיל גֵּאִים עֲדֵי אָרֶץ, וּמַגְבִּיהַּ שְׁפָלִים

3 עַד מָרוֹם, מוֹצִיא אֲסִירִים, פּוֹדֶה עֲנָוִים, עוֹזֵר

4 דַּלִּים, הָעוֹנֶה לְעַמּוֹ יִשְׂרָאֵל בְּעֵת שַׁוְּעָם אֵלָיו.

5 תְּהִלּוֹת לְאֵל עֶלְיוֹן גֹּאֲלָם, בָּרוּךְ הוּא וּמְבֹרָךְ,

6 מֹשֶׁה וּבְנֵי יִשְׂרָאֵל לְךָ עָנוּ שִׁירָה בְּשִׂמְחָה רַבָּה,

7 וְאָמְרוּ כֻלָּם: מִי כָמֹכָה בָּאֵלִם יְיָ, מִי כָּמֹכָה

8 נֶאְדָּר בַּקֹּדֶשׁ, נוֹרָא תְהִלֹּת עֹשֵׂה פֶלֶא:

9 שִׁירָה חֲדָשָׁה שִׁבְּחוּ גְאוּלִים לְשִׁמְךָ הַגָּדוֹל עַל שְׂפַת

10 הַיָּם, יַחַד כֻּלָּם הוֹדוּ וְהִמְלִיכוּ וְאָמְרוּ: יְיָ יִמְלֹךְ

11 לְעֹלָם וָעֶד. וְנֶאֱמַר, גֹּאֲלֵנוּ יְיָ צְבָאוֹת שְׁמוֹ קְדוֹשׁ

12 יִשְׂרָאֵל. בָּרוּךְ אַתָּה יְיָ, גָּאַל יִשְׂרָאֵל:

תפלת שחרית לשבת

13 אֲדֹנָי, שְׂפָתַי תִּפְתָּח וּפִי יַגִּיד תְּהִלָּתֶךָ:

14 **בָּרוּךְ** אַתָּה יְיָ אֱלֹהֵינוּ וֵאלֹהֵי אֲבוֹתֵינוּ, אֱלֹהֵי אַבְרָהָם, אֱלֹהֵי

15 יִצְחָק, וֵאלֹהֵי יַעֲקֹב, הָאֵל הַגָּדוֹל הַגִּבּוֹר וְהַנּוֹרָא, אֵל

16 עֶלְיוֹן, גּוֹמֵל חֲסָדִים טוֹבִים, קוֹנֵה הַכֹּל, וְזוֹכֵר חַסְדֵי אָבוֹת, וּמֵבִיא

17 גוֹאֵל לִבְנֵי בְנֵיהֶם לְמַעַן שְׁמוֹ בְּאַהֲבָה:

18 בש"ת זָכְרֵנוּ לְחַיִּים, מֶלֶךְ חָפֵץ בַּחַיִּים, וְכָתְבֵנוּ בְּסֵפֶר הַחַיִּים, לְמַעַנְךָ אֱלֹהִים חַיִּים:

19 מֶלֶךְ עוֹזֵר וּמוֹשִׁיעַ וּמָגֵן. בָּרוּךְ אַתָּה יְיָ, מָגֵן אַבְרָהָם:

20 אַתָּה גִּבּוֹר לְעוֹלָם אֲדֹנָי, מְחַיֵּה מֵתִים אַתָּה, רַב לְהוֹשִׁיעַ.

21 בקיץ מוֹרִיד הַטָּל .   בחורף מַשִּׁיב הָרוּחַ וּמוֹרִיד הַגֶּשֶׁם :

22 **מְכַלְכֵּל** חַיִּים בְּחֶסֶד, מְחַיֵּה מֵתִים בְּרַחֲמִים רַבִּים, סוֹמֵךְ נוֹפְלִים,

23 וְרוֹפֵא חוֹלִים, וּמַתִּיר אֲסִירִים, וּמְקַיֵּם אֱמוּנָתוֹ לִישֵׁנֵי

24 עָפָר, מִי כָמוֹךָ בַּעַל גְּבוּרוֹת וּמִי דוֹמֶה לָּךְ, מֶלֶךְ מֵמִית וּמְחַיֶּה

25 וּמַצְמִיחַ יְשׁוּעָה:

1 בש״ת מִי כָמוֹךָ אָב הָרַחֲמָן, זוֹכֵר יְצוּרָיו לְחַיִּים בְּרַחֲמִים:

2 וְנֶאֱמָן אַתָּה לְהַחֲיוֹת מֵתִים. בָּרוּךְ אַתָּה יְיָ, מְחַיֵּה הַמֵּתִים:

בחזרת הש״ץ אומרים כאן קדושה*)

3 **אַתָּה** קָדוֹשׁ וְשִׁמְךָ קָדוֹשׁ, וּקְדוֹשִׁים בְּכָל יוֹם יְהַלְלוּךָ סֶּלָה.

4 בָּרוּךְ אַתָּה יְיָ, הָאֵל הַקָּדוֹשׁ: (בש״ת הַמֶּלֶךְ הַקָּדוֹשׁ):

5 **יִשְׂמַח** מֹשֶׁה בְּמַתְּנַת חֶלְקוֹ, כִּי עֶבֶד נֶאֱמָן

6 קָרָאתָ לּוֹ, כְּלִיל תִּפְאֶרֶת בְּרֹאשׁוֹ נָתַתָּ

7 לּוֹ, בְּעָמְדוֹ לְפָנֶיךָ עַל הַר סִינַי, וּשְׁנֵי לוּחוֹת

8 אֲבָנִים הוֹרִיד בְּיָדוֹ, וְכָתוּב בָּהֶם שְׁמִירַת שַׁבָּת,

9 וְכֵן כָּתוּב בְּתוֹרָתֶךָ:

10 **וְשָׁמְרוּ** בְנֵי יִשְׂרָאֵל אֶת הַשַּׁבָּת, לַעֲשׂוֹת אֶת הַשַּׁבָּת

11 לְדֹרֹתָם בְּרִית עוֹלָם: בֵּינִי וּבֵין בְּנֵי יִשְׂרָאֵל

12 אוֹת הִיא לְעֹלָם, כִּי שֵׁשֶׁת יָמִים עָשָׂה יְיָ אֶת הַשָּׁמַיִם

13 וְאֶת הָאָרֶץ וּבַיּוֹם הַשְּׁבִיעִי שָׁבַת וַיִּנָּפַשׁ:

ולא

---

*) קדושה לש״ץ בחזרת התפלה:

14 **נַקְדִּישָׁךְ** וְנַעֲרִיצָךְ כְּנֹעַם שִׂיחַ סוֹד שַׂרְפֵי קֹדֶשׁ הַמְשַׁלְּשִׁים לְךָ

15 קְדֻשָּׁה, כַּכָּתוּב עַל יַד נְבִיאֶךָ, וְקָרָא זֶה אֶל זֶה וְאָמַר:

16 קו״ח קָדוֹשׁ, קָדוֹשׁ, קָדוֹשׁ יְיָ צְבָאוֹת, מְלֹא כָל הָאָרֶץ כְּבוֹדוֹ. חזן אָז,

17 בְּקוֹל רַעַשׁ גָּדוֹל אַדִּיר וְחָזָק, מַשְׁמִיעִים קוֹל, מִתְנַשְּׂאִים לְעֻמַּת

18 הַשְּׂרָפִים, לְעֻמָּתָם מְשַׁבְּחִים וְאוֹמְרִים: קו״ח בָּרוּךְ כְּבוֹד יְיָ מִמְּקוֹמוֹ.

19 חזן מִמְּקוֹמְךָ מַלְכֵּנוּ תוֹפִיעַ וְתִמְלוֹךְ עָלֵינוּ, כִּי מְחַכִּים אֲנַחְנוּ לָךְ

20 מָתַי תִּמְלוֹךְ בְּצִיּוֹן, בְּקָרוֹב בְּיָמֵינוּ לְעוֹלָם וָעֶד. תִּשְׁכּוֹן תִּתְגַּדַּל

21 וְתִתְקַדֵּשׁ בְּתוֹךְ יְרוּשָׁלַיִם עִירְךָ, לְדוֹר וָדוֹר וּלְנֵצַח נְצָחִים. וְעֵינֵינוּ

22 תִרְאֶינָה מַלְכוּתֶךָ, כַּדָּבָר הָאָמוּר בְּשִׁירֵי עֻזֶּךָ, עַל יְדֵי דָוִד מְשִׁיחַ

23 צִדְקֶךָ: קו״ח יִמְלֹךְ יְיָ לְעוֹלָם, אֱלֹהַיִךְ צִיּוֹן, לְדֹר וָדֹר הַלְלוּיָהּ: אתה קדוש

וְלֹא נְתַתּוֹ יְיָ אֱלֹהֵינוּ לְגוֹיֵי הָאֲרָצוֹת, וְלֹא הִנְחַלְתּוֹ מַלְכֵּנוּ לְעוֹבְדֵי אֱלִילִים, וְגַם בִּמְנוּחָתוֹ לֹא יִשְׁכְּנוּ עֲרֵלִים, כִּי לְיִשְׂרָאֵל עַמְּךָ נְתַתּוֹ בְּאַהֲבָה, לְזֶרַע יַעֲקֹב, אֲשֶׁר בָּם בָּחָרְתָּ:

יִשְׂמְחוּ בְמַלְכוּתְךָ שׁוֹמְרֵי שַׁבָּת וְקוֹרְאֵי עֹנֶג, עַם מְקַדְּשֵׁי שְׁבִיעִי, כֻּלָּם יִשְׂבְּעוּ וְיִתְעַנְּגוּ מִטּוּבֶךָ, וּבַשְּׁבִיעִי רָצִיתָ בּוֹ וְקִדַּשְׁתּוֹ, חֶמְדַּת יָמִים אוֹתוֹ קָרָאתָ:

אֱלֹהֵינוּ וֵאלֹהֵי אֲבוֹתֵינוּ, רְצֵה נָא בִמְנוּחָתֵנוּ, קַדְּשֵׁנוּ בְּמִצְוֹתֶיךָ וְתֵן חֶלְקֵנוּ בְּתוֹרָתֶךָ, שַׂבְּעֵנוּ מִטּוּבֶךָ וְשַׂמַּח נַפְשֵׁנוּ בִּישׁוּעָתֶךָ, וְטַהֵר לִבֵּנוּ לְעָבְדְּךָ בֶּאֱמֶת, וְהַנְחִילֵנוּ יְיָ אֱלֹהֵינוּ בְּאַהֲבָה וּבְרָצוֹן שַׁבַּת קָדְשֶׁךָ, וְיָנוּחוּ בוֹ כָּל יִשְׂרָאֵל מְקַדְּשֵׁי שְׁמֶךָ. בָּרוּךְ אַתָּה יְיָ, מְקַדֵּשׁ הַשַּׁבָּת:

רְצֵה יְיָ אֱלֹהֵינוּ בְּעַמְּךָ יִשְׂרָאֵל וְלִתְפִלָּתָם שְׁעֵה, וְהָשֵׁב הָעֲבוֹדָה לִדְבִיר בֵּיתֶךָ, וְאִשֵּׁי יִשְׂרָאֵל וּתְפִלָּתָם בְּאַהֲבָה תְקַבֵּל בְּרָצוֹן, וּתְהִי לְרָצוֹן תָּמִיד עֲבוֹדַת יִשְׂרָאֵל עַמֶּךָ:

בשבת ר"ח ובשבת חוה"מ אומרים כאן יעלה ויבא[א]

א) בשבת ראש חודש ושבת חול המועד אומרים זה:

אֱלֹהֵינוּ וֵאלֹהֵי אֲבוֹתֵינוּ, יַעֲלֶה וְיָבֹא וְיַגִּיעַ, וְיֵרָאֶה וְיֵרָצֶה וְיִשָּׁמַע, וְיִפָּקֵד וְיִזָּכֵר זִכְרוֹנֵנוּ וּפִקְדוֹנֵנוּ, וְזִכְרוֹן אֲבוֹתֵינוּ, וְזִכְרוֹן מָשִׁיחַ בֶּן דָּוִד עַבְדֶּךָ, וְזִכְרוֹן יְרוּשָׁלַיִם עִיר קָדְשֶׁךָ, וְזִכְרוֹן כָּל עַמְּךָ בֵּית יִשְׂרָאֵל לְפָנֶיךָ, לִפְלֵיטָה לְטוֹבָה, לְחֵן וּלְחֶסֶד וּלְרַחֲמִים וּלְחַיִּים טוֹבִים וּלְשָׁלוֹם בְּיוֹם לשר"ח רֹאשׁ הַחֹדֶשׁ הַזֶּה. לשחוהמ"פ חַג הַמַּצּוֹת הַזֶּה. לשחוה"מ סוכות חַג הַסֻּכּוֹת הַזֶּה. זָכְרֵנוּ יְיָ אֱלֹהֵינוּ בּוֹ לְטוֹבָה. וּפָקְדֵנוּ בוֹ לִבְרָכָה. וְהוֹשִׁיעֵנוּ בוֹ לְחַיִּים טוֹבִים. וּבִדְבַר יְשׁוּעָה וְרַחֲמִים, חוּס וְחָנֵּנוּ, וְרַחֵם עָלֵינוּ וְהוֹשִׁיעֵנוּ, כִּי אֵלֶיךָ עֵינֵינוּ, כִּי אֵל מֶלֶךְ חַנּוּן וְרַחוּם אָתָּה:

וְתֶחֱזֶינָה עֵינֵינוּ בְּשׁוּבְךָ לְצִיּוֹן בְּרַחֲמִים. בָּרוּךְ אַתָּה יְיָ, הַמַּחֲזִיר שְׁכִינָתוֹ לְצִיּוֹן:

מוֹדִים אֲנַחְנוּ לָךְ שָׁאַתָּה הוּא יְיָ אֱלֹהֵינוּ וֵאלֹהֵי אֲבוֹתֵינוּ לְעוֹלָם וָעֶד, צוּר חַיֵּינוּ מָגֵן יִשְׁעֵנוּ, אַתָּה הוּא לְדוֹר וָדוֹר, נוֹדֶה לְּךָ וּנְסַפֵּר תְּהִלָּתֶךָ, עַל חַיֵּינוּ הַמְּסוּרִים בְּיָדֶךָ, וְעַל נִשְׁמוֹתֵינוּ הַפְּקוּדוֹת לָךְ, וְעַל נִסֶּיךָ שֶׁבְּכָל יוֹם עִמָּנוּ, וְעַל נִפְלְאוֹתֶיךָ וְטוֹבוֹתֶיךָ שֶׁבְּכָל עֵת, עֶרֶב וָבֹקֶר וְצָהֳרָיִם, הַטּוֹב, כִּי לֹא כָלוּ רַחֲמֶיךָ, וְהַמְרַחֵם, כִּי לֹא תַמּוּ חֲסָדֶיךָ, כִּי מֵעוֹלָם קִוִּינוּ לָךְ: בשבת חנוכה אומרים כאן ועל הנסים[א]

מודים דרבנן

מוֹדִים אֲנַחְנוּ לָךְ, שָׁאַתָּה הוּא יְיָ אֱלֹהֵינוּ וֵאלֹהֵי אֲבוֹתֵינוּ, אֱלֹהֵי כָל בָּשָׂר, יוֹצְרֵנוּ, יוֹצֵר בְּרֵאשִׁית, בְּרָכוֹת וְהוֹדָאוֹת לְשִׁמְךָ הַגָּדוֹל וְהַקָּדוֹשׁ, עַל שֶׁהֶחֱיִיתָנוּ וְקִיַּמְתָּנוּ, כֵּן תְּחַיֵּנוּ וּתְקַיְּמֵנוּ, וְתֶאֱסוֹף גָּלֻיּוֹתֵינוּ לְחַצְרוֹת קָדְשֶׁךָ, וְנָשׁוּב אֵלֶיךָ לִשְׁמוֹר חֻקֶּיךָ, וְלַעֲשׂוֹת רְצוֹנֶךָ, וּלְעָבְדְךָ בְּלֵבָב שָׁלֵם, עַל שֶׁאָנוּ מוֹדִים לָךְ, בָּרוּךְ אֵל הַהוֹדָאוֹת:

וְעַל כֻּלָּם יִתְבָּרַךְ וְיִתְרוֹמַם וְיִתְנַשֵּׂא שִׁמְךָ מַלְכֵּנוּ תָּמִיד לְעוֹלָם וָעֶד:

בש"ת וּכְתוֹב לְחַיִּים טוֹבִים כָּל בְּנֵי בְרִיתֶךָ.

וְכֹל הַחַיִּים יוֹדוּךָ סֶּלָה, וִיהַלְלוּ שִׁמְךָ הַגָּדוֹל לְעוֹלָם כִּי טוֹב, הָאֵל יְשׁוּעָתֵנוּ וְעֶזְרָתֵנוּ סֶלָה, הָאֵל הַטּוֹב. בָּרוּךְ אַתָּה יְיָ, הַטּוֹב שִׁמְךָ וּלְךָ נָאֶה לְהוֹדוֹת:

א) בשבת חנוכה אומרים זה:

וְעַל הַנִּסִּים וְעַל הַפֻּרְקָן וְעַל הַגְּבוּרוֹת וְעַל הַתְּשׁוּעוֹת וְעַל הַנִּפְלָאוֹת שֶׁעָשִׂיתָ לַאֲבוֹתֵינוּ בַּיָּמִים הָהֵם בִּזְּמַן הַזֶּה:

בִּימֵי מַתִּתְיָהוּ בֶּן יוֹחָנָן כֹּהֵן גָּדוֹל חַשְׁמוֹנַאי וּבָנָיו כְּשֶׁעָמְדָה מַלְכוּת יָוָן הָרְשָׁעָה עַל עַמְּךָ יִשְׂרָאֵל לְהַשְׁכִּיחָם תּוֹרָתֶךָ, וּלְהַעֲבִירָם מֵחֻקֵּי רְצוֹנֶךָ, וְאַתָּה בְּרַחֲמֶיךָ הָרַבִּים עָמַדְתָּ לָהֶם בְּעֵת צָרָתָם. רַבְתָּ אֶת רִיבָם, דַּנְתָּ אֶת דִּינָם, נָקַמְתָּ אֶת נִקְמָתָם, מָסַרְתָּ גִבּוֹרִים בְּיַד חַלָּשִׁים, וְרַבִּים בְּיַד מְעַטִּים, וּטְמֵאִים בְּיַד טְהוֹרִים, וּרְשָׁעִים בְּיַד צַדִּיקִים, וְזֵדִים בְּיַד עוֹסְקֵי תוֹרָתֶךָ. וּלְךָ עָשִׂיתָ שֵׁם גָּדוֹל וְקָדוֹשׁ בְּעוֹלָמֶךָ, וּלְעַמְּךָ יִשְׂרָאֵל עָשִׂיתָ תְּשׁוּעָה גְדוֹלָה וּפֻרְקָן כְּהַיּוֹם הַזֶּה. וְאַחַר כַּךְ בָּאוּ בָנֶיךָ לִדְבִיר בֵּיתֶךָ, וּפִנּוּ אֶת הֵיכָלֶךָ, וְטִהֲרוּ אֶת מִקְדָּשֶׁךָ, וְהִדְלִיקוּ נֵרוֹת בְּחַצְרוֹת קָדְשֶׁךָ, וְקָבְעוּ שְׁמוֹנַת יְמֵי חֲנֻכָּה אֵלּוּ, לְהוֹדוֹת וּלְהַלֵּל לְשִׁמְךָ הַגָּדוֹל: ועל כולם

לש״ץ **אֱלֹהֵינוּ** וֵאלֹהֵי אֲבוֹתֵינוּ, בָּרְכֵנוּ בַבְּרָכָה הַמְשֻׁלֶּשֶׁת בַּתּוֹרָה הַכְּתוּבָה עַל יְדֵי מֹשֶׁה עַבְדֶּךָ, הָאֲמוּרָה מִפִּי אַהֲרֹן וּבָנָיו כֹּהֲנִים עַם קְדוֹשֶׁךָ, כָּאָמוּר: יְבָרֶכְךָ יְיָ וְיִשְׁמְרֶךָ: אמן יָאֵר יְיָ פָּנָיו אֵלֶיךָ וִיחֻנֶּךָּ: אמן יִשָּׂא יְיָ פָּנָיו אֵלֶיךָ וְיָשֵׂם לְךָ שָׁלוֹם אמן:

שִׂים שָׁלוֹם טוֹבָה וּבְרָכָה, חַיִּים חֵן וָחֶסֶד וְרַחֲמִים, עָלֵינוּ וְעַל כָּל יִשְׂרָאֵל עַמֶּךָ. בָּרְכֵנוּ אָבִינוּ כֻּלָּנוּ כְּאֶחָד, בְּאוֹר פָּנֶיךָ, כִּי בְאוֹר פָּנֶיךָ, נָתַתָּ לָּנוּ יְיָ אֱלֹהֵינוּ תּוֹרַת חַיִּים, וְאַהֲבַת חֶסֶד, וּצְדָקָה וּבְרָכָה וְרַחֲמִים וְחַיִּים וְשָׁלוֹם. וְטוֹב בְּעֵינֶיךָ לְבָרֵךְ אֶת עַמְּךָ יִשְׂרָאֵל בְּכָל עֵת וּבְכָל שָׁעָה בִּשְׁלוֹמֶךָ.

בש״ת **וּבְסֵפֶר** חַיִּים בְּרָכָה וְשָׁלוֹם וּפַרְנָסָה טוֹבָה יְשׁוּעָה וְנֶחָמָה וּגְזֵרוֹת טוֹבוֹת, נִזָּכֵר וְנִכָּתֵב לְפָנֶיךָ, אֲנַחְנוּ וְכָל עַמְּךָ בֵּית יִשְׂרָאֵל, לְחַיִּים טוֹבִים וּלְשָׁלוֹם.

בָּרוּךְ אַתָּה יְיָ, הַמְבָרֵךְ אֶת עַמּוֹ יִשְׂרָאֵל בַּשָּׁלוֹם:

יִהְיוּ לְרָצוֹן אִמְרֵי פִי וְהֶגְיוֹן לִבִּי לְפָנֶיךָ, יְיָ צוּרִי וְגוֹאֲלִי:

אֱלֹהַי, נְצוֹר לְשׁוֹנִי מֵרָע, וּשְׂפָתַי מִדַּבֵּר מִרְמָה, וְלִמְקַלְלַי נַפְשִׁי תִדּוֹם, וְנַפְשִׁי כֶּעָפָר לַכֹּל תִּהְיֶה. פְּתַח לִבִּי בְּתוֹרָתֶךָ, וּבְמִצְוֹתֶיךָ תִּרְדּוֹף נַפְשִׁי, וְכָל הַחוֹשְׁבִים עָלַי רָעָה, מְהֵרָה הָפֵר עֲצָתָם וְקַלְקֵל מַחֲשַׁבְתָּם. יִהְיוּ כְּמוֹץ לִפְנֵי רוּחַ וּמַלְאַךְ יְיָ דּוֹחֶה. לְמַעַן יֵחָלְצוּן יְדִידֶיךָ, הוֹשִׁיעָה יְמִינְךָ וַעֲנֵנִי. עֲשֵׂה לְמַעַן שְׁמֶךָ, עֲשֵׂה לְמַעַן יְמִינֶךָ, עֲשֵׂה לְמַעַן תּוֹרָתֶךָ. עֲשֵׂה לְמַעַן קְדֻשָּׁתֶךָ. יִהְיוּ לְרָצוֹן אִמְרֵי פִי וְהֶגְיוֹן לִבִּי לְפָנֶיךָ, יְיָ צוּרִי וְגוֹאֲלִי: עֹשֶׂה שָׁלוֹם (בש״ת הַשָּׁלוֹם) בִּמְרוֹמָיו, הוּא יַעֲשֶׂה שָׁלוֹם עָלֵינוּ וְעַל כָּל יִשְׂרָאֵל, וְאִמְרוּ אָמֵן:

יְהִי רָצוֹן מִלְּפָנֶיךָ יְיָ אֱלֹהֵינוּ וֵאלֹהֵי אֲבוֹתֵינוּ, שֶׁיִּבָּנֶה בֵּית הַמִּקְדָּשׁ בִּמְהֵרָה בְיָמֵינוּ, וְתֵן חֶלְקֵנוּ בְּתוֹרָתֶךָ:

הש״ץ חוזר התפלה. קדיש שלם. ואח״כ אומרים שיר של יום.

הַיּוֹם, יוֹם שַׁבַּת קֹדֶשׁ שֶׁבּוֹ הָיוּ הַלְוִיִּם אוֹמְרִים בְּבֵית הַמִּקְדָּשׁ.

מִזְמוֹר שִׁיר לְיוֹם הַשַּׁבָּת: טוֹב לְהֹדוֹת לַייָ, וּלְזַמֵּר לְשִׁמְךָ עֶלְיוֹן: לְהַגִּיד בַּבֹּקֶר חַסְדֶּךָ, וֶאֱמוּנָתְךָ בַּלֵּילוֹת: עֲלֵי עָשׂוֹר וַעֲלֵי נָבֶל, עֲלֵי הִגָּיוֹן בְּכִנּוֹר: כִּי שִׂמַּחְתַּנִי יְיָ בְּפָעֳלֶךָ, בְּמַעֲשֵׂי יָדֶיךָ אֲרַנֵּן: מַה גָּדְלוּ מַעֲשֶׂיךָ יְיָ, מְאֹד עָמְקוּ מַחְשְׁבֹתֶיךָ: אִישׁ בַּעַר לֹא יֵדָע, וּכְסִיל לֹא יָבִין אֶת זֹאת: בִּפְרֹחַ רְשָׁעִים כְּמוֹ עֵשֶׂב, וַיָּצִיצוּ כָּל פֹּעֲלֵי אָוֶן, לְהִשָּׁמְדָם עֲדֵי עַד: וְאַתָּה מָרוֹם לְעֹלָם יְיָ: כִּי הִנֵּה אֹיְבֶיךָ יְיָ, כִּי הִנֵּה אֹיְבֶיךָ יֹאבֵדוּ, יִתְפָּרְדוּ כָּל פֹּעֲלֵי

אָוֶן: וַתָּרֶם כִּרְאֵים קַרְנִי, בַּלֹּתִי בְּשֶׁמֶן רַעֲנָן: וַתַּבֵּט עֵינִי בְּשׁוּרָי, בַּקָּמִים עָלַי מְרֵעִים, תִּשְׁמַעְנָה אָזְנָי: צַדִּיק כַּתָּמָר יִפְרָח, כְּאֶרֶז בַּלְּבָנוֹן יִשְׂגֶּה: שְׁתוּלִים בְּבֵית יְיָ, בְּחַצְרוֹת אֱלֹהֵינוּ יַפְרִיחוּ: עוֹד יְנוּבוּן בְּשֵׂיבָה, דְּשֵׁנִים וְרַעֲנַנִּים יִהְיוּ: לְהַגִּיד כִּי יָשָׁר יְיָ, צוּרִי וְלֹא עַוְלָתָה עלתה כ׳ בּוֹ:

הוֹשִׁיעֵנוּ יְיָ אֱלֹהֵינוּ וְקַבְּצֵנוּ מִן הַגּוֹיִם לְהוֹדוֹת לְשֵׁם קָדְשֶׁךָ, לְהִשְׁתַּבֵּחַ בִּתְהִלָּתֶךָ: בָּרוּךְ יְיָ אֱלֹהֵי יִשְׂרָאֵל מִן הָעוֹלָם וְעַד הָעוֹלָם וְאָמַר כָּל הָעָם אָמֵן הַלְלוּיָהּ: בָּרוּךְ יְיָ מִצִּיּוֹן שֹׁכֵן יְרוּשָׁלָיִם הַלְלוּיָהּ: בָּרוּךְ יְיָ אֱלֹהִים אֱלֹהֵי יִשְׂרָאֵל, עֹשֵׂה נִפְלָאוֹת לְבַדּוֹ: וּבָרוּךְ שֵׁם כְּבוֹדוֹ לְעוֹלָם, וְיִמָּלֵא כְבוֹדוֹ אֶת כָּל הָאָרֶץ, אָמֵן וְאָמֵן: (ברכי נפשי) (לדוד ה׳ אורי) קדיש יתום

אַתָּה הָרְאֵתָ לָדַעַת, כִּי יְיָ הוּא הָאֱלֹהִים, אֵין עוֹד מִלְּבַדּוֹ: מַלְכוּתְךָ מַלְכוּת כָּל עֹלָמִים, וּמֶמְשַׁלְתְּךָ בְּכָל דֹּר וָדֹר: יְיָ מֶלֶךְ, יְיָ מָלָךְ, יְיָ יִמְלֹךְ לְעֹלָם וָעֶד: יְיָ עֹז לְעַמּוֹ יִתֵּן, יְיָ יְבָרֵךְ אֶת עַמּוֹ בַשָּׁלוֹם:

סדר קריאת התורה בשבת ויו״ט

כשפותחין ארון הקדש אומרים זה:

וַיְהִי בִּנְסֹעַ הָאָרֹן וַיֹּאמֶר מֹשֶׁה: קוּמָה יְיָ וְיָפֻצוּ אֹיְבֶיךָ וְיָנֻסוּ מְשַׂנְאֶיךָ מִפָּנֶיךָ. כִּי מִצִּיּוֹן תֵּצֵא תוֹרָה וּדְבַר יְיָ מִירוּשָׁלָיִם. בָּרוּךְ שֶׁנָּתַן תּוֹרָה לְעַמּוֹ יִשְׂרָאֵל בִּקְדֻשָּׁתוֹ:

ביו״ט (כשחל בחול) וראש השנה ויום כפור (בין כשחל בחול ובין כשחל בשבת) אומרים כאן י״ג מדות ורבש״ע.

בריך

ביום טוב אומרים י״ג מדות פעם אחת. בראש השנה ויום כפור אומרים י״ג מדות שלש פעמים.

יְיָ יְיָ, אֵל רַחוּם וְחַנּוּן, אֶרֶךְ אַפַּיִם וְרַב חֶסֶד וֶאֱמֶת, נֹצֵר חֶסֶד לָאֲלָפִים, נֹשֵׂא עָוֹן וָפֶשַׁע וְחַטָּאָה וְנַקֵּה:

לראש השנה ויום כפור.

רִבּוֹנוֹ שֶׁל עוֹלָם, מַלֵּא מִשְׁאֲלוֹתַי לְטוֹבָה, וְהָפֵק רְצוֹנִי וְתֵן שְׁאֵלָתִי, (בר״ה א״א זה) וּמְחוֹל עַל כָּל עֲוֹנוֹתַי וְעַל כָּל עֲוֹנוֹת אַנְשֵׁי בֵיתִי,

מחילה

לשלש רגלים ולשמיני עצרת וש״ת.

רִבּוֹנוֹ שֶׁל עוֹלָם, מַלֵּא מִשְׁאֲלוֹת לִבִּי לְטוֹבָה, וְהָפֵק רְצוֹנִי וְתֵן שְׁאֵלָתִי לִי עַבְדְּךָ (פלוני) בֶּן (פלונית) אֲמָתֶךָ וְזַכֵּנִי (וְאֶת אִשְׁתִּי וּבָנַי וּבְנוֹתַי)

לעשות

בְּרִיךְ שְׁמֵהּ דְּמָרֵא עָלְמָא, בְּרִיךְ כִּתְרָךְ וְאַתְרָךְ, יְהֵא רְעוּתָךְ עִם עַמָּךְ יִשְׂרָאֵל לְעָלַם, וּפוּרְקַן יְמִינָךְ אַחֲזֵי לְעַמָּךְ בְּבֵי מַקְדְּשָׁךְ, וּלְאַמְטוּיֵי לָנָא מִטּוּב נְהוֹרָךְ וּלְקַבֵּל צְלוֹתָנָא בְּרַחֲמִין. יְהֵא רַעֲוָא קֳדָמָךְ דְּתוֹרִיךְ לָן חַיִּין בְּטִיבוּ, וְלֶהֱוֵי אֲנָא פְקִידָא בְּגוֹ צַדִּיקַיָּא, לְמִרְחַם עָלַי וּלְמִנְטַר יָתִי וְיַת כָּל דִּי לִי, וְדִי לְעַמָּךְ יִשְׂרָאֵל. אַנְתְּ הוּא זָן לְכֹלָּא וּמְפַרְנֵס לְכֹלָּא, אַנְתְּ הוּא שַׁלִּיט עַל כֹּלָּא. אַנְתְּ הוּא דְשַׁלִּיט עַל מַלְכַיָּא. וּמַלְכוּתָא דִּילָךְ הִיא. אֲנָא עַבְדָּא דְקֻדְשָׁא בְּרִיךְ הוּא, דְּסָגִידְנָא קַמֵּהּ וּמִקַּמֵּי דִּיקַר אוֹרַיְתֵהּ. בְּכָל עִדָּן וְעִדָּן לָא עַל אֱנָשׁ רָחִיצְנָא וְלָא עַל בַּר אֱלָהִין סָמִיכְנָא, אֶלָּא בֶּאֱלָהָא דִשְׁמַיָּא, דְּהוּא אֱלָהָא קְשׁוֹט, וְאוֹרַיְתֵהּ קְשׁוֹט, וּנְבִיאוֹהִי קְשׁוֹט, וּמַסְגֵּא לְמֶעְבַּד טַבְוָן וּקְשׁוֹט. בֵּהּ אֲנָא רָחִיץ, וְלִשְׁמֵהּ קַדִּישָׁא יַקִּירָא אֲנָא אֵמַר תֻּשְׁבְּחָן. יְהֵא רַעֲוָא קֳדָמָךְ דְּתִפְתַּח לִבָּאִי בְּאוֹרַיְתָא, וְתַשְׁלִים מִשְׁאֲלִין דְּלִבָּאִי, וְלִבָּא דְכָל עַמָּךְ יִשְׂרָאֵל, לְטַב וּלְחַיִּין וְלִשְׁלָם.

לראש השנה ויום כפור.

מְחִילָה בְּחֶסֶד, מְחִילָה בְּרַחֲמִים, וְטַהֲרֵנִי מֵחֲטָאַי וּמֵעֲוֹנַי וּמִפְּשָׁעַי, וְזָכְרֵנִי בְּזִכָּרוֹן טוֹב לְפָנֶיךָ, וּפָקְדֵנִי בִּפְקֻדַּת יְשׁוּעָה וְרַחֲמִים, וְזָכְרֵנִי לְחַיִּים אֲרוּכִים לְחַיִּים טוֹבִים וּלְשָׁלוֹם, וּפַרְנָסָה טוֹבָה וְכַלְכָּלָה, וְלֶחֶם לֶאֱכוֹל, וּבֶגֶד לִלְבּוֹשׁ, וְעֹשֶׁר וְכָבוֹד וַאֲרִיכוּת יָמִים בְּתוֹרָתֶךָ וּבְמִצְוֹתֶיךָ, וְשֵׂכֶל וּבִינָה לְהָבִין וּלְהַשְׂכִּיל עִמְקֵי סוֹדוֹתֶיךָ. וְהָפֵק רְפוּאָה שְׁלֵמָה לְכָל מַכְאוֹבֵינוּ, וּתְבָרֵךְ אֶת כָּל מַעֲשֵׂה יָדֵינוּ, וְתִגְזוֹר עָלֵינוּ גְּזֵרוֹת טוֹבוֹת יְשׁוּעוֹת וְנֶחָמוֹת. וּבַטֵּל מֵעָלֵינוּ כָּל גְּזֵרוֹת קָשׁוֹת וְרָעוֹת, וְתֵן בְּלֵב מַלְכוּת וְיוֹעֲצָיו וְשָׂרָיו עָלֵינוּ לְטוֹבָה. אָמֵן, וְכֵן יְהִי רָצוֹן:

לשלש רגלים ולשמיני עצרת.

לַעֲשׂוֹת רְצוֹנְךָ בְּלֵבָב שָׁלֵם, וּמַלְּטֵנוּ מִיֵּצֶר הָרָע, וְתֵן חֶלְקֵנוּ בְּתוֹרָתֶךָ, וְזַכֵּנוּ שֶׁתִּשְׁרֶה שְׁכִינָתְךָ בְּתוֹכֵנוּ וְהוֹפַע עָלֵינוּ רוּחַ חָכְמָה וּבִינָה, וְיִתְקַיֵּם בָּנוּ מִקְרָא שֶׁכָּתוּב, וְנָחָה עָלָיו רוּחַ יְיָ, רוּחַ חָכְמָה וּבִינָה, רוּחַ עֵצָה וּגְבוּרָה, רוּחַ דַּעַת וְיִרְאַת יְיָ. וְכֵן יְהִי רָצוֹן מִלְּפָנֶיךָ יְיָ אֱלֹהֵינוּ וֵאלֹהֵי אֲבוֹתֵינוּ שֶׁתְּזַכֵּנוּ לַעֲשׂוֹת מַעֲשִׂים טוֹבִים בְּעֵינֶיךָ, וְלָלֶכֶת בְּדַרְכֵי יְשָׁרִים לְפָנֶיךָ, וְקַדְּשֵׁנוּ בְּמִצְוֹתֶיךָ, וְנִזְכֶּה לְחַיִּים טוֹבִים וַאֲרוּכִים, וּלְחַיֵּי הָעוֹלָם הַבָּא, וְתִשְׁמְרֵנוּ מִמַּעֲשִׂים רָעִים וּמִשָּׁעוֹת רָעוֹת הַמִּתְרַגְּשׁוֹת לָבֹא לָעוֹלָם, וְהַבּוֹטֵחַ בַּייָ חֶסֶד יְסוֹבְבֶנְהוּ, אָמֵן:

יִהְיוּ לְרָצוֹן אִמְרֵי פִי וְהֶגְיוֹן לִבִּי לְפָנֶיךָ, יְיָ צוּרִי וְגוֹאֲלִי:

וַאֲנִי תְפִלָּתִי לְךָ יְיָ עֵת רָצוֹן, אֱלֹהִים בְּרָב חַסְדֶּךָ, עֲנֵנִי בֶּאֱמֶת יִשְׁעֶךָ: בריך שמיה

ש"ץ וקהל שְׁמַ֥ע[א] יִשְׂרָאֵ֑ל יְהֹוָ֥ה אֱלֹהֵ֖ינוּ יְהֹוָ֥ה ׀ אֶחָֽד׃

אֶחָד אֱלֹהֵינוּ גָּדוֹל אֲדוֹנֵינוּ קָדוֹשׁ [וְנוֹרָא] שְׁמוֹ׃

ואומר הש"ץ גַּדְּלוּ[ב] לַיהֹוָה אִתִּי וּנְרוֹמְמָה שְׁמוֹ יַחְדָּו׃

והקהל עונין לְךָ יְיָ הַגְּדֻלָּה וְהַגְּבוּרָה וְהַתִּפְאֶרֶת וְהַנֵּצַח וְהַהוֹד, כִּי־כֹל בַּשָּׁמַיִם וּבָאָרֶץ, לְךָ יְיָ הַמַּמְלָכָה וְהַמִּתְנַשֵּׂא לְכֹל לְרֹאשׁ. רוֹמְמוּ יְיָ אֱלֹהֵינוּ, וְהִשְׁתַּחֲווּ לַהֲדֹם רַגְלָיו, קָדוֹשׁ הוּא. רוֹמְמוּ יְיָ אֱלֹהֵינוּ וְהִשְׁתַּחֲווּ לְהַר קָדְשׁוֹ, כִּי קָדוֹשׁ יְיָ אֱלֹהֵינוּ:

עַל הַכֹּל יִתְגַּדַּל וְיִתְקַדַּשׁ וְיִשְׁתַּבַּח וְיִתְפָּאַר וְיִתְרוֹמַם וְיִתְנַשֵּׂא: שְׁמוֹ שֶׁל־מֶלֶךְ מַלְכֵי הַמְּלָכִים הַקָּדוֹשׁ בָּרוּךְ הוּא: בָּעוֹלָמוֹת שֶׁבָּרָא הָעוֹלָם הַזֶּה וְהָעוֹלָם הַבָּא: כִּרְצוֹנוֹ וְכִרְצוֹן יְרֵאָיו וְכִרְצוֹן כָּל־עַמְּךָ בֵּית יִשְׂרָאֵל: צוּר הָעוֹלָמִים אֲדוֹן כָּל־הַבְּרִיּוֹת אֱלוֹהַּ כָּל־הַנְּפָשׁוֹת: הַיּוֹשֵׁב בְּמֶרְחֲבֵי מָרוֹם הַשּׁוֹכֵן בִּשְׁמֵי שְׁמֵי קֶדֶם: קְדֻשָּׁתוֹ עַל הַחַיּוֹת וּקְדֻשָּׁתוֹ עַל כִּסֵּא הַכָּבוֹד: וּבְכֵן יִתְקַדַּשׁ שִׁמְךָ בָּנוּ יְהֹוָה אֱלֹהֵינוּ לְעֵינֵי כָּל־חָי: וְנֹאמַר לְפָנָיו שִׁיר חָדָשׁ כַּכָּתוּב: שִׁירוּ[ב] לֵאלֹהִים זַמְּרוּ שְׁמוֹ סֹלּוּ לָרֹכֵב בָּעֲרָבוֹת בְּיָהּ שְׁמוֹ וְעִלְזוּ לְפָנָיו: וְנִרְאֵהוּ עַיִן בְּעַיִן בְּשׁוּבוֹ אֶל נָוֵהוּ כַּכָּתוּב: כִּי[ג] עַיִן בְּעַיִן יִרְאוּ בְּשׁוּב יְהֹוָה צִיּוֹן: וְנֶאֱמַר[ד] וְנִגְלָה כְּבוֹד יְהֹוָה וְרָאוּ כָל־בָּשָׂר יַחְדָּו כִּי פִּי יְהֹוָה דִּבֵּר:

אַב הָרַחֲמִים הוּא יְרַחֵם עַם עֲמוּסִים וְיִזְכּוֹר בְּרִית אֵיתָנִים וְיַצִּיל נַפְשׁוֹתֵינוּ מִן הַשָּׁעוֹת הָרָעוֹת וְיִגְעַר בְּיֵצֶר הָרָע מִן הַנְּשׂוּאִים וְיָחוֹן עָלֵינוּ לִפְלֵיטַת עוֹלָמִים · וִימַלֵּא מִשְׁאֲלוֹתֵינוּ בְּמִדָּה טוֹבָה יְשׁוּעָה וְרַחֲמִים: ויעזור

דיני קריאת התורה

(שו"ע) (א) משה רבינו תיקן להם לישראל שיהיו קורין בספר תורה חמשה גברי ביום טוב וששה ביום כפורים וז' בשבת בשביל המעלה והקדושה יתירה שיש בכל אחד על חבירו הוסיף בו איש אחד: (ב) אין נוהגין לקרות הקטן אלא למפטיר ואף אם אין כהן בבית הכנסת אלא כהן קטן נוהגים לקרות ישראל במקום כהן: (ג) תקנו רבנן סבוראי לומר קדיש אחר שנשלם מנין הקרואים קודם המפטיר כו' לכן הנהיגו שיגמור השביעי או האחרון כל הפרשה ויאמרו קדיש והמפטיר חוזר וקורא ג"פ לפחות ממה שקרא כבר הז' או האחרון (או שאר העולים) במה דברים אמורים בשבת ויום טוב ויום הכפורים שהמפטיר אינו מן המנין אבל בתשעה באב ושאר תענית צבור במנחה ויום הכפורים במנחה שהמפטיר הוא מהמנין אין אומרים קדיש קודם המפטיר: (ד) קטן היודע למי מברכין יכול לעלות למפטיר ואין צריך לומר בשבת שהמפטיר אינו אלא חוזר וכופל מה שקרא השביעי אלא אפילו בפ' המוספין וראש חודש שחל בשבת וד' פרשיות יכול לעלות אם יודע למי מברכין ואף על פי שפרשת זכור היא חובה מן התורה שישמענה כל אדם מישראל והקטן שאינו מחוייב בדבר אינו יכול להוציאם ידי חובתן מכל מקום עכשיו הרי הש"ץ קורא בקול רם ומשמיע לצבור ומוציאם ידי חובתם:

תו"א א) דברים ו ד: ב) תהלים סח ה: ג) ישעיה נב ח: ד) שם מ ה:

חזן

1 וְיַעֲזוֹר וְיָגֵן וְיוֹשִׁיעַ לְכָל הַחוֹסִים בּוֹ וְנֹאמַר אָמֵן. הַכֹּל הָבוּ גֹדֶל לֵאלֹהֵינוּ

2 וּתְנוּ כָבוֹד לַתּוֹרָה, כֹּהֵן קְרָב. יַעֲמֹד (פב"פ) הַכֹּהֵן, בָּרוּךְ שֶׁנָּתַן תּוֹרָה

3 לְעַמּוֹ יִשְׂרָאֵל בִּקְדֻשָּׁתוֹ. קהל וְאַתֶּם הַדְּבֵקִים בַּיְיָ אֱלֹהֵיכֶם, חַיִּים כֻּלְּכֶם הַיּוֹם:

4 כשקורין אותו לתורה יאמר זה **בָּרְכוּ אֶת יְיָ הַמְבֹרָךְ.**

5 והקהל עונין **בָּרוּךְ יְיָ הַמְבֹרָךְ לְעוֹלָם וָעֶד.**

6 והעולה חוזר בָּרוּךְ יְיָ הַמְבֹרָךְ לְעוֹלָם וָעֶד:

7 **בָּרוּךְ אַתָּה יְיָ אֱלֹהֵינוּ מֶלֶךְ הָעוֹלָם, אֲשֶׁר בָּחַר בָּנוּ מִכָּל הָעַמִּים,**

8 **וְנָתַן לָנוּ אֶת תּוֹרָתוֹ. בָּרוּךְ אַתָּה יְיָ נוֹתֵן הַתּוֹרָה:**

ואחר קריאת הפרשה יברך:

9 **בָּרוּךְ אַתָּה יְיָ אֱלֹהֵינוּ מֶלֶךְ הָעוֹלָם, אֲשֶׁר נָתַן לָנוּ תּוֹרַת אֱמֶת, וְחַיֵּי**

10 **עוֹלָם נָטַע בְּתוֹכֵנוּ. בָּרוּךְ אַתָּה יְיָ, נוֹתֵן הַתּוֹרָה:**

אחר קריאת התורה קודם הקריאה למפטיר אומר הש"ץ חצי קדיש:

ברכת הגומל

ארבעה צריכים להודות. יורדי הים כשעלו ממנו לגמרי. והולכי מדבריות כשיגיעו לישוב. ומי שהיה חבוש בבית האסורים על עסקי נפשות ויצא מהצרה לגמרי. ומי שהיה חולה במכה של חלל שיש בה סכנה. או בחולי שמוטל במטה יותר מג' ימים וחזר לבוריו לגמרי. וסימנך וכל החיי"ם יודוך סלה. "חבוש "יסורים "ים "מדבר. ועכשיו נהגו לברך כל מי שנעשה לו נס כגון שנפל עליו כותל או ניצול מדריסת שור ונגיחותיו. או שעמד אריה ביער לטרפו. או באו עליו גנבים ושודדי לילה וניצול מהם. יעמוד אחר שקראו אותו לתורה ובירך ברכה שניה. ויברך:

11 **בָּרוּךְ אַתָּה יְיָ אֱלֹהֵינוּ מֶלֶךְ הָעוֹלָם, הַגּוֹמֵל לְחַיָּבִים טוֹבוֹת,**

12 **שֶׁגְּמָלַנִי טוֹב:**

13 ועונין אחריו **אָמֵן. מִי שֶׁגְּמָלְךָ טוֹב, הוּא יִגְמָלְךָ כָּל טוֹב סֶלָה:**

אם קראו לספר תורה נער שנעשה בר מצוה אזי אחר שבירך ברכה אחרונה. אביו יאמר זה:

14 *) **בָּרוּךְ**[א] **אַתָּה יְיָ אֱלֹהֵינוּ מֶלֶךְ הָעוֹלָם, שֶׁפְּטָרַנִי מֵעָנְשׁ הַלָּזֶה:**

מי שברך לעולה לתורה

מי שברך אבותינו אברהם יצחק ויעקב הוא יברך את (פב"פ), **בעבור שעלה לכבוד המקום לכבוד התורה ולכבוד השבת** (ליו"ט **ולכבוד הרגל**), (לר"ה ויו"כ **ולכבוד יום הדין**), **ובשכר זה הקדוש ברוך הוא ישמרהו ויצילהו מכל צרה וצוקה ומכל נגע ומחלה, וישלח ברכה והצלחה בכל מעשה ידיו** (ליו"ט **ויזכה לעלות לרגל**), (לר"ה ויו"כ **ויכתבהו ויחתמהו לחיים טובים ביום הדין הזה**) **עם כל ישראל אחיו, ונאמר אמן:**

מי שברך ליולדת

מי שברך אבותינו אברהם יצחק ויעקב משה ואהרן דוד ושלמה, הוא יברך את האשה היולדת (פלונית בת פלונית) **עם**

(לזכר) **בנה הנולד לה במזל טוב, בעבור שבעלה ואביו נדר לצדקה בעדם, ובשכר זה [יזכו להכניסו בבריתו של אברהם אבינו, ו]יגדלוהו לתורה ולחופה ולמעשים טובים ונאמר אמן:**

(לנקבה) **בתה הנולדה לה במזל טוב, ויקרא שמה בישראל** (פלונית בת פלוני) **בעבור שבעלה ואביה נדר לצדקה בעדן, ובשכר זה יגדלוה לתורה**[ב] **ולחופה ולמעשים טובים ונאמר אמן:**

תו"א א) עי' בשער הכולל פכ"ד ס"א בשם פתחי שערים לשערי אפרים שער ד' סעיף כ"ה: ב) כן צ"ל: ע"פ מכתב כ"ק אדמו"ר (מהורש"ב) נ"ע. לומר גם בלידת בת לתורה. עפ"י מארז"ל ברכות יז, א:

*) יש אומרים בלא שם ומלכות – וכן מנהגנו.

מי שברך לחולה

לשבת **מי** שברך אבותינו אברהם יצחק ויעקב משה ואהרן דוד ושלמה הוא יברך את (פב"פ), בעבור (שפב"פ) נדר לצדקה בעבורו (לנקבה בעבורה), שבת היא מלזעוק ורפואה קרובה לבוא ונאמר אמן:

לחול **מי** שברך אבותינו אברהם יצחק ויעקב משה ואהרן דוד ושלמה הוא ירפא את (פב"פ) בעבור (שפב"פ) נדר לצדקה בעבורו (לנקבה בעבורה), בשכר זה הקב"ה ימלא רחמים עליו להחלימו ולרפאותו ולהחזיקו ולהחיותו (לנקבה עליה להחלימה ולרפאותה ולהחזיקה ולהחיותה) וישלח לו (לה) מהרה רפואה שלימה מן השמים לרמ"ח אבריו ושס"ה גידיו (לנקבה לכל אבריה וגידיה) בתוך שאר חולי ישראל רפואת הנפש ורפואת הגוף ונאמר אמן:

כשמגביהין הספר תורה אומרים זה:

וְזֹאת הַתּוֹרָה אֲשֶׁר שָׂם מֹשֶׁה לִפְנֵי בְּנֵי יִשְׂרָאֵל:

עֵץ חַיִּים הִיא לַמַּחֲזִיקִים בָּהּ, וְתֹמְכֶיהָ מְאֻשָּׁר. דְּרָכֶיהָ דַרְכֵי נֹעַם, וְכָל נְתִיבוֹתֶיהָ שָׁלוֹם. אֹרֶךְ יָמִים בִּימִינָהּ, בִּשְׂמֹאלָהּ עֹשֶׁר וְכָבוֹד. יְיָ חָפֵץ לְמַעַן צִדְקוֹ, יַגְדִּיל תּוֹרָה וְיַאְדִּיר:

(שו"ע) (א) אין לענות אמן אחר אמת וצדק שאין שם סיום הברכה: (ב) לא יתחיל המפטיר להפטיר עד שיגמור הגולל לגלול הספר תורה כדי שגם הגולל יוכל להבין ולשמוע ממנו שחובה היא על הכל לשמוע ההפטרה כמו הפרשה שבספר תורה: (ג) אין לסלק ספר הנביאים מלפני המפטיר עד לאחר שיגמור לברך אחריו כדי שיראה ויברך על מה שהפטיר: (ד) בכל שבת שקורין ב' פרשיות בתורה מפטירים הפטרה של פרשה השניה שבה מסיימין ובה קורא המפטיר תחלה חוץ משבת שקורים אחרי מות וקדושים שמפטירים הפטרת אחרי מות כמו שכתוב בסימן תכ"ח: (ה) בשבת שחל בחול המועד פסח אין מזכיר מעין המאורע שחתימת ברכת הפטרה שחותם ברוך אתה ה' מקדש השבת בלבד ואינו אומר וישראל והזמנים ובשבת שבחול המועד סוכות נוהגין במדינות אלו לחתום בהפטרה גם ישראל והזמנים:

ברכת הפטרה לפניה

בָּרוּךְ אַתָּה יְהֹוָה אֱלֹהֵינוּ מֶלֶךְ הָעוֹלָם אֲשֶׁר בָּחַר בִּנְבִיאִים טוֹבִים וְרָצָה בְדִבְרֵיהֶם הַנֶּאֱמָרִים בֶּאֱמֶת בָּרוּךְ אַתָּה יְהֹוָה הַבּוֹחֵר בַּתּוֹרָה וּבְמֹשֶׁה עַבְדּוֹ וּבְיִשְׂרָאֵל עַמּוֹ וּבִנְבִיאֵי הָאֱמֶת וָצֶדֶק: ומפטירין בנביא

לאחר שמסיים ההפטרה יאמר המפטיר ד' ברכות אלו:

בָּרוּךְ אַתָּה יְיָ אֱלֹהֵינוּ מֶלֶךְ הָעוֹלָם, צוּר כָּל הָעוֹלָמִים, צַדִּיק בְּכָל הַדּוֹרוֹת, הָאֵל הַנֶּאֱמָן הָאוֹמֵר וְעֹשֶׂה, הַמְדַבֵּר וּמְקַיֵּם, שֶׁכָּל דְּבָרָיו אֱמֶת וָצֶדֶק:

נֶאֱמָן, אַתָּה הוּא יְיָ אֱלֹהֵינוּ, וְנֶאֱמָנִים דְּבָרֶיךָ, וְדָבָר אֶחָד מִדְּבָרֶיךָ אָחוֹר לֹא יָשׁוּב רֵיקָם, כִּי אֵל מֶלֶךְ נֶאֱמָן וְרַחֲמָן אָתָּה. בָּרוּךְ אַתָּה יְיָ, הָאֵל הַנֶּאֱמָן בְּכָל דְּבָרָיו:

רַחֵם, עַל צִיּוֹן כִּי הִיא בֵּית חַיֵּינוּ, וְלַעֲלוּבַת נֶפֶשׁ תּוֹשִׁיעַ וּתְשַׂמַּח בִּמְהֵרָה בְיָמֵינוּ. בָּרוּךְ אַתָּה יְיָ, מְשַׂמֵּחַ צִיּוֹן בְּבָנֶיהָ:

שַׂמְּחֵנוּ, יְיָ אֱלֹהֵינוּ, בְּאֵלִיָּהוּ הַנָּבִיא עַבְדֶּךָ, וּבְמַלְכוּת בֵּית דָּוִד מְשִׁיחֶךָ, בִּמְהֵרָה יָבֹא וְיָגֵל לִבֵּנוּ, עַל כִּסְאוֹ לֹא יֵשֵׁב זָר, וְלֹא יִנְחֲלוּ עוֹד אֲחֵרִים אֶת כְּבוֹדוֹ, כִּי בְשֵׁם קָדְשְׁךָ נִשְׁבַּעְתָּ לוֹ, שֶׁלֹּא יִכְבֶּה נֵרוֹ לְעוֹלָם וָעֶד. בָּרוּךְ אַתָּה יְיָ, מָגֵן דָּוִד: ע"כ בת"צ ובמנחת יו"כ

בכל שבתות השנה גם בשבת חול המועד אומרים זה:

עַל הַתּוֹרָה, וְעַל הָעֲבוֹדָה וְעַל הַנְּבִיאִים וְעַל יוֹם הַשַּׁבָּת הַזֶּה, שֶׁנָּתַתָּ לָּנוּ יְיָ אֱלֹהֵינוּ לִקְדֻשָּׁה וְלִמְנוּחָה, לְכָבוֹד וּלְתִפְאָרֶת: עַל הַכֹּל, יְיָ אֱלֹהֵינוּ אֲנַחְנוּ מוֹדִים לָךְ, וּמְבָרְכִים אוֹתָךְ, יִתְבָּרַךְ שִׁמְךָ בְּפִי כָּל חַי תָּמִיד לְעוֹלָם וָעֶד. בָּרוּךְ אַתָּה יְיָ, *) מְקַדֵּשׁ הַשַּׁבָּת:

*) בשבת חוה"מ סוכות חותמים: מְקַדֵּשׁ הַשַּׁבָּת וְיִשְׂרָאֵל וְהַזְּמַנִּים.

בשלש רגלים אומרים זה:

עַל הַתּוֹרָה וְעַל הָעֲבוֹדָה וְעַל הַנְּבִיאִים (לשבת וְעַל יוֹם הַשַּׁבָּת הַזֶּה), וְעַל יוֹם

לפסח	לשבועות	לסוכות	לשמע"צ ולש"ת
חַג הַמַּצּוֹת הַזֶּה:	חַג הַשָּׁבוּעוֹת הַזֶּה:	חַג הַסֻּכּוֹת הַזֶּה:	שְׁמִינִי עֲצֶרֶת הַחַג הַזֶּה:

וְעַל־יוֹם טוֹב מִקְרָא קֹדֶשׁ הַזֶּה, שֶׁנָּתַתָּ לָּנוּ יְיָ אֱלֹהֵינוּ (לשבת לִקְדֻשָּׁה וְלִמְנוּחָה) לְשָׂשׂוֹן וּלְשִׂמְחָה, לְכָבוֹד וּלְתִפְאָרֶת. עַל הַכֹּל, יְיָ אֱלֹהֵינוּ אֲנַחְנוּ מוֹדִים לָךְ, וּמְבָרְכִים אוֹתָךְ יִתְבָּרַךְ שִׁמְךָ בְּפִי כָּל חַי תָּמִיד לְעוֹלָם וָעֶד. בָּרוּךְ אַתָּה יְיָ, מְקַדֵּשׁ (הַשַּׁבָּת וְ)יִשְׂרָאֵל וְהַזְּמַנִּים:

בראש השנה אומרים זה:

עַל הַתּוֹרָה וְעַל הָעֲבוֹדָה וְעַל הַנְּבִיאִים (לשבת וְעַל יוֹם הַשַּׁבָּת הַזֶּה) וְעַל יוֹם הַזִּכָּרוֹן הַזֶּה, וְעַל־יוֹם טוֹב מִקְרָא קֹדֶשׁ הַזֶּה, שֶׁנָּתַתָּ לָּנוּ יְיָ אֱלֹהֵינוּ (לשבת לִקְדֻשָּׁה וְלִמְנוּחָה) לְכָבוֹד וּלְתִפְאָרֶת. עַל הַכֹּל, יְיָ אֱלֹהֵינוּ אֲנַחְנוּ מוֹדִים לָךְ, וּמְבָרְכִים אוֹתָךְ, יִתְבָּרַךְ שִׁמְךָ בְּפִי כָּל חַי תָּמִיד לְעוֹלָם וָעֶד, וּדְבָרְךָ מַלְכֵּנוּ אֱמֶת וְקַיָּם לָעַד. בָּרוּךְ אַתָּה יְיָ, מֶלֶךְ עַל כָּל הָאָרֶץ, מְקַדֵּשׁ (הַשַּׁבָּת וְ)יִשְׂרָאֵל וְיוֹם הַזִּכָּרוֹן:

ביום הכפורים בשחרית אומרים זה:

עַל הַתּוֹרָה, וְעַל הָעֲבוֹדָה וְעַל הַנְּבִיאִים (לשבת וְעַל יוֹם הַשַּׁבָּת הַזֶּה) וְעַל יוֹם הַכִּפּוּרִים הַזֶּה, וְעַל־יוֹם סְלִיחַת הֶעָוֹן הַזֶּה, וְעַל יוֹם מִקְרָא קֹדֶשׁ הַזֶּה, שֶׁנָּתַתָּ לָּנוּ יְיָ אֱלֹהֵינוּ (לִקְדֻשָּׁה וְלִמְנוּחָה) לִסְלִיחָה וְלִמְחִילָה וּלְכַפָּרָה, לְכָבוֹד וּלְתִפְאָרֶת. עַל הַכֹּל יְיָ אֱלֹהֵינוּ, אֲנַחְנוּ מוֹדִים לָךְ, וּמְבָרְכִים אוֹתָךְ, יִתְבָּרַךְ שִׁמְךָ בְּפִי כָּל חַי תָּמִיד לְעוֹלָם וָעֶד, וּדְבָרְךָ מַלְכֵּנוּ אֱמֶת וְקַיָּם לָעַד. בָּרוּךְ אַתָּה יְיָ, מֶלֶךְ מוֹחֵל וְסוֹלֵחַ לַעֲוֹנוֹתֵינוּ וְלַעֲוֹנוֹת עַמּוֹ בֵּית יִשְׂרָאֵל, וּמַעֲבִיר אַשְׁמוֹתֵינוּ בְּכָל שָׁנָה וְשָׁנָה, מֶלֶךְ עַל כָּל הָאָרֶץ, מְקַדֵּשׁ (הַשַּׁבָּת וְ)יִשְׂרָאֵל וְיוֹם הַכִּפּוּרִים:

יְקוּם פֻּרְקָן מִן שְׁמַיָּא, חִנָּא וְחִסְדָּא, וְרַחֲמִין וְחַיִּין אֲרִיכִין, וּמְזוֹנָא

רויחא

רְוִיחָא, וְסִיַּעְתָּא דִשְׁמַיָּא, וּבַרְיוּת גּוּפָא, וּנְהוֹרָא מַעַלְיָא. זַרְעָא חַיָּא וְקַיָּמָא, זַרְעָא דִּי לָא יִפְסוּק וְדִי לָא יִבְטוּל מִפִּתְגָּמֵי אוֹרַיְתָא. לְמָרָנָן וְרַבָּנָן חֲבוּרָתָא קַדִּישָׁתָא, דִּי בְאַרְעָא דְיִשְׂרָאֵל, וְדִי בְבָבֶל, לְרֵישֵׁי כַלָּה וּלְרֵישֵׁי גַלְוָתָא, וּלְרֵישֵׁי מְתִיבָתָא, וּלְדַיָּנֵי דְבָבָא. לְכָל תַּלְמִידֵיהוֹן וּלְכָל תַּלְמִידֵי תַלְמִידֵיהוֹן, וּלְכָל מָאן דְּעָסְקִין בְּאוֹרַיְתָא. מַלְכָּא דְעָלְמָא, יְבָרֵךְ יַתְהוֹן, וְיַפִּישׁ חַיֵּיהוֹן, וְיַסְגֵּא יוֹמֵיהוֹן. וְיִתֵּן אַרְכָא לִשְׁנֵיהוֹן. וְיִתְפָּרְקוּן וְיִשְׁתֵּזְבוּן מִן כָּל עָקָא וּמִן כָּל מַרְעִין בִּישִׁין. מָרָן דִּי בִשְׁמַיָּא יְהֵא בְסַעְדְּהוֹן כָּל זְמַן וְעִדָּן, וְנֹאמַר אָמֵן:

יחיד המתפלל אינו אומר יקום פורקן זה ולא מי שברך.

יְקוּם פֻּרְקָן מִן שְׁמַיָּא, חִנָּא וְחִסְדָּא, וְרַחֲמִין וְחַיִּין אֲרִיכִין, וּמְזוֹנָא רְוִיחָא, וְסִיַּעְתָּא דִשְׁמַיָּא, וּבַרְיוּת גּוּפָא, וּנְהוֹרָא מַעַלְיָא. זַרְעָא חַיָּא וְקַיָּמָא, זַרְעָא דִּי לָא יִפְסוּק וְדִי לָא יִבְטוּל מִפִּתְגָּמֵי אוֹרַיְתָא. לְכָל קְהָלָא

1 קַדִּישָׁא הָדֵין, רַבְרְבַיָּא עִם זְעֵרַיָּא, טַפְלָא וּנְשַׁיָּא .

2 מַלְכָּא דְעָלְמָא יְבָרֵךְ יַתְכוֹן, וְיַפִּישׁ חַיֵּיכוֹן, וְיַסְגֵּא יוֹמֵיכוֹן,

3 וְיִתֵּן אַרְכָּא לִשְׁנֵיכוֹן. וְתִתְפָּרְקוּן, וְתִשְׁתֵּזְבוּן, מִן כָּל

4 עָקָא וּמִן כָּל מַרְעִין בִּישִׁין. מָרָן דִּי בִשְׁמַיָּא, יְהֵא

5 בְּסַעְדְּכוֹן, כָּל זְמַן וְעִדָּן, וְנֹאמַר אָמֵן:

6 מִי שֶׁבֵּרַךְ אֲבוֹתֵינוּ אַבְרָהָם יִצְחָק וְיַעֲקֹב, הוּא יְבָרֵךְ

7 אֶת כָּל הַקָּהָל הַקָּדוֹשׁ הַזֶּה, עִם כָּל קְהִלּוֹת הַקֹּדֶשׁ.

8 הֵם וּנְשֵׁיהֶם, וּבְנֵיהֶם וּבְנוֹתֵיהֶם, וְכָל אֲשֶׁר לָהֶם. וּמִי

9 שֶׁמְּיַחֲדִים בָּתֵּי כְנֵסִיּוֹת לִתְפִלָּה, וּמִי שֶׁבָּאִים בְּתוֹכָם

10 לְהִתְפַּלֵּל, וּמִי שֶׁנּוֹתְנִים נֵר לַמָּאוֹר וְיַיִן לְקִדּוּשׁ וּלְהַבְדָּלָה,

11 וּפַת לְאוֹרְחִים וּצְדָקָה לַעֲנִיִּים. וְכָל מִי שֶׁעוֹסְקִים בְּצָרְכֵי

12 צִבּוּר בֶּאֱמוּנָה, הַקָּדוֹשׁ בָּרוּךְ הוּא, יְשַׁלֵּם שְׂכָרָם, וְיָסִיר

13 מֵהֶם כָּל מַחֲלָה, וְיִרְפָּא לְכָל גּוּפָם, וְיִסְלַח לְכָל עֲוֹנָם,

14 וְיִשְׁלַח בְּרָכָה וְהַצְלָחָה בְּכָל מַעֲשֵׂה יְדֵיהֶם, עִם כָּל

15 יִשְׂרָאֵל אֲחֵיהֶם, וְנֹאמַר אָמֵן:

תקנת אמירת תהלים בצבור

זה איזה שנים אשר בכמה קהלות ישראל, הן בבתי כנסיות מתפללי נוסח אר"י
והן בשאר בתי כנסיות, יסדו לומר בכל יום אחר תפלת שחרית שיעור תהלים כפי
שמתחלק לימי החדש, ואומרים ק"י אחריו.

ובכל שבת קדש שמברכים בו החדש אומרים בהשכמה, קודם התפלה, כל
התהלים וק"י אח"ז, ואם יש חיוב – יא"צ או אבל – אומרים ק"י אחר כל ספר.

וגם בש"ק שלפני ר"ה נוהגין כן.

תקנה נוספת

בימים שאין אומרים בהם תחנון ובמילא א"א למנצח גו' יענך, אומרים אחר התפלה
לפני אמירת תהלים את המזמור למנצח יענך, אבל לא בתור סדר התפלה כי אם
בסדר תחנונים.

לדעת החדשים המלאים לעולם והחסרים לעולם

ניסן. סיון. אב. תשרי. שבט. אדר ראשון. (במעוברות). מלאים לעולם. ר"ל של ל' יום. **אייר. תמוז. אלול. טבת. אדר** (הסמוך לניסן) חסרים לעולם. ר"ל של כ"ט יום. **חשוון. כסליו.** פעמים שניהם מלאים. ואז נקראת השנה **שלימה**. ופעמים שניהם חסרים ואז נקראת השנה **חסירה**. ופעמים **שחשוון** חסר **וכסליו** מלא ואז נקראת **כסדרה** ר"ל שיבואו החדשים על הסדר מלא וחסר, מלא וחסר:

לדעת החדשים שלעולם אינם ר"ח כ"א יום אחד ואותם שלעולם הם שני ימים

ניסן. סיון. אב. תשרי. שבט. לעולם ר"ח יום אחד בלבד. **אייר. תמוז. אלול. חשוון. אדר. ואדר** לעולם ר"ח ב' ימים. **כסליו. וטבת.** לפעמים ב' ימים ולפעמים יום א' בלבד. כיצד כשחשוון וכסליו שניהם מלאים אז יהיו כסליו וטבת ב' ימים ר"ח. וכשיהיו שניהם חסרים אז לא יהיו כ"א יום אחד. וכשיהיו אחד חסר ואחד מלא אז יהיה כסליו יום א' ר"ח וטבת ב' ימים:

ברכת החודש

נכון לדעת זמן המולד קודם שמברכין החודש:

מִי שֶׁעָשָׂה נִסִּים לַאֲבוֹתֵינוּ, וְגָאַל אוֹתָם מֵעַבְדוּת לְחֵרוּת, הוּא יִגְאַל אוֹתָנוּ בְּקָרוֹב, וִיקַבֵּץ נִדָּחֵינוּ מֵאַרְבַּע כַּנְפוֹת הָאָרֶץ, חֲבֵרִים כָּל יִשְׂרָאֵל, וְנֹאמַר אָמֵן:

רֹאשׁ חֹדֶשׁ (פלוני) בְּיוֹם (פלוני) הַבָּא עָלֵינוּ לְטוֹבָה:

יְחַדְּשֵׁהוּ הַקָּדוֹשׁ בָּרוּךְ הוּא עָלֵינוּ, וְעַל כָּל עַמּוֹ בֵּית יִשְׂרָאֵל, לְחַיִּים וּלְשָׁלוֹם, לְשָׂשׂוֹן וּלְשִׂמְחָה, לִישׁוּעָה וּלְנֶחָמָה, וְנֹאמַר אָמֵן: אשרי

אב הרחמים אומרים בכל שבת לבד כשמברכין החודש וכשאין אומרים תחנון אין אומרים אותו כשמברכין ר"ח סיון אומרים אותו:

אַב הָרַחֲמִים שׁוֹכֵן מְרוֹמִים, בְּרַחֲמָיו הָעֲצוּמִים, הוּא יִפְקוֹד בְּרַחֲמִים, הַחֲסִידִים וְהַיְשָׁרִים וְהַתְּמִימִים,

קהלות

קְהִלּוֹת הַקֹּדֶשׁ שֶׁמָּסְרוּ נַפְשָׁם עַל קְדֻשַּׁת הַשֵּׁם, הַנֶּאֱהָבִים וְהַנְּעִימִים בְּחַיֵּיהֶם, וּבְמוֹתָם לֹא נִפְרָדוּ. מִנְּשָׁרִים קַלּוּ, וּמֵאֲרָיוֹת גָּבֵרוּ, לַעֲשׂוֹת רְצוֹן קוֹנָם וְחֵפֶץ צוּרָם. יִזְכְּרֵם אֱלֹהֵינוּ לְטוֹבָה, עִם שְׁאָר צַדִּיקֵי עוֹלָם, וְיִנְקוֹם נִקְמַת דַּם עֲבָדָיו הַשָּׁפוּךְ. כַּכָּתוּב בְּתוֹרַת מֹשֶׁה אִישׁ הָאֱלֹהִים: הַרְנִינוּ גוֹיִם עַמּוֹ, כִּי דַם עֲבָדָיו יִקּוֹם, וְנָקָם יָשִׁיב לְצָרָיו, וְכִפֶּר אַדְמָתוֹ עַמּוֹ. וְעַל יְדֵי עֲבָדֶיךָ הַנְּבִיאִים כָּתוּב לֵאמֹר: וְנִקֵּיתִי דָּמָם לֹא נִקֵּיתִי, וַייָ שֹׁכֵן בְּצִיּוֹן. וּבְכִתְבֵי הַקֹּדֶשׁ נֶאֱמַר: לָמָּה יֹאמְרוּ הַגּוֹיִם אַיֵּה אֱלֹהֵיהֶם, יִוָּדַע בַּגּוֹיִם לְעֵינֵינוּ נִקְמַת דַּם עֲבָדֶיךָ הַשָּׁפוּךְ. וְאוֹמֵר: כִּי דֹרֵשׁ דָּמִים אוֹתָם זָכָר, לֹא שָׁכַח צַעֲקַת עֲנָוִים. וְאוֹמֵר: יָדִין בַּגּוֹיִם מָלֵא גְוִיּוֹת מָחַץ רֹאשׁ עַל אֶרֶץ רַבָּה. מִנַּחַל בַּדֶּרֶךְ יִשְׁתֶּה, עַל כֵּן יָרִים רֹאשׁ:

אַשְׁרֵי יוֹשְׁבֵי בֵיתֶךָ, עוֹד יְהַלְלוּךָ סֶּלָה: אַשְׁרֵי הָעָם שֶׁכָּכָה לּוֹ, אַשְׁרֵי הָעָם שֶׁיְיָ אֱלֹהָיו: תְּהִלָּה לְדָוִד, אֲרוֹמִמְךָ אֱלוֹהַי הַמֶּלֶךְ, וַאֲבָרְכָה שִׁמְךָ לְעוֹלָם וָעֶד: בְּכָל יוֹם אֲבָרְכֶךָּ, וַאֲהַלְלָה שִׁמְךָ לְעוֹלָם וָעֶד: גָּדוֹל יְיָ וּמְהֻלָּל מְאֹד, וְלִגְדֻלָּתוֹ אֵין חֵקֶר: דּוֹר לְדוֹר יְשַׁבַּח מַעֲשֶׂיךָ, וּגְבוּרֹתֶיךָ יַגִּידוּ: הֲדַר כְּבוֹד הוֹדֶךָ, וְדִבְרֵי נִפְלְאֹתֶיךָ אָשִׂיחָה: וֶעֱזוּז נוֹרְאוֹתֶיךָ יֹאמֵרוּ, וּגְדֻלָּתְךָ אֲסַפְּרֶנָּה: זֵכֶר רַב טוּבְךָ יַבִּיעוּ, וְצִדְקָתְךָ יְרַנֵּנוּ: חַנּוּן וְרַחוּם יְיָ, אֶרֶךְ אַפַּיִם וּגְדָל חָסֶד: טוֹב יְיָ לַכֹּל, וְרַחֲמָיו עַל כָּל מַעֲשָׂיו: יוֹדוּךָ יְיָ כָּל מַעֲשֶׂיךָ, וַחֲסִידֶיךָ יְבָרְכוּכָה: כְּבוֹד מַלְכוּתְךָ יֹאמֵרוּ, וּגְבוּרָתְךָ יְדַבֵּרוּ: לְהוֹדִיעַ לִבְנֵי הָאָדָם גְּבוּרֹתָיו, וּכְבוֹד הֲדַר מַלְכוּתוֹ: מַלְכוּתְךָ מַלְכוּת כָּל עֹלָמִים, וּמֶמְשַׁלְתְּךָ בְּכָל דּוֹר וָדֹר: סוֹמֵךְ יְיָ לְכָל הַנֹּפְלִים, וְזוֹקֵף לְכָל הַכְּפוּפִים: עֵינֵי כֹל אֵלֶיךָ יְשַׂבֵּרוּ, וְאַתָּה נוֹתֵן לָהֶם אֶת אָכְלָם בְּעִתּוֹ: פּוֹתֵחַ אֶת יָדֶךָ, וּמַשְׂבִּיעַ לְכָל חַי רָצוֹן: צַדִּיק יְיָ בְּכָל דְּרָכָיו, וְחָסִיד בְּכָל מַעֲשָׂיו: קָרוֹב יְיָ לְכָל קֹרְאָיו, לְכֹל אֲשֶׁר יִקְרָאֻהוּ בֶאֱמֶת: רְצוֹן יְרֵאָיו יַעֲשֶׂה, וְאֶת שַׁוְעָתָם יִשְׁמַע וְיוֹשִׁיעֵם: שׁוֹמֵר יְיָ אֶת כָּל אֹהֲבָיו, וְאֵת כָּל הָרְשָׁעִים יַשְׁמִיד: תְּהִלַּת יְיָ יְדַבֶּר פִּי, וִיבָרֵךְ כָּל בָּשָׂר שֵׁם קָדְשׁוֹ לְעוֹלָם וָעֶד: וַאֲנַחְנוּ נְבָרֵךְ יָהּ, מֵעַתָּה וְעַד עוֹלָם הַלְלוּיָהּ:

תו"א א) דברים לב מג: ב) יואל ד כא: ג) תהלים עט י: ד) שם ט יג: ה) שם קי ו-ז:

כשמכניסין הספר תורה להיכל אומרים זה:

1 חזן יְהַלְלוּ אֶת שֵׁם יְיָ, כִּי נִשְׂגָּב שְׁמוֹ לְבַדּוֹ:

2 והקהל אומרים הוֹדוֹ עַל אֶרֶץ וְשָׁמָיִם: וַיָּרֶם קֶרֶן לְעַמּוֹ, תְּהִלָּה לְכָל חֲסִידָיו, לִבְנֵי

3 יִשְׂרָאֵל עַם קְרוֹבוֹ, הַלְלוּיָהּ:

הש״ץ אומר חצי קדיש

(שו״ע) (א) אין לאחר תפלת מוסף יותר משבע שעות על היום דהיינו שעה אחר חצות והמאחר כל כך נקרא פושע ואף על פי כן יוצא ידי חובתו מפני שזמנה כל היום כי׳ ואם שכח ולא התפלל אותה עד שחשיכה אין לה תשלומין כמו שיש לשאר תפלות: (ב) ואם עבר והתפלל אותה קודם שהתפלל שחרית יצא: (ג) מותר לטעום אחר תפלת שחרית קודם תפלת המוספין כמו שמותר לטעום קודם תפלת המנחה משהגיע זמנה דהיינו אכילת פירות אפילו הרבה כדי לסעוד הלב ופת כביצה ולא יותר ובלבד שיקדש מתחלה וישתה רביעית יין או יאכל כזית מחמשת המינין אחר הקידוש מיד:

מוסף לשבת ולשבת ראש חודש

4 אֲדֹנָי, שְׂפָתַי תִּפְתָּח וּפִי יַגִּיד תְּהִלָּתֶךָ:

5 בָּרוּךְ אַתָּה יְיָ אֱלֹהֵינוּ וֵאלֹהֵי אֲבוֹתֵינוּ, אֱלֹהֵי אַבְרָהָם אֱלֹהֵי

6 יִצְחָק וֵאלֹהֵי יַעֲקֹב, הָאֵל הַגָּדוֹל הַגִּבּוֹר וְהַנּוֹרָא, אֵל

7 עֶלְיוֹן, גּוֹמֵל חֲסָדִים טוֹבִים, קוֹנֵה הַכֹּל, וְזוֹכֵר חַסְדֵי אָבוֹת, וּמֵבִיא

8 גוֹאֵל לִבְנֵי בְנֵיהֶם לְמַעַן שְׁמוֹ בְּאַהֲבָה:

9 בש״ת זָכְרֵנוּ לְחַיִּים, מֶלֶךְ חָפֵץ בַּחַיִּים, וְכָתְבֵנוּ בְּסֵפֶר הַחַיִּים, לְמַעַנְךָ אֱלֹהִים חַיִּים.

10 מֶלֶךְ עוֹזֵר וּמוֹשִׁיעַ וּמָגֵן. בָּרוּךְ אַתָּה יְיָ, מָגֵן אַבְרָהָם:

11 אַתָּה גִבּוֹר לְעוֹלָם אֲדֹנָי, מְחַיֵּה מֵתִים אַתָּה, רַב לְהוֹשִׁיעַ.

12 בקיץ מוֹרִיד הַטָּל.   בחורף מַשִּׁיב הָרוּחַ וּמוֹרִיד הַגָּשֶׁם:

13 מְכַלְכֵּל חַיִּים בְּחֶסֶד, מְחַיֵּה מֵתִים בְּרַחֲמִים רַבִּים, סוֹמֵךְ נוֹפְלִים,

14 וְרוֹפֵא חוֹלִים, וּמַתִּיר אֲסוּרִים, וּמְקַיֵּם אֱמוּנָתוֹ לִישֵׁנֵי

15 עָפָר, מִי כָמוֹךָ בַּעַל גְּבוּרוֹת וּמִי דוֹמֶה לָּךְ, מֶלֶךְ מֵמִית וּמְחַיֶּה

16 וּמַצְמִיחַ יְשׁוּעָה:

17 בש״ת מִי כָמוֹךָ אַב הָרַחֲמִים זוֹכֵר יְצוּרָיו לְחַיִּים בְּרַחֲמִים:

18 וְנֶאֱמָן אַתָּה לְהַחֲיוֹת מֵתִים. בָּרוּךְ אַתָּה יְיָ, מְחַיֵּה הַמֵּתִים:

בחזרת הש״ץ אומרים כאן קדושה:

19 כֶּתֶר יִתְּנוּ לְךָ יְיָ אֱלֹהֵינוּ מַלְאָכִים הֲמוֹנֵי מַעְלָה וְעַמְּךָ יִשְׂרָאֵל

20 קְבוּצֵי מַטָּה, יַחַד כֻּלָּם קְדֻשָּׁה לְךָ יְשַׁלֵּשׁוּ, כַּכָּתוּב עַל

21 יַד נְבִיאֶךָ, וְקָרָא זֶה אֶל זֶה וְאָמַר: קו״ח קָדוֹשׁ קָדוֹשׁ קָדוֹשׁ יְיָ צְבָאוֹת

22 מְלֹא כָל הָאָרֶץ כְּבוֹדוֹ. חזן כְּבוֹדוֹ מָלֵא עוֹלָם, מְשָׁרְתָיו שׁוֹאֲלִים זֶה

לזה

1   לְזֶה, אַיֵּה מְקוֹם כְּבוֹדוֹ לְהַעֲרִיצוֹ, לְעֻמָּתָם מְשַׁבְּחִים וְאוֹמְרִים:

2   קו״ח בָּרוּךְ כְּבוֹד יְיָ מִמְּקוֹמוֹ. חזן מִמְּקוֹמוֹ הוּא יִפֶן בְּרַחֲמָיו לְעַמּוֹ,

3   הַמְיַחֲדִים שְׁמוֹ עֶרֶב וָבֹקֶר בְּכָל יוֹם תָּמִיד, פַּעֲמַיִם בְּאַהֲבָה שְׁמַע

4   אוֹמְרִים: קו״ח שְׁמַע יִשְׂרָאֵל, יְיָ אֱלֹהֵינוּ, יְיָ | אֶחָד. חזן הוּא אֱלֹהֵינוּ, הוּא

5   אָבִינוּ, הוּא מַלְכֵּנוּ, הוּא מוֹשִׁיעֵנוּ, הוּא יוֹשִׁיעֵנוּ וְיִגְאָלֵנוּ שֵׁנִית

6   בְּקָרוֹב וְיַשְׁמִיעֵנוּ בְּרַחֲמָיו לְעֵינֵי כָּל חַי לֵאמֹר: הֵן גָּאַלְתִּי אֶתְכֶם

7   אַחֲרִית כְּבְרֵאשִׁית, לִהְיוֹת לָכֶם לֵאלֹהִים. אֲנִי יְיָ אֱלֹהֵיכֶם:

8   חזן וּבְדִבְרֵי קָדְשְׁךָ כָּתוּב לֵאמֹר: קו״ח יִמְלֹךְ יְיָ לְעוֹלָם אֱלֹהַיִךְ צִיּוֹן,

9   לְדֹר וָדֹר הַלְלוּיָהּ:

10   **אַתָּה** קָדוֹשׁ וְשִׁמְךָ קָדוֹשׁ, וּקְדוֹשִׁים בְּכָל יוֹם יְהַלְלוּךָ סֶּלָה.

11   בָּרוּךְ אַתָּה יְיָ, הָאֵל הַקָּדוֹשׁ: (בש״ת הַמֶּלֶךְ הַקָּדוֹשׁ):

בשבת ראש חודש אומרים כאן אתה יצרת *)

12   **תִּקַּנְתָּ** שַׁבָּת רָצִיתָ קָרְבְּנוֹתֶיהָ, צִוִּיתָ פֵּרוּשֶׁיהָ

13   עִם סִדּוּרֵי נְסָכֶיהָ. מְעַנְּגֶיהָ לְעוֹלָם כָּבוֹד

14   יִנְחָלוּ, טוֹעֲמֶיהָ חַיִּים זָכוּ, וְגַם הָאוֹהֲבִים דְּבָרֶיהָ

15   גְּדֻלָּה בָּחָרוּ, אָז מִסִּינַי נִצְטַוּוּ צִוּוּיֵי פְּעֻלֶיהָ כָּרָאוּי.

16   יְהִי רָצוֹן מִלְּפָנֶיךָ יְיָ אֱלֹהֵינוּ וֵאלֹהֵי אֲבוֹתֵינוּ,

17   שֶׁתַּעֲלֵנוּ בְשִׂמְחָה לְאַרְצֵנוּ, וְתִטָּעֵנוּ בִּגְבוּלֵנוּ,

וְשָׁם

---

*) לשבת ראש חודש

18   **אַתָּה** יָצַרְתָּ עוֹלָמְךָ מִקֶּדֶם, כִּלִּיתָ מְלַאכְתְּךָ בַּיּוֹם

19   הַשְּׁבִיעִי, אָהַבְתָּ אוֹתָנוּ וְרָצִיתָ בָּנוּ, וְרוֹמַמְתָּנוּ

20   מִכָּל הַלְּשׁוֹנוֹת, וְקִדַּשְׁתָּנוּ בְּמִצְוֹתֶיךָ, וְקֵרַבְתָּנוּ מַלְכֵּנוּ

21   לַעֲבוֹדָתֶךָ, וְשִׁמְךָ הַגָּדוֹל וְהַקָּדוֹשׁ עָלֵינוּ קָרָאתָ. וַתִּתֶּן

22   לָנוּ יְיָ אֱלֹהֵינוּ בְּאַהֲבָה שַׁבָּתוֹת לִמְנוּחָה וְרָאשֵׁי חֳדָשִׁים

23   לְכַפָּרָה. וּלְפִי שֶׁחָטָאנוּ לְפָנֶיךָ אֲנַחְנוּ וַאֲבוֹתֵינוּ, חָרְבָה

עִירֵנוּ

1 וְשָׁם נַעֲשֶׂה לְפָנֶיךָ אֶת קָרְבְּנוֹת חוֹבוֹתֵינוּ,

2 תְּמִידִים כְּסִדְרָם וּמוּסָפִים כְּהִלְכָתָם. וְאֶת מוּסַף

3 יוֹם הַשַּׁבָּת הַזֶּה, נַעֲשֶׂה וְנַקְרִיב לְפָנֶיךָ בְּאַהֲבָה,

4 כְּמִצְוַת רְצוֹנֶךָ, כְּמוֹ שֶׁכָּתַבְתָּ עָלֵינוּ בְּתוֹרָתֶךָ,

5 עַל יְדֵי מֹשֶׁה עַבְדֶּךָ, מִפִּי כְבוֹדֶךָ כָּאָמוּר:

6 וּבְיוֹם הַשַּׁבָּת, שְׁנֵי כְבָשִׂים בְּנֵי שָׁנָה תְּמִימִם, וּשְׁנֵי

7 עֶשְׂרֹנִים סֹלֶת מִנְחָה בְּלוּלָה בַשֶּׁמֶן וְנִסְכּוֹ. עֹלַת

8 שַׁבַּת בְּשַׁבַּתּוֹ, עַל עֹלַת הַתָּמִיד וְנִסְכָּהּ:

9 יִשְׂמְחוּ בְמַלְכוּתְךָ שׁוֹמְרֵי שַׁבָּת וְקוֹרְאֵי עֹנֶג, עַם מְקַדְּשֵׁי שְׁבִיעִי,

10 כֻּלָּם יִשְׂבְּעוּ וְיִתְעַנְּגוּ מִטּוּבֶךָ, וּבַשְּׁבִיעִי רָצִיתָ בּוֹ

11 וְקִדַּשְׁתּוֹ, חֶמְדַּת יָמִים אוֹתוֹ קָרָאתָ, זֵכֶר לְמַעֲשֵׂה בְרֵאשִׁית:

אלהינו

לשבת ראש חודש

12 עִירֵנוּ, וְשָׁמֵם בֵּית מִקְדָּשֵׁנוּ, וְגָלָה יְקָרֵנוּ, וְנִטַּל כָּבוֹד מִבֵּית

13 חַיֵּינוּ. וְאֵין אֲנוּ יְכוֹלִים לַעֲשׂוֹת חוֹבוֹתֵינוּ בְּבֵית בְּחִירָתֶךָ,

14 בַּבַּיִת הַגָּדוֹל וְהַקָּדוֹשׁ, שֶׁנִּקְרָא שִׁמְךָ עָלָיו, מִפְּנֵי הַיָּד

15 שֶׁנִּשְׁתַּלְּחָה בְּמִקְדָּשֶׁךָ. יְהִי רָצוֹן מִלְּפָנֶיךָ יְיָ אֱלֹהֵינוּ וֵאלֹהֵי

16 אֲבוֹתֵינוּ, שֶׁתַּעֲלֵנוּ בְשִׂמְחָה לְאַרְצֵנוּ, וְתִטָּעֵנוּ בִּגְבוּלֵנוּ,

17 וְשָׁם נַעֲשֶׂה לְפָנֶיךָ אֶת קָרְבְּנוֹת חוֹבוֹתֵינוּ, תְּמִידִים כְּסִדְרָם,

18 וּמוּסָפִים כְּהִלְכָתָם. וְאֶת מוּסְפֵי יוֹם הַשַּׁבָּת הַזֶּה וְיוֹם

19 רֹאשׁ הַחֹדֶשׁ הַזֶּה, נַעֲשֶׂה וְנַקְרִיב לְפָנֶיךָ בְּאַהֲבָה,

20 כְּמִצְוַת רְצוֹנֶךָ, כְּמוֹ שֶׁכָּתַבְתָּ עָלֵינוּ בְּתוֹרָתֶךָ עַל יְדֵי

21 מֹשֶׁה עַבְדֶּךָ, מִפִּי כְבוֹדֶךָ כָּאָמוּר:

22 וּבְיוֹם הַשַּׁבָּת שְׁנֵי כְבָשִׂים בְּנֵי שָׁנָה תְּמִימִם, וּשְׁנֵי עֶשְׂרֹנִים סֹלֶת מִנְחָה

23 בְּלוּלָה בַשֶּׁמֶן וְנִסְכּוֹ. עֹלַת שַׁבַּת בְּשַׁבַּתּוֹ, עַל עֹלַת הַתָּמִיד וְנִסְכָּהּ:

וּבְרָאשֵׁי

אֱלֹהֵינוּ וֵאלֹהֵי אֲבוֹתֵינוּ, רְצֵה נָא בִמְ*נוּחָתֵנוּ, קַדְּ*שֵׁנוּ בְּמִצְוֹתֶיךָ וְתֵן חֶלְקֵנוּ בְּתוֹרָתֶךָ, שַׂבְּ*עֵנוּ מִטּוּבֶךָ וְשַׂמַּח נַפְשֵׁנוּ בִּישׁוּעָתֶךָ, וְטַהֵר לִבֵּנוּ לְעָבְדְּךָ בֶּאֱמֶת, וְהַנְחִילֵנוּ יְיָ אֱ*לֹהֵינוּ בְּאַהֲבָה וּבְ*רָצוֹן שַׁבַּת קָדְשֶׁךָ, וְיָנוּחוּ בוֹ כָּל יִשְׂרָאֵל מְקַדְּ*שֵׁי שְׁמֶךָ. בָּרוּךְ אַתָּה יְיָ, מְקַדֵּשׁ הַשַּׁבָּת:

לשבת ראש חודש

וּבְ*רָאשֵׁי חָדְ*שֵׁיכֶם תַּקְרִיבוּ עֹלָה לַייָ, פָּרִים בְּנֵי בָקָר שְׁנַיִם וְאַיִל אֶחָד, כְּבָשִׂים בְּנֵי שָׁנָה שִׁבְעָה תְּמִימִם:

וּמִנְחָתָם וְנִסְכֵּיהֶם כִּמְ*דֻבָּר: שְׁלֹשָׁה עֶשְׂרֹנִים לַפָּר, וּשְׁ*נֵי עֶשְׂ*רֹנִים לָאָיִל, וְעִשָּׂרוֹן לַכֶּבֶשׂ, וְיַיִן כְּנִסְכּוֹ, וְשָׂעִיר לְכַפֵּר, וּשְׁ*נֵי תְמִידִים כְּהִ*לְכָתָם:

יִשְׂמְחוּ בְמַלְ*כוּתְךָ שׁוֹמְ*רֵי שַׁבָּת וְקוֹ*רְאֵי עֹנֶג, עַם מְקַדְּ*שֵׁי שְׁבִיעִי, כֻּלָּם יִשְׂבְּעוּ וְיִתְעַנְּגוּ מִטּוּבֶךָ, וּבַשְּׁ*בִיעִי רָצִיתָ בּוֹ וְקִדַּשְׁתּוֹ, חֶמְדַּת יָמִים אוֹתוֹ קָרָאתָ, זֵכֶר לְמַעֲשֵׂה בְרֵאשִׁית:

אֱלֹהֵינוּ וֵאלֹהֵי אֲבוֹתֵינוּ, רְצֵה נָא בִמְ*נוּחָתֵנוּ, וְחַדֵּשׁ עָלֵינוּ בְּיוֹם הַשַּׁבָּת הַזֶּה אֶת הַחֹדֶשׁ הַזֶּה, לְטוֹבָה וְלִבְ*רָכָה, לְשָׂשׂוֹן וּלְ*שִׂמְחָה, לִישׁוּעָה וּלְ*נֶחָמָה, לְפַרְנָסָה וּלְ*כַלְכָּלָה, לְחַיִּים טוֹבִים וּלְ*שָׁלוֹם, לִמְ*חִילַת חֵטְא וְלִסְ*לִיחַת עָוֹן, קַדְּ*שֵׁנוּ בְּמִצְוֹתֶיךָ, וְתֵן חֶלְקֵנוּ בְּתוֹרָתֶךָ, שַׂבְּ*עֵנוּ מִטּוּבֶךָ וְשַׂמַּח נַפְשֵׁנוּ בִּישׁוּעָתֶךָ, וְטַהֵר לִבֵּנוּ לְעָבְדְּךָ בֶּאֱמֶת, וְהַנְחִילֵנוּ יְיָ אֱלֹהֵינוּ בְּאַהֲבָה וּבְ*רָצוֹן שַׁבַּת קָדְשֶׁךָ, וְיָנוּחוּ בוֹ כָּל יִשְׂרָאֵל מְקַדְּ*שֵׁי שְׁמֶךָ, כִּי בְעַמְּ*ךָ יִשְׂרָאֵל בָּחַרְתָּ מִכָּל הָאֻמּוֹת, וְשַׁבַּת קָדְשְׁךָ לָהֶם הוֹדַעְתָּ, וְחֻקֵּי רָאשֵׁי חֳדָשִׁים לָהֶם קָבָעְתָּ. בָּרוּךְ אַתָּה יְיָ, מְקַדֵּשׁ הַשַּׁבָּת וְיִשְׂרָאֵל וְרָאשֵׁי חֳדָ*שִׁים: רצה ומודים וכו׳

רְצֵה יְיָ אֱלֹהֵינוּ בְּעַמְּךָ יִשְׂרָאֵל, וְלִתְפִלָּתָם שְׁעֵה, וְהָשֵׁב הָעֲבוֹדָה לִדְבִיר בֵּיתֶךָ, וְאִשֵּׁי יִשְׂרָאֵל וּתְפִלָּתָם בְּאַהֲבָה תְקַבֵּל בְּרָצוֹן, וּתְהִי לְרָצוֹן תָּמִיד עֲבוֹדַת יִשְׂרָאֵל עַמֶּךָ:

וְתֶחֱזֶינָה עֵינֵינוּ בְּשׁוּבְךָ לְצִיּוֹן בְּרַחֲמִים. בָּרוּךְ אַתָּה יְיָ, הַמַּחֲזִיר שְׁכִינָתוֹ לְצִיּוֹן:

מוֹדִים אֲנַחְנוּ לָךְ, שָׁאַתָּה הוּא יְיָ אֱלֹהֵינוּ וֵאלֹהֵי אֲבוֹתֵינוּ לְעוֹלָם וָעֶד, צוּר חַיֵּינוּ מָגֵן יִשְׁעֵנוּ, אַתָּה הוּא לְדוֹר וָדוֹר, נוֹדֶה לְּךָ וּנְסַפֵּר תְּהִלָּתֶךָ, עַל חַיֵּינוּ הַמְּסוּרִים בְּיָדֶךָ, וְעַל נִשְׁמוֹתֵינוּ הַפְּקוּדוֹת לָךְ, וְעַל נִסֶּיךָ שֶׁבְּכָל יוֹם עִמָּנוּ, וְעַל נִפְלְאוֹתֶיךָ וְטוֹבוֹתֶיךָ שֶׁבְּכָל עֵת, עֶרֶב וָבֹקֶר וְצָהֳרָיִם, הַטּוֹב, כִּי לֹא כָלוּ רַחֲמֶיךָ, וְהַמְרַחֵם, כִּי לֹא תַמּוּ חֲסָדֶיךָ, כִּי מֵעוֹלָם קִוִּינוּ לָךְ: בשבת חנוכה אומרים כאן ועל הנסים[א]

מודים דרבנן

מוֹדִים אֲנַחְנוּ לָךְ, שָׁאַתָּה הוּא יְיָ אֱלֹהֵינוּ וֵאלֹהֵי אֲבוֹתֵינוּ, אֱלֹהֵי כָל בָּשָׂר, יוֹצְרֵנוּ, יוֹצֵר בְּרֵאשִׁית, בְּרָכוֹת וְהוֹדָאוֹת לְשִׁמְךָ הַגָּדוֹל וְהַקָּדוֹשׁ, עַל שֶׁהֶחֱיִיתָנוּ וְקִיַּמְתָּנוּ, כֵּן תְּחַיֵּנוּ וּתְקַיְּמֵנוּ, וְתֶאֱסוֹף גָּלֻיּוֹתֵינוּ לְחַצְרוֹת קָדְשֶׁךָ, וְנָשׁוּב אֵלֶיךָ לִשְׁמוֹר חֻקֶּיךָ, וְלַעֲשׂוֹת רְצוֹנֶךָ, וּלְעָבְדְּךָ בְּלֵבָב שָׁלֵם, עַל שֶׁאֲנוּ מוֹדִים לָךְ, בָּרוּךְ אֵל הַהוֹדָאוֹת:

וְעַל כֻּלָּם יִתְבָּרַךְ וְיִתְרוֹמַם וְיִתְנַשֵּׂא שִׁמְךָ מַלְכֵּנוּ תָּמִיד לְעוֹלָם וָעֶד:

בש"ת וּכְתוֹב לְחַיִּים טוֹבִים כָּל בְּנֵי בְרִיתֶךָ.

א) בשבת חנוכה אומרים זה:

וְעַל הַנִּסִּים וְעַל הַפֻּרְקָן וְעַל הַגְּבוּרוֹת וְעַל הַתְּשׁוּעוֹת וְעַל הַנִּפְלָאוֹת שֶׁעָשִׂיתָ לַאֲבוֹתֵינוּ בַּיָּמִים הָהֵם בִּזְּמַן הַזֶּה:

בִּימֵי מַתִּתְיָהוּ בֶּן יוֹחָנָן כֹּהֵן גָּדוֹל חַשְׁמוֹנַאִי וּבָנָיו כְּשֶׁעָמְדָה מַלְכוּת יָוָן הָרְשָׁעָה עַל עַמְּךָ יִשְׂרָאֵל לְהַשְׁכִּיחָם תּוֹרָתֶךָ, וּלְהַעֲבִירָם מֵחֻקֵּי רְצוֹנֶךָ, וְאַתָּה בְּרַחֲמֶיךָ הָרַבִּים עָמַדְתָּ לָהֶם בְּעֵת צָרָתָם. רַבְתָּ אֶת רִיבָם, דַּנְתָּ אֶת דִּינָם, נָקַמְתָּ אֶת נִקְמָתָם, מָסַרְתָּ גִבּוֹרִים בְּיַד חַלָּשִׁים, וְרַבִּים בְּיַד מְעַטִּים, וּטְמֵאִים בְּיַד טְהוֹרִים, וּרְשָׁעִים בְּיַד צַדִּיקִים, וְזֵדִים בְּיַד עוֹסְקֵי תוֹרָתֶךָ. וּלְךָ עָשִׂיתָ שֵׁם גָּדוֹל וְקָדוֹשׁ בְּעוֹלָמֶךָ, וּלְעַמְּךָ יִשְׂרָאֵל עָשִׂיתָ תְּשׁוּעָה גְדוֹלָה וּפֻרְקָן כְּהַיּוֹם הַזֶּה. וְאַחַר כַּךְ בָּאוּ בָנֶיךָ לִדְבִיר בֵּיתֶךָ, וּפִנּוּ אֶת הֵיכָלֶךָ, וְטִהֲרוּ אֶת מִקְדָּשֶׁךָ, וְהִדְלִיקוּ נֵרוֹת בְּחַצְרוֹת קָדְשֶׁךָ, וְקָבְעוּ שְׁמוֹנַת יְמֵי חֲנֻכָּה אֵלּוּ, לְהוֹדוֹת וּלְהַלֵּל לְשִׁמְךָ הַגָּדוֹל: ועל כולם

1 וְכֹל הַחַיִּים יוֹדוּךָ סֶּלָה, וִיהַלְלוּ שִׁמְךָ הַגָּדוֹל לְעוֹלָם כִּי טוֹב הָאֵל

2 יְשׁוּעָתֵנוּ וְעֶזְרָתֵנוּ סֶּלָה, הָאֵל הַטּוֹב. בָּרוּךְ אַתָּה יְיָ, הַטּוֹב

3 שִׁמְךָ וּלְךָ נָאֶה לְהוֹדוֹת:

4 לש״ץ אֱלֹהֵינוּ וֵאלֹהֵי אֲבוֹתֵינוּ, בָּרְכֵנוּ בַבְּרָכָה הַמְשֻׁלֶּשֶׁת בַּתּוֹרָה הַכְּתוּבָה

5 עַל יְדֵי מֹשֶׁה עַבְדֶּךָ, הָאֲמוּרָה מִפִּי אַהֲרֹן וּבָנָיו כֹּהֲנִים עַם

6 קְדוֹשֶׁךָ, כָּאָמוּר: יְבָרֶכְךָ יְיָ וְיִשְׁמְרֶךָ: אמן יָאֵר יְיָ פָּנָיו אֵלֶיךָ וִיחֻנֶּךָּ: אמן יִשָּׂא יְיָ

7 פָּנָיו אֵלֶיךָ וְיָשֵׂם לְךָ שָׁלוֹם אמן:

8 שִׂים שָׁלוֹם, טוֹבָה וּבְרָכָה, חַיִּים חֵן וָחֶסֶד וְרַחֲמִים, עָלֵינוּ וְעַל כָּל

9 יִשְׂרָאֵל עַמֶּךָ. בָּרְכֵנוּ אָבִינוּ כֻּלָּנוּ כְּאֶחָד, בְּאוֹר פָּנֶיךָ, כִּי בְאוֹר

10 פָּנֶיךָ, נָתַתָּ לָּנוּ יְיָ אֱלֹהֵינוּ תּוֹרַת חַיִּים, וְאַהֲבַת חֶסֶד, וּצְדָקָה

11 וּבְרָכָה וְרַחֲמִים וְחַיִּים וְשָׁלוֹם. וְטוֹב בְּעֵינֶיךָ לְבָרֵךְ אֶת עַמְּךָ יִשְׂרָאֵל

12 בְּכָל עֵת וּבְכָל שָׁעָה בִּשְׁלוֹמֶךָ.

13 בש״ת וּבְסֵפֶר חַיִּים בְּרָכָה וְשָׁלוֹם וּפַרְנָסָה טוֹבָה, יְשׁוּעָה וְנֶחָמָה וּגְזֵרוֹת

14 טוֹבוֹת, נִזָּכֵר וְנִכָּתֵב לְפָנֶיךָ, אֲנַחְנוּ וְכָל עַמְּךָ בֵּית יִשְׂרָאֵל,

15 לְחַיִּים טוֹבִים וּלְשָׁלוֹם.

16 בָּרוּךְ אַתָּה יְיָ, הַמְבָרֵךְ אֶת עַמּוֹ יִשְׂרָאֵל בַּשָּׁלוֹם:

17 יִהְיוּ לְרָצוֹן אִמְרֵי פִי וְהֶגְיוֹן לִבִּי לְפָנֶיךָ, יְיָ צוּרִי וְגוֹאֲלִי:

18 אֱלֹהַי, נְצוֹר לְשׁוֹנִי מֵרָע, וּשְׂפָתַי מִדַּבֵּר מִרְמָה, וְלִמְקַלְלַי נַפְשִׁי תִדּוֹם,

19 וְנַפְשִׁי כֶּעָפָר לַכֹּל תִּהְיֶה. פְּתַח לִבִּי בְּתוֹרָתֶךָ, וּבְמִצְוֹתֶיךָ תִּרְדּוֹף

20 נַפְשִׁי, וְכָל הַחוֹשְׁבִים עָלַי רָעָה, מְהֵרָה הָפֵר עֲצָתָם וְקַלְקֵל מַחֲשַׁבְתָּם.

21 יִהְיוּ כְּמוֹץ לִפְנֵי רוּחַ וּמַלְאַךְ יְיָ דּוֹחֶה. לְמַעַן יֵחָלְצוּן יְדִידֶיךָ, הוֹשִׁיעָה יְמִינְךָ

22 וַעֲנֵנִי. עֲשֵׂה לְמַעַן שְׁמֶךָ, עֲשֵׂה לְמַעַן יְמִינֶךָ, עֲשֵׂה לְמַעַן תּוֹרָתֶךָ, עֲשֵׂה

23 לְמַעַן קְדֻשָּׁתֶךָ. יִהְיוּ לְרָצוֹן אִמְרֵי פִי, וְהֶגְיוֹן לִבִּי לְפָנֶיךָ, יְיָ צוּרִי וְגוֹאֲלִי:

24 עֹשֶׂה שָׁלוֹם (בש״ת הַשָּׁלוֹם) בִּמְרוֹמָיו, הוּא יַעֲשֶׂה שָׁלוֹם עָלֵינוּ וְעַל כָּל

25 יִשְׂרָאֵל, וְאִמְרוּ אָמֵן:

26 יְהִי רָצוֹן מִלְּפָנֶיךָ יְיָ אֱלֹהֵינוּ וֵאלֹהֵי אֲבוֹתֵינוּ, שֶׁיִּבָּנֶה בֵּית הַמִּקְדָּשׁ בִּמְהֵרָה בְיָמֵינוּ, וְתֵן

27 חֶלְקֵנוּ בְּתוֹרָתֶךָ:

הש״ץ חוזר התפלה. קדיש תתקבל

28 קַוֵּה אֶל יְיָ, חֲזַק וְיַאֲמֵץ לִבֶּךָ, וְקַוֵּה אֶל יְיָ: אֵין קָדוֹשׁ כַּיְיָ, כִּי אֵין בִּלְתֶּךָ,

29 וְאֵין צוּר כֵּאלֹהֵינוּ: כִּי מִי אֱלוֹהַּ מִבַּלְעֲדֵי יְיָ, וּמִי צוּר זוּלָתִי אֱלֹהֵינוּ:

30 אֵין כֵּאלֹהֵינוּ, אֵין כַּאדוֹנֵינוּ, אֵין

31 כְּמַלְכֵּנוּ, אֵין כְּמוֹשִׁיעֵנוּ: מִי

כאלהינו

1   כֵאלֹהֵינוּ, מִי כַאדוֹנֵינוּ, מִי כְמַלְכֵּנוּ,

2   מִי כְמוֹשִׁיעֵנוּ: נוֹדֶה לֵאלֹהֵינוּ, נוֹדֶה

3   לַאדוֹנֵינוּ,   נוֹדֶה   לְמַלְכֵּנוּ,   נוֹדֶה

4   לְמוֹשִׁיעֵנוּ: בָּרוּךְ אֱלֹהֵינוּ, בָּרוּךְ אֲדוֹנֵינוּ,

5   בָּרוּךְ מַלְכֵּנוּ, בָּרוּךְ מוֹשִׁיעֵנוּ: אַתָּה

6   הוּא אֱלֹהֵינוּ, אַתָּה הוּא אֲדוֹנֵינוּ, אַתָּה

7   הוּא מַלְכֵּנוּ, אַתָּה הוּא מוֹשִׁיעֵנוּ, אַתָּה

8   תוֹשִׁיעֵנוּ: אַתָּה תָקוּם תְּרַחֵם צִיוֹן כִּי

9   עֵת לְחֶנְנָהּ כִּי בָא מוֹעֵד: אַתָּה הוּא

10   יְיָ אֱלֹהֵינוּ וֵאלֹהֵי אֲבוֹתֵינוּ שֶׁהִקְטִירוּ

11   אֲבוֹתֵינוּ לְפָנֶיךָ אֶת קְטֹרֶת הַסַּמִּים:

12   פִּטּוּם הַקְּטֹרֶת, הַצֳּרִי, וְהַצִּפֹּרֶן, הַחֶלְבְּנָה, וְהַלְּבוֹנָה,

13   מִשְׁקַל שִׁבְעִים שִׁבְעִים מָנֶה, מוֹר, וּקְצִיעָה,

14   שִׁבֹּלֶת נֵרְדְּ, וְכַרְכֹּם, מִשְׁקַל שִׁשָּׁה עָשָׂר שִׁשָּׁה עָשָׂר

15   מָנֶה, הַקֹּשְׁטְ שְׁנֵים עָשָׂר, קִלּוּפָה שְׁלֹשָׁה, קִנָּמוֹן

16   תִּשְׁעָה, בֹּרִית כַּרְשִׁינָה תִּשְׁעָה קַבִּין, יֵין קַפְרִיסִין סְאִין

17   תְּלָתָא וְקַבִּין תְּלָתָא, וְאִם אֵין לוֹ יֵין קַפְרִיסִין מֵבִיא חֲמַר

18   חִוַּרְיָן עַתִּיק מֶלַח סְדוֹמִית רוֹבַע, מַעֲלֶה עָשָׁן כָּל שֶׁהוּא.

19   רַבִּי נָתָן הַבַּבְלִי אוֹמֵר: אַף כִּפַּת הַיַּרְדֵּן כָּל שֶׁהִיא, וְאִם נָתַן

20   בָּהּ דְּבַשׁ פְּסָלָהּ, וְאִם חִסַּר אֶחָד מִכָּל סַמְמָנֶיהָ חַיָּב

21   מִיתָה: רַבָּן שִׁמְעוֹן בֶּן גַּמְלִיאֵל אוֹמֵר: הַצֳּרִי אֵינוֹ אֶלָּא

1   שָׂרָף, הַנּוֹטֵף מֵעֲצֵי הַקְּטָף, בְּרִית כַּרְשִׁינָה שֶׁשָּׁפִין בָּהּ

2   אֶת הַצִּפֹּרֶן, כְּדֵי שֶׁתְּהֵא נָאָה; יֵין קַפְרִיסִין שֶׁשּׁוֹרִין

3   בּוֹ אֶת הַצִּפֹּרֶן, כְּדֵי שֶׁתְּהֵא עַזָּה. וַהֲלֹא מֵי רַגְלַיִם יָפִין

4   לָהּ, אֶלָּא שֶׁאֵין מַכְנִיסִין מֵי רַגְלַיִם בַּמִּקְדָּשׁ מִפְּנֵי הַכָּבוֹד:

5   **תָּנָא** דְּבֵי אֵלִיָּהוּ כָּל הַשּׁוֹנֶה הֲלָכוֹת בְּכָל יוֹם מֻבְטָח לוֹ שֶׁהוּא בֶן עוֹלָם

6   הַבָּא שֶׁנֶּאֱמַר הֲלִיכוֹת עוֹלָם לוֹ, אַל תִּקְרֵי הֲלִיכוֹת אֶלָּא הֲלָכוֹת:

7   **אָמַר** רַבִּי אֶלְעָזָר אָמַר רַבִּי חֲנִינָא, תַּלְמִידֵי חֲכָמִים מַרְבִּים שָׁלוֹם בָּעוֹלָם,

8   שֶׁנֶּאֱמַר וְכָל בָּנַיִךְ לִמּוּדֵי יְיָ, וְרַב שְׁלוֹם בָּנָיִךְ: אַל תִּקְרֵי בָּנָיִךְ, אֶלָּא

9   בּוֹנָיִךְ: שָׁלוֹם רָב לְאֹהֲבֵי תוֹרָתֶךָ, וְאֵין לָמוֹ מִכְשׁוֹל: יְהִי שָׁלוֹם בְּחֵילֵךְ,

10   שַׁלְוָה בְּאַרְמְנוֹתָיִךְ: לְמַעַן אַחַי וְרֵעָי אֲדַבְּרָה נָּא שָׁלוֹם בָּךְ: לְמַעַן בֵּית יְיָ

11   אֱלֹהֵינוּ, אֲבַקְשָׁה טוֹב לָךְ: יְיָ עֹז לְעַמּוֹ יִתֵּן, יְיָ יְבָרֵךְ אֶת עַמּוֹ בַשָּׁלוֹם:

קדיש דרבנן

12   **יִתְגַּדַּל** וְיִתְקַדַּשׁ שְׁמֵהּ רַבָּא. אמן בְּעָלְמָא דִּי בְרָא כִרְעוּתֵהּ וְיַמְלִיךְ מַלְכוּתֵהּ,

13   וְיַצְמַח פּוּרְקָנֵהּ וִיקָרֵב מְשִׁיחֵהּ. אמן בְּחַיֵּיכוֹן וּבְיוֹמֵיכוֹן וּבְחַיֵּי דְכָל בֵּית

14   יִשְׂרָאֵל, בַּעֲגָלָא וּבִזְמַן קָרִיב, וְאִמְרוּ אָמֵן: יְהֵא שְׁמֵהּ רַבָּא מְבָרַךְ לְעָלַם וּלְעָלְמֵי

15   עָלְמַיָּא. יִתְבָּרַךְ, וְיִשְׁתַּבַּח, וְיִתְפָּאַר, וְיִתְרוֹמַם, וְיִתְנַשֵּׂא, וְיִתְהַדָּר, וְיִתְעַלֶּה,

16   וְיִתְהַלָּל, שְׁמֵהּ דְּקוּדְשָׁא בְּרִיךְ הוּא. אמן לְעֵלָּא מִן כָּל בִּרְכָתָא וְשִׁירָתָא, תֻּשְׁבְּחָתָא

17   וְנֶחֱמָתָא, דַּאֲמִירָן בְּעָלְמָא, וְאִמְרוּ אָמֵן:

18   **עַל** יִשְׂרָאֵל וְעַל רַבָּנָן, וְעַל תַּלְמִידֵיהוֹן וְעַל כָּל תַּלְמִידֵי תַלְמִידֵיהוֹן, וְעַל כָּל

19   מָאן דְּעָסְקִין בְּאוֹרַיְתָא, דִּי בְאַתְרָא הָדֵין וְדִי בְכָל אֲתַר וַאֲתַר, יְהֵא לְהוֹן

20   וּלְכוֹן שְׁלָמָא רַבָּא חִנָּא וְחִסְדָּא וְרַחֲמִין וְחַיִּין אֲרִיכִין וּמְזוֹנָא רְוִיחָא וּפוּרְקָנָא

21   מִן קֳדָם אֲבוּהוֹן דְּבִשְׁמַיָּא, וְאִמְרוּ אָמֵן: יְהֵא שְׁלָמָא רַבָּא מִן שְׁמַיָּא וְחַיִּים

22   טוֹבִים עָלֵינוּ וְעַל כָּל יִשְׂרָאֵל, וְאִמְרוּ אָמֵן: עֹשֶׂה שָׁלוֹם (בעשי״ת הַשָּׁלוֹם)

23   בִּמְרוֹמָיו, הוּא יַעֲשֶׂה שָׁלוֹם עָלֵינוּ וְעַל כָּל יִשְׂרָאֵל, וְאִמְרוּ אָמֵן:

24   **עָלֵינוּ** לְשַׁבֵּחַ לַאֲדוֹן הַכֹּל לָתֵת גְּדֻלָּה לְיוֹצֵר בְּרֵאשִׁית שֶׁלֹּא עָשָׂנוּ

25   כְּגוֹיֵי הָאֲרָצוֹת וְלֹא שָׂמָנוּ כְּמִשְׁפְּחוֹת הָאֲדָמָה שֶׁלֹּא שָׂם חֶלְקֵנוּ

26   כָּהֶם וְגוֹרָלֵנוּ כְּכָל־הֲמוֹנָם שֶׁהֵם מִשְׁתַּחֲוִים לְהֶבֶל וְלָרִיק: וַאֲנַחְנוּ

27   כּוֹרְעִים וּמִשְׁתַּחֲוִים וּמוֹדִים לִפְנֵי מֶלֶךְ מַלְכֵי הַמְּלָכִים הַקָּדוֹשׁ בָּרוּךְ

28   הוּא: שֶׁהוּא נוֹטֶה שָׁמַיִם וְיוֹסֵד אָרֶץ וּמוֹשַׁב יְקָרוֹ בַּשָּׁמַיִם מִמַּעַל

29   וּשְׁכִינַת עֻזּוֹ בְּגָבְהֵי מְרוֹמִים: הוּא אֱלֹהֵינוּ אֵין עוֹד. אֱמֶת מַלְכֵּנוּ אֶפֶס

זולתו

זוּלָתוֹ כַּכָּתוּב בְּתוֹרָתוֹ וְיָדַעְתָּ הַיּוֹם וַהֲשֵׁבֹתָ אֶל־לְבָבֶךָ כִּי יְהֹוָה הוּא הָאֱלֹהִים בַּשָּׁמַיִם מִמַּעַל וְעַל־הָאָרֶץ מִתָּחַת אֵין עוֹד:

וְעַל כֵּן נְקַוֶּה לְךָ יְיָ אֱלֹהֵינוּ, לִרְאוֹת מְהֵרָה בְּתִפְאֶרֶת עֻזֶּךָ, לְהַעֲבִיר גִּלּוּלִים מִן הָאָרֶץ, וְהָאֱלִילִים כָּרוֹת יִכָּרֵתוּן, לְתַקֵּן עוֹלָם בְּמַלְכוּת שַׁדַּי. וְכָל בְּנֵי בָשָׂר יִקְרְאוּ בִשְׁמֶךָ, לְהַפְנוֹת אֵלֶיךָ כָּל רִשְׁעֵי אָרֶץ. יַכִּירוּ וְיֵדְעוּ כָּל יוֹשְׁבֵי תֵבֵל, כִּי לְךָ תִּכְרַע כָּל בֶּרֶךְ, תִּשָּׁבַע כָּל לָשׁוֹן. לְפָנֶיךָ יְיָ אֱלֹהֵינוּ יִכְרְעוּ וְיִפֹּלוּ, וְלִכְבוֹד שִׁמְךָ יְקָר יִתֵּנוּ, וִיקַבְּלוּ כֻלָּם עֲלֵיהֶם אֶת עוֹל מַלְכוּתֶךָ, וְתִמְלוֹךְ עֲלֵיהֶם מְהֵרָה לְעוֹלָם וָעֶד. כִּי הַמַּלְכוּת שֶׁלְּךָ הִיא, וּלְעוֹלְמֵי עַד תִּמְלוֹךְ בְּכָבוֹד, כַּכָּתוּב בְּתוֹרָתֶךָ: יְיָ יִמְלֹךְ לְעֹלָם וָעֶד. וְנֶאֱמַר, וְהָיָה יְיָ לְמֶלֶךְ עַל כָּל הָאָרֶץ, בַּיּוֹם הַהוּא יִהְיֶה יְיָ אֶחָד וּשְׁמוֹ אֶחָד: קדיש יתום

אַל תִּירָא מִפַּחַד פִּתְאֹם, וּמִשֹּׁאַת רְשָׁעִים כִּי תָבֹא: עֻצוּ עֵצָה וְתֻפָר, דַּבְּרוּ דָבָר וְלֹא יָקוּם, כִּי עִמָּנוּ אֵל: וְעַד זִקְנָה אֲנִי הוּא, וְעַד שֵׂיבָה אֲנִי אֶסְבֹּל; אֲנִי עָשִׂיתִי וַאֲנִי אֶשָּׂא וַאֲנִי אֶסְבֹּל וַאֲמַלֵּט:

אַךְ צַדִּיקִים יוֹדוּ לִשְׁמֶךָ יֵשְׁבוּ יְשָׁרִים אֶת פָּנֶיךָ.

מוספין קודמין לבזיכין לזאת נכון לומר פ׳ בזיכין ולחם הפנים אחר תפלת מוסף שבת:

וְלָקַחְתָּ[א] סֹלֶת וְאָפִיתָ אֹתָהּ שְׁתֵּים עֶשְׂרֵה חַלּוֹת, שְׁנֵי עֶשְׂרֹנִים יִהְיֶה הַחַלָּה הָאֶחָת: וְשַׂמְתָּ אוֹתָם שְׁתַּיִם מַעֲרָכוֹת שֵׁשׁ הַמַּעֲרָכֶת עַל הַשֻּׁלְחָן הַטָּהֹר לִפְנֵי יְיָ: וְנָתַתָּ עַל הַמַּעֲרֶכֶת לְבֹנָה זַכָּה, וְהָיְתָה לַלֶּחֶם לְאַזְכָּרָה אִשֶּׁה לַייָ: בְּיוֹם הַשַּׁבָּת בְּיוֹם הַשַּׁבָּת יַעַרְכֶנּוּ לִפְנֵי יְיָ תָּמִיד מֵאֵת בְּנֵי יִשְׂרָאֵל בְּרִית עוֹלָם: וְהָיְתָה לְאַהֲרֹן וּלְבָנָיו וַאֲכָלֻהוּ בְּמָקוֹם קָדֹשׁ, כִּי קֹדֶשׁ קָדָשִׁים הוּא לוֹ מֵאִשֵּׁי יְיָ, חָק עוֹלָם:

שש זכירות תמצא לעיל ע׳ 86.

סדר קידוש ליום השבת

מִזְמוֹר לְדָוִד, יְיָ רֹעִי לֹא אֶחְסָר: בִּנְאוֹת דֶּשֶׁא יַרְבִּיצֵנִי, עַל מֵי מְנֻחוֹת יְנַהֲלֵנִי: נַפְשִׁי יְשׁוֹבֵב, יַנְחֵנִי בְמַעְגְּלֵי צֶדֶק לְמַעַן שְׁמוֹ: גַּם כִּי אֵלֵךְ

תו״א א) ויקרא כד ה:

בְּגֵיא צַלְמָוֶת לֹא אִירָא רָע, כִּי אַתָּה עִמָּדִי, שִׁבְטְךָ וּמִשְׁעַנְתֶּךָ הֵמָּה יְנַחֲמֻנִי: תַּעֲרֹךְ לְפָנַי שֻׁלְחָן נֶגֶד צֹרְרָי, דִּשַּׁנְתָּ בַשֶּׁמֶן רֹאשִׁי, כּוֹסִי רְוָיָה: אַךְ טוֹב וָחֶסֶד יִרְדְּפוּנִי כָּל יְמֵי חַיָּי, וְשַׁבְתִּי בְּבֵית יְיָ לְאֹרֶךְ יָמִים:

אַתְקִינוּ סְעוּדָתָא דִמְהֵימְנוּתָא שְׁלֵמָתָא חֶדְוָתָא דְמַלְכָּא קַדִּישָׁא, אַתְקִינוּ סְעוּדָתָא דְמַלְכָּא דָא הִיא סְעוּדָתָא דְעַתִּיקָא קַדִּישָׁא, וַחֲקַל תַּפּוּחִין קַדִּישִׁין וּזְעֵיר אַנְפִּין אָתְיָן לְסַעֲדָא בַּהֲדֵיהּ:

וְשָׁמְרוּ בְנֵי יִשְׂרָאֵל אֶת הַשַּׁבָּת לַעֲשׂוֹת אֶת הַשַּׁבָּת לְדֹרֹתָם בְּרִית עוֹלָם. בֵּינִי וּבֵין בְּנֵי יִשְׂרָאֵל אוֹת הִיא לְעֹלָם, כִּי שֵׁשֶׁת יָמִים עָשָׂה יְיָ אֶת הַשָּׁמַיִם וְאֶת הָאָרֶץ, וּבַיּוֹם הַשְּׁבִיעִי שָׁבַת וַיִּנָּפַשׁ:

אִם[א] תָּשִׁיב מִשַּׁבָּת רַגְלֶךָ, עֲשׂוֹת חֲפָצֶךָ בְּיוֹם קָדְשִׁי, וְקָרָאתָ לַשַּׁבָּת עֹנֶג, לִקְדוֹשׁ יְיָ מְכֻבָּד, וְכִבַּדְתּוֹ מֵעֲשׂוֹת דְּרָכֶיךָ מִמְּצוֹא חֶפְצְךָ וְדַבֵּר דָּבָר. אָז[ב] תִּתְעַנַּג עַל יְיָ וְהִרְכַּבְתִּיךָ עַל בָּמֳתֵי אָרֶץ, וְהַאֲכַלְתִּיךָ נַחֲלַת יַעֲקֹב אָבִיךָ, כִּי פִּי יְיָ דִּבֵּר:

דָּא הִיא סְעוּדָתָא דְעַתִּיקָא קַדִּישָׁא:

זָכוֹר[ג] אֶת יוֹם הַשַּׁבָּת לְקַדְּשׁוֹ. שֵׁשֶׁת יָמִים תַּעֲבֹד וְעָשִׂיתָ כָּל מְלַאכְתֶּךָ. וְיוֹם הַשְּׁבִיעִי שַׁבָּת לַיְיָ אֱלֹהֶיךָ, לֹא תַעֲשֶׂה כָל מְלָאכָה, אַתָּה וּבִנְךָ וּבִתֶּךָ עַבְדְּךָ וַאֲמָתְךָ וּבְהֶמְתֶּךָ, וְגֵרְךָ אֲשֶׁר בִּשְׁעָרֶיךָ. כִּי שֵׁשֶׁת יָמִים עָשָׂה יְיָ אֶת הַשָּׁמַיִם וְאֶת הָאָרֶץ, אֶת הַיָּם וְאֶת כָּל אֲשֶׁר בָּם, וַיָּנַח בַּיּוֹם הַשְּׁבִיעִי

עַל כֵּן בֵּרַךְ יְיָ אֶת יוֹם הַשַּׁבָּת וַיְקַדְּשֵׁהוּ:

סַבְרִי מָרָנָן:

על היין

בָּרוּךְ אַתָּה יְיָ אֱלֹהֵינוּ מֶלֶךְ הָעוֹלָם, בּוֹרֵא פְּרִי הַגָּפֶן:

על הפת

בָּרוּךְ אַתָּה יְיָ אֱלֹהֵינוּ מֶלֶךְ הָעוֹלָם, הַמּוֹצִיא לֶחֶם מִן הָאָרֶץ:

בשבת חול המועד סוכות כשמקדש בסוכה מברך תיכף ברכה זו:

בָּרוּךְ אַתָּה יְיָ אֱלֹהֵינוּ מֶלֶךְ הָעוֹלָם, אֲשֶׁר קִדְּשָׁנוּ בְּמִצְוֹתָיו וְצִוָּנוּ לֵישֵׁב בַּסֻּכָּה:

אֲסַדֵּר לִסְעוּדָתָא, בְּצַפְרָא דְשַׁבַּתָּא,
וְאַזְמִין בַּהּ הַשְׁתָּא, עַתִּיקָא קַדִּישָׁא:

נְהוֹרֵיהּ יִשְׁרֵי בַהּ, בְּקִדּוּשָׁא רַבָּא,
וּבְחַמְרָא טָבָא, דְּבֵיהּ תֶּחֱדֵי נַפְשָׁא:

ישדר

תו"א א) ישעיה נח יג: ב) שם נח יד: ג) שמות כ ח ט י יא:

יְשַׁדַּר לָן שׁוּפְרֵיהּ, וְנֶחֱזֵי בִּיקָרֵיהּ,
וְיַחֲזֵי לָן סִתְרֵיהּ, דְּאִתְאֲמַר בִּלְחִישָׁא:
יְגַלֵּה לָן טַעֲמֵי, דִּבְתְרֵיסַר נַהֲמֵי,
דְּאִנּוּן אָת בִּשְׁמֵיהּ, כְּפִילָא וּקְלִישָׁא:
צְרוֹרָא דִלְעֵלָּא, דְּבֵיהּ חַיֵּי כֹלָּא,
וְיִתְרַבֵּי חֵילָא, וְתִסַּק עַד רֵישָׁא:
חֲדוּ חַצְדֵי חַקְלָא, בְּדִבּוּר וּבְקָלָא,
וּמַלְּלוּ מִלָּה, מְתִיקָא כְּדוּבְשָׁא:

קֳדָם רִבּוֹן עָלְמִין, בְּמִלִּין סְתִימִין,
תְּגַלּוּן פִּתְגָּמִין, וְתִימְרוּן חִדּוּשָׁא:
לְעַטֵּר פָּתוּרָא, בְּרָזָא יַקִּירָא, עֲמִיקָא
וּטְמִירָא, וְלָאו מִלְּתָא אַוְשָׁא:
וְאִלֵּין מִלַּיָּא, יְהוֹן לִרְקִיעַיָּא, וְתַמָּן
מָאן שַׁרְיָא, הֲלָא הַהוּא שִׁמְשָׁא:
רְבוּ יַתִּיר יִסְגֵּי, לְעֵלָּא מִן דַּרְגֵּיהּ,
וְיִסַּב בַּת זוּגֵיהּ, דַּהֲוַת פְּרִישָׁא:

מנחה לשבת

אחר וידבר וסדר הקטרת אומרים **אשרי ובא לציון.**

אַשְׁרֵי יוֹשְׁבֵי בֵיתֶךָ, עוֹד יְהַלְלוּךָ סֶּלָה: אַשְׁרֵי הָעָם שֶׁכָּכָה לּוֹ, אַשְׁרֵי הָעָם שֶׁיְיָ אֱלֹהָיו: תְּהִלָּה לְדָוִד, אֲרוֹמִמְךָ אֱלוֹהַי הַמֶּלֶךְ, וַאֲבָרְכָה שִׁמְךָ לְעוֹלָם וָעֶד: בְּכָל יוֹם אֲבָרְכֶךָּ, וַאֲהַלְלָה שִׁמְךָ לְעוֹלָם וָעֶד: גָּדוֹל יְיָ וּמְהֻלָּל מְאֹד, וְלִגְדֻלָּתוֹ אֵין חֵקֶר: דּוֹר לְדוֹר יְשַׁבַּח מַעֲשֶׂיךָ, וּגְבוּרֹתֶיךָ יַגִּידוּ: הֲדַר כְּבוֹד הוֹדֶךָ, וְדִבְרֵי נִפְלְאֹתֶיךָ אָשִׂיחָה: וֶעֱזוּז נוֹרְאוֹתֶיךָ יֹאמֵרוּ, וּגְדֻלָּתְךָ אֲסַפְּרֶנָּה: זֵכֶר רַב טוּבְךָ יַבִּיעוּ וְצִדְקָתְךָ יְרַנֵּנוּ: חַנּוּן וְרַחוּם יְיָ, אֶרֶךְ אַפַּיִם וּגְדָל חָסֶד: טוֹב יְיָ לַכֹּל, וְרַחֲמָיו עַל כָּל מַעֲשָׂיו: יוֹדוּךָ יְיָ כָּל מַעֲשֶׂיךָ, וַחֲסִידֶיךָ יְבָרְכוּכָה: כְּבוֹד מַלְכוּתְךָ יֹאמֵרוּ, וּגְבוּרָתְךָ יְדַבֵּרוּ: לְהוֹדִיעַ לִבְנֵי הָאָדָם גְּבוּרֹתָיו, וּכְבוֹד הֲדַר מַלְכוּתוֹ: מַלְכוּתְךָ מַלְכוּת כָּל עֹלָמִים, וּמֶמְשַׁלְתְּךָ בְּכָל דּוֹר וָדֹר: סוֹמֵךְ יְיָ לְכָל הַנֹּפְלִים, וְזוֹקֵף לְכָל הַכְּפוּפִים: עֵינֵי כֹל אֵלֶיךָ יְשַׂבֵּרוּ, וְאַתָּה נוֹתֵן לָהֶם אֶת אָכְלָם בְּעִתּוֹ: פּוֹתֵחַ אֶת יָדֶךָ, וּמַשְׂבִּיעַ לְכָל חַי רָצוֹן: צַדִּיק יְיָ בְּכָל דְּרָכָיו, וְחָסִיד בְּכָל מַעֲשָׂיו: קָרוֹב יְיָ לְכָל קֹרְאָיו, לְכֹל אֲשֶׁר יִקְרָאֻהוּ בֶאֱמֶת: רְצוֹן יְרֵאָיו יַעֲשֶׂה, וְאֶת שַׁוְעָתָם יִשְׁמַע וְיוֹשִׁיעֵם: שׁוֹמֵר יְיָ אֶת כָּל אֹהֲבָיו, וְאֵת כָּל הָרְשָׁעִים יַשְׁמִיד: תְּהִלַּת יְיָ יְדַבֶּר פִּי, וִיבָרֵךְ כָּל בָּשָׂר שֵׁם קָדְשׁוֹ לְעוֹלָם וָעֶד: וַאֲנַחְנוּ נְבָרֵךְ יָהּ, מֵעַתָּה וְעַד עוֹלָם הַלְלוּיָהּ:

וּבָא לְצִיּוֹן גּוֹאֵל וּלְשָׁבֵי פֶשַׁע בְּיַעֲקֹב, נְאֻם יְיָ. וַאֲנִי זֹאת בְּרִיתִי אוֹתָם אָמַר יְיָ, רוּחִי אֲשֶׁר עָלֶיךָ, וּדְבָרַי אֲשֶׁר שַׂמְתִּי בְּפִיךָ, לֹא יָמוּשׁוּ מִפִּיךָ וּמִפִּי זַרְעֲךָ וּמִפִּי זֶרַע זַרְעֲךָ, אָמַר יְיָ, מֵעַתָּה וְעַד עוֹלָם. וְאַתָּה קָדוֹשׁ, יוֹשֵׁב תְּהִלּוֹת יִשְׂרָאֵל. וְקָרָא זֶה אֶל זֶה וְאָמַר, קָדוֹשׁ קָדוֹשׁ קָדוֹשׁ יְיָ צְבָאוֹת, מְלֹא כָל הָאָרֶץ כְּבוֹדוֹ. וּמְקַבְּלִין דֵּין מִן דֵּין וְאָמְרִין, קַדִּישׁ בִּשְׁמֵי מְרוֹמָא עִלָּאָה בֵּית שְׁכִינְתֵּהּ, קַדִּישׁ עַל אַרְעָא עוֹבַד גְּבוּרְתֵּהּ, קַדִּישׁ לְעָלַם וּלְעָלְמֵי עָלְמַיָּא. יְיָ צְבָאוֹת, מַלְיָא כָל אַרְעָא זִיו יְקָרֵהּ. וַתִּשָּׂאֵנִי רוּחַ,

וַאֶשְׁמַע אַחֲרַי, קוֹל רַעַשׁ גָּדוֹל, בָּרוּךְ כְּבוֹד יְיָ מִמְּקוֹמוֹ. וּנְטָלַתְנִי רוּחָא וּשְׁמָעִית בַּתְרַי קָל זִיעַ סַגִּיא דִּמְשַׁבְּחִין וְאָמְרִין, בְּרִיךְ יְקָרָא דַייָ מֵאֲתַר בֵּית שְׁכִינְתֵּהּ. יְיָ יִמְלֹךְ לְעֹלָם וָעֶד. יְיָ מַלְכוּתֵהּ קָאֵם לְעָלַם וּלְעָלְמֵי עָלְמַיָּא. יְיָ אֱלֹהֵי אַבְרָהָם יִצְחָק וְיִשְׂרָאֵל אֲבוֹתֵינוּ, שָׁמְרָה זֹּאת לְעוֹלָם, לְיֵצֶר מַחְשְׁבוֹת לְבַב עַמֶּךָ, וְהָכֵן לְבָבָם אֵלֶיךָ. וְהוּא רַחוּם, יְכַפֵּר עָוֹן וְלֹא יַשְׁחִית וְהִרְבָּה לְהָשִׁיב אַפּוֹ, וְלֹא יָעִיר כָּל חֲמָתוֹ. כִּי אַתָּה אֲדֹנָי טוֹב וְסַלָּח, וְרַב חֶסֶד לְכָל קֹרְאֶיךָ. צִדְקָתְךָ צֶדֶק לְעוֹלָם, וְתוֹרָתְךָ אֱמֶת. תִּתֵּן אֱמֶת לְיַעֲקֹב, חֶסֶד לְאַבְרָהָם, אֲשֶׁר נִשְׁבַּעְתָּ לַאֲבוֹתֵינוּ מִימֵי קֶדֶם. בָּרוּךְ אֲדֹנָי יוֹם יוֹם יַעֲמָס לָנוּ הָאֵל יְשׁוּעָתֵנוּ סֶלָה. יְיָ צְבָאוֹת עִמָּנוּ, מִשְׂגָּב לָנוּ, אֱלֹהֵי יַעֲקֹב סֶלָה. יְיָ צְבָאוֹת, אַשְׁרֵי אָדָם בֹּטֵחַ בָּךְ. יְיָ הוֹשִׁיעָה, הַמֶּלֶךְ יַעֲנֵנוּ בְיוֹם קָרְאֵנוּ. בָּרוּךְ הוּא אֱלֹהֵינוּ, שֶׁבְּרָאָנוּ לִכְבוֹדוֹ, וְהִבְדִּילָנוּ מִן הַתּוֹעִים, וְנָתַן לָנוּ תּוֹרַת אֱמֶת, וְחַיֵּי עוֹלָם נָטַע בְּתוֹכֵנוּ. הוּא יִפְתַּח לִבֵּנוּ בְּתוֹרָתוֹ, וְיָשֵׂם בְּלִבֵּנוּ אַהֲבָתוֹ וְיִרְאָתוֹ, וְלַעֲשׂוֹת רְצוֹנוֹ וּלְעָבְדוֹ בְּלֵבָב שָׁלֵם, לְמַעַן לֹא נִיגַע לָרִיק, וְלֹא נֵלֵד לַבֶּהָלָה. וּבְכֵן יְהִי רָצוֹן מִלְּפָנֶיךָ יְיָ אֱלֹהֵינוּ וֵאלֹהֵי אֲבוֹתֵינוּ, שֶׁנִּשְׁמוֹר חֻקֶּיךָ בָּעוֹלָם הַזֶּה, וְנִזְכֶּה וְנִחְיֶה וְנִרְאֶה, וְנִירַשׁ טוֹבָה וּבְרָכָה, לִשְׁנֵי יְמוֹת הַמָּשִׁיחַ וּלְחַיֵּי הָעוֹלָם הַבָּא. לְמַעַן יְזַמֶּרְךָ כָבוֹד וְלֹא יִדֹּם, יְיָ אֱלֹהַי לְעוֹלָם אוֹדֶךָּ. בָּרוּךְ הַגֶּבֶר אֲשֶׁר יִבְטַח בַּייָ, וְהָיָה יְיָ מִבְטַחוֹ. בִּטְחוּ בַייָ עֲדֵי עַד, כִּי בְּיָהּ יְיָ צוּר עוֹלָמִים. וְיִבְטְחוּ בְךָ יוֹדְעֵי שְׁמֶךָ, כִּי לֹא עָזַבְתָּ דֹּרְשֶׁיךָ יְיָ. יְיָ חָפֵץ לְמַעַן צִדְקוֹ, יַגְדִּיל תּוֹרָה וְיַאְדִּיר:

כשקורין בתורה אומרים חצי קדיש ואח"כ אומרים:

וַאֲנִי[א] תְפִלָּתִי לְךָ יְיָ עֵת רָצוֹן, אֱלֹהִים בְּרָב חַסְדֶּךָ, עֲנֵנִי בֶּאֱמֶת יִשְׁעֶךָ:

כשפותחין ארון הקדש אומרים זה:

וַיְהִי בִּנְסֹעַ הָאָרֹן וַיֹּאמֶר מֹשֶׁה: קוּמָה יְיָ וְיָפֻצוּ אֹיְבֶיךָ וְיָנֻסוּ מְשַׂנְאֶיךָ מִפָּנֶיךָ. כִּי מִצִּיּוֹן תֵּצֵא תוֹרָה וּדְבַר יְיָ מִירוּשָׁלָיִם. בָּרוּךְ שֶׁנָּתַן תּוֹרָה לְעַמּוֹ יִשְׂרָאֵל בִּקְדֻשָּׁתוֹ:

בְּרִיךְ שְׁמֵהּ דְּמָרֵא עָלְמָא, בְּרִיךְ כִּתְרָךְ וְאַתְרָךְ, יְהֵא רְעוּתָךְ עִם עַמָּךְ יִשְׂרָאֵל לְעָלַם, וּפֻרְקַן יְמִינָךְ אַחֲזֵי לְעַמָּךְ בְּבֵי מַקְדְּשָׁךְ, וּלְאַמְטוּיֵי לָנָא מִטּוּב נְהוֹרָךְ וּלְקַבֵּל צְלוֹתָנָא בְּרַחֲמִין. יְהֵא רַעֲוָא קֳדָמָךְ דְּתוֹרִיךְ לָן חַיִּין

תו"א א) תהלים סט יד:

בְּטִיבוּ, וְלֶהֱוֵי אֲנָא פְקִידָא בְּגוֹ צַדִּיקַיָּא, לְמִרְחַם עָלַי וּלְמִנְטַר יָתִי וְיַת כָּל דִּי לִי, וְדִי לְעַמָּךְ יִשְׂרָאֵל. אַנְתְּ הוּא זָן לְכֹלָּא וּמְפַרְנֵס לְכֹלָּא, אַנְתְּ הוּא שַׁלִּיט עַל כֹּלָּא. אַנְתְּ הוּא דְשַׁלִּיט עַל מַלְכַיָּא. וּמַלְכוּתָא דִּילָךְ הִיא. אֲנָא עַבְדָּא דְקֻדְשָׁא בְּרִיךְ הוּא, דְּסָגִידְנָא קַמֵּהּ וּמִקַּמֵּי דִּיקַר אוֹרַיְתֵהּ. בְּכָל עִדָּן וְעִדָּן לָא עַל אֱנָשׁ רְחִיצְנָא וְלָא עַל בַּר אֱלָהִין סָמִיכְנָא, אֶלָּא בֶּאֱלָהָא דִשְׁמַיָּא, דְּהוּא אֱלָהָא קְשׁוֹט, וְאוֹרַיְתֵהּ קְשׁוֹט, וּנְבִיאוֹהִי קְשׁוֹט, וּמַסְגֵּא לְמֶעְבַּד טַבְוָן וּקְשׁוֹט. בֵּהּ אֲנָא רָחִיץ, וְלִשְׁמֵהּ קַדִּישָׁא יַקִּירָא אֲנָא אֵמַר תֻּשְׁבְּחָן. יְהֵא רַעֲוָא קֳדָמָךְ דְּתִפְתַּח לִבָּאִי בְּאוֹרַיְתָא, וְתַשְׁלִים מִשְׁאֲלִין דְּלִבָּאִי, וְלִבָּא דְכָל עַמָּךְ יִשְׂרָאֵל, לְטַב וּלְחַיִּין וְלִשְׁלָם:

חזן **גַּדְּלוּ לַייָ אִתִּי, וּנְרוֹמְמָה שְׁמוֹ יַחְדָּו:**

והקהל עונין **לְךָ** יְיָ הַגְּדֻלָּה וְהַגְּבוּרָה וְהַתִּפְאֶרֶת וְהַנֵּצַח וְהַהוֹד, כִּי כֹל בַּשָּׁמַיִם וּבָאָרֶץ, לְךָ יְיָ הַמַּמְלָכָה וְהַמִּתְנַשֵּׂא לְכֹל לְרֹאשׁ. רוֹמְמוּ יְיָ אֱלֹהֵינוּ, וְהִשְׁתַּחֲווּ לַהֲדֹם רַגְלָיו, קָדוֹשׁ הוּא. רוֹמְמוּ יְיָ אֱלֹהֵינוּ וְהִשְׁתַּחֲווּ לְהַר קָדְשׁוֹ, כִּי קָדוֹשׁ יְיָ אֱלֹהֵינוּ:

אַב הָרַחֲמִים, הוּא יְרַחֵם עַם עֲמוּסִים, וְיִזְכּוֹר בְּרִית אֵיתָנִים, וְיַצִּיל נַפְשׁוֹתֵינוּ מִן הַשָּׁעוֹת הָרָעוֹת, וְיִגְעַר בְּיֵצֶר הָרָע מִן הַנְּשׂוּאִים, וְיָחוֹן עָלֵינוּ לִפְלֵיטַת עוֹלָמִים, וִימַלֵּא מִשְׁאֲלוֹתֵינוּ בְּמִדָּה טוֹבָה יְשׁוּעָה וְרַחֲמִים:

חזן **וְתִגָּלֶה** וְתֵרָאֶה מַלְכוּתוֹ עָלֵינוּ בִּזְמַן קָרוֹב, וְיָחוֹן פְּלֵטָתֵנוּ וּפְלֵטַת עַמּוֹ בֵּית יִשְׂרָאֵל לְחֵן וּלְחֶסֶד וּלְרַחֲמִים וּלְרָצוֹן וְנֹאמַר אָמֵן. הַכֹּל הָבוּ גֹדֶל לֵאלֹהֵינוּ וּתְנוּ כָבוֹד לַתּוֹרָה, כֹּהֵן קְרָב, יַעֲמוֹד (פב"פ) הַכֹּהֵן, בָּרוּךְ שֶׁנָּתַן תּוֹרָה לְעַמּוֹ יִשְׂרָאֵל בִּקְדֻשָּׁתוֹ. קהל וְאַתֶּם הַדְּבֵקִים בַּייָ אֱלֹהֵיכֶם, חַיִּים כֻּלְּכֶם הַיּוֹם:

וקורין ג' גברי בפרשת שבוע הבא ואפילו יום טוב שחל בשבת, ואין אומרים קדיש אחר קריאת התורה:

כשמגביהין הספר תורה אומרים זה:

וְזֹאת הַתּוֹרָה אֲשֶׁר שָׂם מֹשֶׁה לִפְנֵי בְּנֵי יִשְׂרָאֵל.

עֵץ חַיִּים הִיא לַמַּחֲזִיקִים בָּהּ, וְתֹמְכֶיהָ מְאֻשָּׁר. דְּרָכֶיהָ דַרְכֵי נֹעַם, וְכָל נְתִיבוֹתֶיהָ שָׁלוֹם. אֹרֶךְ יָמִים בִּימִינָהּ, בִּשְׂמֹאלָהּ עֹשֶׁר וְכָבוֹד. יְיָ חָפֵץ לְמַעַן צִדְקוֹ, יַגְדִּיל תּוֹרָה וְיַאְדִּיר: חצי קדיש *)

כשנושאין הספר תורה להיכל אומרים זה.

חזן **יְהַלְלוּ אֶת שֵׁם יְיָ, כִּי נִשְׂגָּב שְׁמוֹ לְבַדּוֹ:**

והקהל אומרים **הוֹדוֹ** עַל אֶרֶץ וְשָׁמָיִם: וַיָּרֶם קֶרֶן לְעַמּוֹ, תְּהִלָּה לְכָל חֲסִידָיו, לִבְנֵי יִשְׂרָאֵל עַם קְרֹבוֹ, הַלְלוּיָהּ:

*) מנהגנו — הש"ץ מתחיל לומר חצי קדיש קרוב לסוף הגלילה, ומאריך באמירתו באופן שיסיים אחר כניסת הס"ת לארון.

אֲדֹנָי, שְׂפָתַי תִּפְתָּח וּפִי יַגִּיד תְּהִלָּתֶךָ:

בָּרוּךְ אַתָּה יְיָ אֱלֹהֵינוּ וֵאלֹהֵי אֲבוֹתֵינוּ, אֱלֹהֵי אַבְרָהָם, אֱלֹהֵי יִצְחָק, וֵאלֹהֵי יַעֲקֹב, הָאֵל הַגָּדוֹל הַגִּבּוֹר וְהַנּוֹרָא, אֵל עֶלְיוֹן, גּוֹמֵל חֲסָדִים טוֹבִים, קוֹנֵה הַכֹּל, וְזוֹכֵר חַסְדֵי אָבוֹת, וּמֵבִיא גוֹאֵל לִבְנֵי בְנֵיהֶם לְמַעַן שְׁמוֹ בְּאַהֲבָה:

בש״ת זָכְרֵנוּ לְחַיִּים, מֶלֶךְ חָפֵץ בַּחַיִּים, וְכָתְבֵנוּ בְּסֵפֶר הַחַיִּים, לְמַעַנְךָ אֱלֹהִים חַיִּים:

מֶלֶךְ עוֹזֵר וּמוֹשִׁיעַ וּמָגֵן. בָּרוּךְ אַתָּה יְיָ, מָגֵן אַבְרָהָם:

אַתָּה גִּבּוֹר לְעוֹלָם אֲדֹנָי, מְחַיֵּה מֵתִים אַתָּה, רַב לְהוֹשִׁיעַ.

בקיץ מוֹרִיד הַטָּל. בחורף מַשִּׁיב הָרוּחַ וּמוֹרִיד הַגֶּשֶׁם:

מְכַלְכֵּל חַיִּים בְּחֶסֶד, מְחַיֵּה מֵתִים בְּרַחֲמִים רַבִּים, סוֹמֵךְ נוֹפְלִים, וְרוֹפֵא חוֹלִים, וּמַתִּיר אֲסוּרִים, וּמְקַיֵּם אֱמוּנָתוֹ לִישֵׁנֵי עָפָר. מִי כָמוֹךָ בַּעַל גְּבוּרוֹת, וּמִי דּוֹמֶה לָּךְ, מֶלֶךְ מֵמִית וּמְחַיֶּה וּמַצְמִיחַ יְשׁוּעָה:

בש״ת מִי כָמוֹךָ אַב הָרַחֲמִים זוֹכֵר יְצוּרָיו לְחַיִּים בְּרַחֲמִים:

וְנֶאֱמָן אַתָּה לְהַחֲיוֹת מֵתִים. בָּרוּךְ אַתָּה יְיָ, מְחַיֵּה הַמֵּתִים:

(בחזרת הש״ץ אומרים כאן קדושה:*)

אַתָּה קָדוֹשׁ וְשִׁמְךָ קָדוֹשׁ, וּקְדוֹשִׁים בְּכָל יוֹם יְהַלְלוּךָ סֶּלָה. בָּרוּךְ אַתָּה יְיָ, הָאֵל הַקָּדוֹשׁ: (בש״ת הַמֶּלֶךְ הַקָּדוֹשׁ)

אַתָּה אֶחָד וְשִׁמְךָ אֶחָד, וּמִי כְּעַמְּךָ כְּיִשְׂרָאֵל גּוֹי אֶחָד בָּאָרֶץ. תִּפְאֶרֶת גְּדֻלָּה, וַעֲטֶרֶת יְשׁוּעָה, יוֹם מְנוּחָה וּקְדֻשָּׁה לְעַמְּךָ נָתָתָּ, אַבְרָהָם יָגֵל,

יצחק

---

*) קדושה לש״ץ בחזרת התפלה:

נְקַדֵּישָׁךְ וְנַעֲרִיצָךְ כְּנֹעַם שִׂיחַ סוֹד שַׂרְפֵי קֹדֶשׁ הַמְשַׁלְּשִׁים לְךָ קְדֻשָּׁה, כַּכָּתוּב עַל יַד נְבִיאֶךָ, וְקָרָא זֶה אֶל זֶה וְאָמַר: קו״ח קָדוֹשׁ קָדוֹשׁ קָדוֹשׁ יְיָ צְבָאוֹת, מְלֹא כָל הָאָרֶץ כְּבוֹדוֹ. חזן לְעֻמָּתָם מְשַׁבְּחִים וְאוֹמְרִים: קו״ח בָּרוּךְ כְּבוֹד יְיָ מִמְּקוֹמוֹ. חזן וּבְדִבְרֵי קָדְשְׁךָ כָּתוּב לֵאמֹר: קו״ח יִמְלֹךְ יְיָ לְעוֹלָם אֱלֹהַיִךְ צִיּוֹן, לְדֹר וָדֹר הַלְלוּיָהּ:

אתה קדוש וכו׳

תו״א א) ש״ב ז כג:

1 יִצְחָק יְרַנֵּן, יַעֲקֹב וּבָנָיו יָנוּחוּ בוֹ, מְנוּחַת

2 אַהֲבָה וּנְדָבָה, מְנוּחַת אֱמֶת וֶאֱמוּנָה,

3 מְנוּחַת שָׁלוֹם, הַשְׁקֵט וָבֶטַח, מְנוּחָה

4 שְׁלֵמָה שָׁאַתָּה רוֹצֶה בָּהּ.   יַכִּירוּ

5 בָנֶיךָ וְיֵדְעוּ, כִּי מֵאִתְּךָ הִיא מְנוּחָתָם,

6 וְעַל מְנוּחָתָם יַקְדִּישׁוּ אֶת שְׁמֶךָ:

7 אֱלֹהֵינוּ וֵאלֹהֵי אֲבוֹתֵינוּ, רְצֵה נָא בִמְנוּחָתֵנוּ, קַדְּשֵׁנוּ

8 בְּמִצְוֹתֶיךָ וְתֵן חֶלְקֵנוּ בְּתוֹרָתֶךָ, שַׂבְּעֵנוּ

9 מִטּוּבֶךָ וְשַׂמַּח נַפְשֵׁנוּ בִּישׁוּעָתֶךָ, וְטַהֵר לִבֵּנוּ לְעָבְדְּךָ

10 בֶּאֱמֶת, וְהַנְחִילֵנוּ יְיָ אֱלֹהֵינוּ בְּאַהֲבָה וּבְרָצוֹן שַׁבְּתוֹת

11 קָדְשֶׁךָ, וְיָנוּחוּ בָם כָּל יִשְׂרָאֵל מְקַדְּשֵׁי שְׁמֶךָ. בָּרוּךְ אַתָּה

12 יְיָ, מְקַדֵּשׁ הַשַּׁבָּת:

13 רְצֵה יְיָ אֱלֹהֵינוּ בְּעַמְּךָ יִשְׂרָאֵל, וְלִתְפִלָּתָם שְׁעֵה, וְהָשֵׁב

14 הָעֲבוֹדָה לִדְבִיר בֵּיתֶךָ, וְאִשֵּׁי יִשְׂרָאֵל וּתְפִלָּתָם בְּאַהֲבָה

15 תְקַבֵּל בְּרָצוֹן, וּתְהִי לְרָצוֹן תָּמִיד עֲבוֹדַת יִשְׂרָאֵל עַמֶּךָ:

בשבת ר"ח ובשבת חוה"מ אומרים כאן יעלה ויבאא)

א) בשבת ראש חודש ושבת חול המועד אומרים זה:

16 אֱלֹהֵינוּ וֵאלֹהֵי אֲבוֹתֵינוּ, יַעֲלֶה וְיָבֹא וְיַגִּיעַ, וְיֵרָאֶה וְיֵרָצֶה וְיִשָּׁמַע,

17 וְיִפָּקֵד וְיִזָּכֵר זִכְרוֹנֵנוּ וּפִקְדוֹנֵנוּ, וְזִכְרוֹן אֲבוֹתֵינוּ, וְזִכְרוֹן

18 מָשִׁיחַ בֶּן דָּוִד עַבְדֶּךָ, וְזִכְרוֹן יְרוּשָׁלַיִם עִיר קָדְשֶׁךָ, וְזִכְרוֹן כָּל עַמְּךָ

19 בֵּית יִשְׂרָאֵל לְפָנֶיךָ, לִפְלֵיטָה לְטוֹבָה, לְחֵן וּלְחֶסֶד וּלְרַחֲמִים וּלְחַיִּים

20 טוֹבִים וּלְשָׁלוֹם בְּיוֹם לשר"ח רֹאשׁ הַחֹדֶשׁ הַזֶּה. לשחוהמ"פ חַג הַמַּצּוֹת הַזֶּה.

21 לשחוה"מ סוכות חַג הַסֻּכּוֹת הַזֶּה. זָכְרֵנוּ יְיָ אֱלֹהֵינוּ בּוֹ לְטוֹבָה. וּפָקְדֵנוּ בוֹ

22 לִבְרָכָה. וְהוֹשִׁיעֵנוּ בוֹ לְחַיִּים טוֹבִים. וּבִדְבַר יְשׁוּעָה וְרַחֲמִים, חוּס וְחָנֵּנוּ,

23 וְרַחֵם עָלֵינוּ וְהוֹשִׁיעֵנוּ, כִּי אֵלֶיךָ עֵינֵינוּ, כִּי אֵל מֶלֶךְ חַנּוּן וְרַחוּם אָתָּה:

ותחזינה

וְתֶחֱזֶינָה עֵינֵינוּ בְּשׁוּבְךָ לְצִיּוֹן בְּרַחֲמִים. בָּרוּךְ אַתָּה יְיָ, הַמַּחֲזִיר שְׁכִינָתוֹ לְצִיּוֹן:

מוֹדִים אֲנַחְנוּ לָךְ שָׁאַתָּה הוּא יְיָ אֱלֹהֵינוּ וֵאלֹהֵי אֲבוֹתֵינוּ לְעוֹלָם וָעֶד, צוּר חַיֵּינוּ מָגֵן יִשְׁעֵנוּ, אַתָּה הוּא לְדוֹר וָדוֹר, נוֹדֶה לְּךָ וּנְסַפֵּר תְּהִלָּתֶךָ, עַל חַיֵּינוּ הַמְּסוּרִים בְּיָדֶךָ, וְעַל נִשְׁמוֹתֵינוּ הַפְּקוּדוֹת לָךְ, וְעַל נִסֶּיךָ שֶׁבְּכָל יוֹם עִמָּנוּ, וְעַל נִפְלְאוֹתֶיךָ וְטוֹבוֹתֶיךָ שֶׁבְּכָל עֵת, עֶרֶב וָבֹקֶר וְצָהֳרָיִם, הַטּוֹב, כִּי לֹא כָלוּ רַחֲמֶיךָ, וְהַמְרַחֵם, כִּי לֹא תַמּוּ חֲסָדֶיךָ, כִּי מֵעוֹלָם קִוִּינוּ לָךְ: בשבת חנוכה אומרים כאן ועל הנסים *)

מודים דרבנן

מוֹדִים אֲנַחְנוּ לָךְ, שָׁאַתָּה הוּא יְיָ אֱלֹהֵינוּ וֵאלֹהֵי אֲבוֹתֵינוּ, אֱלֹהֵי כָל בָּשָׂר, יוֹצְרֵנוּ, יוֹצֵר בְּרֵאשִׁית, בְּרָכוֹת וְהוֹדָאוֹת לְשִׁמְךָ הַגָּדוֹל וְהַקָּדוֹשׁ, עַל שֶׁהֶחֱיִיתָנוּ וְקִיַּמְתָּנוּ, כֵּן תְּחַיֵּנוּ וּתְקַיְּמֵנוּ, וְתֶאֱסוֹף גָּלֻיּוֹתֵינוּ לְחַצְרוֹת קָדְשֶׁךָ, וְנָשׁוּב אֵלֶיךָ לִשְׁמוֹר חֻקֶּיךָ, וְלַעֲשׂוֹת רְצוֹנֶךָ, וּלְעָבְדְּךָ בְּלֵבָב שָׁלֵם, עַל שֶׁאֲנוּ מוֹדִים לָךְ, בָּרוּךְ אֵל הַהוֹדָאוֹת:

וְעַל כֻּלָּם יִתְבָּרֵךְ וְיִתְרוֹמַם וְיִתְנַשֵּׂא שִׁמְךָ מַלְכֵּנוּ תָּמִיד לְעוֹלָם וָעֶד:

בש"ת וּכְתוֹב לְחַיִּים טוֹבִים כָּל בְּנֵי בְרִיתֶךָ.

וְכֹל הַחַיִּים יוֹדוּךָ סֶּלָה, וִיהַלְלוּ שִׁמְךָ הַגָּדוֹל לְעוֹלָם כִּי טוֹב, הָאֵל, יְשׁוּעָתֵנוּ וְעֶזְרָתֵנוּ סֶלָה, הָאֵל הַטּוֹב. בָּרוּךְ אַתָּה יְיָ, הַטּוֹב שִׁמְךָ וּלְךָ נָאֶה לְהוֹדוֹת:

---

*) בשבת חנוכה אומרים זה:

וְעַל הַנִּסִּים וְעַל הַפֻּרְקָן וְעַל הַגְּבוּרוֹת וְעַל הַתְּשׁוּעוֹת וְעַל הַנִּפְלָאוֹת שֶׁעָשִׂיתָ לַאֲבוֹתֵינוּ בַּיָּמִים הָהֵם בִּזְּמַן הַזֶּה:

בִּימֵי מַתִּתְיָהוּ בֶּן יוֹחָנָן כֹּהֵן גָּדוֹל חַשְׁמוֹנָאִי וּבָנָיו כְּשֶׁעָמְדָה מַלְכוּת יָוָן הָרְשָׁעָה עַל עַמְּךָ יִשְׂרָאֵל לְהַשְׁכִּיחָם תּוֹרָתֶךָ, וּלְהַעֲבִירָם מֵחֻקֵּי רְצוֹנֶךָ, וְאַתָּה בְּרַחֲמֶיךָ הָרַבִּים עָמַדְתָּ לָהֶם בְּעֵת צָרָתָם. רַבְתָּ אֶת רִיבָם, דַּנְתָּ אֶת דִּינָם, נָקַמְתָּ אֶת נִקְמָתָם, מָסַרְתָּ גִבּוֹרִים בְּיַד חַלָּשִׁים, וְרַבִּים בְּיַד מְעַטִּים, וּטְמֵאִים בְּיַד טְהוֹרִים, וּרְשָׁעִים בְּיַד צַדִּיקִים, וְזֵדִים בְּיַד עוֹסְקֵי תוֹרָתֶךָ. וּלְךָ עָשִׂיתָ שֵׁם גָּדוֹל וְקָדוֹשׁ בְּעוֹלָמֶךָ, וּלְעַמְּךָ יִשְׂרָאֵל עָשִׂיתָ תְּשׁוּעָה גְדוֹלָה וּפֻרְקָן כְּהַיּוֹם הַזֶּה. וְאַחַר כֵּן בָּאוּ בָנֶיךָ לִדְבִיר בֵּיתֶךָ, וּפִנּוּ אֶת הֵיכָלֶךָ, וְטִהֲרוּ אֶת מִקְדָּשֶׁךָ, וְהִדְלִיקוּ נֵרוֹת בְּחַצְרוֹת קָדְשֶׁךָ, וְקָבְעוּ שְׁמוֹנַת יְמֵי חֲנֻכָּה אֵלּוּ, לְהוֹדוֹת וּלְהַלֵּל לְשִׁמְךָ הַגָּדוֹל:

ועל כולם

1 **שִׂים** שָׁלוֹם, טוֹבָה וּבְרָכָה, חַיִּים חֵן וָחֶסֶד וְרַחֲמִים, עָלֵינוּ וְעַל כָּל

2 יִשְׂרָאֵל עַמֶּךָ. בָּרְכֵנוּ אָבִינוּ כֻּלָּנוּ כְּאֶחָד, בְּאוֹר פָּנֶיךָ, כִּי בְאוֹר

3 פָּנֶיךָ, נָתַתָּ לָּנוּ יְיָ אֱלֹהֵינוּ תּוֹרַת חַיִּים, וְאַהֲבַת חֶסֶד, וּצְדָקָה

4 וּבְרָכָה וְרַחֲמִים וְחַיִּים וְשָׁלוֹם. וְטוֹב בְּעֵינֶיךָ לְבָרֵךְ אֶת עַמְּךָ יִשְׂרָאֵל

5 בְּכָל עֵת וּבְכָל שָׁעָה בִּשְׁלוֹמֶךָ.

6 בש"ת **וּבְסֵפֶר** חַיִּים בְּרָכָה וְשָׁלוֹם וּפַרְנָסָה טוֹבָה, יְשׁוּעָה וְנֶחָמָה וּגְזֵרוֹת

7 טוֹבוֹת, נִזָּכֵר וְנִכָּתֵב לְפָנֶיךָ, אֲנַחְנוּ וְכָל עַמְּךָ בֵּית יִשְׂרָאֵל,

8 לְחַיִּים טוֹבִים וּלְשָׁלוֹם.

9 בָּרוּךְ אַתָּה יְיָ, הַמְבָרֵךְ אֶת עַמּוֹ יִשְׂרָאֵל בַּשָּׁלוֹם:

10 יִהְיוּ לְרָצוֹן אִמְרֵי פִי וְהֶגְיוֹן לִבִּי לְפָנֶיךָ, יְיָ צוּרִי וְגוֹאֲלִי:

11 **אֱלֹהַי**, נְצוֹר לְשׁוֹנִי מֵרָע, וּשְׂפָתַי מִדַּבֵּר מִרְמָה, וְלִמְקַלְלַי נַפְשִׁי תִדּוֹם,

12 וְנַפְשִׁי כֶּעָפָר לַכֹּל תִּהְיֶה. פְּתַח לִבִּי בְּתוֹרָתֶךָ, וּבְמִצְוֹתֶיךָ תִּרְדּוֹף

13 נַפְשִׁי, וְכָל הַחוֹשְׁבִים עָלַי רָעָה, מְהֵרָה הָפֵר עֲצָתָם וְקַלְקֵל מַחֲשַׁבְתָּם.

14 יִהְיוּ כְּמוֹץ לִפְנֵי רוּחַ וּמַלְאַךְ יְיָ דוֹחֶה. לְמַעַן יֵחָלְצוּן יְדִידֶיךָ, הוֹשִׁיעָה יְמִינְךָ

15 וַעֲנֵנִי. עֲשֵׂה לְמַעַן שְׁמֶךָ, עֲשֵׂה לְמַעַן יְמִינֶךָ, עֲשֵׂה לְמַעַן תּוֹרָתֶךָ, עֲשֵׂה

16 לְמַעַן קְדֻשָּׁתֶךָ. יִהְיוּ לְרָצוֹן אִמְרֵי פִי, וְהֶגְיוֹן לִבִּי לְפָנֶיךָ, יְיָ צוּרִי וְגוֹאֲלִי:

17 עֹשֶׂה שָׁלוֹם (בש"ת הַשָּׁלוֹם) בִּמְרוֹמָיו, הוּא יַעֲשֶׂה שָׁלוֹם עָלֵינוּ וְעַל כָּל

18 יִשְׂרָאֵל, וְאִמְרוּ אָמֵן:

19 יְהִי רָצוֹן מִלְּפָנֶיךָ יְיָ אֱלֹהֵינוּ וֵאלֹהֵי אֲבוֹתֵינוּ, שֶׁיִּבָּנֶה בֵּית הַמִּקְדָּשׁ בִּמְהֵרָה בְיָמֵינוּ, וְתֵן

20 חֶלְקֵנוּ בְּתוֹרָתֶךָ:

בימים שאין אומרים תחנון בחול אין אומרים צדקתך בשבת:

21 **צִדְקָתְךָ** כְּהַרְרֵי אֵל, מִשְׁפָּטֶיךָ תְּהוֹם רַבָּה, אָדָם

22 וּבְהֵמָה תוֹשִׁיעַ יְיָ: וְצִדְקָתְךָ אֱלֹהִים, עַד

23 מָרוֹם אֲשֶׁר עָשִׂיתָ גְדֹלוֹת, אֱלֹהִים, מִי כָמוֹךָ: צִדְקָתְךָ

24 צֶדֶק לְעוֹלָם, וְתוֹרָתְךָ אֱמֶת: קדיש שלם. (לדוד ה' אורי)

25 **עָלֵינוּ** לְשַׁבֵּחַ לַאֲדוֹן הַכֹּל, לָתֵת גְּדֻלָּה לְיוֹצֵר בְּרֵאשִׁית,

26 שֶׁלֹּא עָשָׂנוּ כְּגוֹיֵי הָאֲרָצוֹת, וְלֹא שָׂמָנוּ כְּמִשְׁפְּחוֹת

27 הָאֲדָמָה, שֶׁלֹּא שָׂם חֶלְקֵנוּ כָּהֶם, וְגוֹרָלֵנוּ כְּכָל הֲמוֹנָם

28 שֶׁהֵם מִשְׁתַּחֲוִים לְהֶבֶל וָלָרִיק. וַאֲנַחְנוּ כּוֹרְעִים

29 וּמִשְׁתַּחֲוִים וּמוֹדִים, לִפְנֵי מֶלֶךְ מַלְכֵי הַמְּלָכִים, הַקָּדוֹשׁ,

30 בָּרוּךְ הוּא. שֶׁהוּא נוֹטֶה שָׁמַיִם וְיֹסֵד אָרֶץ, וּמוֹשַׁב יְקָרוֹ

בשמים

בַּשָּׁמַיִם מִמַּעַל, וּשְׁכִינַת עֻזּוֹ בְּגָבְהֵי מְרוֹמִים, הוּא אֱלֹהֵינוּ אֵין עוֹד. אֱמֶת מַלְכֵּנוּ, אֶפֶס זוּלָתוֹ, כַּכָּתוּב בְּתוֹרָתוֹ: וְיָדַעְתָּ הַיּוֹם וַהֲשֵׁבֹתָ אֶל לְבָבֶךָ, כִּי יְיָ הוּא הָאֱלֹהִים בַּשָּׁמַיִם מִמַּעַל, וְעַל הָאָרֶץ מִתָּחַת, אֵין עוֹד:

וְעַל כֵּן נְקַוֶּה לְּךָ יְיָ אֱלֹהֵינוּ, לִרְאוֹת מְהֵרָה בְּתִפְאֶרֶת עֻזֶּךָ, לְהַעֲבִיר גִּלּוּלִים מִן הָאָרֶץ, וְהָאֱלִילִים כָּרוֹת יִכָּרֵתוּן, לְתַקֵּן עוֹלָם בְּמַלְכוּת שַׁדַּי. וְכָל בְּנֵי בָשָׂר יִקְרְאוּ בִשְׁמֶךָ, לְהַפְנוֹת אֵלֶיךָ כָּל רִשְׁעֵי אָרֶץ. יַכִּירוּ וְיֵדְעוּ כָּל יוֹשְׁבֵי תֵבֵל, כִּי לְךָ תִּכְרַע כָּל בֶּרֶךְ, תִּשָּׁבַע כָּל לָשׁוֹן. לְפָנֶיךָ יְיָ אֱלֹהֵינוּ יִכְרְעוּ וְיִפֹּלוּ, וְלִכְבוֹד שִׁמְךָ יְקָר יִתֵּנוּ, וִיקַבְּלוּ כֻלָּם עֲלֵיהֶם אֶת עוֹל מַלְכוּתֶךָ, וְתִמְלוֹךְ עֲלֵיהֶם מְהֵרָה לְעוֹלָם וָעֶד. כִּי הַמַּלְכוּת שֶׁלְּךָ הִיא, וּלְעוֹלְמֵי עַד תִּמְלוֹךְ בְּכָבוֹד, כַּכָּתוּב בְּתוֹרָתֶךָ: יְיָ יִמְלֹךְ לְעוֹלָם וָעֶד. וְנֶאֱמַר: וְהָיָה יְיָ לְמֶלֶךְ עַל כָּל הָאָרֶץ, בַּיּוֹם הַהוּא יִהְיֶה יְיָ אֶחָד וּשְׁמוֹ אֶחָד: קדיש יתום

אַל תִּירָא מִפַּחַד פִּתְאֹם, וּמִשֹּׁאַת רְשָׁעִים כִּי תָבֹא: עֻצוּ עֵצָה וְתֻפָר, דַּבְּרוּ דָבָר וְלֹא יָקוּם כִּי עִמָּנוּ אֵל: וְעַד זִקְנָה אֲנִי הוּא, וְעַד שֵׂיבָה אֲנִי אֶסְבֹּל; אֲנִי עָשִׂיתִי וַאֲנִי אֶשָּׂא וַאֲנִי אֶסְבֹּל וַאֲמַלֵּט:

אַךְ צַדִּיקִים יוֹדוּ לִשְׁמֶךָ יֵשְׁבוּ יְשָׁרִים אֶת פָּנֶיךָ:

סדר סעודה שלישית

(שו״ע) (א) יהא זהיר מאד לקיים סעודה שלישית ואף אם הוא שבע הרי יכול לקיים אותה ביותר מכביצה מעט (ויש אומרים שאפילו בכזית יוצא ידי חובתו לכתחלה בכל אחת מג׳ סעודות ויש להחמיר לכתחלה כסברא הראשונה אם אפשר לו) ואם אי אפשר לו לאכול כלל אין צריך לצער את עצמו לאכול שסעודות השבת לעונג נצטוו ולא לצער אבל החכם עיניו בראשו שלא למלאות בטנו בסעודת הבקר כדי ליתן מקום לסעודה שלישית: (ב) זמן סעודה ג׳ הוא משיגיע זמן מנחה גדולה עד הערב דהיינו משש שעות ומחצה ואילך ואם עשאה קודם לכן לא קיים מצות סעודה שלישית: (ג) ויש מקילין שאפילו בפירות יכול לקיימה ואין לסמוך כלל על כל זה אלא אם כן אי אפשר כלל בענין אחר כגון שהוא שבע ביותר ואי אפשר לו לאכול פת בלא שיצער את עצמו וכן ערב פסח שחל להיות בשבת: (ד) נשים חייבות בסעודה ג׳ כמו אנשים וכן לבצוע על ב׳ ככרות בכל סעודה שלכל מעשה שבת איש ואשה שוין:

מִזְמוֹר לְדָוִד, יְיָ רֹעִי לֹא אֶחְסָר: בִּנְאוֹת דֶּשֶׁא יַרְבִּיצֵנִי, עַל מֵי מְנֻחוֹת יְנַהֲלֵנִי: נַפְשִׁי יְשׁוֹבֵב, יַנְחֵנִי בְמַעְגְּלֵי צֶדֶק לְמַעַן שְׁמוֹ: גַּם כִּי אֵלֵךְ בְּגֵיא צַלְמָוֶת לֹא אִירָא רָע, כִּי אַתָּה עִמָּדִי, שִׁבְטְךָ וּמִשְׁעַנְתֶּךָ הֵמָּה יְנַחֲמֻנִי: תַּעֲרֹךְ לְפָנַי שֻׁלְחָן נֶגֶד צֹרְרָי, דִּשַּׁנְתָּ בַשֶּׁמֶן רֹאשִׁי, כּוֹסִי רְוָיָה: אַךְ טוֹב וָחֶסֶד יִרְדְּפוּנִי כָּל יְמֵי חַיָּי, וְשַׁבְתִּי בְּבֵית יְיָ לְאֹרֶךְ יָמִים:

אַתְקִינוּ סְעוּדָתָא דִמְהֵימְנוּתָא שְׁלֵמְתָא חֶדְוָתָא דְמַלְכָּא קַדִּישָׁא, אַתְקִינוּ סְעוּדָתָא דְמַלְכָּא דָא הִיא סְעוּדָתָא דִזְעֵיר אַנְפִּין, וְעַתִּיקָא קַדִּישָׁא וַחֲקַל תַּפּוּחִין קַדִּישִׁין אָתְיָן לְסַעֲדָא בַּהֲדֵיהּ:

בני

בְּנֵי הֵיכְלָא, דִּכְסִיפִין, לְמֶחֱזֵי זִיו דִּזְעֵיר אַנְפִּין: יְהוֹן הָכָא, בְּהַאי תַּכָּא, דְּבֵיהּ מַלְכָּא בְּגִלּוּפִין: צְבוּ לַחֲדָא, בְּהַאי וַעֲדָא, בְּגוֹ עִירִין וְכָל גַּדְפִּין: חֲדוּ הַשְׁתָּא, בְּהַאי שַׁעְתָּא, דְּבֵיהּ רַעֲוָא וְלֵית זַעֲפִין: קְרִיבוּ לִי, חֲזוּ חֵילִי, דְּלֵית דִּינִין דִּתְקִיפִין: לְבַר נַטְלִין, וְלָא עָאלִין, הַנֵּי כַּלְבִּין דַּחֲצִיפִין: וְהָא אַזְמִין, עַתִּיק יוֹמִין, לְמִצְחָא עֲדֵי יְהוֹן חַלָּפִין: רְעוּ דִילֵיהּ, דְּגַלֵּי לֵיהּ, לְבַטָּלָא בְּכָל קְלִיפִין: יְשַׁוֵּי לוֹן, בְּנוּקְבֵיהוֹן, וִיטַמְּרוּן בְּגוֹ כֵיפִין: אֲרֵי הַשְׁתָּא, בְּמִנְחָתָא, בְּחֶדְוָתָא דִּזְעֵיר אַנְפִּין:

פרקי פרק ראשון אבות

נוהגין לומר פרקי אבות פרק אחד בכל שבת שבין פסח לעצרת במנחה ואומרים לפניו משנת כל ישראל ואחריו משנת רבי חנניא בן עקשיא. ויש נוהגין כך כל שבתות הקיץ:

סנהדרין פרק י״א כָּל יִשְׂרָאֵל יֵשׁ לָהֶם חֵלֶק לָעוֹלָם הַבָּא, שֶׁנֶּאֱמַר [א] וְעַמֵּךְ כֻּלָּם צַדִּיקִים, לְעוֹלָם יִירְשׁוּ אָרֶץ, נֵצֶר מַטָּעַי מַעֲשֵׂה יָדַי לְהִתְפָּאֵר:

א מֹשֶׁה קִבֵּל תּוֹרָה מִסִּינַי וּמְסָרָהּ לִיהוֹשֻׁעַ, וִיהוֹשֻׁעַ לִזְקֵנִים, וּזְקֵנִים לִנְבִיאִים, וּנְבִיאִים מְסָרוּהָ לְאַנְשֵׁי כְנֶסֶת הַגְּדוֹלָה. הֵם אָמְרוּ שְׁלֹשָׁה דְבָרִים: הֱווּ מְתוּנִים בַּדִּין, וְהַעֲמִידוּ תַלְמִידִים הַרְבֵּה, וַעֲשׂוּ סְיָג לַתּוֹרָה. ב שִׁמְעוֹן הַצַּדִּיק הָיָה מִשְּׁיָרֵי כְנֶסֶת הַגְּדוֹלָה, הוּא הָיָה אוֹמֵר, עַל שְׁלֹשָׁה דְבָרִים הָעוֹלָם עוֹמֵד: עַל הַתּוֹרָה, וְעַל הָעֲבוֹדָה, וְעַל גְּמִילוּת חֲסָדִים. ג אַנְטִיגְנוֹס אִישׁ סוֹכוֹ קִבֵּל מִשִּׁמְעוֹן הַצַּדִּיק, הוּא הָיָה אוֹמֵר: אַל תִּהְיוּ כַּעֲבָדִים הַמְשַׁמְּשִׁין אֶת הָרַב עַל מְנָת לְקַבֵּל פְּרָס, אֶלָּא הֱווּ כַּעֲבָדִים הַמְשַׁמְּשִׁין אֶת הָרַב שֶׁלֹּא עַל מְנָת לְקַבֵּל פְּרָס, וִיהִי מוֹרָא שָׁמַיִם עֲלֵיכֶם. ד יוֹסֵי בֶּן יוֹעֶזֶר אִישׁ צְרֵדָה וְיוֹסֵי בֶּן יוֹחָנָן אִישׁ יְרוּשָׁלַיִם קִבְּלוּ מֵהֶם, יוֹסֵי בֶּן יוֹעֶזֶר אִישׁ צְרֵדָה אוֹמֵר: יְהִי בֵיתְךָ בֵּית וַעַד לַחֲכָמִים, וֶהֱוֵי מִתְאַבֵּק בַּעֲפַר רַגְלֵיהֶם, וֶהֱוֵי שׁוֹתֶה

בצמא

תו״א א) ישעיה ס כא:

בִּצְמָא אֶת דִּבְרֵיהֶם. ה יוֹסֵי בֶּן יוֹחָנָן אִישׁ יְרוּשָׁלַיִם 1

אוֹמֵר: יְהִי בֵיתְךָ פָּתוּחַ לִרְוָחָה, וְיִהְיוּ עֲנִיִּים בְּנֵי בֵיתֶךָ, 2

וְאַל תַּרְבֶּה שִׂיחָה עִם הָאִשָּׁה, בְּאִשְׁתּוֹ אָמְרוּ, קַל 3

וָחֹמֶר בְּאֵשֶׁת חֲבֵרוֹ. מִכַּאן אָמְרוּ חֲכָמִים: כָּל הַמַּרְבֶּה 4

שִׂיחָה עִם הָאִשָּׁה, גּוֹרֵם רָעָה לְעַצְמוֹ, וּבוֹטֵל מִדִּבְרֵי 5

תוֹרָה, וְסוֹפוֹ יוֹרֵשׁ גֵּיהִנָּם. ו יְהוֹשֻׁעַ בֶּן פְּרַחְיָה וְנִתַּאי 6

הָאַרְבֵּלִי קִבְּלוּ מֵהֶם, יְהוֹשֻׁעַ בֶּן פְּרַחְיָה אוֹמֵר: עֲשֵׂה 7

לְךָ רַב, וּקְנֵה לְךָ חָבֵר, וֶהֱוֵי דָן אֶת כָּל הָאָדָם לְכַף 8

זְכוּת. ז נִתַּאי הָאַרְבֵּלִי אוֹמֵר: הַרְחֵק מִשָּׁכֵן רָע, וְאַל 9

תִּתְחַבֵּר לְרָשָׁע, וְאַל תִּתְיָאֵשׁ מִן הַפֻּרְעָנוּת. ח יְהוּדָה 10

בֶּן טַבַּאי וְשִׁמְעוֹן בֶּן שָׁטַח קִבְּלוּ מֵהֶם, יְהוּדָה בֶּן טַבַּאי 11

אוֹמֵר: אַל תַּעַשׂ עַצְמְךָ כְּעוֹרְכֵי הַדַּיָּנִין, וּכְשֶׁיִּהְיוּ בַּעֲלֵי 12

הַדִּין עוֹמְדִים לְפָנֶיךָ, יִהְיוּ בְעֵינֶיךָ כִּרְשָׁעִים, וּכְשֶׁנִּפְטָרִים 13

מִלְּפָנֶיךָ, יִהְיוּ בְעֵינֶיךָ כְּזַכָּאִין, כְּשֶׁקִבְּלוּ עֲלֵיהֶם אֶת 14

הַדִּין. ט שִׁמְעוֹן בֶּן שָׁטַח אוֹמֵר: הֱוֵי מַרְבֶּה לַחֲקוֹר 15

אֶת הָעֵדִים, וֶהֱוֵי זָהִיר בִּדְבָרֶיךָ, שֶׁמָּא מִתּוֹכָם יִלְמְדוּ 16

לְשַׁקֵּר. י שְׁמַעְיָה וְאַבְטַלְיוֹן קִבְּלוּ מֵהֶם, שְׁמַעְיָה אוֹמֵר: 17

אֱהוֹב אֶת הַמְּלָאכָה וּשְׂנָא אֶת הָרַבָּנוּת, וְאַל תִּתְוַדַּע 18

לָרָשׁוּת. יא אַבְטַלְיוֹן אוֹמֵר: חֲכָמִים, הִזָּהֲרוּ בְדִבְרֵיכֶם, 19

שֶׁמָּא תָחוּבוּ חוֹבַת גָּלוּת וְתִגְלוּ לִמְקוֹם מַיִם הָרָעִים, 20

וְיִשְׁתּוּ הַתַּלְמִידִים הַבָּאִים אַחֲרֵיכֶם וְיָמוּתוּ, וְנִמְצָא 21

שֵׁם שָׁמַיִם מִתְחַלֵּל. יב הִלֵּל וְשַׁמַּאי קִבְּלוּ מֵהֶם, הִלֵּל 22

אוֹמֵר: הֱוֵי מִתַּלְמִידָיו שֶׁל אַהֲרֹן, אוֹהֵב שָׁלוֹם וְרוֹדֵף 23

שָׁלוֹם, אוֹהֵב אֶת הַבְּרִיּוֹת, וּמְקָרְבָן לַתּוֹרָה. יג הוּא 24

הָיָה אוֹמֵר: נְגַד שְׁמָא אֲבַד שְׁמֵהּ, וּדְלָא מוֹסִיף יָסֵף, 25

וְדלא

1 וּדְלָא יַלִּיף קְטָלָא חַיָּב, וּדְאִשְׁתַּמֵּשׁ בְּתַגָּא חֲלָף . יד הוּא

2 הָיָה אוֹמֵר: אִם אֵין אֲנִי לִי, מִי לִי, וּכְשֶׁאֲנִי לְעַצְמִי,

3 מָה אֲנִי, וְאִם לֹא עַכְשָׁו, אֵימָתַי . טו שַׁמַּאי אוֹמֵר:

4 עֲשֵׂה תוֹרָתְךָ קֶבַע, אֱמֹר מְעַט וַעֲשֵׂה הַרְבֵּה, וֶהֱוֵי

5 מְקַבֵּל אֶת כָּל הָאָדָם בְּסֵבֶר פָּנִים יָפוֹת . טז רַבָּן גַּמְלִיאֵל

6 הָיָה אוֹמֵר, עֲשֵׂה לְךָ רַב, וְהִסְתַּלֵּק מִן הַסָּפֵק, וְאַל

7 תַּרְבֶּה לְעַשֵּׂר אֻמָּדוֹת . יז שִׁמְעוֹן בְּנוֹ אוֹמֵר: כָּל יְמַי

8 גָּדַלְתִּי בֵּין הַחֲכָמִים, וְלֹא מָצָאתִי לַגּוּף טוֹב מִשְּׁתִיקָה,

9 וְלֹא הַמִּדְרָשׁ עִקָּר אֶלָּא הַמַּעֲשֶׂה, וְכָל הַמַּרְבֶּה דְבָרִים

10 מֵבִיא חֵטְא . יח רַבָּן שִׁמְעוֹן בֶּן גַּמְלִיאֵל אוֹמֵר, עַל

11 שְׁלֹשָׁה דְבָרִים הָעוֹלָם קַיָּם: עַל הַדִּין, וְעַל הָאֱמֶת,

12 וְעַל הַשָּׁלוֹם, שֶׁנֶּאֱמַר: אֱמֶת וּמִשְׁפַּט שָׁלוֹם

13 שִׁפְטוּ בְּשַׁעֲרֵיכֶם :

מכות סוף פ"ג

14 רַבִּי חֲנַנְיָה בֶּן עֲקַשְׁיָא אוֹמֵר, רָצָה הַקָּדוֹשׁ בָּרוּךְ הוּא לְזַכּוֹת אֶת

15 יִשְׂרָאֵל, לְפִיכָךְ הִרְבָּה לָהֶם תּוֹרָה וּמִצְוֹת, שֶׁנֶּאֱמַר: יְיָ חָפֵץ

16 לְמַעַן צִדְקוֹ יַגְדִּיל תּוֹרָה וְיַאְדִּיר :

פרק שני

כל ישראל וכו'

17 א רַבִּי אוֹמֵר: אֵיזוֹ הִיא דֶּרֶךְ יְשָׁרָה שֶׁיָּבוֹר לוֹ הָאָדָם, כָּל

18 שֶׁהִיא תִּפְאֶרֶת לְעֹשֶׂיהָ וְתִפְאֶרֶת לוֹ מִן הָאָדָם,

19 וֶהֱוֵי זָהִיר בְּמִצְוָה קַלָּה כְּבַחֲמוּרָה, שֶׁאֵין אַתָּה יוֹדֵעַ מַתַּן

20 שְׂכָרָן שֶׁל מִצְוֹת, וֶהֱוֵי מְחַשֵּׁב הֶפְסֵד מִצְוָה כְּנֶגֶד שְׂכָרָהּ,

21 וּשְׂכַר עֲבֵרָה כְּנֶגֶד הֶפְסֵדָהּ . הִסְתַּכֵּל בִּשְׁלֹשָׁה דְבָרִים,

22 וְאֵין אַתָּה בָא לִידֵי עֲבֵרָה, דַּע מַה לְמַעְלָה מִמְּךָ, עַיִן רוֹאָה

ואזן

תו"א א) זכריה ח טז: ב) ישעיה מב כא:

1 וְאֹזֶן שׁוֹמַעַת, וְכָל מַעֲשֶׂיךָ בְּסֵפֶר נִכְתָּבִים . ב רַבָּן גַּמְלִיאֵל

2 בְּנוֹ שֶׁל רַבִּי יְהוּדָה הַנָּשִׂיא אוֹמֵר : יָפֶה תַּלְמוּד תּוֹרָה עִם

3 דֶּרֶךְ אֶרֶץ, שֶׁיְּגִיעַת שְׁנֵיהֶם מַשְׁכַּחַת עָוֹן, וְכָל תּוֹרָה שֶׁאֵין

4 עִמָּהּ מְלָאכָה סוֹפָהּ בְּטֵלָה וְגוֹרֶרֶת עָוֹן, וְכָל הָעוֹסְקִים עִם

5 הַצִּבּוּר, יִהְיוּ עוֹסְקִים עִמָּהֶם לְשֵׁם שָׁמַיִם, שֶׁזְּכוּת אֲבוֹתָם

6 מְסַיַּעְתָּם, וְצִדְקָתָם עוֹמֶדֶת לָעַד, וְאַתֶּם, מַעֲלֶה אֲנִי עֲלֵיכֶם

7 שָׂכָר הַרְבֵּה כְּאִלּוּ עֲשִׂיתֶם . ג הֱווּ זְהִירִין בָּרְשׁוּת, שֶׁאֵין

8 מְקָרְבִין לוֹ לְאָדָם, אֶלָּא לְצֹרֶךְ עַצְמָן, נִרְאִין כְּאוֹהֲבִין

9 בְּשָׁעַת הֲנָאָתָן, וְאֵין עוֹמְדִין לוֹ לְאָדָם בְּשָׁעַת דָּחֳקוֹ. ד הוּא

10 הָיָה אוֹמֵר : עֲשֵׂה רְצוֹנוֹ כִּרְצוֹנֶךָ, כְּדֵי שֶׁיַּעֲשֶׂה רְצוֹנְךָ

11 כִּרְצוֹנוֹ, בַּטֵּל רְצוֹנְךָ מִפְּנֵי רְצוֹנוֹ, כְּדֵי שֶׁיְּבַטֵּל רְצוֹן אֲחֵרִים

12 מִפְּנֵי רְצוֹנֶךָ. הִלֵּל אוֹמֵר : אַל תִּפְרוֹשׁ מִן הַצִּבּוּר, וְאַל

13 תַּאֲמִין בְּעַצְמְךָ עַד יוֹם מוֹתְךָ, וְאַל תָּדִין אֶת חֲבֵרְךָ עַד

14 שֶׁתַּגִּיעַ לִמְקוֹמוֹ, וְאַל תֹּאמַר דָּבָר שֶׁאִי אֶפְשָׁר לִשְׁמוֹעַ

15 שֶׁסּוֹפוֹ לְהִשָּׁמַע, וְאַל תֹּאמַר לִכְשֶׁאֶפָּנֶה אֶשְׁנֶה, שֶׁמָּא לֹא

16 תִפָּנֶה. ה הוּא הָיָה אוֹמֵר : אֵין בּוּר יְרֵא חֵטְא, וְלֹא עַם הָאָרֶץ

17 חָסִיד, וְלֹא הַבַּיְשָׁן לָמֵד, וְלֹא הַקַּפְּדָן מְלַמֵּד, וְלֹא כָל

18 הַמַּרְבֶּה בִסְחוֹרָה מַחְכִּים, וּבְמָקוֹם שֶׁאֵין אֲנָשִׁים, הִשְׁתַּדֵּל

19 לִהְיוֹת אִישׁ. ו וְאַף הוּא רָאָה גֻלְגֹּלֶת אַחַת שֶׁצָּפָה עַל פְּנֵי

20 הַמָּיִם, אָמַר לָהּ : עַל דַּאֲטֵפְתְּ אַטְפוּךְ, וְסוֹף מְטַיְּפַיִךְ יְטוּפוּן.

21 ז הוּא הָיָה אוֹמֵר : מַרְבֶּה בָשָׂר מַרְבֶּה רִמָּה, מַרְבֶּה נְכָסִים

22 מַרְבֶּה דְאָגָה, מַרְבֶּה נָשִׁים מַרְבֶּה כְשָׁפִים, מַרְבֶּה שְׁפָחוֹת

23 מַרְבֶּה זִמָּה, מַרְבֶּה עֲבָדִים מַרְבֶּה גָזֵל. מַרְבֶּה תוֹרָה מַרְבֶּה

24 חַיִּים, מַרְבֶּה יְשִׁיבָה מַרְבֶּה חָכְמָה, מַרְבֶּה עֵצָה מַרְבֶּה

1 תְּבוּנָה, מַרְבֶּה צְדָקָה מַרְבֶּה שָׁלוֹם. קָנָה שֵׁם טוֹב קָנָה

2 לְעַצְמוֹ, קָנָה לוֹ דִּבְרֵי תוֹרָה קָנָה לוֹ חַיֵּי הָעוֹלָם הַבָּא.

3 ח רַבָּן יוֹחָנָן בֶּן זַכַּאי קִבֵּל מֵהִלֵּל וּמִשַּׁמַּאי, הוּא הָיָה אוֹמֵר:

4 אִם לָמַדְתָּ תוֹרָה הַרְבֵּה, אַל תַּחֲזִיק טוֹבָה לְעַצְמְךָ, כִּי

5 לְכָךְ נוֹצָרְתָּ. ט חֲמִשָּׁה תַלְמִידִים הָיוּ לוֹ לְרַבָּן יוֹחָנָן בֶּן

6 זַכַּאי, וְאֵלּוּ הֵן: רַבִּי אֱלִיעֶזֶר בֶּן הוֹרְקָנוֹס, וְרַבִּי יְהוֹשֻׁעַ בֶּן

7 חֲנַנְיָא, וְרַבִּי יוֹסֵי הַכֹּהֵן, וְרַבִּי שִׁמְעוֹן בֶּן נְתַנְאֵל, וְרַבִּי אֶלְעָזָר

8 בֶּן עֲרָךְ. הוּא הָיָה מוֹנֶה שְׁבָחָם, רַבִּי אֱלִיעֶזֶר בֶּן

9 הוֹרְקָנוֹס בּוֹר סוּד שֶׁאֵינוֹ מְאַבֵּד טִפָּה, רַבִּי יְהוֹשֻׁעַ בֶּן

10 חֲנַנְיָא אַשְׁרֵי יוֹלַדְתּוֹ, רַבִּי יוֹסֵי הַכֹּהֵן חָסִיד, רַבִּי שִׁמְעוֹן בֶּן

11 נְתַנְאֵל יְרֵא חֵטְא, רַבִּי אֶלְעָזָר בֶּן עֲרָךְ כְּמַעְיָן הַמִּתְגַּבֵּר.

12 הוּא הָיָה אוֹמֵר: אִם יִהְיוּ כָּל חַכְמֵי יִשְׂרָאֵל בְּכַף מֹאזְנַיִם,

13 וֶאֱלִיעֶזֶר בֶּן הוֹרְקָנוֹס בְּכַף שְׁנִיָּה, מַכְרִיעַ אֶת כֻּלָּם. אַבָּא

14 שָׁאוּל אוֹמֵר מִשְּׁמוֹ: אִם יִהְיוּ כָּל חַכְמֵי יִשְׂרָאֵל בְּכַף

15 מֹאזְנַיִם וֶאֱלִיעֶזֶר בֶּן הוֹרְקָנוֹס אַף עִמָּהֶם, וְאֶלְעָזָר בֶּן עֲרָךְ

16 בְּכַף שְׁנִיָּה, מַכְרִיעַ אֶת כֻּלָּם. י אָמַר לָהֶם: צְאוּ וּרְאוּ אֵיזוֹ

17 הִיא דֶרֶךְ טוֹבָה שֶׁיִּדְבַּק בָּהּ הָאָדָם, רַבִּי אֱלִיעֶזֶר אוֹמֵר:

18 עַיִן טוֹבָה. רַבִּי יְהוֹשֻׁעַ אוֹמֵר: חָבֵר טוֹב. רַבִּי יוֹסֵי אוֹמֵר:

19 שָׁכֵן טוֹב. רַבִּי שִׁמְעוֹן אוֹמֵר: הָרוֹאֶה אֶת הַנּוֹלָד. רַבִּי

20 אֶלְעָזָר אוֹמֵר: לֵב טוֹב. אָמַר לָהֶם: רוֹאֶה אֲנִי אֶת דִּבְרֵי

21 אֶלְעָזָר בֶּן עֲרָךְ מִדִּבְרֵיכֶם, שֶׁבִּכְלַל דְּבָרָיו דִּבְרֵיכֶם.

22 אָמַר לָהֶם, צְאוּ וּרְאוּ אֵיזוֹ הִיא דֶרֶךְ רָעָה שֶׁיִּתְרַחֵק מִמֶּנָּה

23 הָאָדָם, רַבִּי אֱלִיעֶזֶר אוֹמֵר: עַיִן רָעָה. רַבִּי יְהוֹשֻׁעַ אוֹמֵר:

24 חָבֵר רָע. רַבִּי יוֹסֵי אוֹמֵר: שָׁכֵן רָע. רַבִּי שִׁמְעוֹן אוֹמֵר:

הלוה

הַלֹּוֶה וְאֵינוֹ מְשַׁלֵּם, אֶחָד הַלֹּוֶה מִן הָאָדָם כְּלֹוֶה מִן הַמָּקוֹם, שֶׁנֶּאֱמַר לֹוֶה רָשָׁע וְלֹא יְשַׁלֵּם, וְצַדִּיק חוֹנֵן וְנוֹתֵן. רַבִּי אֶלְעָזָר אוֹמֵר: לֵב רָע. אָמַר לָהֶם: רוֹאֶה אֲנִי אֶת דִּבְרֵי אֶלְעָזָר בֶּן עֲרָךְ מִדִּבְרֵיכֶם, שֶׁבִּכְלַל דְּבָרָיו דִּבְרֵיכֶם. הֵם אָמְרוּ שְׁלשָׁה דְבָרִים, רַבִּי אֱלִיעֶזֶר אוֹמֵר: יְהִי כְבוֹד חֲבֵרְךָ חָבִיב עָלֶיךָ כְּשֶׁלָּךְ. וְאַל תְּהִי נוֹחַ לִכְעוֹס. וְשׁוּב יוֹם אֶחָד לִפְנֵי מִיתָתְךָ. וֶהֱוֵי מִתְחַמֵּם כְּנֶגֶד אוּרָן שֶׁל חֲכָמִים, וֶהֱוֵי זָהִיר בְּגַחַלְתָּן שֶׁלֹּא תִכָּוֶה שֶׁנְּשִׁיכָתָן נְשִׁיכַת שׁוּעָל, וַעֲקִיצָתָן עֲקִיצַת עַקְרָב, וּלְחִישָׁתָן לְחִישַׁת שָׂרָף, וְכָל דִּבְרֵיהֶם כְּגַחֲלֵי אֵשׁ. יא רַבִּי יְהוֹשֻׁעַ אוֹמֵר: עַיִן הָרָע, וְיֵצֶר הָרָע, וְשִׂנְאַת הַבְּרִיּוֹת, מוֹצִיאִין אֶת הָאָדָם מִן הָעוֹלָם. יב רַבִּי יוֹסֵי אוֹמֵר: יְהִי מָמוֹן חֲבֵרְךָ חָבִיב עָלֶיךָ כְּשֶׁלָּךְ. וְהַתְקֵן עַצְמְךָ לִלְמוֹד תּוֹרָה, שֶׁאֵינָהּ יְרֻשָּׁה לָךְ. וְכָל מַעֲשֶׂיךָ יִהְיוּ לְשֵׁם שָׁמָיִם. יג רַבִּי שִׁמְעוֹן אוֹמֵר: הֱוֵי זָהִיר בִּקְרִיאַת שְׁמַע וּבִתְפִלָּה, וּכְשֶׁאַתָּה מִתְפַּלֵּל, אַל תַּעַשׂ תְּפִלָּתְךָ קֶבַע, אֶלָּא רַחֲמִים וְתַחֲנוּנִים לִפְנֵי הַמָּקוֹם, שֶׁנֶּאֱמַר: כִּי חַנּוּן וְרַחוּם הוּא, אֶרֶךְ אַפַּיִם וְרַב חֶסֶד, וְנִחָם עַל הָרָעָה. וְאַל תְּהִי רָשָׁע בִּפְנֵי עַצְמְךָ. יד רַבִּי אֶלְעָזָר אוֹמֵר: הֱוֵי שָׁקוּד לִלְמוֹד תּוֹרָה, וְדַע מַה שֶּׁתָּשִׁיב לְאֶפִּיקוֹרוֹס. וְדַע לִפְנֵי מִי אַתָּה עָמֵל, וּמִי הוּא בַּעַל מְלַאכְתְּךָ שֶׁיְּשַׁלֶּם לָךְ שְׂכַר פְּעֻלָּתֶךָ. טו רַבִּי טַרְפוֹן אוֹמֵר: הַיּוֹם קָצֵר, וְהַמְּלָאכָה מְרֻבָּה, וְהַפּוֹעֲלִים עֲצֵלִים, וְהַשָּׂכָר הַרְבֵּה, וּבַעַל הַבַּיִת דּוֹחֵק. טז הוּא הָיָה אוֹמֵר: לֹא עָלֶיךָ הַמְּלָאכָה לִגְמוֹר, וְלֹא אַתָּה

בן

תו"א א) תהלים לז כא: ב) יואל ב יג:

1 בֶּן חוֹרִין לְהִבָּטֵל מִמֶּנָּה. אִם לָמַדְתָּ תוֹרָה הַרְבֵּה, נוֹתְנִין

2 לָךְ שָׂכָר הַרְבֵּה, וְנֶאֱמָן הוּא בַּעַל מְלַאכְתֶּךָ שֶׁיְּשַׁלֵּם

3 לָךְ שָׂכָר פְּעֻלָּתֶךָ, וְדַע שֶׁמַּתַּן שְׂכָרָן שֶׁל צַדִּיקִים

4 לֶעָתִיד לָבוֹא: רבי חנניה וכו'

פרק שלישי

כל ישראל וכו'

5 א עֲקַבְיָא בֶּן מַהֲלַלְאֵל אוֹמֵר: הִסְתַּכֵּל בִּשְׁלֹשָׁה דְבָרִים,

6 וְאֵין אַתָּה בָא לִידֵי עֲבֵרָה. דַּע מֵאַיִן בָּאתָ, וּלְאָן

7 אַתָּה הוֹלֵךְ, וְלִפְנֵי מִי אַתָּה עָתִיד לִתֵּן דִּין וְחֶשְׁבּוֹן. מֵאַיִן

8 בָּאתָ: מִטִּפָּה סְרוּחָה, וּלְאָן אַתָּה הוֹלֵךְ: לִמְקוֹם עָפָר רִמָּה

9 וְתוֹלֵעָה, וְלִפְנֵי מִי אַתָּה עָתִיד לִתֵּן דִּין וְחֶשְׁבּוֹן: לִפְנֵי מֶלֶךְ

10 מַלְכֵי הַמְּלָכִים הַקָּדוֹשׁ, בָּרוּךְ הוּא. ב רַבִּי חֲנִינָא סְגַן

11 הַכֹּהֲנִים אוֹמֵר: הֱוֵי מִתְפַּלֵּל בִּשְׁלוֹמָהּ שֶׁל מַלְכוּת,

12 שֶׁאִלְמָלֵא מוֹרָאָהּ, אִישׁ אֶת רֵעֵהוּ חַיִּים בְּלָעוֹ. רַבִּי

13 חֲנִינָא בֶּן תְּרַדְיוֹן אוֹמֵר: שְׁנַיִם שֶׁיּוֹשְׁבִין וְאֵין בֵּינֵיהֶם

14 דִּבְרֵי תוֹרָה, הֲרֵי זֶה מוֹשַׁב לֵצִים, שֶׁנֶּאֱמַר: וּבְמוֹשַׁב

15 לֵצִים לֹא יָשָׁב. אֲבָל שְׁנַיִם שֶׁיּוֹשְׁבִין וְיֵשׁ בֵּינֵיהֶם דִּבְרֵי

16 תוֹרָה, שְׁכִינָה שְׁרוּיָה בֵינֵיהֶם, שֶׁנֶּאֱמַר: אָז נִדְבְּרוּ יִרְאֵי

17 יְיָ אִישׁ אֶל רֵעֵהוּ, וַיַּקְשֵׁב יְיָ וַיִּשְׁמָע, וַיִּכָּתֵב סֵפֶר זִכָּרוֹן

18 לְפָנָיו, לְיִרְאֵי יְיָ וּלְחֹשְׁבֵי שְׁמוֹ. אֵין לִי אֶלָּא שְׁנַיִם, מִנַּיִן

19 אֲפִלּוּ אֶחָד שֶׁיּוֹשֵׁב וְעוֹסֵק בַּתוֹרָה שֶׁהַקָּדוֹשׁ בָּרוּךְ הוּא

20 קוֹבֵעַ לוֹ שָׂכָר, שֶׁנֶּאֱמַר: יֵשֵׁב בָּדָד וְיִדֹּם כִּי נָטַל עָלָיו.

21 ג רַבִּי שִׁמְעוֹן אוֹמֵר: שְׁלֹשָׁה שֶׁאָכְלוּ עַל שֻׁלְחָן אֶחָד,

22 וְלֹא אָמְרוּ עָלָיו דִּבְרֵי תוֹרָה, כְּאִלּוּ אָכְלוּ מִזִּבְחֵי מֵתִים,

23 שֶׁנֶּאֱמַר: כִּי כָּל שֻׁלְחָנוֹת מָלְאוּ קִיא צוֹאָה בְּלִי מָקוֹם.

אבל

תו"א א) תהלים א א: ב) מלאכי ג טז: ג) איכה ג כח: ד) ישעיה כח ח:

אֲבָל שְׁלשָׁה שֶׁאָכְלוּ עַל שֻׁלְחָן אֶחָד, וְאָמְרוּ עָלָיו דִּבְרֵי תוֹרָה, כְּאִלּוּ אָכְלוּ מִשֻּׁלְחָנוֹ שֶׁל מָקוֹם, שֶׁנֶּאֱמַר: [א] וַיְדַבֵּר אֵלַי, זֶה הַשֻּׁלְחָן אֲשֶׁר לִפְנֵי יְיָ. ד רַבִּי חֲנִינָא בֶּן חֲכִינַאי אוֹמֵר: הַנֵּעוֹר בַּלַּיְלָה, וְהַמְהַלֵּךְ בַּדֶּרֶךְ יְחִידִי, וּמְפַנֶּה לִבּוֹ לְבַטָּלָה, הֲרֵי זֶה מִתְחַיֵּב בְּנַפְשׁוֹ. ה רַבִּי נְחוּנְיָא בֶּן הַקָּנָה אוֹמֵר: כָּל הַמְקַבֵּל עָלָיו עוֹל תּוֹרָה, מַעֲבִירִין מִמֶּנּוּ עוֹל מַלְכוּת וְעוֹל דֶּרֶךְ אֶרֶץ, וְכָל הַפּוֹרֵק מִמֶּנּוּ עוֹל תּוֹרָה, נוֹתְנִין עָלָיו עוֹל מַלְכוּת וְעוֹל דֶּרֶךְ אֶרֶץ. ו רַבִּי חֲלַפְתָּא בֶּן דּוֹסָא אִישׁ כְּפַר חֲנַנְיָא אוֹמֵר: עֲשָׂרָה שֶׁיּוֹשְׁבִין וְעוֹסְקִין בַּתּוֹרָה, שְׁכִינָה שְׁרוּיָה בֵינֵיהֶם, שֶׁנֶּאֱמַר: [ב] אֱלֹהִים נִצָּב בַּעֲדַת אֵל. וּמִנַּיִן אֲפִילוּ חֲמִשָּׁה, שֶׁנֶּאֱמַר: [ג] וַאֲגֻדָּתוֹ עַל אֶרֶץ יְסָדָהּ. וּמִנַּיִן אֲפִילוּ שְׁלשָׁה, שֶׁנֶּאֱמַר: [ד] בְּקֶרֶב אֱלֹהִים יִשְׁפֹּט. וּמִנַּיִן אֲפִילוּ שְׁנַיִם, שֶׁנֶּאֱמַר: [ה] אָז נִדְבְּרוּ יִרְאֵי יְיָ אִישׁ אֶל רֵעֵהוּ, וַיַּקְשֵׁב יְיָ וַיִּשְׁמָע. וּמִנַּיִן אֲפִילוּ אֶחָד, שֶׁנֶּאֱמַר: [ו] בְּכָל הַמָּקוֹם אֲשֶׁר אַזְכִּיר אֶת שְׁמִי, אָבוֹא אֵלֶיךָ וּבֵרַכְתִּיךָ. ז רַבִּי אֶלְעָזָר אִישׁ בַּרְתּוֹתָא אוֹמֵר: תֶּן לוֹ מִשֶּׁלּוֹ, שֶׁאַתָּה וְשֶׁלְּךָ שֶׁלּוֹ. וְכֵן בְּדָוִד, הוּא אוֹמֵר: [ז] כִּי מִמְּךָ הַכֹּל וּמִיָּדְךָ נָתַנּוּ לָךְ. רַבִּי יַעֲקֹב אוֹמֵר: הַמְהַלֵּךְ בַּדֶּרֶךְ וְשׁוֹנֶה, וּמַפְסִיק מִמִּשְׁנָתוֹ וְאוֹמֵר: מַה נָּאֶה אִילָן זֶה, מַה נָּאֶה נִיר זֶה, מַעֲלֶה עָלָיו הַכָּתוּב כְּאִלּוּ מִתְחַיֵּב בְּנַפְשׁוֹ. ח רַבִּי דוֹסְתָּאִי בְּרַבִּי יַנַּאי מִשּׁוּם רַבִּי מֵאִיר אוֹמֵר: כָּל הַשּׁוֹכֵחַ דָּבָר אֶחָד מִמִּשְׁנָתוֹ, מַעֲלֶה עָלָיו הַכָּתוּב כְּאִלּוּ מִתְחַיֵּב בְּנַפְשׁוֹ, שֶׁנֶּאֱמַר: [ח] רַק הִשָּׁמֶר לְךָ וּשְׁמֹר נַפְשְׁךָ מְאֹד פֶּן תִּשְׁכַּח אֶת הַדְּבָרִים אֲשֶׁר רָאוּ עֵינֶיךָ. יָכוֹל אֲפִילוּ תָּקְפָה

תו"א א) יחזקאל מא כב: ב) תהלים פב א: ג) עמוס ט ו: ד) תהלים פב א: ה) מלאכי ג טז: ו) שמות כ כא: ז) דה"א כט יד: ח) דברים ד ט:

עָלָיו מִשְׁנָתוֹ, תַּלְמוּד לוֹמַר וּפֶן יָסוּרוּ מִלְּבָבְךָ כֹּל יְמֵי חַיֶּיךָ, הָא אֵינוֹ מִתְחַיֵּב בְּנַפְשׁוֹ, עַד שֶׁיֵּשֵׁב וִיסִירֵם מִלִּבּוֹ. ט רַבִּי חֲנִינָא בֶּן דּוֹסָא אוֹמֵר: כֹּל שֶׁיִּרְאַת חֶטְאוֹ קוֹדֶמֶת לְחָכְמָתוֹ, חָכְמָתוֹ מִתְקַיֶּמֶת. וְכֹל שֶׁחָכְמָתוֹ קוֹדֶמֶת לְיִרְאַת חֶטְאוֹ, אֵין חָכְמָתוֹ מִתְקַיֶּמֶת. י הוּא הָיָה אוֹמֵר: כֹּל שֶׁמַּעֲשָׂיו מְרֻבִּין מֵחָכְמָתוֹ, חָכְמָתוֹ מִתְקַיֶּמֶת. וְכֹל שֶׁחָכְמָתוֹ מְרֻבָּה מִמַּעֲשָׂיו, אֵין חָכְמָתוֹ מִתְקַיֶּמֶת. הוּא הָיָה אוֹמֵר: כֹּל, שֶׁרוּחַ הַבְּרִיּוֹת נוֹחָה הֵימֶנּוּ, רוּחַ הַמָּקוֹם נוֹחָה הֵימֶנּוּ. וְכֹל שֶׁאֵין רוּחַ הַבְּרִיּוֹת נוֹחָה הֵימֶנּוּ, אֵין רוּחַ הַמָּקוֹם נוֹחָה הֵימֶנּוּ. רַבִּי דוֹסָא בֶּן הָרְכִּינַס אוֹמֵר: שֵׁנָה שֶׁל שַׁחֲרִית, וְיַיִן שֶׁל צָהֳרַיִם, וְשִׂיחַת הַיְלָדִים, וִישִׁיבַת בָּתֵּי כְנֵסִיּוֹת שֶׁל עַמֵּי הָאָרֶץ, מוֹצִיאִין אֶת הָאָדָם מִן הָעוֹלָם. יא רַבִּי אֶלְעָזָר הַמּוֹדָעִי אוֹמֵר: הַמְחַלֵּל אֶת הַקֳּדָשִׁים, וְהַמְבַזֶּה אֶת הַמּוֹעֲדוֹת, וְהַמַּלְבִּין פְּנֵי חֲבֵרוֹ בָּרַבִּים, וְהַמֵּפֵר בְּרִיתוֹ שֶׁל אַבְרָהָם אָבִינוּ, וְהַמְגַלֶּה פָנִים בַּתּוֹרָה שֶׁלֹּא כַהֲלָכָה, אַף עַל פִּי שֶׁיֵּשׁ בְּיָדוֹ תוֹרָה וּמַעֲשִׂים טוֹבִים, אֵין לוֹ חֵלֶק לָעוֹלָם הַבָּא. יב רַבִּי יִשְׁמָעֵאל אוֹמֵר: הֱוֵי קַל לְרֹאשׁ, וְנוֹחַ לְתִשְׁחֹרֶת, וֶהֱוֵי מְקַבֵּל אֶת כָּל הָאָדָם בְּשִׂמְחָה. יג רַבִּי עֲקִיבָא אוֹמֵר: שְׂחוֹק וְקַלּוּת רֹאשׁ, מַרְגִּילִין אֶת הָאָדָם לְעֶרְוָה, מַסֹּרֶת סְיָג לַתּוֹרָה, מַעַשְׂרוֹת סְיָג לָעֹשֶׁר, נְדָרִים סְיָג לַפְּרִישׁוּת, סְיָג לַחָכְמָה שְׁתִיקָה. יד הוּא הָיָה אוֹמֵר: חָבִיב אָדָם שֶׁנִּבְרָא בְצֶלֶם, חִבָּה יְתֵרָה נוֹדַעַת לוֹ, שֶׁנִּבְרָא בְּצֶלֶם, שֶׁנֶּאֱמַר: כִּי בְּצֶלֶם אֱלֹהִים עָשָׂה אֶת הָאָדָם. חֲבִיבִין יִשְׂרָאֵל שֶׁנִּקְרְאוּ בָנִים לַמָּקוֹם, חִבָּה

יתרה

תו"א א) בראשית ט ו:

יְתֵרָה נוֹדַעַת לָהֶם שֶׁנִּקְרְאוּ בָנִים לַמָּקוֹם, שֶׁנֶּאֱמַר: בָּנִים[א] אַתֶּם לַייָ אֱלֹהֵיכֶם. חֲבִיבִין יִשְׂרָאֵל שֶׁנִּתַּן לָהֶם כְּלִי חֶמְדָּה, חִבָּה יְתֵרָה נוֹדַעַת לָהֶם, שֶׁנִּתַּן לָהֶם כְּלִי חֶמְדָּה, שֶׁנֶּאֱמַר: כִּי[ב] לֶקַח טוֹב נָתַתִּי לָכֶם, תּוֹרָתִי אַל תַּעֲזֹבוּ. טו הַכֹּל צָפוּי, וְהָרְשׁוּת נְתוּנָה, וּבְטוֹב הָעוֹלָם נִדּוֹן, וְהַכֹּל לְפִי רוֹב הַמַּעֲשֶׂה. טז הוּא הָיָה אוֹמֵר: הַכֹּל נָתוּן בָּעֵרָבוֹן, וּמְצוּדָה פְרוּסָה עַל כָּל הַחַיִּים, הֶחָנוּת פְּתוּחָה, וְהַחֶנְוָנִי מַקִּיף, וְהַפִּנְקָס פָּתוּחַ, וְהַיָּד כּוֹתֶבֶת, וְכָל הָרוֹצֶה לִלְווֹת יָבֹא וְיִלְוֶה, וְהַגַּבָּאִין מַחֲזִירִין תָּדִיר בְּכָל יוֹם, וְנִפְרָעִין מִן הָאָדָם מִדַּעְתּוֹ וְשֶׁלֹּא מִדַּעְתּוֹ, וְיֵשׁ לָהֶם עַל מַה שֶּׁיִּסְמֹכוּ, וְהַדִּין דִּין אֱמֶת, וְהַכֹּל מְתֻקָּן לִסְעוּדָה. יז רַבִּי אֶלְעָזָר בֶּן עֲזַרְיָה אוֹמֵר: אִם אֵין תּוֹרָה אֵין דֶּרֶךְ אֶרֶץ, אִם אֵין דֶּרֶךְ אֶרֶץ אֵין תּוֹרָה, אִם אֵין חָכְמָה אֵין יִרְאָה, אִם אֵין יִרְאָה אֵין חָכְמָה, אִם אֵין דַּעַת אֵין בִּינָה, אִם אֵין בִּינָה אֵין דַּעַת, אִם אֵין קֶמַח אֵין תּוֹרָה, אִם אֵין תּוֹרָה אֵין קֶמַח. הוּא הָיָה אוֹמֵר: כֹּל שֶׁחָכְמָתוֹ מְרֻבָּה מִמַּעֲשָׂיו, לְמָה הוּא דוֹמֶה: לְאִילָן שֶׁעֲנָפָיו מְרֻבִּין וְשָׁרָשָׁיו מוּעָטִין, וְהָרוּחַ בָּאָה וְעוֹקַרְתּוֹ וְהוֹפַכְתּוֹ עַל פָּנָיו, שֶׁנֶּאֱמַר: וְהָיָה[ג] כְּעַרְעָר בָּעֲרָבָה, וְלֹא יִרְאֶה כִּי יָבֹא טוֹב, וְשָׁכַן חֲרֵרִים בַּמִּדְבָּר, אֶרֶץ מְלֵחָה וְלֹא תֵשֵׁב. אֲבָל, כֹּל שֶׁמַּעֲשָׂיו מְרֻבִּין מֵחָכְמָתוֹ, לְמָה הוּא דוֹמֶה: לְאִילָן שֶׁעֲנָפָיו מוּעָטִין וְשָׁרָשָׁיו מְרֻבִּין, שֶׁאֲפִילוּ כָּל הָרוּחוֹת שֶׁבָּעוֹלָם בָּאוֹת וְנוֹשְׁבוֹת בּוֹ, אֵין מְזִיזִין אוֹתוֹ מִמְּקוֹמוֹ, שֶׁנֶּאֱמַר: וְהָיָה[ד] כְּעֵץ שָׁתוּל עַל מַיִם, וְעַל יוּבַל

תו״א א) דברים יד א: ב) משלי ד ב: ג) ירמיה יז ו: ד) שם יז ח:

1 יְשַׁלַּח שָׁרָשָׁיו, וְלֹא יִרְאֶה כִּי יָבֹא חֹם, וְהָיָה עָלֵהוּ רַעֲנָן,

2 וּבִשְׁנַת בַּצֹּרֶת לֹא יִדְאָג, וְלֹא יָמִישׁ מֵעֲשׂוֹת פֶּרִי. יח רַבִּי

3 אֱלִיעֶזֶר (בֶּן) חִסְמָא אוֹמֵר, קִנִּין וּפִתְחֵי נִדָּה, הֵן הֵן גּוּפֵי

4 הֲלָכוֹת. תְּקוּפוֹת וְגִמַטְרִיָּאוֹת, פַּרְפְּרָאוֹת לַחָכְמָה.

רבי חנניה וכו'

פרק רביעי

כל ישראל וכו'

5 א בֶּן זוֹמָא אוֹמֵר: אֵיזֶהוּ חָכָם הַלּוֹמֵד מִכָּל אָדָם, שֶׁנֶּאֱמַר:

6 מִכָּל מְלַמְּדַי הִשְׂכַּלְתִּי, כִּי עֵדְוֹתֶיךָ שִׂיחָה לִי. אֵיזֶהוּ

7 גִבּוֹר, הַכּוֹבֵשׁ אֶת יִצְרוֹ, שֶׁנֶּאֱמַר: טוֹב אֶרֶךְ אַפַּיִם מִגִּבּוֹר,

8 וּמוֹשֵׁל בְּרוּחוֹ מִלֹּכֵד עִיר. אֵיזֶהוּ עָשִׁיר הַשָּׂמֵחַ בְּחֶלְקוֹ,

9 שֶׁנֶּאֱמַר: יְגִיעַ כַּפֶּיךָ כִּי תֹאכֵל, אַשְׁרֶיךָ וְטוֹב לָךְ, אַשְׁרֶיךָ

10 בָּעוֹלָם הַזֶּה, וְטוֹב לָךְ לָעוֹלָם הַבָּא. אֵיזֶהוּ מְכֻבָּד, הַמְכַבֵּד

11 אֶת הַבְּרִיּוֹת, שֶׁנֶּאֱמַר: כִּי מְכַבְּדַי אֲכַבֵּד וּבֹזַי יֵקָלּוּ. ב בֶּן

12 עַזַּאי אוֹמֵר: הֱוֵי רָץ לְמִצְוָה קַלָּה, וּבוֹרֵחַ מִן הָעֲבֵרָה,

13 שֶׁמִּצְוָה, גּוֹרֶרֶת מִצְוָה, וַעֲבֵרָה גּוֹרֶרֶת עֲבֵרָה,

14 שֶׁשְּׂכַר מִצְוָה מִצְוָה, וּשְׂכַר עֲבֵרָה עֲבֵרָה. ג הוּא הָיָה

15 אוֹמֵר: אַל תְּהִי בָז לְכָל אָדָם, וְאַל תְּהִי מַפְלִיג לְכָל דָּבָר,

16 שֶׁאֵין לְךָ אָדָם שֶׁאֵין לוֹ שָׁעָה, וְאֵין לְךָ דָּבָר שֶׁאֵין לוֹ מָקוֹם.

17 ד רַבִּי לְוִיטַס אִישׁ יַבְנֶה אוֹמֵר: מְאֹד מְאֹד הֱוֵי שְׁפַל רוּחַ,

18 שֶׁתִּקְוַת אֱנוֹשׁ רִמָּה. רַבִּי יוֹחָנָן בֶּן בְּרוֹקָה אוֹמֵר: כָּל

19 הַמְחַלֵּל שֵׁם שָׁמַיִם בַּסֵּתֶר, נִפְרָעִין מִמֶּנּוּ בַּגָּלוּי, אֶחָד שׁוֹגֵג

20 וְאֶחָד מֵזִיד בְּחִלּוּל הַשֵּׁם. ה רַבִּי יִשְׁמָעֵאל בַּר רַבִּי יוֹסֵי

21 אוֹמֵר: הַלּוֹמֵד תּוֹרָה עַל מְנָת לְלַמֵּד, מַסְפִּיקִין בְּיָדוֹ לִלְמוֹד

22 וּלְלַמֵּד, וְהַלּוֹמֵד עַל מְנָת לַעֲשׂוֹת, מַסְפִּיקִין בְּיָדוֹ לִלְמוֹד

וללמד

תו"א א) תהלים קיט צט: ב) משלי טז לב: ג) תהלים קכח ב: ד) ש"א ב ל:

1 וּלְלַמֵּד לִשְׁמוֹר וְלַעֲשׂוֹת . רַבִּי צָדוֹק אוֹמֵר : אַל תִּפְרוֹשׁ

2 מִן הַצִּבּוּר, וְאַל תַּעַשׂ עַצְמְךָ כְּעוֹרְכֵי הַדַּיָּנִין, וְאַל תַּעֲשֶׂהָ

3 עֲטָרָה לְהִתְגַּדֵּל בָּהּ, וְלֹא קַרְדּוֹם לַחְתֹּךְ בָּהּ, וְכַךְ הָיָה הִלֵּל

4 אוֹמֵר : וּדְאִשְׁתַּמֵּשׁ בְּתַגָּא חֲלָף, הָא לָמַדְתָּ, כָּל הַנֶּהֱנֶה

5 מִדִּבְרֵי תוֹרָה, נוֹטֵל חַיָּיו מִן הָעוֹלָם . ו רַבִּי יוֹסֵי אוֹמֵר :

6 כָּל הַמְכַבֵּד אֶת הַתּוֹרָה, גּוּפוֹ מְכֻבָּד עַל הַבְּרִיּוֹת, וְכָל

7 הַמְחַלֵּל אֶת הַתּוֹרָה גּוּפוֹ מְחֻלָּל עַל הַבְּרִיּוֹת . ז רַבִּי

8 יִשְׁמָעֵאל בְּנוֹ אוֹמֵר : הַחוֹשֵׂךְ עַצְמוֹ מִן הַדִּין, פּוֹרֵק מִמֶּנּוּ

9 אֵיבָה וְגָזֵל וּשְׁבוּעַת שָׁוְא, וְהַגַּס לִבּוֹ בְּהוֹרָאָה: שׁוֹטֶה רָשָׁע

10 וְגַס רוּחַ. ח הוּא הָיָה אוֹמֵר : אַל תְּהִי דָן יְחִידִי, שֶׁאֵין דָּן

11 יְחִידִי, אֶלָּא אֶחָד, וְאַל תֹּאמַר קַבְּלוּ דַעְתִּי, שֶׁהֵן רַשָּׁאִין וְלֹא

12 אָתָּה. ט רַבִּי יוֹנָתָן אוֹמֵר : כָּל הַמְקַיֵּם אֶת הַתּוֹרָה מֵעֹנִי,

13 סוֹפוֹ לְקַיְּמָהּ מֵעֹשֶׁר, וְכָל הַמְבַטֵּל אֶת הַתּוֹרָה מֵעֹשֶׁר,

14 סוֹפוֹ לְבַטְּלָהּ מֵעֹנִי. י רַבִּי מֵאִיר אוֹמֵר : הֱוֵי מְמַעֵט בְּעֵסֶק

15 וַעֲסוֹק בַּתּוֹרָה, וֶהֱוֵי שְׁפַל רוּחַ בִּפְנֵי כָל אָדָם, וְאִם בָּטַלְתָּ

16 מִן הַתּוֹרָה, יֶשׁ לְךָ בְּטֵלִים הַרְבֵּה כְּנֶגְדֶּךָ, וְאִם עָמַלְתָּ

17 בַתּוֹרָה הַרְבֵּה, יֶשׁ שָׂכָר הַרְבֵּה לִתֶּן לָךְ. יא רַבִּי אֱלִיעֶזֶר בֶּן

18 יַעֲקֹב אוֹמֵר : הָעוֹשֶׂה מִצְוָה אַחַת, קוֹנֶה לוֹ פְּרַקְלִיט אֶחָד,

19 וְהָעוֹבֵר עֲבֵרָה אַחַת, קוֹנֶה לוֹ קַטֵּגוֹר אֶחָד, תְּשׁוּבָה

20 וּמַעֲשִׂים טוֹבִים כִּתְרִיס בִּפְנֵי הַפֻּרְעָנוּת . רַבִּי יוֹחָנָן

21 הַסַּנְדְּלָר אוֹמֵר : כָּל כְּנֵסִיָּה שֶׁהִיא לְשֵׁם שָׁמַיִם סוֹפָהּ

22 לְהִתְקַיֵּם, וְשֶׁאֵינָה לְשֵׁם שָׁמַיִם אֵין סוֹפָהּ לְהִתְקַיֵּם. יב רַבִּי

23 אֶלְעָזָר בֶּן שַׁמּוּעַ אוֹמֵר : יְהִי כְבוֹד תַּלְמִידְךָ חָבִיב עָלֶיךָ

24 כְּשֶׁלָּךְ, וּכְבוֹד חֲבֵרְךָ כְּמוֹרָא רַבָּךְ, וּמוֹרָא רַבָּךְ כְּמוֹרָא

25 שָׁמַיִם. יג רַבִּי יְהוּדָה אוֹמֵר : הֱוֵי זָהִיר בַּתַּלְמוּד, שֶׁשִּׁגְגַת

1   תַּלְמוּד עוֹלָה זָדוֹן. רַבִּי שִׁמְעוֹן אוֹמֵר: שְׁלֹשָׁה כְתָרִים הֵן

2   כֶּתֶר תּוֹרָה, וְכֶתֶר כְּהֻנָּה, וְכֶתֶר מַלְכוּת, וְכֶתֶר שֵׁם טוֹב

3   עוֹלֶה עַל גַּבֵּיהֶן. יד רַבִּי נְהוֹרַאי אוֹמֵר: הֱוֵי גוֹלֶה לִמְקוֹם

4   תוֹרָה, וְאַל תּאמַר שֶׁהִיא תָבוֹא אַחֲרֶיךָ, שֶׁחֲבֵרֶיךָ יְקַיְּמוּהָ

5   בְיָדֶךָ, וְאֶל בִּינָתְךָ אַל תִּשָּׁעֵן. טו רַבִּי יַנַּאי אוֹמֵר: אֵין בְּיָדֵינוּ

6   לֹא מִשַּׁלְוַת הָרְשָׁעִים, וְאַף לֹא מִיִּסּוּרֵי הַצַּדִּיקִים. רַבִּי

7   מַתְיָא בֶּן חָרָשׁ אוֹמֵר: הֱוֵי מַקְדִּים בִּשְׁלוֹם כָּל אָדָם,

8   וֶהֱוֵי זָנָב לָאֲרָיוֹת, וְאַל תְּהִי רֹאשׁ לַשּׁוּעָלִים. טז רַבִּי יַעֲקֹב

9   אוֹמֵר: הָעוֹלָם הַזֶּה דּוֹמֶה לִפְרוֹזְדוֹר, בִּפְנֵי הָעוֹלָם הַבָּא,

10   הַתְקֵן עַצְמָךְ בַּפְּרוֹזְדוֹר כְּדֵי שֶׁתִּכָּנֵס לַטְּרַקְלִין. יז הוּא

11   הָיָה אוֹמֵר: יָפָה שָׁעָה אַחַת בִּתְשׁוּבָה וּמַעֲשִׂים טוֹבִים

12   בָּעוֹלָם הַזֶּה, מִכָּל חַיֵּי הָעוֹלָם הַבָּא, וְיָפָה שָׁעָה אַחַת

13   שֶׁל קוֹרַת רוּחַ בָּעוֹלָם הַבָּא, מִכָּל חַיֵּי הָעוֹלָם הַזֶּה.

14   יח רַבִּי שִׁמְעוֹן בֶּן אֶלְעָזָר אוֹמֵר: אַל תְּרַצֶּה אֶת חֲבֵרְךָ

15   בִּשְׁעַת כַּעֲסוֹ, וְאַל תְּנַחֲמֵהוּ בְּשָׁעָה שֶׁמֵּתוֹ מֻטָּל לְפָנָיו,

16   וְאַל תִּשְׁאַל לוֹ בִּשְׁעַת נִדְרוֹ, וְאַל תִּשְׁתַּדֵּל לִרְאוֹתוֹ

17   בִּשְׁעַת קַלְקָלָתוֹ. יט שְׁמוּאֵל הַקָּטָן אוֹמֵר: בִּנְפֹל אוֹיִבְךָ

18   אַל תִּשְׂמָח, וּבְכָּשְׁלוֹ אַל יָגֵל לִבֶּךָ, פֶּן יִרְאֶה יְיָ וְרַע

19   בְּעֵינָיו, וְהֵשִׁיב מֵעָלָיו אַפּוֹ. כ אֱלִישָׁע בֶּן אֲבוּיָה אוֹמֵר:

20   הַלּוֹמֵד תּוֹרָה יֶלֶד לְמָה הוּא דוֹמֶה: לִדְיוֹ כְתוּבָה עַל נְיָר

21   חָדָשׁ, וְהַלּוֹמֵד תּוֹרָה זָקֵן לְמָה הוּא דוֹמֶה: לִדְיוֹ כְתוּבָה עַל

22   נְיָר מָחוּק. רַבִּי יוֹסֵי בַּר יְהוּדָה אִישׁ כְּפָר הַבַּבְלִי אוֹמֵר:

23   הַלּוֹמֵד תּוֹרָה מִן הַקְּטַנִּים לְמָה הוּא דוֹמֶה: לְאוֹכֵל עֲנָבִים

24   קֵהוֹת וְשׁוֹתֶה יַיִן מִגִּתּוֹ, וְהַלּוֹמֵד תּוֹרָה מִן הַזְּקֵנִים לְמָה

הוּא

תו"א א) משלי כד יז־יח:

הוּא דוֹמֶה: לְאוֹכֵל עֲנָבִים בְּשׁוּלוֹת וְשׁוֹתֶה יַיִן יָשָׁן. רַבִּי מֵאִיר אוֹמֵר: אַל תִּסְתַּכֵּל בְּקַנְקַן, אֶלָּא בְּמַה שֶּׁיֶּשׁ בּוֹ. יֵשׁ קַנְקַן חָדָשׁ מָלֵא יָשָׁן, וְיָשָׁן, שֶׁאֲפִילוּ חָדָשׁ אֵין בּוֹ. כא רַבִּי אֶלְעָזָר הַקַּפָּר אוֹמֵר: הַקִּנְאָה וְהַתַּאֲוָה וְהַכָּבוֹד, מוֹצִיאִין אֶת הָאָדָם מִן הָעוֹלָם. כב הוּא הָיָה אוֹמֵר: הַיִּלּוֹדִים לָמוּת, וְהַמֵּתִים לְחָיוֹת (נ"א לְהֵחָיוֹת), וְהַחַיִּים לָדוֹן, לֵידַע, וּלְהוֹדִיעַ, וּלְהִוָּדַע, שֶׁהוּא אֵל, הוּא הַיּוֹצֵר, הוּא הַבּוֹרֵא, הוּא הַמֵּבִין, הוּא הַדַּיָּן, הוּא הָעֵד, הוּא בַּעַל דִּין, הוּא עָתִיד לָדוֹן. בָּרוּךְ הוּא, שֶׁאֵין לְפָנָיו, לֹא עַוְלָה, וְלֹא שִׁכְחָה, וְלֹא מַשּׂוֹא פָנִים, וְלֹא מִקַּח שֹׁחַד, וְדַע שֶׁהַכֹּל לְפִי הַחֶשְׁבּוֹן. וְאַל יַבְטִיחֲךָ יִצְרְךָ שֶׁהַשְּׁאוֹל בֵּית מָנוֹס לָךְ, שֶׁעַל כָּרְחֲךָ אַתָּה נוֹצָר, וְעַל כָּרְחֲךָ אַתָּה נוֹלָד, וְעַל כָּרְחֲךָ אַתָּה חַי, וְעַל כָּרְחֲךָ אַתָּה מֵת, וְעַל כָּרְחֲךָ אַתָּה עָתִיד לִתֵּן דִּין וְחֶשְׁבּוֹן, לִפְנֵי מֶלֶךְ מַלְכֵי הַמְּלָכִים, הַקָּדוֹשׁ, בָּרוּךְ הוּא: רבי חנניה וכו'

פרק חמישי

כל ישראל וכו'

א בַּעֲשָׂרָה מַאֲמָרוֹת נִבְרָא הָעוֹלָם, וּמַה תַּלְמוּד לוֹמַר, וַהֲלֹא בְּמַאֲמָר אֶחָד יָכוֹל לְהִבָּרְאוֹת, אֶלָּא, לְהִפָּרַע מִן הָרְשָׁעִים שֶׁמְּאַבְּדִין אֶת הָעוֹלָם שֶׁנִּבְרָא בַּעֲשָׂרָה מַאֲמָרוֹת, וְלִתֵּן שָׂכָר טוֹב לַצַּדִּיקִים שֶׁמְּקַיְּמִין אֶת הָעוֹלָם שֶׁנִּבְרָא בַּעֲשָׂרָה מַאֲמָרוֹת. ב עֲשָׂרָה דוֹרוֹת מֵאָדָם וְעַד נֹחַ, לְהוֹדִיעַ כַּמָּה אֶרֶךְ אַפַּיִם לְפָנָיו, שֶׁכָּל הַדּוֹרוֹת הָיוּ מַכְעִיסִין וּבָאִין, עַד שֶׁהֵבִיא עֲלֵיהֶם אֶת מֵי הַמַּבּוּל. עֲשָׂרָה דוֹרוֹת מִנֹּחַ וְעַד אַבְרָהָם, לְהוֹדִיעַ כַּמָּה

אֶרֶךְ אַפַּיִם לְפָנָיו, שֶׁכָּל הַדּוֹרוֹת הָיוּ מַכְעִיסִין וּבָאִין, עַד שֶׁבָּא אַבְרָהָם אָבִינוּ וְקִבֵּל שְׂכַר כֻּלָּם. ג עֲשָׂרָה נִסְיוֹנוֹת נִתְנַסָּה אַבְרָהָם אָבִינוּ וְעָמַד בְּכֻלָּם, לְהוֹדִיעַ כַּמָּה חִבָּתוֹ שֶׁל אַבְרָהָם אָבִינוּ. ד עֲשָׂרָה נִסִּים נַעֲשׂוּ לַאֲבוֹתֵינוּ בְּמִצְרַיִם, וַעֲשָׂרָה עַל הַיָּם. עֶשֶׂר מַכּוֹת הֵבִיא הַקָּדוֹשׁ בָּרוּךְ הוּא עַל הַמִּצְרִיִּים, בְּמִצְרַיִם, וְעֶשֶׂר עַל הַיָּם. עֲשָׂרָה נִסְיוֹנוֹת נִסּוּ אֲבוֹתֵינוּ אֶת הַקָּדוֹשׁ בָּרוּךְ הוּא בַּמִּדְבָּר, שֶׁנֶּאֱמַר: [א]וַיְנַסּוּ אֹתִי זֶה עֶשֶׂר פְּעָמִים, וְלֹא שָׁמְעוּ בְּקוֹלִי. ה עֲשָׂרָה נִסִּים נַעֲשׂוּ לַאֲבוֹתֵינוּ בְּבֵית הַמִּקְדָּשׁ: לֹא הִפִּילָה אִשָּׁה מֵרֵיחַ בְּשַׂר הַקֹּדֶשׁ, וְלֹא הִסְרִיחַ בְּשַׂר הַקֹּדֶשׁ מֵעוֹלָם, וְלֹא נִרְאָה זְבוּב בְּבֵית הַמִּטְבְּחַיִם, וְלֹא אֵירַע קֶרִי לְכֹהֵן גָּדוֹל בְּיוֹם הַכִּפֻּרִים, וְלֹא כִבּוּ הַגְּשָׁמִים אֵשׁ שֶׁל עֲצֵי הַמַּעֲרָכָה, וְלֹא נָצְחָה הָרוּחַ אֶת עַמּוּד הֶעָשָׁן, וְלֹא נִמְצָא פְסוּל בָּעֹמֶר וּבִשְׁתֵּי הַלֶּחֶם וּבְלֶחֶם הַפָּנִים, עוֹמְדִים צְפוּפִים וּמִשְׁתַּחֲוִים רְוָחִים, וְלֹא הִזִּיק נָחָשׁ וְעַקְרָב בִּירוּשָׁלַיִם, וְלֹא אָמַר אָדָם לַחֲבֵרוֹ צַר לִי הַמָּקוֹם שֶׁאָלִין בִּירוּשָׁלָיִם. ו עֲשָׂרָה דְבָרִים נִבְרְאוּ בְּעֶרֶב שַׁבָּת בֵּין הַשְּׁמָשׁוֹת, וְאֵלּוּ הֵן: פִּי הָאָרֶץ, פִּי הַבְּאֵר, פִּי הָאָתוֹן, הַקֶּשֶׁת, וְהַמָּן, וְהַמַּטֶּה, וְהַשָּׁמִיר, הַכְּתָב, וְהַמִּכְתָּב, וְהַלּוּחֹת. וְיֵשׁ אוֹמְרִים אַף קִבְרוֹ שֶׁל מֹשֶׁה רַבֵּנוּ, וְאֵילוֹ שֶׁל אַבְרָהָם אָבִינוּ. וְיֵשׁ אוֹמְרִים אַף הַמַּזִּיקִין, וְאַף צְבַת בִּצְבַת עֲשׂוּיָה. ז שִׁבְעָה דְבָרִים בְּגֹלֶם וְשִׁבְעָה בְּחָכָם, חָכָם: אֵינוֹ מְדַבֵּר לִפְנֵי מִי שֶׁגָּדוֹל מִמֶּנּוּ בְּחָכְמָה וּבְמִנְיָן, וְאֵינוֹ נִכְנָס לְתוֹךְ דִּבְרֵי חֲבֵרוֹ,

ואינו

תו"א א) במדבר יד כב:

1 וְאֵינוּ נִבְהָל לְהָשִׁיב, שׁוֹאֵל כְּעִנְיָן וּמֵשִׁיב כַּהֲלָכָה,

2 וְאוֹמֵר עַל רִאשׁוֹן רִאשׁוֹן וְעַל אַחֲרוֹן אַחֲרוֹן, וְעַל מַה

3 שֶּׁלֹּא שָׁמַע אוֹמֵר לֹא שָׁמַעְתִּי, וּמוֹדֶה עַל הָאֱמֶת,

4 וְחִלּוּפֵיהֶן בְּגֹלֶם. ח שִׁבְעָה מִינֵי פֻּרְעָנִיּוֹת בָּאִין לְעוֹלָם,

5 עַל שִׁבְעָה גוּפֵי עֲבֵרָה: מִקְצָתָן מְעַשְּׂרִין וּמִקְצָתָן אֵינָן

6 מְעַשְּׂרִין, רָעָב שֶׁל מְהוּמָה בָּא, מִקְצָתָן רְעֵבִים

7 וּמִקְצָתָן שְׂבֵעִים. גָּמְרוּ שֶׁלֹּא לְעַשֵּׂר, רָעָב שֶׁל

8 בַּצֹּרֶת בָּא. וְשֶׁלֹּא לִטּוֹל אֶת הַחַלָּה, רָעָב שֶׁל כְּלָיָה

9 בָּא. דֶּבֶר בָּא לָעוֹלָם: עַל מִיתוֹת הָאֲמוּרוֹת בַּתּוֹרָה

10 שֶׁלֹּא נִמְסְרוּ לְבֵית דִּין, וְעַל פֵּרוֹת שְׁבִיעִית. חֶרֶב בָּאָה

11 לָעוֹלָם: עַל עִנּוּי הַדִּין, וְעַל עִוּוּת הַדִּין, וְעַל הַמּוֹרִים

12 בַּתּוֹרָה שֶׁלֹּא כַהֲלָכָה. ט חַיָּה רָעָה בָּאָה לָעוֹלָם: עַל

13 שְׁבוּעַת שָׁוְא וְעַל חִלּוּל הַשֵּׁם. גָּלוּת בָּא לָעוֹלָם: עַל

14 עֲבוֹדָה זָרָה, וְעַל גִּלּוּי עֲרָיוֹת, וְעַל שְׁפִיכוּת דָּמִים, וְעַל

15 שְׁמִטַּת הָאָרֶץ. בְּאַרְבָּעָה פְרָקִים הַדֶּבֶר מִתְרַבֶּה:

16 בָּרְבִיעִית, וּבַשְּׁבִיעִית, וּבְמוֹצָאֵי שְׁבִיעִית, וּבְמוֹצָאֵי

17 הֶחָג שֶׁבְּכָל שָׁנָה וְשָׁנָה. בָּרְבִיעִית, מִפְּנֵי מַעְשַׂר עָנִי

18 שֶׁבַּשְּׁלִישִׁית. בַּשְּׁבִיעִית, מִפְּנֵי מַעְשַׂר עָנִי שֶׁבַּשִּׁשִּׁית.

19 בְּמוֹצָאֵי שְׁבִיעִית, מִפְּנֵי פֵּרוֹת שְׁבִיעִית. בְּמוֹצָאֵי הֶחָג

20 שֶׁבְּכָל שָׁנָה וְשָׁנָה, מִפְּנֵי גֶזֶל מַתְּנוֹת עֲנִיִּים. י אַרְבַּע

21 מִדּוֹת בָּאָדָם: הָאוֹמֵר שֶׁלִּי שֶׁלָּךְ, וְשֶׁלָּךְ שֶׁלִּי, עַם הָאָרֶץ.

22 שֶׁלִּי שֶׁלִּי וְשֶׁלָּךְ שֶׁלָּךְ, זוֹ מִדָּה בֵינוֹנִית, וְיֵשׁ אוֹמְרִים

23 זוֹ מִדַּת סְדוֹם. שֶׁלִּי שֶׁלָּךְ, וְשֶׁלָּךְ שֶׁלָּךְ, חָסִיד. שֶׁלָּךְ

24 שֶׁלִּי וְשֶׁלִּי שֶׁלִּי, רָשָׁע. יא אַרְבַּע מִדּוֹת בְּדֵעוֹת: נוֹחַ

25 לִכְעוֹס וְנוֹחַ לִרְצוֹת, יָצָא הֶפְסֵדוֹ בִּשְׂכָרוֹ. קָשֶׁה לִכְעוֹס

וְקָשֶׁה

וְקָשֶׁה לִרְצוֹת, יָצָא שְׂכָרוֹ בְּהֶפְסֵדוֹ. קָשֶׁה לִכְעוֹס וְנוֹחַ לִרְצוֹת, חָסִיד. נוֹחַ לִכְעוֹס וְקָשֶׁה לִרְצוֹת, רָשָׁע: יב אַרְבַּע מִדּוֹת בְּתַלְמִידִים: מַהֵר לִשְׁמוֹעַ וּמַהֵר לְאַבֵּד, יָצָא שְׂכָרוֹ בְּהֶפְסֵדוֹ. קָשֶׁה לִשְׁמוֹעַ וְקָשֶׁה לְאַבֵּד, יָצָא הֶפְסֵדוֹ בִּשְׂכָרוֹ. מַהֵר לִשְׁמוֹעַ וְקָשֶׁה לְאַבֵּד, זֶה חֵלֶק טוֹב. קָשֶׁה לִשְׁמוֹעַ וּמַהֵר לְאַבֵּד, זֶה חֵלֶק רָע. יג אַרְבַּע מִדּוֹת בְּנוֹתְנֵי צְדָקָה: הָרוֹצֶה שֶׁיִּתֵּן וְלֹא יִתְּנוּ אֲחֵרִים, עֵינוֹ רָעָה בְּשֶׁל אֲחֵרִים. יִתְּנוּ אֲחֵרִים וְהוּא לֹא יִתֵּן, עֵינוֹ רָעָה בְּשֶׁלּוֹ. יִתֵּן וְיִתְּנוּ אֲחֵרִים, חָסִיד. לֹא יִתֵּן וְלֹא יִתְּנוּ אֲחֵרִים, רָשָׁע. יד אַרְבַּע מִדּוֹת בְּהוֹלְכֵי בֵית הַמִּדְרָשׁ: הוֹלֵךְ וְאֵינוֹ עוֹשֶׂה, שְׂכַר הֲלִיכָה בְּיָדוֹ. עוֹשֶׂה וְאֵינוֹ הוֹלֵךְ, שְׂכַר מַעֲשֶׂה בְּיָדוֹ. הוֹלֵךְ וְעוֹשֶׂה, חָסִיד. לֹא הוֹלֵךְ וְלֹא עוֹשֶׂה, רָשָׁע. טו אַרְבַּע מִדּוֹת בְּיוֹשְׁבִים לִפְנֵי חֲכָמִים: סְפוֹג, וּמַשְׁפֵּךְ, מְשַׁמֶּרֶת, וְנָפָה. סְפוֹג, שֶׁהוּא סוֹפֵג אֶת הַכֹּל. וּמַשְׁפֵּךְ, שֶׁמַּכְנִיס בְּזוֹ וּמוֹצִיא בְזוֹ. מְשַׁמֶּרֶת, שֶׁמּוֹצִיאָה אֶת הַיַּיִן וְקוֹלֶטֶת אֶת הַשְּׁמָרִים. וְנָפָה, שֶׁמּוֹצִיאָה אֶת הַקֶּמַח וְקוֹלֶטֶת אֶת הַסֹּלֶת: טז כָּל אַהֲבָה שֶׁהִיא תְלוּיָה בְדָבָר, בָּטֵל דָּבָר בְּטֵלָה אַהֲבָה. וְשֶׁאֵינָהּ תְּלוּיָה בְדָבָר, אֵינָהּ בְּטֵלָה לְעוֹלָם. אֵיזוֹ הִיא אַהֲבָה שֶׁהִיא תְלוּיָה בְדָבָר, זוֹ אַהֲבַת אַמְנוֹן וְתָמָר. וְשֶׁאֵינָהּ תְּלוּיָה בְדָבָר, זוֹ אַהֲבַת דָּוִד וִיהוֹנָתָן. יז כָּל מַחֲלֹקֶת שֶׁהִיא לְשֵׁם שָׁמַיִם, סוֹפָהּ לְהִתְקַיֵּם. וְשֶׁאֵינָהּ לְשֵׁם שָׁמַיִם, אֵין סוֹפָהּ לְהִתְקַיֵּם. אֵיזוֹ הִיא מַחֲלֹקֶת שֶׁהִיא לְשֵׁם שָׁמַיִם, זוֹ מַחֲלֹקֶת הִלֵּל וְשַׁמַּאי. וְשֶׁאֵינָהּ לְשֵׁם שָׁמַיִם, זוֹ מַחֲלֹקֶת קֹרַח וְכָל

עֲדָתוֹ. יח כָּל הַמְזַכֶּה אֶת הָרַבִּים, אֵין חֵטְא בָּא עַל יָדוֹ. וְכָל הַמַּחֲטִיא אֶת הָרַבִּים, אֵין מַסְפִּיקִין בְּיָדוֹ לַעֲשׂוֹת תְּשׁוּבָה. מֹשֶׁה זָכָה וְזִכָּה אֶת הָרַבִּים, זְכוּת הָרַבִּים תָּלוּי בּוֹ, שֶׁנֶּאֱמַר: צִדְקַת[א] יְיָ עָשָׂה, וּמִשְׁפָּטָיו עִם יִשְׂרָאֵל. יָרָבְעָם בֶּן נְבָט חָטָא וְהֶחֱטִיא אֶת הָרַבִּים, חֵטְא הָרַבִּים תָּלוּי בּוֹ, שֶׁנֶּאֱמַר: עַל[ב] חַטֹּאות יָרָבְעָם אֲשֶׁר חָטָא, וַאֲשֶׁר הֶחֱטִיא אֶת יִשְׂרָאֵל. יט כָּל מִי שֶׁיֶּשׁ בּוֹ שְׁלֹשָׁה דְבָרִים הַלָּלוּ, הוּא מִתַּלְמִידָיו שֶׁל אַבְרָהָם אָבִינוּ. וּשְׁלֹשָׁה דְבָרִים אֲחֵרִים, הוּא מִתַּלְמִידָיו שֶׁל בִּלְעָם הָרָשָׁע. תַּלְמִידָיו שֶׁל אַבְרָהָם אָבִינוּ, עַיִן טוֹבָה, וְרוּחַ נְמוּכָה, וְנֶפֶשׁ שְׁפָלָה. תַּלְמִידָיו שֶׁל בִּלְעָם הָרָשָׁע, עַיִן רָעָה, וְרוּחַ גְּבוֹהָה, וְנֶפֶשׁ רְחָבָה. מַה בֵּין תַּלְמִידָיו שֶׁל אַבְרָהָם אָבִינוּ לְתַלְמִידָיו שֶׁל בִּלְעָם הָרָשָׁע, תַּלְמִידָיו שֶׁל אַבְרָהָם אָבִינוּ, אוֹכְלִין בָּעוֹלָם הַזֶּה, וְנוֹחֲלִין הָעוֹלָם הַבָּא, שֶׁנֶּאֱמַר: לְהַנְחִיל[ג] אֹהֲבַי יֵשׁ, וְאֹצְרֹתֵיהֶם אֲמַלֵּא. אֲבָל תַּלְמִידָיו שֶׁל בִּלְעָם הָרָשָׁע, יוֹרְשִׁין גֵּיהִנֹּם וְיוֹרְדִין לִבְאֵר שַׁחַת, שֶׁנֶּאֱמַר: וְאַתָּה[ד] אֱלֹהִים, תּוֹרִדֵם לִבְאֵר שַׁחַת, אַנְשֵׁי דָמִים וּמִרְמָה לֹא יֶחֱצוּ יְמֵיהֶם, וַאֲנִי אֶבְטַח בָּךְ. כ יְהוּדָה בֶּן תֵּימָא אוֹמֵר: הֱוֵי עַז כַּנָּמֵר, וְקַל כַּנֶּשֶׁר, רָץ כַּצְּבִי, וְגִבּוֹר כָּאֲרִי, לַעֲשׂוֹת רְצוֹן אָבִיךָ שֶׁבַּשָּׁמָיִם. הוּא הָיָה אוֹמֵר: עַז פָּנִים לְגֵיהִנֹּם, וּבֹשֶׁת פָּנִים לְגַן עֵדֶן. יְהִי רָצוֹן מִלְּפָנֶיךָ, יְיָ אֱלֹהֵינוּ וֵאלֹהֵי אֲבוֹתֵינוּ, שֶׁיִּבָּנֶה בֵּית הַמִּקְדָּשׁ בִּמְהֵרָה בְיָמֵינוּ, וְתֵן חֶלְקֵנוּ בְּתוֹרָתֶךָ. כא בֶּן בַּג בַּג אוֹמֵר: הֲפָךְ בָּהּ וַהֲפָךְ בָּהּ, דְּכֹלָּא בָהּ, וּבָהּ תֶּחֱזֵי, וְסִיב וּבְלֵה בָהּ,

ומנה

תו"א א) דברים לג כא: ב) מ"א טו ל: ג) משלי ח כא: ד) תהלים נה כד:

וּמִנָּהּ לָא תָזוּעַ, שֶׁאֵין לְךָ מִדָּה טוֹבָה הֵימֶנָּה. בֶּן הֵא הֵא אוֹמֵר: לְפוּם צַעֲרָא אַגְרָא: כב הוּא הָיָה אוֹמֵר: בֶּן חָמֵשׁ שָׁנִים לְמִקְרָא, בֶּן עֶשֶׂר שָׁנִים לְמִשְׁנָה, בֶּן שְׁלֹשׁ עֶשְׂרֵה לְמִצְוֹת, בֶּן חֲמֵשׁ עֶשְׂרֵה לַגְּמָרָא, בֶּן שְׁמוֹנֶה עֶשְׂרֵה לַחֻפָּה, בֶּן עֶשְׂרִים לִרְדּוֹף, בֶּן שְׁלֹשִׁים לַכֹּחַ, בֶּן אַרְבָּעִים לַבִּינָה, בֶּן חֲמִשִּׁים לָעֵצָה, בֶּן שִׁשִּׁים לַזִּקְנָה, בֶּן שִׁבְעִים לַשֵּׂיבָה, בֶּן שְׁמוֹנִים לַגְּבוּרָה, בֶּן תִּשְׁעִים לָשׁוּחַ, בֶּן מֵאָה כְּאִלּוּ מֵת וְעָבַר וּבָטֵל מִן הָעוֹלָם. רבי חנניה וכו'

פרק ששי

כל ישראל וכו'

א שָׁנוּ חֲכָמִים בִּלְשׁוֹן הַמִּשְׁנָה, בָּרוּךְ שֶׁבָּחַר בָּהֶם וּבְמִשְׁנָתָם. רַבִּי מֵאִיר אוֹמֵר: כָּל הָעוֹסֵק בַּתּוֹרָה לִשְׁמָהּ זוֹכֶה לִדְבָרִים הַרְבֵּה, וְלֹא עוֹד, אֶלָּא שֶׁכָּל הָעוֹלָם כֻּלּוֹ כְּדַאי הוּא לוֹ. נִקְרָא רֵעַ, אָהוּב, אוֹהֵב אֶת הַמָּקוֹם, אוֹהֵב אֶת הַבְּרִיּוֹת, מְשַׂמֵּחַ אֶת הַמָּקוֹם, מְשַׂמֵּחַ אֶת הַבְּרִיּוֹת, וּמַלְבַּשְׁתּוֹ עֲנָוָה וְיִרְאָה, וּמַכְשַׁרְתּוֹ לִהְיוֹת צַדִּיק, חָסִיד, יָשָׁר, וְנֶאֱמָן, וּמְרַחַקְתּוֹ מִן הַחֵטְא, וּמְקָרַבְתּוֹ לִידֵי זְכוּת, וְנֶהֱנִין מִמֶּנּוּ עֵצָה וְתוּשִׁיָּה, בִּינָה וּגְבוּרָה, שֶׁנֶּאֱמַר: [א]לִי עֵצָה וְתוּשִׁיָּה, אֲנִי בִינָה, לִי גְבוּרָה, וְנוֹתֶנֶת לוֹ מַלְכוּת וּמֶמְשָׁלָה, וְחִקּוּר דִּין, וּמְגַלִּין לוֹ רָזֵי תוֹרָה, וְנַעֲשֶׂה כְּמַעְיָן הַמִּתְגַּבֵּר, וּכְנָהָר שֶׁאֵינוֹ פוֹסֵק, וְהֹוֶה צָנוּעַ, וְאֶרֶךְ רוּחַ, וּמוֹחֵל עַל עֶלְבּוֹנוֹ, וּמְגַדַּלְתּוֹ וּמְרוֹמַמְתּוֹ עַל כָּל הַמַּעֲשִׂים. ב אָמַר רַבִּי יְהוֹשֻׁעַ בֶּן לֵוִי: בְּכָל יוֹם וָיוֹם בַּת קוֹל יוֹצֵאת מֵהַר חוֹרֵב וּמַכְרֶזֶת וְאוֹמֶרֶת: אוֹי לָהֶם לַבְּרִיּוֹת מֵעֶלְבּוֹנָהּ שֶׁל

תורה

תו"א א) משלי ח יד:

1 תּוֹרָה, שֶׁכָּל מִי שֶׁאֵינוּ עוֹסֵק בַּתּוֹרָה נִקְרָא נָזוּף,

2 שֶׁנֶּאֱמַר: נֶזֶם זָהָב בְּאַף חֲזִיר, אִשָּׁה יָפָה וְסָרַת טָעַם.

3 וְאוֹמֵר: וְהַלֻּחֹת מַעֲשֵׂה אֱלֹהִים הֵמָּה, וְהַמִּכְתָּב, מִכְתַּב

4 אֱלֹהִים הוּא, חָרוּת עַל הַלֻּחֹת, אַל תִּקְרֵי חָרוּת אֶלָּא

5 חֵרוּת, שֶׁאֵין לְךָ בֶּן חוֹרִין, אֶלָּא מִי שֶׁעוֹסֵק בְּתַלְמוּד

6 תּוֹרָה, וְכָל מִי שֶׁעוֹסֵק בְּתַלְמוּד תּוֹרָה, הֲרֵי זֶה מִתְעַלֶּה,

7 שֶׁנֶּאֱמַר: וּמִמַּתָּנָה נַחֲלִיאֵל, וּמִנַּחֲלִיאֵל בָּמוֹת. ג הַלּוֹמֵד

8 מֵחֲבֵרוֹ פֶּרֶק אֶחָד, אוֹ הֲלָכָה אַחַת, אוֹ פָסוּק אֶחָד,

9 אוֹ דִבּוּר אֶחָד, אוֹ אֲפִילּוּ אוֹת אַחַת, צָרִיךְ לִנְהָג בּוֹ

10 כָּבוֹד, שֶׁכֵּן מָצִינוּ בְּדָוִד מֶלֶךְ יִשְׂרָאֵל, שֶׁלֹּא לָמַד

11 מֵאֲחִיתֹפֶל אֶלָּא שְׁנֵי דְבָרִים בִּלְבָד, קְרָאוֹ רַבּוֹ אַלּוּפוֹ

12 וּמְיֻדָּעוֹ, שֶׁנֶּאֱמַר: וְאַתָּה אֱנוֹשׁ כְּעֶרְכִּי, אַלּוּפִי וּמְיֻדָּעִי.

13 וַהֲלֹא דְבָרִים קַל וָחֹמֶר, וּמַה דָוִד מֶלֶךְ יִשְׂרָאֵל שֶׁלֹּא

14 לָמַד מֵאֲחִיתֹפֶל אֶלָּא שְׁנֵי דְבָרִים בִּלְבָד, קְרָאוֹ רַבּוֹ

15 אַלּוּפוֹ וּמְיֻדָּעוֹ, הַלּוֹמֵד מֵחֲבֵרוֹ, פֶּרֶק אֶחָד, אוֹ הֲלָכָה

16 אַחַת, אוֹ פָסוּק אֶחָד, אוֹ דִבּוּר אֶחָד, אוֹ אֲפִילּוּ אוֹת

17 אַחַת, עַל אַחַת כַּמָּה וְכַמָּה שֶׁצָּרִיךְ לִנְהָג בּוֹ כָּבוֹד.

18 וְאֵין כָּבוֹד אֶלָּא תוֹרָה, שֶׁנֶּאֱמַר: כָּבוֹד חֲכָמִים יִנְחָלוּ,

19 וּתְמִימִים יִנְחֲלוּ טוֹב. וְאֵין טוֹב אֶלָּא תוֹרָה, שֶׁנֶּאֱמַר: כִּי

20 לֶקַח טוֹב נָתַתִּי לָכֶם, תּוֹרָתִי אַל תַּעֲזֹבוּ. ד כָּךְ הִיא

21 דַרְכָּהּ שֶׁל תּוֹרָה: פַּת בְּמֶלַח תֹּאכֵל, וּמַיִם בִּמְשׂוּרָה

22 תִשְׁתֶּה, וְעַל הָאָרֶץ תִּישָׁן, וְחַיֵּי צַעַר תִּחְיֶה, וּבַתּוֹרָה

23 אַתָּה עָמֵל, אִם אַתָּה עוֹשֶׂה כֵּן, אַשְׁרֶיךָ וְטוֹב לָךְ,

24 אַשְׁרֶיךָ בָּעוֹלָם הַזֶּה, וְטוֹב לָךְ לָעוֹלָם הַבָּא. ה אַל תְּבַקֵּשׁ

גְדֻלָּה

תו"א א) משלי יא כב: ב) שמות לב טז: ג) במדבר כא יט: ד) תהלים נה יד: ה) משלי ג לה: ו) שם כח י: ז) שם
ד ב:

1 גְּדֻלָּה לְעַצְמֶךָ, וְאַל תַּחְמוֹד כָּבוֹד, יוֹתֵר מִלִּמּוּדֶךָ עֲשֵׂה,

2 וְאַל תִּתְאַוֶּה לְשֻׁלְחָנָם שֶׁל מְלָכִים, שֶׁשֻּׁלְחָנְךָ גָּדוֹל

3 מִשֻּׁלְחָנָם, וְכִתְרֶךָ, גָּדוֹל מִכִּתְרָם, וְנֶאֱמָן הוּא בַּעַל

4 מְלַאכְתֶּךָ שֶׁיְּשַׁלֶּם לְךָ שְׂכַר פְּעֻלָּתֶךָ. י גְּדוֹלָה תוֹרָה

5 יוֹתֵר מִן הַכְּהֻנָּה וּמִן הַמַּלְכוּת, שֶׁהַמַּלְכוּת, נִקְנִית

6 בִּשְׁלֹשִׁים מַעֲלוֹת, וְהַכְּהֻנָּה בְּעֶשְׂרִים וְאַרְבַּע,

7 וְהַתּוֹרָה נִקְנִית בְּאַרְבָּעִים וּשְׁמוֹנָה דְבָרִים. וְאֵלּוּ הֵן:

8 בְּתַלְמוּד, בִּשְׁמִיעַת הָאֹזֶן, בַּעֲרִיכַת שְׂפָתַיִם, בְּבִינַת

9 הַלֵּב, בְּאֵימָה, בְּיִרְאָה, בַּעֲנָוָה, בְּשִׂמְחָה, בְּטָהֳרָה,

10 בְּשִׁמּוּשׁ חֲכָמִים, בְּדִבּוּק חֲבֵרִים, בְּפִלְפּוּל הַתַּלְמִידִים,

11 בְּיִשּׁוּב, בְּמִקְרָא, בְּמִשְׁנָה, בְּמִעוּט סְחוֹרָה, בְּמִעוּט

12 דֶּרֶךְ אֶרֶץ, בְּמִעוּט תַּעֲנוּג, בְּמִעוּט שֵׁנָה, בְּמִעוּט שִׂיחָה,

13 בְּמִעוּט שְׂחוֹק, בְּאֹרֶךְ אַפַּיִם, בְּלֵב טוֹב, בֶּאֱמוּנַת חֲכָמִים,

14 בְּקַבָּלַת הַיִּסּוּרִין, הַמַּכִּיר אֶת מְקוֹמוֹ, וְהַשָּׂמֵחַ בְּחֶלְקוֹ,

15 וְהָעוֹשֶׂה סְיָג לִדְבָרָיו, וְאֵינוֹ מַחֲזִיק טוֹבָה לְעַצְמוֹ, אָהוּב,

16 אוֹהֵב אֶת הַמָּקוֹם, אוֹהֵב אֶת הַבְּרִיּוֹת, אוֹהֵב אֶת

17 הַצְּדָקוֹת, אוֹהֵב אֶת הַמֵּישָׁרִים, אוֹהֵב אֶת הַתּוֹכָחוֹת,

18 וּמִתְרַחֵק מִן הַכָּבוֹד, וְלֹא מֵגִיס לִבּוֹ בְּתַלְמוּדוֹ, וְאֵינוֹ שָׂמֵחַ

19 בְּהוֹרָאָה, נוֹשֵׂא בְעוֹל עִם חֲבֵרוֹ, וּמַכְרִיעוֹ לְכַף זְכוּת,

20 וּמַעֲמִידוֹ עַל הָאֱמֶת, וּמַעֲמִידוֹ עַל הַשָּׁלוֹם, וּמִתְיַשֵּׁב לִבּוֹ

21 בְּתַלְמוּדוֹ, שׁוֹאֵל וּמֵשִׁיב, שׁוֹמֵעַ וּמוֹסִיף, הַלּוֹמֵד עַל מְנָת

22 לְלַמֵּד, וְהַלּוֹמֵד עַל מְנָת לַעֲשׂוֹת, הַמַּחְכִּים אֶת רַבּוֹ,

23 וְהַמְכַוֵּן אֶת שְׁמוּעָתוֹ, וְהָאוֹמֵר דָּבָר בְּשֵׁם אוֹמְרוֹ, הָא

24 לָמַדְתָּ: כָּל הָאוֹמֵר דָּבָר בְּשֵׁם אוֹמְרוֹ, מֵבִיא גְאֻלָּה לָעוֹלָם,

שֶׁנֶּאֱמַר

שֶׁנֶּאֱמַר: וַתֹּ[א]אמֶר אֶסְתֵּר לַמֶּלֶךְ בְּשֵׁם מָרְדְּכָי. ז גְּדוֹלָה תוֹרָה, שֶׁהִיא נוֹתֶנֶת חַיִּים לְעוֹשֶׂיהָ בָּעוֹלָם הַזֶּה וּבָעוֹלָם הַבָּא, שֶׁנֶּאֱמַר: [ב]כִּי חַיִּים הֵם לְמֹצְאֵיהֶם, וּלְכָל בְּשָׂרוֹ מַרְפֵּא. וְאוֹמֵר רִפְאוּת תְּהִי לְשָׁרֶּךָ, וְ[ג]שִׁקּוּי לְעַצְמוֹתֶיךָ. וְאוֹמֵר: [ד]עֵץ חַיִּים הִיא לַמַּחֲזִיקִים בָּהּ, וְתֹמְכֶיהָ מְאֻשָּׁר. וְאוֹמֵר: [ה]כִּי לִוְיַת חֵן הֵם לְרֹאשֶׁךָ, וַעֲנָקִים לְגַרְגְּרֹתֶיךָ. וְאוֹמֵר: [ו]תִּתֵּן לְרֹאשְׁךָ לִוְיַת חֵן, עֲטֶרֶת תִּפְאֶרֶת תְּמַגְּנֶךָּ. וְאוֹמֵר: [ז]כִּי בִי יִרְבּוּ יָמֶיךָ, וְיוֹסִיפוּ לְּךָ שְׁנוֹת חַיִּים. וְאוֹמֵר: [ח]אֹרֶךְ יָמִים בִּימִינָהּ, בִּשְׂמֹאולָהּ עֹשֶׁר וְכָבוֹד. וְאוֹמֵר: [ט]כִּי אֹרֶךְ יָמִים וּשְׁנוֹת חַיִּים וְשָׁלוֹם יוֹסִיפוּ לָךְ. ח רַבִּי שִׁמְעוֹן בֶּן יְהוּדָה מִשּׁוּם רַבִּי שִׁמְעוֹן בֶּן יוֹחָאי אוֹמֵר: הַנּוֹי, וְהַכֹּחַ, וְהָעֹשֶׁר, וְהַכָּבוֹד, וְהַחָכְמָה, וְהַזִּקְנָה, וְהַשֵּׂיבָה, וְהַבָּנִים, נָאֶה לַצַּדִּיקִים וְנָאֶה לָעוֹלָם, שֶׁנֶּאֱמַר: [י]עֲטֶרֶת תִּפְאֶרֶת שֵׂיבָה, בְּדֶרֶךְ צְדָקָה תִּמָּצֵא. וְאוֹמֵר: [כ]תִּפְאֶרֶת בַּחוּרִים כֹּחָם, וַהֲדַר זְקֵנִים שֵׂיבָה. וְאוֹמֵר: [ל]עֲטֶרֶת זְקֵנִים בְּנֵי בָנִים, וְתִפְאֶרֶת בָּנִים אֲבוֹתָם. וְאוֹמֵר: [מ]וְחָפְרָה הַלְּבָנָה וּבוֹשָׁה הַחַמָּה, כִּי מָלַךְ יְיָ צְבָאוֹת בְּהַר צִיּוֹן וּבִירוּשָׁלַיִם, וְנֶגֶד זְקֵנָיו כָּבוֹד. רַבִּי שִׁמְעוֹן בֶּן מְנַסְיָא אוֹמֵר: אֵלּוּ שֶׁבַע מִדּוֹת שֶׁמָּנוּ חֲכָמִים לַצַּדִּיקִים, כֻּלָּם נִתְקַיְּמוּ בְּרַבִּי וּבְבָנָיו. ט אָמַר רַבִּי יוֹסֵי בֶּן קִסְמָא: פַּעַם אַחַת הָיִיתִי מְהַלֵּךְ בַּדֶּרֶךְ, וּפָגַע בִּי אָדָם אֶחָד, וְנָתַן לִי שָׁלוֹם, וְהֶחֱזַרְתִּי לוֹ שָׁלוֹם, אָמַר לִי: רַבִּי, מֵאֵיזֶה מָקוֹם אָתָּה, אָמַרְתִּי לוֹ מֵעִיר גְּדוֹלָה שֶׁל חֲכָמִים וְשֶׁל סוֹפְרִים אָנִי, אָמַר לִי: רַבִּי, רְצוֹנְךָ שֶׁתָּדוּר עִמָּנוּ בִּמְקוֹמֵנוּ, וַאֲנִי אֶתֵּן לְךָ אֶלֶף אֲלָפִים דִּנְרֵי זָהָב וַאֲבָנִים

טובות

תו"א א) אסתר ב כב: ב) משלי ד כב: ג) שם ג ח: ד) שם ג יח: ה) שם א ט: ו) שם ד ט: ז) שם ט יא: ח) שם ג טז: ט) שם ג ב: י) שם טז לא: כ) שם כ כט: ל) שם יז ו: מ) ישעיה כד כג:

טוֹבוֹת וּמַרְגָּלִיּוֹת, אָמַרְתִּי לוֹ: אִם אַתָּה נוֹתֵן לִי כָּל כֶּסֶף וְזָהָב וַאֲבָנִים טוֹבוֹת וּמַרְגָּלִיּוֹת שֶׁבָּעוֹלָם, אֵינִי דָר אֶלָּא בִּמְקוֹם תּוֹרָה, וְכֵן כָּתוּב בְּסֵפֶר תְּהִלִּים עַל יְדֵי דָוִד מֶלֶךְ יִשְׂרָאֵל: [א] טוֹב לִי תוֹרַת פִּיךָ, מֵאַלְפֵי זָהָב וָכָסֶף. וְלֹא עוֹד, אֶלָּא שֶׁבִּשְׁעַת פְּטִירָתוֹ שֶׁל אָדָם, אֵין מְלַוִּין לוֹ לְאָדָם לֹא כֶּסֶף וְלֹא זָהָב וְלֹא אֲבָנִים טוֹבוֹת וּמַרְגָּלִיּוֹת, אֶלָּא תוֹרָה וּמַעֲשִׂים טוֹבִים בִּלְבָד, שֶׁנֶּאֱמַר: [ב] בְּהִתְהַלֶּכְךָ תַּנְחֶה אֹתָךְ, בְּשָׁכְבְּךָ תִּשְׁמֹר עָלֶיךָ, וַהֲקִיצוֹתָ הִיא תְשִׂיחֶךָ. בְּהִתְהַלֶּכְךָ תַּנְחֶה אֹתָךְ, בָּעוֹלָם הַזֶּה. בְּשָׁכְבְּךָ תִּשְׁמוֹר עָלֶיךָ, בַּקֶּבֶר. וַהֲקִיצוֹתָ הִיא תְשִׂיחֶךָ, לָעוֹלָם הַבָּא. וְאוֹמֵר: [ג] לִי הַכֶּסֶף וְלִי הַזָּהָב נְאֻם יְיָ צְבָאוֹת. י חֲמִשָּׁה קִנְיָנִים קָנָה הַקָּדוֹשׁ בָּרוּךְ הוּא בְּעוֹלָמוֹ, וְאֵלּוּ הֵן: תּוֹרָה, קִנְיָן אֶחָד. שָׁמַיִם וָאָרֶץ, קִנְיָן אֶחָד. אַבְרָהָם קִנְיָן אֶחָד. יִשְׂרָאֵל קִנְיָן אֶחָד. בֵּית הַמִּקְדָּשׁ, קִנְיָן אֶחָד. תּוֹרָה מִנַּיִן, דִּכְתִיב: [ד] יְיָ קָנָנִי רֵאשִׁית דַּרְכּוֹ, קֶדֶם מִפְעָלָיו מֵאָז. שָׁמַיִם וָאָרֶץ מִנַּיִן, דִּכְתִיב: [ה] כֹּה אָמַר יְיָ, הַשָּׁמַיִם כִּסְאִי וְהָאָרֶץ הֲדֹם רַגְלָי, אֵי זֶה בַיִת אֲשֶׁר תִּבְנוּ לִי וְאֵי זֶה מָקוֹם מְנוּחָתִי, וְאוֹמֵר: [ו] מָה רַבּוּ מַעֲשֶׂיךָ יְיָ, כֻּלָּם בְּחָכְמָה עָשִׂיתָ, מָלְאָה הָאָרֶץ קִנְיָנֶךָ. אַבְרָהָם מִנַּיִן, דִּכְתִיב: [ז] וַיְבָרְכֵהוּ וַיֹּאמַר: בָּרוּךְ אַבְרָם לְאֵל עֶלְיוֹן, קֹנֵה שָׁמַיִם וָאָרֶץ. יִשְׂרָאֵל מִנַּיִן, דִּכְתִיב: [ח] עַד יַעֲבֹר עַמְּךָ יְיָ, עַד יַעֲבֹר עַם זוּ קָנִיתָ. וְאוֹמֵר: [ט] לִקְדוֹשִׁים אֲשֶׁר בָּאָרֶץ הֵמָּה, וְאַדִּירֵי כָּל חֶפְצִי בָם. בֵּית הַמִּקְדָּשׁ, מִנַּיִן, דִּכְתִיב: [י] מָכוֹן לְשִׁבְתְּךָ פָּעַלְתָּ יְיָ, מִקְּדָשׁ אֲדֹנָי כּוֹנְנוּ יָדֶיךָ. וְאוֹמֵר: [כ] וַיְבִיאֵם אֶל גְּבוּל קָדְשׁוֹ, הַר זֶה

קנתה

תו"א א) תהלים קיט עב: ב) משלי ו כב: ג) חגי ב ח: ד) משלי ח כב: ה) ישעיה סו א: ו) תהלים קד כד: ז) בראשית יד יט: ח) שמות טו טז: ט) תהלים טז ג: י) שמות טו יז: כ) תהלים עח נד:

קָנְתָה יְמִינוֹ. יא כָּל מַה שֶּׁבָּרָא הַקָּדוֹשׁ בָּרוּךְ הוּא בְּעוֹלָמוֹ, לֹא בְרָאוֹ אֶלָּא לִכְבוֹדוֹ, שֶׁנֶּאֱמַר: [א] כֹּל הַנִּקְרָא בִשְׁמִי וְלִכְבוֹדִי, בְּרָאתִיו יְצַרְתִּיו אַף עֲשִׂיתִיו. וְאוֹמֵר: [ב] יְיָ יִמְלֹךְ לְעֹלָם וָעֶד:

רַבִּי חֲנַנְיָה בֶּן עֲקַשְׁיָא אוֹמֵר, רָצָה הַקָּדוֹשׁ בָּרוּךְ הוּא לְזַכּוֹת אֶת יִשְׂרָאֵל, לְפִיכָךְ הִרְבָּה לָהֶם תּוֹרָה וּמִצְוֹת, שֶׁנֶּאֱמַר: יְיָ חָפֵץ לְמַעַן צִדְקוֹ יַגְדִּיל תּוֹרָה וְיַאְדִּיר:

סדר הבדלה

בשעת ברכת בורא מיני בשמים צריך לאחוז הכוס בשמאלו והבשמים בימינו ובשעת ברכת בורא מאורי האש צריך לאחוז הכוס בימינו. ואח"כ יביט בצפרנים. ויחזור ויאחז הכוס בימינו בברכת הבדלה:

[ג] הִנֵּה אֵל יְשׁוּעָתִי, אֶבְטַח וְלֹא אֶפְחָד, כִּי עָזִּי וְזִמְרָת יָהּ יְיָ, וַיְהִי לִי לִישׁוּעָה. וּשְׁאַבְתֶּם מַיִם בְּשָׂשׂוֹן, מִמַּעַיְנֵי הַיְשׁוּעָה. [ד] לַייָ הַיְשׁוּעָה, עַל עַמְּךָ בִרְכָתֶךָ סֶּלָה. [ה] יְיָ צְבָאוֹת עִמָּנוּ מִשְׂגָּב לָנוּ אֱלֹהֵי יַעֲקֹב סֶלָה. [ו] יְיָ צְבָאוֹת אַשְׁרֵי אָדָם בֹּטֵחַ בָּךְ: [ז] יְיָ הוֹשִׁיעָה, הַמֶּלֶךְ יַעֲנֵנוּ בְיוֹם קָרְאֵנוּ: [ח] לַיְּהוּדִים הָיְתָה אוֹרָה וְשִׂמְחָה, וְשָׂשׂוֹן וִיקָר. כֵּן תִּהְיֶה לָנוּ. [ט] כּוֹס יְשׁוּעוֹת אֶשָּׂא, וּבְשֵׁם יְיָ אֶקְרָא:

סַבְרִי מָרָנָן:

על היין בָּרוּךְ אַתָּה יְיָ אֱלֹהֵינוּ מֶלֶךְ הָעוֹלָם, בּוֹרֵא פְּרִי הַגָּפֶן:

על הבשמים בָּרוּךְ אַתָּה יְיָ אֱלֹהֵינוּ מֶלֶךְ הָעוֹלָם, בּוֹרֵא מִינֵי בְשָׂמִים:

בברכת בורא מאורי האש יביט בד' צפרניו והמה יהיו כפוים על האגודל, ולא יראה האגודל:

על הנר בָּרוּךְ אַתָּה יְיָ אֱלֹהֵינוּ מֶלֶךְ הָעוֹלָם, בּוֹרֵא מְאוֹרֵי הָאֵשׁ:

בָּרוּךְ אַתָּה יְיָ אֱלֹהֵינוּ מֶלֶךְ הָעוֹלָם, הַמַּבְדִּיל בֵּין קֹדֶשׁ לְחוֹל, בֵּין אוֹר לְחֹשֶׁךְ, בֵּין יִשְׂרָאֵל לָעַמִּים, בֵּין יוֹם הַשְּׁבִיעִי לְשֵׁשֶׁת יְמֵי הַמַּעֲשֶׂה. בָּרוּךְ אַתָּה יְיָ, הַמַּבְדִּיל בֵּין קֹדֶשׁ לְחוֹל:

ברכה מעין שלש תמצא לעיל ע' 94.

ויתן

תו"א א) ישעיה מג ז: ב) שמות טו יח: ג) ישעיה יב ב־ג: ד) תהלים ג ט: ה) שם מו ח: ו) שם פד יג: ז) שם כ י: ח) אסתר ח טז: ט) תהלים קטז יג:

אחר הבדלה אומרים ויתן לך:

1 וְיִֽתֶּן לְךָ הָאֱלֹהִים מִטַּל הַשָּׁמַֽיִם

2 וּמִשְׁמַנֵּי הָאָֽרֶץ, וְרֹב דָּגָן וְתִירֹשׁ:

3 יַעַבְדֽוּךָ עַמִּים וְיִשְׁתַּחֲווּ לְךָ לְאֻמִּים,

4 הֱוֵה גְבִיר לְאַחֶֽיךָ וְיִשְׁתַּחֲווּ לְךָ בְּנֵי

5 אִמֶּֽךָ, אֹרְרֶֽיךָ אָרוּר, וּמְבָרְכֶֽיךָ בָּרוּךְ:

6 וְאֵל שַׁדַּי יְבָרֵךְ אֹתְךָ וְיַפְרְךָ וְיַרְבֶּֽךָ,

7 וְהָיִֽיתָ לִקְהַל עַמִּים: וְיִֽתֶּן לְךָ אֶת

8 בִּרְכַּת אַבְרָהָם לְךָ וּלְזַרְעֲךָ אִתָּךְ,

9 לְרִשְׁתְּךָ אֶת אֶֽרֶץ מְגֻרֶֽיךָ אֲשֶׁר נָתַן

10 אֱלֹהִים לְאַבְרָהָם: מֵאֵל אָבִֽיךָ וְיַעְזְרֶֽךָ

11 וְאֵת שַׁדַּי וִיבָרְכֶֽךָ, בִּרְכֹת שָׁמַֽיִם מֵעָל,

12 בִּרְכֹת תְּהוֹם רֹבֶֽצֶת תָּֽחַת בִּרְכֹת

13 שָׁדַֽיִם וָרָֽחַם: בִּרְכֹת אָבִֽיךָ גָּבְרוּ עַל

14 בִּרְכֹת הוֹרַי, עַד תַּאֲוַת גִּבְעֹת עוֹלָם,

15 תִּהְיֶֽיןָ לְרֹאשׁ יוֹסֵף וּלְקָדְקֹד נְזִיר אֶחָיו:

16 וַאֲהֵבְךָ וּבֵרַכְךָ וְהִרְבֶּֽךָ, וּבֵרַךְ פְּרִי

17 בִטְנְךָ וּפְרִי אַדְמָתֶֽךָ דְּגָנְךָ וְתִירֹשְׁךָ

18 וְיִצְהָרֶֽךָ, שְׁגַר אֲלָפֶֽיךָ וְעַשְׁתְּרֹת צֹאנֶֽךָ,

על

תו״א א) בראשית כז כח: ב) שם כז כט: ג) שם כח ג: ד) שם כח ד: ה) שם מט כה: ו) שם מט כו: ז) דברים ז
יג יד טו:

עַל הָאֲדָמָה, אֲשֶׁר נִשְׁבַּע לַאֲבֹתֶיךָ לָתֶת לָךְ: בָּרוּךְ תִּהְיֶה מִכָּל הָעַמִּים, לֹא יִהְיֶה בְךָ עָקָר וַעֲקָרָה וּבִבְהֶמְתֶּךָ: וְהֵסִיר יְיָ מִמְּךָ כָּל חֹלִי, וְכָל מַדְוֵי מִצְרַיִם הָרָעִים אֲשֶׁר יָדַעְתָּ, לֹא יְשִׂימָם בָּךְ, וּנְתָנָם בְּכָל שֹׂנְאֶיךָ:

[א] הַמַּלְאָךְ הַגֹּאֵל אֹתִי מִכָּל רָע, יְבָרֵךְ אֶת הַנְּעָרִים, וְיִקָּרֵא בָהֶם שְׁמִי, וְשֵׁם אֲבֹתַי אַבְרָהָם וְיִצְחָק, וְיִדְגּוּ לָרֹב בְּקֶרֶב הָאָרֶץ: [ב] יְיָ אֱלֹהֵיכֶם הִרְבָּה אֶתְכֶם, וְהִנְּכֶם הַיּוֹם כְּכוֹכְבֵי הַשָּׁמַיִם לָרֹב: יְיָ אֱלֹהֵי אֲבוֹתֵיכֶם, יֹסֵף עֲלֵיכֶם כָּכֶם, אֶלֶף פְּעָמִים, וִיבָרֵךְ אֶתְכֶם, כַּאֲשֶׁר דִּבֶּר לָכֶם:

[ג] בָּרוּךְ אַתָּה בָּעִיר, וּבָרוּךְ אַתָּה בַּשָּׂדֶה: בָּרוּךְ טַנְאֲךָ וּמִשְׁאַרְתֶּךָ: בָּרוּךְ פְּרִי בִטְנְךָ וּפְרִי אַדְמָתְךָ וּפְרִי בְהֶמְתֶּךָ, שְׁגַר אֲלָפֶיךָ וְעַשְׁתְּרוֹת צֹאנֶךָ: בָּרוּךְ אַתָּה בְּבֹאֶךָ, וּבָרוּךְ אַתָּה בְּצֵאתֶךָ: [ד] יְצַו יְיָ אִתְּךָ אֶת הַבְּרָכָה בַּאֲסָמֶיךָ וּבְכֹל מִשְׁלַח יָדֶךָ, וּבֵרַכְךָ בָּאָרֶץ, אֲשֶׁר יְיָ אֱלֹהֶיךָ נֹתֵן לָךְ: [ה] יִפְתַּח יְיָ לְךָ אֶת אוֹצָרוֹ הַטּוֹב אֶת הַשָּׁמַיִם, לָתֵת מְטַר אַרְצְךָ בְּעִתּוֹ, וּלְבָרֵךְ אֵת כָּל מַעֲשֵׂה יָדֶךָ, וְהִלְוִיתָ גּוֹיִם רַבִּים, וְאַתָּה לֹא תִלְוֶה: [ו] כִּי יְיָ אֱלֹהֶיךָ בֵּרַכְךָ, כַּאֲשֶׁר

דבר

תו"א א) בראשית מח טז: ב) דברים א י יא: ג) שם כח ג ה ד ו: ד) שם כח ח: ה) שם כח יב: ו) שם טו ו:

1 דִּבֶּר לָךְ, וְהֶעֱבַטְתָּ גּוֹיִם רַבִּים, וְאַתָּה לֹא תַעֲבֹט, וּמָשַׁלְתָּ

2 בְּגוֹיִם רַבִּים, וּבְךָ לֹא יִמְשֹׁלוּ: אַשְׁרֶיךָ יִשְׂרָאֵל מִי כָמוֹךָ,

3 עַם, נוֹשַׁע בַּיָי, מָגֵן עֶזְרֶךָ, וַאֲשֶׁר חֶרֶב גַּאֲוָתֶךָ, וְיִכָּחֲשׁוּ

4 אֹיְבֶיךָ לָךְ, וְאַתָּה עַל בָּמוֹתֵימוֹ תִדְרֹךְ:

5 יִשְׂרָאֵל נוֹשַׁע בַּיָי תְּשׁוּעַת עוֹלָמִים, לֹא תֵבֹשׁוּ וְלֹא

6 תִכָּלְמוּ עַד עוֹלְמֵי עַד: וַאֲכַלְתֶּם אָכוֹל וְשָׂבוֹעַ,

7 וְהִלַּלְתֶּם אֶת שֵׁם יָי אֱלֹהֵיכֶם אֲשֶׁר עָשָׂה עִמָּכֶם לְהַפְלִיא,

8 וְלֹא יֵבֹשׁוּ עַמִּי לְעוֹלָם: וִידַעְתֶּם כִּי בְקֶרֶב יִשְׂרָאֵל אָנִי,

9 וַאֲנִי יָי אֱלֹהֵיכֶם וְאֵין עוֹד, וְלֹא יֵבֹשׁוּ עַמִּי לְעוֹלָם: כִּי

10 בְשִׂמְחָה תֵצֵאוּ וּבְשָׁלוֹם תּוּבָלוּן, הֶהָרִים וְהַגְּבָעוֹת יִפְצְחוּ

11 לִפְנֵיכֶם רִנָּה, וְכָל עֲצֵי הַשָּׂדֶה יִמְחֲאוּ כָף: הִנֵּה, אֵל יְשׁוּעָתִי

12 אֶבְטַח, וְלֹא אֶפְחָד, כִּי עָזִּי וְזִמְרָת יָהּ יָי, וַיְהִי לִי לִישׁוּעָה:

13 וּשְׁאַבְתֶּם מַיִם בְּשָׂשׂוֹן, מִמַּעַיְנֵי הַיְשׁוּעָה: וַאֲמַרְתֶּם בַּיּוֹם

14 הַהוּא: הוֹדוּ לַיָי קִרְאוּ בִשְׁמוֹ, הוֹדִיעוּ בָעַמִּים עֲלִילוֹתָיו,

15 הַזְכִּירוּ, כִּי נִשְׂגָּב שְׁמוֹ: זַמְּרוּ יָי כִּי גֵאוּת עָשָׂה, מוּדַעַת

16 זֹאת בְּכָל הָאָרֶץ: צַהֲלִי וָרֹנִּי, יוֹשֶׁבֶת צִיּוֹן, כִּי גָדוֹל בְּקִרְבֵּךְ

17 קְדוֹשׁ יִשְׂרָאֵל: וְאָמַר בַּיּוֹם הַהוּא: הִנֵּה אֱלֹהֵינוּ זֶה, קִוִּינוּ

18 לוֹ וְיוֹשִׁיעֵנוּ, זֶה יָי קִוִּינוּ לוֹ, נָגִילָה וְנִשְׂמְחָה בִּישׁוּעָתוֹ:

19 בּוֹרֵא נִיב שְׂפָתָיִם, שָׁלוֹם שָׁלוֹם לָרָחוֹק וְלַקָּרוֹב אָמַר יָי

20 וּרְפָאתִיו: וְרוּחַ לָבְשָׁה אֶת עֲמָשַׂי רֹאשׁ הַשָּׁלִישִׁים,

21 לְךָ דָוִיד וְעִמְּךָ בֶן יִשַׁי, שָׁלוֹם שָׁלוֹם לְךָ וְשָׁלוֹם לְעוֹזְרֶךָ, כִּי

22 עֲזָרְךָ אֱלֹהֶיךָ, וַיְקַבְּלֵם דָּוִיד וַיִּתְּנֵם בְּרָאשֵׁי הַגְּדוּד:

23 וַאֲמַרְתֶּם כֹּה לֶחָי, וְאַתָּה שָׁלוֹם, וּבֵיתְךָ שָׁלוֹם, וְכֹל אֲשֶׁר

24 לְךָ שָׁלוֹם. יָי עֹז לְעַמּוֹ יִתֵּן, יָי יְבָרֵךְ אֶת עַמּוֹ בַשָּׁלוֹם:

תו"א א) דברים לג כט: ב) ישעיה מה יז: ג) יואל ב כו־כז: ד) ישעיה נה יב: ה) שם יב ב ג ד ה ו: ו) שם כה ט:
ז) שם נז יט: ח) דה"א יב יח: ט) ש"א כה ו: י) תהלים כט יא:

עפ"י הקבלה אין לקדש הלבנה עד אחר ז' ימים למולד. ויש לקדש הלבנה בבגדים חשובים ונאים וקודם הברכה
יאמר:

1 הַלְלוּיָהּ, הַלְלוּ אֶת יְיָ מִן הַשָּׁמַיִם, הַלְלוּהוּ בַּמְּרוֹמִים: הַלְלוּהוּ
2 כָּל מַלְאָכָיו, הַלְלוּהוּ כָּל צְבָאָיו: הַלְלוּהוּ שֶׁמֶשׁ וְיָרֵחַ,
3 הַלְלוּהוּ כָּל כּוֹכְבֵי אוֹר: הַלְלוּהוּ שְׁמֵי הַשָּׁמַיִם, וְהַמַּיִם אֲשֶׁר מֵעַל
4 הַשָּׁמָיִם: יְהַלְלוּ אֶת שֵׁם יְיָ, כִּי הוּא צִוָּה וְנִבְרָאוּ: וַיַּעֲמִידֵם לָעַד
5 לְעוֹלָם, חָק נָתַן וְלֹא יַעֲבוֹר:

יאשר רגליו ויביט בלבנה פ"א קודם הברכה וכשיתחיל לברך לא יראה בה כלל:

6 בָּרוּךְ אַתָּה יְיָ אֱלֹהֵינוּ מֶלֶךְ הָעוֹלָם,
7 אֲשֶׁר בְּמַאֲמָרוֹ בָּרָא שְׁחָקִים,
8 וּבְרוּחַ פִּיו כָּל צְבָאָם, חֹק וּזְמַן נָתַן
9 לָהֶם שֶׁלֹּא יְשַׁנּוּ אֶת תַּפְקִידָם, שָׂשִׂים
10 וּשְׂמֵחִים לַעֲשׂוֹת רְצוֹן קוֹנָם, פּוֹעֵל
11 אֱמֶת, שֶׁפְּעֻלָּתוֹ אֱמֶת, וְלַלְּבָנָה אָמַר
12 שֶׁתִּתְחַדֵּשׁ, עֲטֶרֶת תִּפְאֶרֶת לַעֲמוּסֵי
13 בָטֶן, שֶׁהֵם עֲתִידִים לְהִתְחַדֵּשׁ כְּמוֹתָה,
14 וּלְפָאֵר לְיוֹצְרָם עַל שֵׁם כְּבוֹד מַלְכוּתוֹ.
15 בָּרוּךְ אַתָּה יְיָ, מְחַדֵּשׁ חֳדָשִׁים:

ידלג שלשה דילוגים ויאמר:

16 בָּרוּךְ עוֹשֵׂךְ, בָּרוּךְ יוֹצְרֵךְ, בָּרוּךְ בּוֹרְאֵךְ,
17 בָּרוּךְ קוֹנֵךְ. כְּשֵׁם שֶׁאֲנִי רוֹקֵד כְּנֶגְדֵּךְ
18 וְאֵינִי יָכוֹל לִנְגּוֹעַ בָּךְ, כָּךְ לֹא יוּכְלוּ כָּל

אויבי

תו"א א) סנהדרין מב ע"א:

1 אוֹיְבַי לִנְגּֽוֹעַ בִּי לְרָעָה. תִּפֹּל עֲלֵיהֶם אֵימָתָה

2 וָפַֽחַד, בִּגְדֹל זְרוֹעֲךָ יִדְּמוּ כָּאָֽבֶן. כָּאֶֽבֶן יִדְּמוּ

3 זְרוֹעֲךָ בִּגְדֹל וָפַֽחַד אֵימָתָה עֲלֵיהֶם תִּפֹּל:

ככה יעשה ג' פעמים ידלג שלשה דילוגים ואומר מברוך עושך וכו' ע"כ.

4 ג"פ דָּוִד מֶֽלֶךְ יִשְׂרָאֵל חַי וְקַיָּם:

5 ואומר לחבירו שָׁלוֹם עֲלֵיכֶם. וחבירו משיב עֲלֵיכֶם שָׁלוֹם: ג"פ

6 ג"פ סִימָן טוֹב וּמַזָּל טוֹב יְהֵא לָֽנוּ וּלְכָל יִשְׂרָאֵל אָמֵן:

7 ב קוֹל דּוֹדִי הִנֵּה זֶה בָּא, מְדַלֵּג עַל הֶהָרִים מְקַפֵּץ

8 עַל הַגְּבָעוֹת. דּוֹמֶה דוֹדִי לִצְבִי אוֹ לְעֹֽפֶר

9 הָאַיָּלִים, הִנֵּה זֶה עוֹמֵד אַחַר כָּתְלֵֽנוּ, מַשְׁגִּֽיחַ מִן

10 הַחֲלֹּנוֹת, מֵצִיץ מִן הַחֲרַכִּים:

11 שִׁיר לַמַּעֲלוֹת, אֶשָּׂא עֵינַי אֶל הֶהָרִים, מֵאַֽיִן יָבוֹא עֶזְרִי: עֶזְרִי מֵעִם יְיָ, עֹשֵׂה

12 שָׁמַֽיִם וָאָֽרֶץ: אַל יִתֵּן לַמּוֹט רַגְלֶֽךָ, אַל יָנוּם שֹׁמְרֶֽךָ: הִנֵּה לֹא יָנוּם

13 וְלֹא יִישָׁן, שׁוֹמֵר יִשְׂרָאֵל: יְיָ שֹׁמְרֶֽךָ, יְיָ צִלְּךָ עַל יַד יְמִינֶֽךָ: יוֹמָם הַשֶּֽׁמֶשׁ

14 לֹא יַכֶּֽכָּה, וְיָרֵֽחַ בַּלָּֽיְלָה: יְיָ יִשְׁמָרְךָ מִכָּל רָע, יִשְׁמֹר אֶת נַפְשֶֽׁךָ: יְיָ יִשְׁמָר

15 צֵאתְךָ וּבוֹאֶֽךָ, מֵעַתָּה וְעַד עוֹלָם:

16 הַלְלוּיָהּ, הַלְלוּ אֵל בְּקָדְשׁוֹ, הַלְלֽוּהוּ בִּרְקִֽיעַ עֻזּוֹ: הַלְלֽוּהוּ בִגְבוּרֹתָיו

17 הַלְלֽוּהוּ כְּרֹב גֻּדְלוֹ: הַלְלֽוּהוּ בְּתֵֽקַע שׁוֹפָר, הַלְלֽוּהוּ בְּנֵֽבֶל

18 וְכִנּוֹר: הַלְלֽוּהוּ בְּתֹף וּמָחוֹל, הַלְלֽוּהוּ בְּמִנִּים וְעֻגָב: הַלְלֽוּהוּ בְּצִלְצְלֵי שָֽׁמַע,

19 הַלְלֽוּהוּ בְּצִלְצְלֵי תְרוּעָה: כֹּל הַנְּשָׁמָה תְּהַלֵּל יָהּ הַלְלוּיָהּ:

20 ה תָּנָא דְּבֵי רַבִּי יִשְׁמָעֵאל, אִלְמָלֵי לֹא

21 זָכוּ יִשְׂרָאֵל אֶלָּא לְהַקְבִּיל פְּנֵי

22 אֲבִיהֶם שֶׁבַּשָּׁמַֽיִם פַּֽעַם אַחַת בַּחֹֽדֶשׁ

23 דַּיָּם, אָמַר אַבַּיֵּי הִלְכָּךְ נֵימְרִינְהוּ

מעומד

תו"א א) שמות טו טז: ב) שה"ש ב ח ט: ג) תהלים קכא: ד) שם קנ: ה) סנהדרין מב:

מְעֻמָּד. מִי [א] זֹאת עֹלָה מִן הַמִּדְבָּר מִתְרַפֶּקֶת עַל דּוֹדָהּ. וִיהִי רָצוֹן מִלְּפָנֶיךָ יְיָ אֱלֹהַי וֵאלֹהֵי אֲבוֹתַי, לְמַלֹּאת פְּגִימַת הַלְּבָנָה, וְלֹא יִהְיֶה בָּהּ שׁוּם מִעוּט, [ב] וִיהִי אוֹר הַלְּבָנָה כְּאוֹר הַחַמָּה כְּאוֹר שִׁבְעַת יְמֵי בְרֵאשִׁית, כְּמוֹ שֶׁהָיְתָה קוֹדֶם מִעוּטָהּ, שֶׁנֶּאֱמַר [ג] וַיַּעַשׂ אֱלֹהִים אֶת שְׁנֵי הַמְּאֹרֹת הַגְּדֹלִים. וְיִתְקַיֵּם בָּנוּ מִקְרָא שֶׁכָּתוּב: [ד] וּבִקְשׁוּ אֶת יְיָ אֱלֹהֵיהֶם וְאֵת דָּוִיד מַלְכָּם אָמֵן:

[ה] לַמְנַצֵּחַ בִּנְגִינֹת מִזְמוֹר שִׁיר: אֱלֹהִים יְחָנֵּנוּ וִיבָרְכֵנוּ, יָאֵר פָּנָיו אִתָּנוּ סֶלָה: לָדַעַת בָּאָרֶץ דַּרְכֶּךָ, בְּכָל גּוֹיִם יְשׁוּעָתֶךָ: יוֹדוּךָ עַמִּים אֱלֹהִים, יוֹדוּךָ עַמִּים כֻּלָּם: יִשְׂמְחוּ וִירַנְּנוּ לְאֻמִּים, כִּי תִשְׁפֹּט עַמִּים מִישֹׁר, וּלְאֻמִּים בָּאָרֶץ תַּנְחֵם סֶלָה: יוֹדוּךָ עַמִּים אֱלֹהִים, יוֹדוּךָ עַמִּים כֻּלָּם: אֶרֶץ נָתְנָה יְבוּלָהּ, יְבָרְכֵנוּ אֱלֹהִים אֱלֹהֵינוּ: יְבָרְכֵנוּ אֱלֹהִים, וְיִירְאוּ אוֹתוֹ כָּל אַפְסֵי אָרֶץ:

עלינו. ק״י. וינער שולי טלית קטן:

דיני נטילת לולב

(מסי׳ אדמו״ר) לולב עם המינים. ג׳ מיני לולב דהיינו לולב והדס וערבה יהיו קשורים ואגודים יחד ולא יהיה חוט או משיחה חוצץ ביניהם ובשעת נטילה יהיה שדרת הלולב נגד פניו ויהיו ג׳ הדסים אחד לימינו ואחד לשמאלו ואחד באמצע השדרה נוטה קצת לימין ושני בדי ערבות אחד לימין ואחד לשמאל ומן הדין יש לברך על הלולב אחר התפלה קודם הלל אלא לפי שמצות נטילתו בסוכה היא מצוה מן המובחר ואי אפשר לצאת מבית הכנסת מפני הרואים לפיכך בבוקר קודם שיתפלל בעודו בסוכה יברך. ויקח לולב תחילה לבדו בימינו ויברך ואחר כך יקח האתרוג בשמאלו ובמקום סיום הלולב והדס וערבה יחבר האתרוג עם הלולב וינענע לו׳ קצוות ח״י נענועים שבכל צד שינענע יעשה ג׳ הולכות וג׳ הובאות דהיינו הולכה והבאה ג׳ פעמים ובכל הבאה יגע סוף הלולב ומיניו והאתרוג לחזה שלו ממש וכשינענע יזהר שלא יגע ראש הלולב בכותל רק שיהיה חלל בינתים. סדר הנענועים הראשון לדרום השני לצפון הג׳ למזרח הרביעי למעלה החמישי למטה (ולא שיהפך חס ושלום ראש הלולב למטה אלא שההולכה תהיה לצד מטה וההבאה לצד מעלה הפך מלמעלה. וכן בכל הנענועים יהיה ראש הלולב לצד מעלה אלא שההולכה תהיה לאותו צד שמנענע) הששי למערב. ובהלל יעשה ד׳ פעמים ח״י נענועים דהיינו פעם אחד בהודו לה׳ שבתחילה ואחד באנא ה׳ הושיעה נא ואחד בכופלו אנא ה׳ הושיעה נא

תו״א א) שה״ש ח ה: ב) ישעיה ל כו: ג) בראשית א טז: ד) הושע ג ה: ה) תהלים סז:

ואחד בהודו לבסוף ואם בירך על הלולב אחר התפלה בב"ה לא ינענע בהלל אלא ג' פעמים דהיינו בהודו תחלה וסוף ובאנא פעם אחד (כמ"ש בר"מ).

בָּרוּךְ אַתָּה יְיָ אֱלֹהֵינוּ מֶלֶךְ הָעוֹלָם, אֲשֶׁר קִדְּשָׁנוּ בְּמִצְוֹתָיו, וְצִוָּנוּ עַל נְטִילַת לוּלָב:

בפעם הראשון שמברך על הלולב מברך גם שהחיינו:

בָּרוּךְ אַתָּה יְיָ אֱלֹהֵינוּ מֶלֶךְ הָעוֹלָם, שֶׁהֶחֱיָנוּ וְקִיְּמָנוּ וְהִגִּיעָנוּ לִזְּמַן הַזֶּה:

סדר הלל

אלו ימים שגומרים בהם את ההלל (בגולה): ב' ימים וב' לילות ראשונות של פסח, ב' ימים של שבועות, ט' ימים של חג הסוכות עם שמיני עצרת, ח' ימים דחנוכה, והסימן היא **בבט"ח**. בימים שאין גומרין את ההלל יש לנהוג שהש"ץ לבדו יברך בתחלה ובסוף, והקהל יענו אמן ויצאו בברכתו:

בָּרוּךְ אַתָּה יְיָ אֱלֹהֵינוּ מֶלֶךְ הָעוֹלָם, אֲשֶׁר קִדְּשָׁנוּ בְּמִצְוֹתָיו, וְצִוָּנוּ לִקְרוֹא אֶת הַהַלֵּל:

[א] הַלְלוּיָהּ, הַלְלוּ עַבְדֵי יְיָ, הַלְלוּ אֶת שֵׁם יְיָ: יְהִי שֵׁם יְיָ מְבֹרָךְ, מֵעַתָּה וְעַד עוֹלָם: מִמִּזְרַח שֶׁמֶשׁ עַד מְבוֹאוֹ, מְהֻלָּל שֵׁם יְיָ: רָם עַל כָּל גּוֹיִם | יְיָ, עַל הַשָּׁמַיִם כְּבוֹדוֹ: מִי כַּייָ אֱלֹהֵינוּ, הַמַּגְבִּיהִי לָשָׁבֶת: הַמַּשְׁפִּילִי לִרְאוֹת, בַּשָּׁמַיִם וּבָאָרֶץ: מְקִימִי מֵעָפָר דָּל, מֵאַשְׁפֹּת יָרִים אֶבְיוֹן: לְהוֹשִׁיבִי עִם נְדִיבִים, עִם נְדִיבֵי עַמּוֹ: מוֹשִׁיבִי עֲקֶרֶת הַבַּיִת אֵם הַבָּנִים שְׂמֵחָה הַלְלוּיָהּ:

בצאת

תו"א א) תהלים קיג:

1 בְּצֵאת יִשְׂרָאֵל מִמִּצְרָיִם, בֵּית יַעֲקֹב מֵעַם
2 לֹעֵז: הָיְתָה יְהוּדָה לְקָדְשׁוֹ, יִשְׂרָאֵל
3 מַמְשְׁלוֹתָיו: הַיָּם רָאָה וַיָּנֹס, הַיַּרְדֵּן יִסֹּב לְאָחוֹר:
4 הֶהָרִים רָקְדוּ כְאֵילִים, גְּבָעוֹת כִּבְנֵי צֹאן: מַה
5 לְּךָ הַיָּם כִּי תָנוּס, הַיַּרְדֵּן תִּסֹּב לְאָחוֹר: הֶהָרִים
6 תִּרְקְדוּ כְאֵילִים, גְּבָעוֹת כִּבְנֵי צֹאן: מִלִּפְנֵי אָדוֹן
7 חוּלִי אָרֶץ, מִלִּפְנֵי אֱלוֹהַ יַעֲקֹב: הַהֹפְכִי הַצּוּר
8 אֲגַם מָיִם, חַלָּמִישׁ לְמַעְיְנוֹ מָיִם:

בר״ח ובחוה״מ פסח גם שני ימים אחרונים של פסח מדלגין זה:

9 לֹא לָנוּ יְיָ, לֹא לָנוּ, כִּי לְשִׁמְךָ תֵּן כָּבוֹד, עַל חַסְדְּךָ עַל אֲמִתֶּךָ:
10 לָמָּה יֹאמְרוּ הַגּוֹיִם, אַיֵּה נָא אֱלֹהֵיהֶם: וֵאלֹהֵינוּ
11 בַשָּׁמַיִם, כֹּל אֲשֶׁר חָפֵץ עָשָׂה: עֲצַבֵּיהֶם כֶּסֶף וְזָהָב,
12 מַעֲשֵׂה יְדֵי אָדָם: פֶּה לָהֶם וְלֹא יְדַבֵּרוּ, עֵינַיִם לָהֶם וְלֹא
13 יִרְאוּ: אָזְנַיִם לָהֶם וְלֹא יִשְׁמָעוּ, אַף לָהֶם וְלֹא יְרִיחוּן:
14 יְדֵיהֶם וְלֹא יְמִישׁוּן, רַגְלֵיהֶם וְלֹא יְהַלֵּכוּ, לֹא יֶהְגּוּ בִּגְרוֹנָם:
15 כְּמוֹהֶם יִהְיוּ עֹשֵׂיהֶם, כֹּל אֲשֶׁר בֹּטֵחַ בָּהֶם: יִשְׂרָאֵל בְּטַח
16 בַּיְיָ, עֶזְרָם וּמָגִנָּם הוּא: בֵּית אַהֲרֹן בִּטְחוּ בַיְיָ, עֶזְרָם
17 וּמָגִנָּם הוּא: יִרְאֵי יְיָ בִּטְחוּ בַיְיָ, עֶזְרָם וּמָגִנָּם הוּא: ע״כ

18 יְיָ זְכָרָנוּ יְבָרֵךְ, יְבָרֵךְ אֶת בֵּית יִשְׂרָאֵל, יְבָרֵךְ
19 אֶת בֵּית אַהֲרֹן: יְבָרֵךְ יִרְאֵי יְיָ, הַקְּטַנִּים עִם
20 הַגְּדֹלִים: יֹסֵף יְיָ עֲלֵיכֶם, עֲלֵיכֶם וְעַל בְּנֵיכֶם:
21 בְּרוּכִים אַתֶּם לַיְיָ, עֹשֵׂה שָׁמַיִם וָאָרֶץ: הַשָּׁמַיִם,
22 שָׁמַיִם לַיְיָ, וְהָאָרֶץ נָתַן לִבְנֵי אָדָם: לֹא הַמֵּתִים

יהללו

תו״א א) תהלים קי״ד: ב) שם קט״ו:

1   יְהַלְלוּ יָהּ, וְלֹא כָּל יֹרְדֵי דוּמָה: וַאֲנַחְנוּ נְבָרֵךְ

2   יָהּ, מֵעַתָּה וְעַד עוֹלָם, הַלְלוּיָהּ:

בר״ח ובחוה״מ פסח גם שני ימים אחרונים של פסח מדלגין זה:

3   אָהַבְתִּי, כִּי יִשְׁמַע יְיָ אֶת קוֹלִי תַּחֲנוּנָי: כִּי הִטָּה אָזְנוֹ לִי,

4   וּבְיָמַי אֶקְרָא: אֲפָפוּנִי חֶבְלֵי מָוֶת וּמְצָרֵי שְׁאוֹל

5   מְצָאוּנִי, צָרָה וְיָגוֹן אֶמְצָא: וּבְשֵׁם יְיָ אֶקְרָא, אָנָּה יְיָ מַלְּטָה

6   נַפְשִׁי: חַנּוּן יְיָ וְצַדִּיק, וֵאלֹהֵינוּ מְרַחֵם: שֹׁמֵר פְּתָאִים יְיָ,

7   דַּלּוֹתִי וְלִי יְהוֹשִׁיעַ: שׁוּבִי נַפְשִׁי לִמְנוּחָיְכִי, כִּי יְיָ גָּמַל עָלָיְכִי:

8   כִּי חִלַּצְתָּ נַפְשִׁי מִמָּוֶת, אֶת עֵינִי מִן דִּמְעָה אֶת רַגְלִי מִדֶּחִי:

9   אֶתְהַלֵּךְ לִפְנֵי יְיָ, בְּאַרְצוֹת הַחַיִּים: הֶאֱמַנְתִּי כִּי אֲדַבֵּר, אֲנִי

10   עָנִיתִי מְאֹד: אֲנִי אָמַרְתִּי בְחָפְזִי, כָּל הָאָדָם כֹּזֵב: ע״כ

11   מָה אָשִׁיב לַיְיָ, כָּל תַּגְמוּלוֹהִי עָלָי: כּוֹס יְשׁוּעוֹת

12   אֶשָּׂא, וּבְשֵׁם יְיָ אֶקְרָא: נְדָרַי לַיְיָ אֲשַׁלֵּם,

13   נֶגְדָה נָּא לְכָל עַמּוֹ: יָקָר בְּעֵינֵי יְיָ, הַמָּוְתָה

14   לַחֲסִידָיו: אָנָּה יְיָ כִּי אֲנִי עַבְדֶּךָ, אֲנִי עַבְדְּךָ בֶּן

15   אֲמָתֶךָ, פִּתַּחְתָּ לְמוֹסֵרָי: לְךָ אֶזְבַּח זֶבַח תּוֹדָה,

16   וּבְשֵׁם יְיָ אֶקְרָא: נְדָרַי לַיְיָ אֲשַׁלֵּם, נֶגְדָה נָּא לְכָל

17   עַמּוֹ: בְּחַצְרוֹת בֵּית יְיָ בְּתוֹכֵכִי יְרוּשָׁלַיִם הַלְלוּיָהּ:

18   הַלְלוּ אֶת יְיָ כָּל גּוֹיִם, שַׁבְּחוּהוּ כָּל הָאֻמִּים: כִּי גָבַר

19   עָלֵינוּ חַסְדּוֹ וֶאֱמֶת יְיָ לְעוֹלָם, הַלְלוּיָהּ:

20   הוֹדוּ לַיְיָ כִּי טוֹב,   כִּי לְעוֹלָם חַסְדּוֹ:   ג

21   יֹאמַר נָא יִשְׂרָאֵל,   כִּי לְעוֹלָם חַסְדּוֹ:

22   יֹאמְרוּ נָא בֵית אַהֲרֹן, כִּי לְעוֹלָם חַסְדּוֹ:

יאמרו

תו״א א) תהלים קטז: ב) שם קיז: ג) שם קיח:

1 יֹאמְרוּ נָא יִרְאֵי יְיָ,   כִּי לְעוֹלָם חַסְדּוֹ:

2 מִן הַמֵּצַר קָרָאתִי יָּהּ, עָנָנִי בַמֶּרְחָב יָהּ: יְיָ לִי

3 לֹא אִירָא, מַה יַּעֲשֶׂה לִי אָדָם: יְיָ לִי בְּעֹזְרָי,

4 וַאֲנִי אֶרְאֶה בְשֹׂנְאָי: טוֹב לַחֲסוֹת בַּיְיָ, מִבְּטֹחַ

5 בָּאָדָם: טוֹב לַחֲסוֹת בַּיְיָ, מִבְּטֹחַ בִּנְדִיבִים: כָּל

6 גּוֹיִם סְבָבוּנִי, בְּשֵׁם יְיָ כִּי אֲמִילַם: סַבּוּנִי גַם סְבָבוּנִי,

7 בְּשֵׁם יְיָ כִּי אֲמִילַם: סַבּוּנִי כִדְבוֹרִים דֹּעֲכוּ כְּאֵשׁ

8 קוֹצִים, בְּשֵׁם יְיָ כִּי אֲמִילַם: דָּחֹה דְחִיתַנִי לִנְפֹּל,

9 וַיְיָ עֲזָרָנִי: עָזִּי וְזִמְרָת יָהּ, וַיְהִי לִי לִישׁוּעָה: קוֹל

10 רִנָּה וִישׁוּעָה בְּאָהֳלֵי צַדִּיקִים, יְמִין יְיָ עֹשָׂה חָיִל:

11 יְמִין יְיָ רוֹמֵמָה, יְמִין יְיָ עֹשָׂה חָיִל: לֹא אָמוּת כִּי

12 אֶחְיֶה, וַאֲסַפֵּר מַעֲשֵׂי יָהּ: יַסֹּר יִסְּרַנִּי יָּהּ, וְלַמָּוֶת

13 לֹא נְתָנָנִי: פִּתְחוּ לִי שַׁעֲרֵי צֶדֶק, אָבֹא בָם אוֹדֶה

14 יָהּ: זֶה הַשַּׁעַר לַיְיָ, צַדִּיקִים יָבֹאוּ בוֹ: אוֹדְךָ כִּי

15 עֲנִיתָנִי, וַתְּהִי לִי לִישׁוּעָה: אודך אֶבֶן מָאֲסוּ הַבּוֹנִים,

16 הָיְתָה לְרֹאשׁ פִּנָּה: אבן מֵאֵת יְיָ הָיְתָה זֹּאת, הִיא

17 נִפְלָאת בְּעֵינֵינוּ: מאת זֶה הַיּוֹם עָשָׂה יְיָ, נָגִילָה

18 וְנִשְׂמְחָה בוֹ: זה

19 אָנָּא יְיָ הוֹשִׁיעָה נָּא:

20 אָנָּא יְיָ הוֹשִׁיעָה נָּא:

21 אָנָּא יְיָ הַצְלִיחָה נָּא:

22 אָנָּא יְיָ הַצְלִיחָה נָּא:

בָּרוּךְ הַבָּא בְּשֵׁם יְיָ, בֵּרַכְנוּכֶם מִבֵּית יְיָ: ברוך אֵל יְיָ וַיָּאֶר לָנוּ, אִסְרוּ חַג בַּעֲבֹתִים, עַד קַרְנוֹת הַמִּזְבֵּחַ: אל אֵלִי אַתָּה וְאוֹדֶךָּ, אֱלֹהַי אֲרוֹמְמֶךָּ: אלי הוֹדוּ לַייָ כִּי טוֹב, כִּי לְעוֹלָם חַסְדּוֹ: הודו

יְהַלְלוּךָ יְיָ אֱלֹהֵינוּ (על) כָּל מַעֲשֶׂיךָ, וַחֲסִידֶיךָ צַדִּיקִים עוֹשֵׂי רְצוֹנֶךָ, וְכָל עַמְּךָ בֵּית יִשְׂרָאֵל, בְּרִנָּה יוֹדוּ וִיבָרְכוּ, וִישַׁבְּחוּ וִיפָאֲרוּ, וִירוֹמְמוּ וְיַעֲרִיצוּ, וְיַקְדִּישׁוּ וְיַמְלִיכוּ אֶת שִׁמְךָ מַלְכֵּנוּ. כִּי לְךָ טוֹב לְהוֹדוֹת, וּלְשִׁמְךָ נָאֶה לְזַמֵּר, כִּי מֵעוֹלָם וְעַד עוֹלָם אַתָּה אֵל. בָּרוּךְ אַתָּה יְיָ, מֶלֶךְ מְהֻלָּל בַּתִּשְׁבָּחוֹת:

יש נוהגין לומר בראש חודש אחר הלל פסוק זה:

וְאַבְרָהָם[א] זָקֵן בָּא בַּיָּמִים, וַייָ בֵּרַךְ אֶת אַבְרָהָם בַּכֹּל:

ויאמר: זבדיה יִשְׁמְרֵנִי וִיחַיֵּנִי, כֵּן יְהִי רָצוֹן מִלְּפָנֶיךָ, אֱלֹהִים חַיִּים וּמֶלֶךְ עוֹלָם אֲשֶׁר בְּיָדוֹ נֶפֶשׁ כָּל חָי, אָמֵן: כל זה יאמר ג׳ פעמים

בראש חודש וביום טוב ובחול המועד אומר החזן קדיש שלם עם תתקבל. ובחנוכה חצי קדיש. בר״ח וביו״ט ובחוה״מ אומרים כאן שיר של יום*) ובר״ח אומרים ברכי נפשי אחר שיר של יום(*), ק״י. ומוציאין ס״ת וקוראין בר״ח ובחוה״מ ד׳ גברי, קדיש על הס״ת. ואחר כך אומרים אשרי ובא לציון גואל ומכניסים הס״ת להיכל, ואח״כ אומר הש״ץ ח״ק. ומתפללין תפלת מוסף ומסירין התפילין בר״ח קודם הקדיש. ובחנוכה ג׳ גברי וקדיש, אשרי ובל״צ, ק״ש, ומכניסין ס״ת להיכל ואח״כ אומרים בית יעקב:

מוסף לראש חודש

אֲדֹנָי, שְׂפָתַי תִּפְתָּח וּפִי יַגִּיד תְּהִלָּתֶךָ:

בָּרוּךְ אַתָּה יְיָ אֱלֹהֵינוּ וֵאלֹהֵי אֲבוֹתֵינוּ, אֱלֹהֵי אַבְרָהָם, אֱלֹהֵי יִצְחָק, וֵאלֹהֵי יַעֲקֹב, הָאֵל הַגָּדוֹל הַגִּבּוֹר וְהַנּוֹרָא, אֵל עֶלְיוֹן, גּוֹמֵל חֲסָדִים טוֹבִים, קוֹנֵה הַכֹּל, וְזוֹכֵר חַסְדֵּי אָבוֹת, וּמֵבִיא גוֹאֵל לִבְנֵי בְנֵיהֶם, לְמַעַן שְׁמוֹ בְּאַהֲבָה:

מֶלֶךְ עוֹזֵר וּמוֹשִׁיעַ וּמָגֵן. בָּרוּךְ אַתָּה יְיָ, מָגֵן אַבְרָהָם:

אַתָּה גִּבּוֹר לְעוֹלָם אֲדֹנָי, מְחַיֵּה מֵתִים אַתָּה, רַב לְהוֹשִׁיעַ.

בקיץ מוֹרִיד הַטָּל. בחורף מַשִּׁיב הָרוּחַ וּמוֹרִיד הַגֶּשֶׁם:

מְכַלְכֵּל חַיִּים בְּחֶסֶד, מְחַיֵּה מֵתִים בְּרַחֲמִים רַבִּים, סוֹמֵךְ נוֹפְלִים, וְרוֹפֵא חוֹלִים, וּמַתִּיר אֲסוּרִים, וּמְקַיֵּם אֱמוּנָתוֹ לִישֵׁנֵי

עפר

תו״א א) בראשית כד א:

*) בסוכות עד אחר הושענא רבה אומרים גם לדוד ה׳ אורי. (*) בר״ח אלול אומרים גם לדוד ה׳ אורי.

1 עָפָר, מִי כָמוֹךָ בַּעַל גְּבוּרוֹת וּמִי דוֹמֶה לָּךְ, מֶלֶךְ מֵמִית וּמְחַיֶּה
2 וּמַצְמִיחַ יְשׁוּעָה:

3 וְנֶאֱמָן אַתָּה לְהַחֲיוֹת מֵתִים . בָּרוּךְ אַתָּה יְיָ, מְחַיֵּה הַמֵּתִים:

בחזרת הש"ץ אומרים כאן קדושה:

4 **אַתָּה** קָדוֹשׁ וְשִׁמְךָ קָדוֹשׁ, וּקְדוֹשִׁים בְּכָל יוֹם יְהַלְלוּךָ סֶּלָה .
5 בָּרוּךְ אַתָּה יְיָ, הָאֵל הַקָּדוֹשׁ:

6 רָאשֵׁי חֳדָשִׁים לְעַמְּךָ נָתַתָּ, זְמַן כַּפָּרָה
7 לְכָל תּוֹלְדוֹתָם . בִּהְיוֹתָם

8 מַקְרִיבִים לְפָנֶיךָ זִבְחֵי רָצוֹן, וּשְׂעִירֵי
9 חַטָּאות לְכַפֵּר בַּעֲדָם, זִכָּרוֹן לְכֻלָּם

10 יִהְיֶה, וּתְשׁוּעַת נַפְשָׁם מִיַּד שׂוֹנֵא .

11 מִזְבֵּחַ חָדָשׁ בְּצִיּוֹן תָּכִין, וְעוֹלַת רֹאשׁ
12 חֹדֶשׁ נַעֲלֶה עָלָיו, וּשְׂעִירֵי עִזִּים נַעֲשֶׂה

13 בְרָצוֹן, וּבַעֲבוֹדַת בֵּית הַמִּקְדָּשׁ נִשְׂמַח
14 כֻּלָּנוּ, וּבְשִׁירֵי דָוִד עַבְדְּךָ הַנִּשְׁמָעִים

15 בְּעִירֶךָ, הָאֲמוּרִים לִפְנֵי מִזְבְּחֶךָ,
16 אַהֲבַת עוֹלָם תָּבִיא לָהֶם , וּבְרִית

אבות

קדושה בחזרת התפלה:

17 **כֶּתֶר** יִתְּנוּ לְךָ יְיָ אֱלֹהֵינוּ מַלְאָכִים הֲמוֹנֵי מַעְלָה וְעַמְּךָ יִשְׂרָאֵל קְבוּצֵי
18 מַטָּה, יַחַד כֻּלָּם קְדֻשָּׁה, לְךָ יְשַׁלֵּשׁוּ, כַּכָּתוּב עַל יַד נְבִיאֶךָ, וְקָרָא זֶה
19 אֶל זֶה וְאָמַר: קו"ח קָדוֹשׁ קָדוֹשׁ קָדוֹשׁ יְיָ צְבָאוֹת, מְלֹא כָל הָאָרֶץ כְּבוֹדוֹ.
20 חזן לְעֻמָּתָם מְשַׁבְּחִים וְאוֹמְרִים: קו"ח בָּרוּךְ כְּבוֹד יְיָ מִמְּקוֹמוֹ. חזן וּבְדִבְרֵי
21 קָדְשְׁךָ כָּתוּב לֵאמֹר: קו"ח יִמְלֹךְ יְיָ לְעוֹלָם אֱלֹהַיִךְ צִיּוֹן, לְדֹר וָדֹר הַלְלוּיָהּ:

אָבוֹת לְבָנִים תִּזְכּוֹר. וַהֲבִיאֵנוּ לְצִיּוֹן עִירְךָ בְּרִנָּה, וְלִירוּשָׁלַיִם בֵּית מִקְדָּשְׁךָ בְּשִׂמְחַת עוֹלָם, וְשָׁם נַעֲשֶׂה לְפָנֶיךָ אֶת קָרְבְּנוֹת חוֹבוֹתֵינוּ, תְּמִידִים כְּסִדְרָם, וּמוּסָפִים כְּהִלְכָתָם. וְאֶת מוּסַף יוֹם רֹאשׁ הַחֹדֶשׁ הַזֶּה, נַעֲשֶׂה וְנַקְרִיב לְפָנֶיךָ בְּאַהֲבָה, כְּמִצְוַת רְצוֹנֶךָ, כְּמוֹ שֶׁכָּתַבְתָּ עָלֵינוּ בְּתוֹרָתֶךָ, עַל יְדֵי מֹשֶׁה עַבְדֶּךָ מִפִּי כְבוֹדֶךָ כָּאָמוּר:

וּבְרָאשֵׁי חָדְשֵׁיכֶם תַּקְרִיבוּ עֹלָה לַייָ, פָּרִים בְּנֵי בָקָר שְׁנַיִם, וְאַיִל אֶחָד, כְּבָשִׂים בְּנֵי שָׁנָה שִׁבְעָה, תְּמִימִם.

וּמִנְחָתָם וְנִסְכֵּיהֶם כִּמְדֻבָּר: שְׁלֹשָׁה עֶשְׂרֹנִים לַפָּר, וּשְׁנֵי עֶשְׂרֹנִים לָאָיִל, וְעִשָּׂרוֹן לַכֶּבֶשׂ, וְיַיִן כְּנִסְכּוֹ, וְשָׂעִיר לְכַפֵּר, וּשְׁנֵי תְמִידִים כְּהִלְכָתָם:

אֱלֹהֵינוּ וֵאלֹהֵי אֲבוֹתֵינוּ, חַדֵּשׁ עָלֵינוּ אֶת הַחֹדֶשׁ הַזֶּה, לְטוֹבָה וְלִבְרָכָה, לְשָׂשׂוֹן וּלְשִׂמְחָה, לִישׁוּעָה וּלְנֶחָמָה, לְפַרְנָסָה וּלְכַלְכָּלָה, לְחַיִּים טוֹבִים וּלְשָׁלוֹם, לִמְחִילַת חֵטְא וְלִסְלִיחַת עָוֹן. כִּי בְעַמְּךָ יִשְׂרָאֵל בָּחַרְתָּ מִכָּל הָאֻמּוֹת, וְחֻקֵּי רָאשֵׁי חֳדָשִׁים לָהֶם קָבָעְתָּ. בָּרוּךְ אַתָּה יְיָ, מְקַדֵּשׁ יִשְׂרָאֵל וְרָאשֵׁי חֳדָשִׁים:

רְצֵה יְיָ אֱלֹהֵינוּ בְּעַמְּךָ יִשְׂרָאֵל, וְלִתְפִלָּתָם שְׁעֵה, וְהָשֵׁב הָעֲבוֹדָה לִדְבִיר בֵּיתֶךָ, וְאִשֵּׁי יִשְׂרָאֵל וּתְפִלָּתָם בְּאַהֲבָה תְקַבֵּל בְּרָצוֹן, וּתְהִי לְרָצוֹן תָּמִיד עֲבוֹדַת יִשְׂרָאֵל עַמֶּךָ:

וְתֶחֱזֶינָה עֵינֵינוּ בְּשׁוּבְךָ לְצִיּוֹן בְּרַחֲמִים. בָּרוּךְ אַתָּה יְיָ, הַמַּחֲזִיר שְׁכִינָתוֹ לְצִיּוֹן:

מוֹדִים אֲנַחְנוּ לָךְ שָׁאַתָּה הוּא יְיָ אֱלֹהֵינוּ וֵאלֹהֵי אֲבוֹתֵינוּ לְעוֹלָם וָעֶד, צוּר חַיֵּינוּ מָגֵן יִשְׁעֵנוּ, אַתָּה הוּא לְדוֹר וָדוֹר, נוֹדֶה לְּךָ וּנְסַפֵּר תְּהִלָּתֶךָ, עַל חַיֵּינוּ הַמְּסוּרִים בְּיָדֶךָ, וְעַל נִשְׁמוֹתֵינוּ הַפְּקוּדוֹת לָךְ, וְעַל נִסֶּיךָ שֶׁבְּכָל יוֹם עִמָּנוּ, וְעַל נִפְלְאוֹתֶיךָ וְטוֹבוֹתֶיךָ שֶׁבְּכָל עֵת, עֶרֶב וָבֹקֶר וְצָהֳרָיִם, הַטּוֹב, כִּי לֹא כָלוּ רַחֲמֶיךָ, וְהַמְרַחֵם, כִּי לֹא תַמּוּ חֲסָדֶיךָ, כִּי מֵעוֹלָם קִוִּינוּ לָךְ: בחנוכה אומרים כאן ועל הנסים א)

מודים דרבנן

מוֹדִים אֲנַחְנוּ לָךְ, שָׁאַתָּה הוּא יְיָ אֱלֹהֵינוּ וֵאלֹהֵי אֲבוֹתֵינוּ, אֱלֹהֵי כָל בָּשָׂר, יוֹצְרֵנוּ, יוֹצֵר בְּרֵאשִׁית, בְּרָכוֹת וְהוֹדָאוֹת לְשִׁמְךָ הַגָּדוֹל וְהַקָּדוֹשׁ, עַל שֶׁהֶחֱיִיתָנוּ וְקִיַּמְתָּנוּ, כֵּן תְּחַיֵּנוּ וּתְקַיְּמֵנוּ, וְתֶאֱסוֹף גָּלֻיּוֹתֵינוּ לְחַצְרוֹת קָדְשֶׁךָ, וְנָשׁוּב אֵלֶיךָ לִשְׁמוֹר חֻקֶּיךָ, וְלַעֲשׂוֹת רְצוֹנֶךָ, וּלְעָבְדְּךָ בְּלֵבָב שָׁלֵם, עַל שֶׁאֲנַחְנוּ מוֹדִים לָךְ, בָּרוּךְ אֵל הַהוֹדָאוֹת:

וְעַל כֻּלָּם יִתְבָּרֵךְ וְיִתְרוֹמַם וְיִתְנַשֵּׂא שִׁמְךָ מַלְכֵּנוּ תָּמִיד לְעוֹלָם וָעֶד:

וְכָל הַחַיִּים יוֹדוּךָ סֶּלָה, וִיהַלְלוּ שִׁמְךָ הַגָּדוֹל לְעוֹלָם כִּי טוֹב הָאֵל יְשׁוּעָתֵנוּ וְעֶזְרָתֵנוּ סֶלָה, הָאֵל הַטּוֹב. בָּרוּךְ אַתָּה יְיָ, הַטּוֹב שִׁמְךָ וּלְךָ נָאֶה לְהוֹדוֹת:

א) בחנוכה אומרים זה:

וְעַל הַנִּסִּים וְעַל הַפֻּרְקָן וְעַל הַגְּבוּרוֹת וְעַל הַתְּשׁוּעוֹת וְעַל הַנִּפְלָאוֹת שֶׁעָשִׂיתָ לַאֲבוֹתֵינוּ בַּיָּמִים הָהֵם בִּזְּמַן הַזֶּה:

בִּימֵי מַתִּתְיָהוּ בֶּן יוֹחָנָן כֹּהֵן גָּדוֹל חַשְׁמוֹנָאִי וּבָנָיו כְּשֶׁעָמְדָה מַלְכוּת יָוָן הָרְשָׁעָה עַל עַמְּךָ יִשְׂרָאֵל לְהַשְׁכִּיחָם תּוֹרָתֶךָ, וּלְהַעֲבִירָם מֵחֻקֵּי רְצוֹנֶךָ, וְאַתָּה בְּרַחֲמֶיךָ הָרַבִּים עָמַדְתָּ לָהֶם בְּעֵת צָרָתָם. רַבְתָּ אֶת רִיבָם, דַּנְתָּ אֶת דִּינָם, נָקַמְתָּ אֶת נִקְמָתָם, מָסַרְתָּ גִבּוֹרִים בְּיַד חַלָּשִׁים, וְרַבִּים בְּיַד מְעַטִּים, וּטְמֵאִים בְּיַד טְהוֹרִים, וּרְשָׁעִים בְּיַד צַדִּיקִים, וְזֵדִים בְּיַד עוֹסְקֵי תוֹרָתֶךָ. וּלְךָ עָשִׂיתָ שֵׁם גָּדוֹל וְקָדוֹשׁ בְּעוֹלָמֶךָ, וּלְעַמְּךָ יִשְׂרָאֵל עָשִׂיתָ תְּשׁוּעָה גְדוֹלָה וּפֻרְקָן כְּהַיּוֹם הַזֶּה. וְאַחַר כַּךְ בָּאוּ בָנֶיךָ לִדְבִיר בֵּיתֶךָ, וּפִנּוּ אֶת הֵיכָלֶךָ, וְטִהֲרוּ אֶת מִקְדָּשֶׁךָ, וְהִדְלִיקוּ נֵרוֹת בְּחַצְרוֹת קָדְשֶׁךָ, וְקָבְעוּ שְׁמוֹנַת יְמֵי חֲנֻכָּה אֵלּוּ, לְהוֹדוֹת וּלְהַלֵּל לְשִׁמְךָ הַגָּדוֹל: ועל כולם

לש״ץ אֱלֹהֵינוּ וֵאלֹהֵי אֲבוֹתֵינוּ, בָּרְכֵנוּ בַבְּרָכָה הַמְשֻׁלֶּשֶׁת בַּתּוֹרָה הַכְּתוּבָה עַל יְדֵי מֹשֶׁה עַבְדֶּךָ, הָאֲמוּרָה מִפִּי אַהֲרֹן וּבָנָיו, כֹּהֲנִים עַם קְדוֹשֶׁךָ, כָּאָמוּר: יְבָרֶכְךָ יְיָ וְיִשְׁמְרֶךָ: אמן יָאֵר יְיָ פָּנָיו אֵלֶיךָ, וִיחֻנֶּךָּ: אמן יִשָּׂא יְיָ פָּנָיו אֵלֶיךָ, וְיָשֵׂם לְךָ שָׁלוֹם: אמן.

שִׂים שָׁלוֹם, טוֹבָה וּבְרָכָה, חַיִּים חֵן וָחֶסֶד וְרַחֲמִים, עָלֵינוּ וְעַל כָּל יִשְׂרָאֵל עַמֶּךָ. בָּרְכֵנוּ אָבִינוּ כֻּלָּנוּ כְּאֶחָד בְּאוֹר פָּנֶיךָ, כִּי בְאוֹר פָּנֶיךָ, נָתַתָּ לָּנוּ יְיָ אֱלֹהֵינוּ תּוֹרַת חַיִּים, וְאַהֲבַת חֶסֶד, וּצְדָקָה וּבְרָכָה וְרַחֲמִים וְחַיִּים וְשָׁלוֹם. וְטוֹב בְּעֵינֶיךָ לְבָרֵךְ אֶת עַמְּךָ יִשְׂרָאֵל בְּכָל עֵת וּבְכָל שָׁעָה בִּשְׁלוֹמֶךָ. בָּרוּךְ אַתָּה יְיָ, הַמְבָרֵךְ אֶת עַמּוֹ יִשְׂרָאֵל בַּשָּׁלוֹם:

יִהְיוּ לְרָצוֹן אִמְרֵי פִי וְהֶגְיוֹן לִבִּי לְפָנֶיךָ, יְיָ צוּרִי וְגוֹאֲלִי: לש״ץ קדיש שלם

אֱלֹהַי, נְצוֹר לְשׁוֹנִי מֵרָע, וּשְׂפָתַי מִדַּבֵּר מִרְמָה, וְלִמְקַלְלַי נַפְשִׁי תִדּוֹם, וְנַפְשִׁי כֶּעָפָר לַכֹּל תִּהְיֶה. פְּתַח לִבִּי בְּתוֹרָתֶךָ, וּבְמִצְוֹתֶיךָ תִּרְדּוֹף נַפְשִׁי, וְכָל הַחוֹשְׁבִים עָלַי רָעָה, מְהֵרָה הָפֵר עֲצָתָם וְקַלְקֵל מַחֲשַׁבְתָּם. יִהְיוּ כְּמוֹץ לִפְנֵי רוּחַ וּמַלְאַךְ יְיָ דּוֹחֶה. לְמַעַן יֵחָלְצוּן יְדִידֶיךָ, הוֹשִׁיעָה יְמִינְךָ וַעֲנֵנִי. עֲשֵׂה לְמַעַן שְׁמֶךָ, עֲשֵׂה לְמַעַן יְמִינֶךָ, עֲשֵׂה לְמַעַן תּוֹרָתֶךָ, עֲשֵׂה לְמַעַן קְדֻשָּׁתֶךָ. יִהְיוּ לְרָצוֹן אִמְרֵי פִי וְהֶגְיוֹן לִבִּי לְפָנֶיךָ, יְיָ צוּרִי וְגוֹאֲלִי: עֹשֶׂה שָׁלוֹם בִּמְרוֹמָיו, הוּא יַעֲשֶׂה שָׁלוֹם עָלֵינוּ וְעַל כָּל יִשְׂרָאֵל, וְאִמְרוּ אָמֵן:

יְהִי רָצוֹן מִלְּפָנֶיךָ יְיָ אֱלֹהֵינוּ וֵאלֹהֵי אֲבוֹתֵינוּ, שֶׁיִּבָּנֶה בֵּית הַמִּקְדָּשׁ בִּמְהֵרָה בְיָמֵינוּ, וְתֵן חֶלְקֵנוּ בְּתוֹרָתֶךָ: אין כאלהינו, עלינו.

סדר עירוב תבשילין

כשחל יו״ט ביום ה׳ וביום ו׳ או ביום ו׳ ובשבת יקח בערב יו״ט הפת משבת וגם תבשיל חשוב עמו כגון בשר או דג ויתן ביד אחר לזכות על ידו לכל הקהל ואומר:

אֲנִי מְזַכֶּה לְכָל מִי שֶׁרוֹצֶה לִזְכּוֹת וְלִסְמוֹךְ עַל עֵירוּב זֶה:

ומי שזוכה נוטל בידו ומגביה טפח, וחוזר ונוטל מיד הזוכה והמזכה מברך:

בָּרוּךְ אַתָּה יְיָ אֱלֹהֵינוּ מֶלֶךְ הָעוֹלָם, אֲשֶׁר קִדְּשָׁנוּ בְּמִצְוֹתָיו, וְצִוָּנוּ עַל מִצְוַת עֵרוּב:

בְּדֵין יְהֵא שָׁרֵא לָנָא: לַאֲפוּיֵי. וּלְבַשּׁוּלֵי, וּלְאַטְמוּנֵי, וּלְאַדְלוּקֵי שְׁרָגָא, וּלְתַקָּנָא וּלְמֶעְבַּד כָּל צָרְכָנָא מִיּוֹמָא טָבָא לְשַׁבַּתָּא, לָנָא, וּלְכָל יִשְׂרָאֵל הַדָּרִים בָּעִיר הַזֹּאת:

(שו״ע) (א) כל הלילה כשר לספירת העומר שאם שכח ולא ספר בתחלת הלילה ונזכר קודם שעלה עמוד השחר חייב לספור אבל לכתחלה מצוה מן המובחר לספור בתחלת הלילה מיד אחר תפלת ערבית: (ב) הספירה צריך לברך מעומד כו׳ אם מנה מיושב יצא: (ג) מי ששואל אותו חבירו בביה״ש כמה ימי הספירה בלילה זה יאמר לו אתמול היה כך וכך שאם יאמר לו היום כך וכך לא יוכל הוא עצמו לחזור ולמנות בברכה לפי שכבר יצא ידי חובתו במה שאמר לחבירו היום כך וכך לפי דברי האומרים שאין צריך כוונה לצאת אף שלא אמר לעומר אין בכך כלום כו׳ אבל אם לא אמר לו היום כך וכך אלא השיב לו סתם כך וכך לעומר לא יצא בזה לד״ה ויחזור ויספור בברכה ומכל מקום יותר טוב לומר אתמול היה כך וכך: (ד) וכל זה כששואלו בביה״ש אבל קודם לכן אף אם אמר לו היום כך וכך לעומר חוזר וסופר בברכה: (ה) מותר לספור קודם תפלת ערבית אפילו במוצאי שבת כו׳ ומכל מקום ראוי להקדים תפלת ערבית לספירה: (ו) לא יתחיל לאכול אפילו סעודה קטנה חצי שעה קודם זמן ספירה דהיינו חצי שעה קודם ביה״ש כו׳ (אם עבר והתחיל בסעודה בתוך חצי שעה סמוך לזמן הספירה אין צריך להפסיק באמצע סעודתו) אבל אם התחיל הסעודה לאחר שהגיע זמן הספירה צריך להפסיק ולספור באמצע סעודתו: (ז) שכח לספור בלילה אחת נוהגין לספור בשאר לילות בלא ברכה כו׳ במה דברים אמורים כשלא נזכר כל הלילה וכל יום המחרת אבל אם נזכר למחר ביום וספר בלא ברכה יספור בשאר כל הלילות בברכה: (ח) וכל זה כשברי לו שלא ספר בלילה אבל אם הוא מסופק בדבר אף שלא ספר למחר ביום יספור בשאר לילות בברכה: (ט) במקומות שנוהגין לקדש ולהבדיל בבית הכנסת על היין סופרים העומר בליל שבת ויום טוב אחר הקידוש כו׳ ובמוצאי שבת ויום טוב סופרים קודם ההבדלה מיד אחר קדיש תתקבל: (י) וכשחל יום טוב במו״ש שאומרים קידוש והבדלה על כוס אחד כו׳ אזי סופרים קודם הקידוש וההבדלה:

(**מסי׳ אדמו״ר**) בליל שני של פסח מתחילין לספור ספירת העומר תיכף אחר תפלת ערבית אך יש מי שאומר שהבא בסוד ה׳ יש לספור אחר שגמר כל הסדר בח״ל והמקדים לברך ולספור מיד אחר התפלה מוקדם לברכה ואם שכח ולא ספר בלילה סופר ביום בלא ברכה כנודע. וזמן התחלת עמוד השחר מח״י אייר ואילך במדינות אלו הצפוניות היא בחצות הלילה לכן אין לספור אחר חצות אלא בלא ברכה וזמן זה של עלות השחר נמשך כך עד י״ז בתמוז ועד בכלל ולכן משהגיע חצות ליל י״ז בתמוז אסור לאכול:

בָּרוּךְ אַתָּה יְהֹוָה אֱלֹהֵינוּ מֶלֶךְ הָעוֹלָם
אֲשֶׁר קִדְּשָׁנוּ בְּמִצְוֹתָיו, וְצִוָּנוּ עַל סְפִירַת הָעוֹמֶר:

יכוין לספירה של אותו הלילה ולתיבה אחת של „אנא בכח״ ותיבה אחת של מזמור „אלהים יחננו״ ואות א׳ מפסוק ישמחו:

הַיּוֹם יוֹם אֶחָד לָעוֹמֶר: חֶסֶד שֶׁבְּחֶסֶד אנא אלהים י

הָרַחֲמָן הוּא יַחֲזִיר לָנוּ עֲבוֹדַת בֵּית הַמִּקְדָּשׁ לִמְקוֹמָהּ, בִּמְהֵרָה בְיָמֵינוּ אָמֵן סֶלָה.

לַמְנַצֵּחַ בִּנְגִינֹת מִזְמוֹר שִׁיר: אֱלֹהִים יְחָנֵּנוּ וִיבָרְכֵנוּ, יָאֵר פָּנָיו אִתָּנוּ סֶלָה: לָדַעַת בָּאָרֶץ דַּרְכֶּךָ, בְּכָל גּוֹיִם יְשׁוּעָתֶךָ: יוֹדוּךָ עַמִּים אֱלֹהִים, יוֹדוּךָ עַמִּים כֻּלָּם: יִשְׂמְחוּ וִירַנְּנוּ לְאֻמִּים, כִּי תִשְׁפֹּט עַמִּים מִישׁוֹר, וּלְאֻמִּים בָּאָרֶץ תַּנְחֵם סֶלָה: יוֹדוּךָ עַמִּים אֱלֹהִים, יוֹדוּךָ עַמִּים כֻּלָּם: אֶרֶץ נָתְנָה יְבוּלָהּ, יְבָרְכֵנוּ אֱלֹהִים אֱלֹהֵינוּ: יְבָרְכֵנוּ אֱלֹהִים, וְיִירְאוּ אוֹתוֹ כָּל אַפְסֵי אָרֶץ:

אָנָּא בְּכֹחַ גְּדֻלַּת יְמִינְךָ תַּתִּיר צְרוּרָה· אב״ג ית״ץ
קַבֵּל רִנַּת עַמְּךָ שַׂגְּבֵנוּ טַהֲרֵנוּ נוֹרָא· קר״ע שט״ן
נָא גִבּוֹר דּוֹרְשֵׁי יִחוּדְךָ כְּבָבַת שָׁמְרֵם· נג״ד יכ״ש
בָּרְכֵם טַהֲרֵם רַחֲמֵי צִדְקָתְךָ תָּמִיד גָּמְלֵם· בט״ר צת״ג
חֲסִין קָדוֹשׁ בְּרוֹב טוּבְךָ נַהֵל עֲדָתֶךָ· חק״ב טנ״ע
יָחִיד גֵּאֶה לְעַמְּךָ פְּנֵה זוֹכְרֵי קְדֻשָּׁתֶךָ· יג״ל פז״ק
שַׁוְעָתֵנוּ קַבֵּל וּשְׁמַע צַעֲקָתֵנוּ יוֹדֵעַ תַּעֲלוּמוֹת· שק״ו צי״ת
בָּרוּךְ שֵׁם כְּבוֹד מַלְכוּתוֹ לְעוֹלָם וָעֶד:

רִבּוֹנוֹ שֶׁל עוֹלָם, אַתָּה צִוִּיתָנוּ עַל יְדֵי מֹשֶׁה עַבְדֶּךָ לִסְפּוֹר סְפִירַת הָעוֹמֶר כְּדֵי לְטַהֲרֵנוּ מִקְּלִפּוֹתֵינוּ וּמִטֻּמְאוֹתֵינוּ, כְּמוֹ שֶׁכָּתַבְתָּ בְּתוֹרָתֶךָ: וּסְפַרְתֶּם לָכֶם מִמָּחֳרַת הַשַּׁבָּת מִיּוֹם הֲבִיאֲכֶם אֶת עוֹמֶר הַתְּנוּפָה שֶׁבַע שַׁבָּתוֹת תְּמִימוֹת תִּהְיֶינָה, עַד מִמָּחֳרַת הַשַּׁבָּת הַשְּׁבִיעִית תִּסְפְּרוּ חֲמִשִּׁים יוֹם, כְּדֵי שֶׁיִּטָּהֲרוּ נַפְשׁוֹת עַמְּךָ

יִשְׂרָאֵל מִזֻּהֲמָתָם, וּבְכֵן יְהִי רָצוֹן מִלְּפָנֶיךָ יְיָ אֱלֹהֵינוּ וֵאלֹהֵי אֲבוֹתֵינוּ, שֶׁבִּזְכוּת סְפִירַת הָעֹמֶר שֶׁסָּפַרְתִּי הַיּוֹם, יְתֻקַּן מַה שֶּׁפָּגַמְתִּי בִּסְפִירָה (פלונית השייך לאותו הלילה) וְאֶטָּהֵר וְאֶתְקַדֵּשׁ בִּקְדֻשָּׁה שֶׁל מַעְלָה, וְעַל יְדֵי זֶה יֻשְׁפַּע שֶׁפַע רַב בְּכָל הָעוֹלָמוֹת וּלְתַקֵּן אֶת נַפְשׁוֹתֵינוּ, וְרוּחוֹתֵינוּ וְנִשְׁמוֹתֵינוּ מִכָּל סִיג וּפְגַם וּלְטַהֲרֵנוּ וּלְקַדְּשֵׁנוּ בִּקְדֻשָּׁתְךָ הָעֶלְיוֹנָה, אָמֵן סֶלָה:

הַיּוֹם שְׁנֵי יָמִים לָעֹמֶר: ש

הרחמן יחננו בכח — גְּבוּרָה שֶׁבְּחֶסֶד

הַיּוֹם שְׁלֹשָׁה יָמִים לָעֹמֶר: מ

הרחמן ויברכנו גדולת — תִּפְאֶרֶת שֶׁבְּחֶסֶד

הַיּוֹם אַרְבָּעָה יָמִים לָעֹמֶר: ח

הרחמן יאר ימינך — נֶצַח שֶׁבְּחֶסֶד

הַיּוֹם חֲמִשָּׁה יָמִים לָעֹמֶר: ו

הרחמן פניו תתיר — הוֹד שֶׁבְּחֶסֶד

הַיּוֹם שִׁשָּׁה יָמִים לָעֹמֶר: ו

הרחמן אתנו צרורה — יְסוֹד שֶׁבְּחֶסֶד

הַיּוֹם שִׁבְעָה יָמִים שֶׁהֵם שָׁבוּעַ אֶחָד לָעֹמֶר: י

הרחמן סלה אב״ג ית״ץ — מַלְכוּת שֶׁבְּחֶסֶד

הַיּוֹם שְׁמוֹנָה יָמִים שֶׁהֵם שָׁבוּעַ אֶחָד וְיוֹם אֶחָד לָעֹמֶר: ר

הרחמן לדעת קבל — חֶסֶד שֶׁבִּגְבוּרָה

הַיּוֹם תִּשְׁעָה יָמִים שֶׁהֵם שָׁבוּעַ אֶחָד וּשְׁנֵי יָמִים לָעֹמֶר: נ

הרחמן בארץ רנת — גְּבוּרָה שֶׁבִּגְבוּרָה

הַיּוֹם עֲשָׂרָה יָמִים שֶׁהֵם שָׁבוּעַ אֶחָד וּשְׁלֹשָׁה יָמִים לָעֹמֶר: נ

הרחמן דרכך עמך — תִּפְאֶרֶת שֶׁבִּגְבוּרָה

הַיּוֹם אַחַד עָשָׂר יוֹם שֶׁהֵם שָׁבוּעַ אֶחָד וְאַרְבָּעָה יָמִים לָעֹמֶר: ו

הרחמן בכל שגבנו — נֶצַח שֶׁבִּגְבוּרָה

הַיּוֹם שְׁנֵים עָשָׂר יוֹם שֶׁהֵם שָׁבוּעַ אֶחָד וַחֲמִשָּׁה יָמִים לָעֹמֶר: ל

הרחמן גוים טהרנו — הוֹד שֶׁבִּגְבוּרָה

הַיּוֹם שְׁלֹשָׁה עָשָׂר יוֹם שֶׁהֵם שָׁבוּעַ אֶחָד וְשִׁשָּׁה יָמִים לָעֹמֶר: א

הרחמן ישועתך נורא — יְסוֹד שֶׁבִּגְבוּרָה

הַיּוֹם אַרְבָּעָה עָשָׂר יוֹם שֶׁהֵם שְׁנֵי שָׁבוּעוֹת לָעֹמֶר: מ

הרחמן יודוך קר״ע שט״ן — מַלְכוּת שֶׁבִּגְבוּרָה

הַיּוֹם חֲמִשָּׁה עָשָׂר יוֹם שֶׁהֵם שְׁנֵי שָׁבוּעוֹת וְיוֹם אֶחָד לָעֹמֶר: י

הרחמן עמים נא — חֶסֶד שֶׁבְּתִפְאֶרֶת

הַיּוֹם שִׁשָּׁה עָשָׂר יוֹם שֶׁהֵם שְׁנֵי שָׁבוּעוֹת וּשְׁנֵי יָמִים לָעֹמֶר: ם

הרחמן אלהים גבור — גְּבוּרָה שֶׁבְּתִפְאֶרֶת

הַיּוֹם שִׁבְעָה עָשָׂר יוֹם שֶׁהֵם שְׁנֵי שָׁבוּעוֹת וּשְׁלֹשָׁה יָמִים לָעֹמֶר: כ

הרחמן יודוך דורשי — תִּפְאֶרֶת שֶׁבְּתִפְאֶרֶת

הַיּוֹם שְׁמוֹנָה עָשָׂר יוֹם שֶׁהֵם שְׁנֵי שָׁבוּעוֹת וְאַרְבָּעָה יָמִים לָעֹמֶר: י

הרחמן עמים יחודך — נֶצַח שֶׁבְּתִפְאֶרֶת

הַיּוֹם תִּשְׁעָה עָשָׂר יוֹם שֶׁהֵם שְׁנֵי שָׁבוּעוֹת וַחֲמִשָּׁה יָמִים לָעֹמֶר: ת

הרחמן כולם כבבת — הוֹד שֶׁבְּתִפְאֶרֶת

הַיּוֹם עֶשְׂרִים יוֹם שֶׁהֵם שְׁנֵי שָׁבוּעוֹת וְשִׁשָּׁה יָמִים לָעֹמֶר: ש

הרחמן ישמחו שמרם — יְסוֹד שֶׁבְּתִפְאֶרֶת

הַיּוֹם אֶחָד וְעֶשְׂרִים יוֹם שֶׁהֵם שְׁלֹשָׁה שָׁבוּעוֹת לָעֹמֶר: פ

הרחמן וירננו נג״ד יכ״ש — מַלְכוּת שֶׁבְּתִפְאֶרֶת

הַיּוֹם שְׁנַיִם וְעֶשְׂרִים יוֹם שֶׁהֵם שְׁלֹשָׁה שָׁבוּעוֹת וְיוֹם אֶחָד לָעֹמֶר: ו

הרחמן לאומים ברכם — חֶסֶד שֶׁבְּנֶצַח

הַיּוֹם שְׁלֹשָׁה וְעֶשְׂרִים יוֹם שֶׁהֵם שְׁלֹשָׁה שָׁבוּעוֹת וּשְׁנֵי יָמִים לָעֹמֶר: ט

הרחמן כי טהרם — גְּבוּרָה שֶׁבְּנֶצַח

הַיּוֹם אַרְבָּעָה וְעֶשְׂרִים יוֹם שֶׁהֵם שְׁלֹשָׁה שָׁבוּעוֹת וּשְׁלֹשָׁה יָמִים לָעֹמֶר: ע

הרחמן תשפוט רחמי — תִּפְאֶרֶת שֶׁבְּנֶצַח

הַיּוֹם חֲמִשָּׁה וְעֶשְׂרִים יוֹם שֶׁהֵם שְׁלֹשָׁה שָׁבוּעוֹת וְאַרְבָּעָה יָמִים לָעֹמֶר: מ

הרחמן עמים צדקתך — נֶצַח שֶׁבְּנֶצַח

הַיּוֹם שִׁשָּׁה וְעֶשְׂרִים יוֹם שֶׁהֵם שְׁלֹשָׁה שָׁבוּעוֹת וַחֲמִשָּׁה יָמִים לָעֽוֹמֶר: י

הרחמן מישור תמיד — הוֹד שֶׁבְּנֶצַח

הַיּוֹם שִׁבְעָה וְעֶשְׂרִים יוֹם שֶׁהֵם שְׁלֹשָׁה שָׁבוּעוֹת וְשִׁשָּׁה יָמִים לָעֽוֹמֶר: ם

הרחמן ולאומים גמלם — יְסוֹד שֶׁבְּנֶצַח

הַיּוֹם שְׁמוֹנָה וְעֶשְׂרִים יוֹם שֶׁהֵם אַרְבָּעָה שָׁבוּעוֹת לָעֽוֹמֶר: מ

הרחמן בארץ בט"ר צת"ג — מַלְכוּת שֶׁבְּנֶצַח

הַיּוֹם תִּשְׁעָה וְעֶשְׂרִים יוֹם שֶׁהֵם אַרְבָּעָה שָׁבוּעוֹת וְיוֹם אֶחָד לָעֽוֹמֶר: י

הרחמן תנחם חסין — חֶסֶד שֶׁבְּהוֹד

הַיּוֹם שְׁלֹשִׁים יוֹם שֶׁהֵם אַרְבָּעָה שָׁבוּעוֹת וּשְׁנֵי יָמִים לָעֽוֹמֶר: ש

הרחמן סלה קדוש — גְּבוּרָה שֶׁבְּהוֹד

הַיּוֹם אֶחָד וּשְׁלֹשִׁים יוֹם שֶׁהֵם אַרְבָּעָה שָׁבוּעוֹת וּשְׁלֹשָׁה יָמִים לָעֽוֹמֶר: ו

הרחמן יודוך ברוב — תִּפְאֶרֶת שֶׁבְּהוֹד

הַיּוֹם שְׁנַיִם וּשְׁלֹשִׁים יוֹם שֶׁהֵם אַרְבָּעָה שָׁבוּעוֹת וְאַרְבָּעָה יָמִים לָעֽוֹמֶר: ר

הרחמן עמים טובך — נֶצַח שֶׁבְּהוֹד

ל"ג בעומר

הַיּוֹם שְׁלֹשָׁה וּשְׁלֹשִׁים יוֹם שֶׁהֵם אַרְבָּעָה שָׁבוּעוֹת וַחֲמִשָּׁה יָמִים לָעֽוֹמֶר: ו

הרחמן אלהים נהל — הוֹד שֶׁבְּהוֹד

הַיּוֹם אַרְבָּעָה וּשְׁלֹשִׁים יוֹם שֶׁהֵם אַרְבָּעָה שָׁבוּעוֹת וְשִׁשָּׁה יָמִים לָעֽוֹמֶר: ל

הרחמן יודוך עדתך — יְסוֹד שֶׁבְּהוֹד

הַיּוֹם חֲמִשָּׁה וּשְׁלֹשִׁים יוֹם שֶׁהֵם חֲמִשָּׁה שָׁבוּעוֹת לָעֽוֹמֶר: א

הרחמן עמים חק"ב טנ"ע — מַלְכוּת שֶׁבְּהוֹד

הַיּוֹם שִׁשָּׁה וּשְׁלֹשִׁים יוֹם שֶׁהֵם חֲמִשָּׁה שָׁבוּעוֹת וְיוֹם אֶחָד לָעֽוֹמֶר: מ

הרחמן כולם יחיד — חֶסֶד שֶׁבִּיסוֹד

הַיּוֹם שִׁבְעָה וּשְׁלֹשִׁים יוֹם שֶׁהֵם חֲמִשָּׁה שָׁבוּעוֹת וּשְׁנֵי יָמִים לָעֽוֹמֶר: י

הרחמן ארץ גאה — גְּבוּרָה שֶׁבִּיסוֹד

הַיּוֹם שְׁמוֹנָה וּשְׁלֹשִׁים יוֹם שֶׁהֵם חֲמִשָּׁה שָׁבוּעוֹת וּשְׁלֹשָׁה יָמִים לָעֽוֹמֶר: ם

הרחמן נתנה לעמך — תִּפְאֶרֶת שֶׁבִּיסוֹד

הַיּוֹם תִּשְׁעָה וּשְׁלֹשִׁים יוֹם שֶׁהֵם חֲמִשָּׁה שָׁבוּעוֹת וְאַרְבָּעָה יָמִים לָעֽוֹמֶר: ב

הרחמן יבולה פנה — נֶצַח שֶׁבִּיסוֹד

הַיּוֹם אַרְבָּעִים יוֹם שֶׁהֵם חֲמִשָּׁה שָׁבוּעוֹת וַחֲמִשָּׁה יָמִים לָעֽוֹמֶר: א

הרחמן יברכנו זוכרי — הוֹד שֶׁבִּיסוֹד

הַיּוֹם אֶחָד וְאַרְבָּעִים יוֹם שֶׁהֵם חֲמִשָּׁה שָׁבוּעוֹת וְשִׁשָּׁה יָמִים לָעֽוֹמֶר: ר

הרחמן אלהים קדושתך — יְסוֹד שֶׁבִּיסוֹד

הַיּוֹם שְׁנַיִם וְאַרְבָּעִים יוֹם שֶׁהֵם שִׁשָּׁה שָׁבוּעוֹת לָעֽוֹמֶר: ץ

הרחמן אלהינו יג"ל פז"ק — מַלְכוּת שֶׁבִּיסוֹד

הַיּוֹם שְׁלֹשָׁה וְאַרְבָּעִים יוֹם שֶׁהֵם שִׁשָּׁה שָׁבוּעוֹת וְיוֹם אֶחָד לָעֽוֹמֶר: ת

הרחמן יברכנו שועתנו — חֶסֶד שֶׁבְּמַלְכוּת

הַיּוֹם אַרְבָּעָה וְאַרְבָּעִים יוֹם שֶׁהֵם שִׁשָּׁה שָׁבוּעוֹת וּשְׁנֵי יָמִים לָעֽוֹמֶר: נ

הרחמן אלהים קבל — גְּבוּרָה שֶׁבְּמַלְכוּת

הַיּוֹם חֲמִשָּׁה וְאַרְבָּעִים יוֹם שֶׁהֵם שִׁשָּׁה שָׁבוּעוֹת וּשְׁלֹשָׁה יָמִים לָעֽוֹמֶר: ח

הרחמן וייראו ושמע — תִּפְאֶרֶת שֶׁבְּמַלְכוּת

הַיּוֹם שִׁשָּׁה וְאַרְבָּעִים יוֹם שֶׁהֵם שִׁשָּׁה שָׁבוּעוֹת וְאַרְבָּעָה יָמִים לָעֽוֹמֶר: ם

הרחמן אותו צעקתנו — נֶצַח שֶׁבְּמַלְכוּת

הַיּוֹם שִׁבְעָה וְאַרְבָּעִים יוֹם שֶׁהֵם שִׁשָּׁה שָׁבוּעוֹת וַחֲמִשָּׁה יָמִים לָעֽוֹמֶר: ס

הרחמן כל יודע — הוֹד שֶׁבְּמַלְכוּת

הַיּוֹם שְׁמוֹנָה וְאַרְבָּעִים יוֹם שֶׁהֵם שִׁשָּׁה שָׁבוּעוֹת וְשִׁשָּׁה יָמִים לָעֽוֹמֶר: ל

הרחמן אפסי תעלומות — יְסוֹד שֶׁבְּמַלְכוּת

הַיּוֹם תִּשְׁעָה וְאַרְבָּעִים יוֹם שֶׁהֵם שִׁבְעָה שָׁבוּעוֹת לָעֽוֹמֶר: ה

הרחמן ארץ שק"ו צי"ת — מַלְכוּת שֶׁבְּמַלְכוּת

דיני וסדר הדלקת נרות של חנוכה

יברך בכל לילה להדליק נר חנוכה ושעשה נסים ולילה הראשון יברך ג״כ שהחיינו ואין להדליק עד שיגמור כל הברכות. המנהג הנכון לדבק הנרות או לתלות המנורה בעובי המזוזה בחלל הפתח ויתחיל להדליק בליל ראשון נר הימין ומליל שני ואילך יברך על הנוסף וילך משמאל לימין:

בָּרוּךְ אַתָּה יְיָ אֱלֹהֵינוּ מֶלֶךְ הָעוֹלָם, אֲשֶׁר קִדְּשָׁנוּ בְּמִצְוֹתָיו, וְצִוָּנוּ: לְהַדְלִיק נֵר חֲנֻכָּה.

בָּרוּךְ אַתָּה יְיָ אֱלֹהֵינוּ מֶלֶךְ הָעוֹלָם, שֶׁעָשָׂה נִסִּים לַאֲבוֹתֵינוּ, בַּיָּמִים הָהֵם בִּזְּמַן הַזֶּה.

בָּרוּךְ אַתָּה יְיָ אֱלֹהֵינוּ מֶלֶךְ הָעוֹלָם, שֶׁהֶחֱיָנוּ וְקִיְּמָנוּ וְהִגִּיעָנוּ לִזְּמַן הַזֶּה:

ואחר שידליק הנרות יאמר זה:

הַנֵּרוֹת הַלָּלוּ אָנוּ מַדְלִיקִין, עַל הַתְּשׁוּעוֹת, וְעַל הַנִּסִּים, וְעַל הַנִּפְלָאוֹת, שֶׁעָשִׂיתָ לַאֲבוֹתֵינוּ בַּיָּמִים הָהֵם בִּזְּמַן הַזֶּה, עַל יְדֵי כֹּהֲנֶיךָ הַקְּדוֹשִׁים. וְכָל שְׁמוֹנַת יְמֵי חֲנֻכָּה, הַנֵּרוֹת הַלָּלוּ קֹדֶשׁ הֵם, וְאֵין לָנוּ רְשׁוּת לְהִשְׁתַּמֵּשׁ בָּהֵן, אֶלָּא לִרְאוֹתָן בִּלְבָד, כְּדֵי לְהוֹדוֹת וּלְהַלֵּל לְשִׁמְךָ הַגָּדוֹל, עַל נִסֶּיךָ וְעַל נִפְלְאוֹתֶיךָ וְעַל יְשׁוּעוֹתֶיךָ:

דיני מגילה

חייב אדם לקרוא המגלה בלילה ולשנותה ביום וצריך לפשוט את המגלה כאגרת ומברכין עליה שלש ברכות הללו. אך אין מברכין שהחיינו אלא בלילה ולא ביום. ונוהגין לומר בלילה קדיש שלם אחר תפלת י״ח קודם קריאת המגלה:

אנו מברכים שהחינו גם ביום:

ברוך

1 בָּרוּךְ אַתָּה יְיָ אֱלֹהֵינוּ מֶלֶךְ הָעוֹלָם, אֲשֶׁר קִדְּשָׁנוּ

2 בְּמִצְוֹתָיו, וְצִוָּנוּ: עַל מִקְרָא מְגִלָּה.

3 בָּרוּךְ אַתָּה יְיָ אֱלֹהֵינוּ מֶלֶךְ הָעוֹלָם, שֶׁעָשָׂה נִסִּים

4 לַאֲבוֹתֵינוּ, בַּיָּמִים הָהֵם בַּזְּמַן הַזֶּה:

5 בָּרוּךְ אַתָּה יְיָ אֱלֹהֵינוּ מֶלֶךְ הָעוֹלָם, שֶׁהֶחֱיָנוּ וְקִיְּמָנוּ

6 וְהִגִּיעָנוּ לִזְמַן הַזֶּה.

כשקורין המגילה בצבור מברכין לאחריה ברכה זו אבל לא ביחיד:

7 בָּרוּךְ אַתָּה יְיָ אֱלֹהֵינוּ מֶלֶךְ הָעוֹלָם, הָרָב אֶת רִיבֵנוּ,

8 וְהַדָּן אֶת דִּינֵנוּ, וְהַנּוֹקֵם אֶת נִקְמָתֵנוּ, וְהַנִּפְרָע

9 לָנוּ מִצָּרֵינוּ, וְהַמְשַׁלֵּם גְּמוּל לְכָל אוֹיְבֵי נַפְשֵׁנוּ, בָּרוּךְ אַתָּה

10 יְיָ, הַנִּפְרָע לְעַמּוֹ יִשְׂרָאֵל מִכָּל צָרֵיהֶם, הָאֵל הַמּוֹשִׁיעַ:

11 שׁוֹשַׁנַּת יַעֲקֹב צָהֲלָה וְשָׂמֵחָה, בִּרְאוֹתָם יַחַד תְּכֵלֶת

12 מָרְדְּכַי, תְּשׁוּעָתָם הָיִיתָ לָנֶצַח, וְתִקְוָתָם בְּכָל

13 דּוֹר וָדוֹר. לְהוֹדִיעַ שֶׁכָּל קֹוֶיךָ לֹא יֵבֹשׁוּ וְלֹא יִכָּלְמוּ לָנֶצַח

14 כָּל הַחוֹסִים בָּךְ. אָרוּר הָמָן אֲשֶׁר בִּקֵּשׁ לְאַבְּדִי, בָּרוּךְ

15 מָרְדְּכַי הַיְּהוּדִי. אֲרוּרָה זֶרֶשׁ אֵשֶׁת מַפְחִידִי, בְּרוּכָה

16 אֶסְתֵּר בַּעֲדִי, אֲרוּרִים כָּל הָרְשָׁעִים, בְּרוּכִים כָּל הַצַּדִּיקִים,

17 וְגַם חַרְבוֹנָה זָכוּר לַטּוֹב:

ואחר כך אומרים ואתה קדוש (ובמוצאי שבת אומרים ויהי נועם ואתה קדוש). קדיש שלם בלא תתקבל. עלינו. קדיש יתום.

בשחרית אחר שמונה עשרה חצי קדיש וקורין ג׳ גברי בפ׳ ויבא עמלק ומחזירין* הספר תורה וקורין המגילה. אין לחלוץ התפילין עד אחר המגילה. אחר המגילה אומרים אשרי ובא לציון. קדיש שלם:

_____

*) מנהגנו – קורין המגילה. אחר המגילה אומרים אשרי ובא לציון. קדיש שלם. ואח״כ מחזירין הס״ת להיכל.

לתעַנית צבור ולעשרת ימי תשובה

בתענית צבור ועשרת ימי תשובה, בשחרית ובמנחה, בתחנון במקום אמירת א״מ אבינו אתה וכו׳ אומרים זה:

פותחין הארון

18 (בר״ה א״א זה אָבִינוּ מַלְכֵּנוּ חָטָאנוּ לְפָנֶיךָ:)

19 אָבִינוּ מַלְכֵּנוּ אֵין לָנוּ מֶלֶךְ אֶלָּא אָתָּה:

אָבִֽינוּ מַלְכֵּֽנוּ עֲשֵׂה עִמָּֽנוּ לְמַֽעַן שְׁמֶֽךָ:

אָבִֽינוּ מַלְכֵּֽנוּ חַדֵּשׁ (בת"צ בָּרֵךְ) עָלֵֽינוּ שָׁנָה טוֹבָה:

אָבִֽינוּ מַלְכֵּֽנוּ בַּטֵּל מֵעָלֵֽינוּ כָּל גְּזֵרוֹת קָשׁוֹת:

אָבִֽינוּ מַלְכֵּֽנוּ בַּטֵּל מַחְשְׁבוֹת שׂוֹנְאֵֽינוּ:

אָבִֽינוּ מַלְכֵּֽנוּ הָפֵר עֲצַת אוֹיְבֵֽינוּ:

אָבִֽינוּ מַלְכֵּֽנוּ כַּלֵּה כָּל צַר וּמַשְׂטִין מֵעָלֵֽינוּ:

אָבִֽינוּ מַלְכֵּֽנוּ סְתוֹם פִּיּוֹת מַשְׂטִינֵֽנוּ וּמְקַטְרִיגֵֽנוּ:

אָבִֽינוּ מַלְכֵּֽנוּ כַּלֵּה דֶּֽבֶר וְחֶֽרֶב וְרָעָב וּשְׁבִי וּמַשְׁחִית מִבְּנֵי בְרִיתֶֽךָ:

אָבִֽינוּ מַלְכֵּֽנוּ מְנַע מַגֵּפָה מִנַּחֲלָתֶֽךָ:

(בר"ה א"א זה אָבִֽינוּ מַלְכֵּֽנוּ סְלַח וּמְחוֹל לְכָל עֲוֹנוֹתֵֽינוּ:

אָבִֽינוּ מַלְכֵּֽנוּ מְחֵה וְהַעֲבֵר פְּשָׁעֵֽינוּ מִנֶּֽגֶד עֵינֶֽיךָ:

אָ"מַ מְחוֹק בְּרַחֲמֶֽיךָ הָרַבִּים כָּל שִׁטְרֵי חוֹבוֹתֵֽינוּ: ע"כ)

אָבִֽינוּ מַלְכֵּֽנוּ הַחֲזִירֵֽנוּ בִּתְשׁוּבָה שְׁלֵמָה לְפָנֶֽיךָ:

אָבִֽינוּ מַלְכֵּֽנוּ שְׁלַח רְפוּאָה שְׁלֵמָה לְחוֹלֵי עַמֶּֽךָ:

אָבִֽינוּ מַלְכֵּֽנוּ קְרַע רֽוֹעַ גְּזַר דִּינֵֽנוּ:

אָבִֽינוּ מַלְכֵּֽנוּ זָכְרֵֽנוּ בְּזִכָּרוֹן טוֹב לְפָנֶֽיךָ:

לעשרת ימי תשובה

(בנעילה במקום כתבנו אומרים חתמנו)

אָבִֽינוּ מַלְכֵּֽנוּ כָּתְבֵֽנוּ (חָתְמֵֽנוּ) בְּסֵֽפֶר חַיִּים טוֹבִים:

אָבִֽינוּ מַלְכֵּֽנוּ כָּתְבֵֽנוּ (חָתְמֵֽנוּ) בְּסֵֽפֶר גְּאֻלָּה וִישׁוּעָה:

אָבִֽינוּ מַלְכֵּֽנוּ כָּתְבֵֽנוּ (חָתְמֵֽנוּ) בְּסֵֽפֶר פַּרְנָסָה וְכַלְכָּלָה:

אָבִֽינוּ מַלְכֵּֽנוּ כָּתְבֵֽנוּ (חָתְמֵֽנוּ) בְּסֵֽפֶר זְכֻיּוֹת:

(בר"ה א"א זה אָבִֽינוּ מַלְכֵּֽנוּ כָּתְבֵֽנוּ (חָתְמֵֽנוּ) בְּסֵֽפֶר סְלִיחָה וּמְחִילָה):

לתענית צבור

אָבִֽינוּ מַלְכֵּֽנוּ זָכְרֵֽנוּ לְחַיִּים טוֹבִים:

אָבִֽינוּ מַלְכֵּֽנוּ זָכְרֵֽנוּ לִגְאֻלָּה וִישׁוּעָה:

אָבִֽינוּ מַלְכֵּֽנוּ זָכְרֵֽנוּ לְפַרְנָסָה וְכַלְכָּלָה:

אָבִֽינוּ מַלְכֵּֽנוּ זָכְרֵֽנוּ לִזְכֻיּוֹת:

אָבִֽינוּ מַלְכֵּֽנוּ זָכְרֵֽנוּ לִסְלִיחָה וּמְחִילָה:

1 אָבִינוּ מַלְכֵּנוּ הַצְמַח לָנוּ יְשׁוּעָה בְּקָרוֹב:

2 אָבִינוּ מַלְכֵּנוּ הָרֵם קֶרֶן יִשְׂרָאֵל עַמֶּךָ:

3 אָבִינוּ מַלְכֵּנוּ הָרֵם קֶרֶן מְשִׁיחֶךָ:

4 אָבִינוּ מַלְכֵּנוּ מַלֵּא יָדֵינוּ מִבִּרְכוֹתֶיךָ:

5 אָבִינוּ מַלְכֵּנוּ מַלֵּא אֲסָמֵינוּ שָׂבָע:

6 אָבִינוּ מַלְכֵּנוּ שְׁמַע קוֹלֵנוּ חוּס וְרַחֵם עָלֵינוּ:

7 אָבִינוּ מַלְכֵּנוּ קַבֵּל בְּרַחֲמִים וּבְרָצוֹן אֶת תְּפִלָּתֵנוּ:

8 אָבִינוּ מַלְכֵּנוּ פְּתַח שַׁעֲרֵי שָׁמַיִם לִתְפִלָּתֵנוּ:

9 אָבִינוּ מַלְכֵּנוּ זְכוֹר כִּי עָפָר אֲנָחְנוּ:

10 אָבִינוּ מַלְכֵּנוּ נָא אַל תְּשִׁיבֵנוּ רֵיקָם מִלְּפָנֶיךָ:

11 אָבִינוּ מַלְכֵּנוּ תְּהֵא הַשָּׁעָה הַזֹּאת שְׁעַת רַחֲמִים וְעֵת

12 רָצוֹן מִלְּפָנֶיךָ:

13 אָבִינוּ מַלְכֵּנוּ חֲמוֹל עָלֵינוּ וְעַל עוֹלָלֵינוּ וְטַפֵּינוּ:

14 אָבִינוּ מַלְכֵּנוּ עֲשֵׂה לְמַעַן הֲרוּגִים עַל שֵׁם קָדְשֶׁךָ:

15 אָבִינוּ מַלְכֵּנוּ עֲשֵׂה לְמַעַן טְבוּחִים עַל יִחוּדֶךָ:

16 אָ"מַ עֲשֵׂה לְמַעַן בָּאֵי בָאֵשׁ וּבַמַּיִם עַל קִדּוּשׁ שְׁמֶךָ:

17 אָבִינוּ מַלְכֵּנוּ נְקוֹם נִקְמַת דַּם עֲבָדֶיךָ הַשָּׁפוּךְ:

18 אָבִינוּ מַלְכֵּנוּ עֲשֵׂה לְמַעַנְךָ אִם לֹא לְמַעֲנֵנוּ:

19 אָבִינוּ מַלְכֵּנוּ עֲשֵׂה לְמַעַנְךָ וְהוֹשִׁיעֵנוּ:

20 אָבִינוּ מַלְכֵּנוּ עֲשֵׂה לְמַעַן רַחֲמֶיךָ הָרַבִּים:

21 אָבִינוּ מַלְכֵּנוּ עֲשֵׂה לְמַעַן שְׁמְךָ הַגָּדוֹל הַגִּבּוֹר וְהַנּוֹרָא

22 שֶׁנִּקְרָא עָלֵינוּ:

23 אָבִינוּ מַלְכֵּנוּ חָנֵּנוּ וַעֲנֵנוּ כִּי אֵין בָּנוּ מַעֲשִׂים עֲשֵׂה עִמָּנוּ

24 צְדָקָה וָחֶסֶד וְהוֹשִׁיעֵנוּ: ואנחנו לא נדע וכו' תמצא לעיל.

סדר הלמוד על אביו ועל אמו כל י"ב חדש וביום שמת בו אביו או אמו שקורין יארצייט מסוגל ללמוד משניות טהרות · והפרק כ"ד מן מסכת כלים שלשה תריסין הם, מסוגל יותר מפני שיש בו י"ז משניות וכל משנה ומשנה מסתיימת טהור מכלום או טהורה מכלום וסוף הפרק בין מבפנים בין מבחוץ טהור · כך שמעתי בשם הרה"ק מק"ק רוזין ז"ל זי"ע · ומי שיש לו פנאי ילמוד הפרקים המתחילים באותיות שם הנפטר · ומשניות המתחילים באותיות נשמה הם לקמן בפרק ז' דמקואות:

ר"ע מברטנורה — כלים פרק כד — לקוטים מתוי"ט

פרק כד **שלשה** תריסין הן · שלשה מיני חלוקים זה מזה יש בתריסין דהיינו מגינים: **תרים הכפוף** · המלויין אצלנו, שמקיפים את האדם משלש רוחות: **טמא מדרס** · דעשוי לשכיבה ששוכבים עליו במלחמה וכ"ש שטמא טמא מת · דקיי"ל כל הטמא מדרס · טמא טמא מת: **שמשחקים בו בקומפון** · בשדה של עמק המלך באים שנים כל אחד חרבו בידו · ותרים קטן עגול שאינו כפוף בידו השמאלית, ולמדין להגן כל אחד במגינו שלא יכהו חבירו · וקורין לו אשגרימ"ר 1) בלע"ז: **טמא טמא מת** · והוא הדין שטמא טומאת שרץ ונבלה (א) ושאר טומאות כולן, חוץ ממדרס שאינו נעשה אב הטומאה אם שכב עליו הזב או ישב, אלא ראשון כמגעו של זב: **ודיצת הערביין** · תרים קטן ביותר שהערביים עושים לדיצה ולשמחה ולשחוק, ואינו כלי של תשמיש: **ב בקתדרא** · שהיא קצרה ומוקפת משלש רוחות: **טמאה מדרס** · דמיוחדת לישיבה: **כמטה** · שהיא ארוכה ומיוחדת להניח בה פרקמטיא, והשוכב בה אומרים לו עמוד ונעשה מלאכתנו: **ושל אבנים** · העשויה להוליך בה אבנים: **טהורה מכלום** · לפי שפרולה מתחתיתה נקבים גדולים כמוליא רמון: **ג שנסדקה טמאה מדרס** · דכיון שנסדקה ואינה ראויה ללישה, מיחדין אותה לישיבה: **טמאה טמא מת** · דכלי תשמיש היא: **הבאה במדה** · שמחזקת ארבעים סאה (ג): **בלח** · שהן כוריים ביבש: **טהורה מכלום** · שמפני כובדה וגודלה אינה מיטלטלת מלאה, ואנן דומיא דשק בעינן, דמיטלטל מלא וריקן: **ד תיבה שפתחה מצדה** · משמשת ישיבה עם מלאכתה, שיכולים להשתמש בה כשהוא יושב, בזמן שפתחה מלדה משא"כ כשפתחה מלמעלן: **והבאה במדה** · דתנינן במתניתין שהיא טהורה מכלום, אאינה מיוחדת למדרס קאי דהטמאה מדרס אפילו באה במדה לעולם היא טמאה (ד): **ה תרבוסים** · כלים של עור כעין ארגזים: **של ספרים** · מקיזים דם: **טמא מדרס** · גדול הוא וחזי לישיבה או למזגא עליה (ה): **שאוכלים עליו** · כלי תשמיש הוא (ו): **ושל זיתים** · שסוחטים בו הזיתים (ז) לא חשיב כלי של משמשי אדם: **ו בססיות** · ואת כנו מתרגמינן וית בסיסיה: **ושל דלפקי** · כלי עץ שמשימים בו ללוחיות ואשישות ואוכלים ומשקים וממנו נוטלים ונותנים על השלחן והכסים שלפניו אינו לישיבה (ח), אבל תורת כלי עליו:

פרק כד **שְׁלֹשָׁה** תְרִיסִין הֵם · תְּרִיס הַכָּפוּף · טָמֵא מִדְרָס · וְשֶׁמְּשַׂחֲקִין בּוֹ בַּקַּנְפּוֹן · טָמֵא טְמֵא מֵת · וְדִיצַת הָעַרְבִיִּין טְהוֹרָה מִכְּלוּם: **ב** שָׁלֹשׁ עֲגָלוֹת הֵם (ב) · הָעֲשׂוּיָה כְּקַתֶּדְרָא טְמֵאָה מִדְרָס · כְּמִטָּה טְמֵאָה טְמֵא מֵת · וְשֶׁל אֲבָנִים טְהוֹרָה מִכְּלוּם: **ג** שָׁלֹשׁ עֲרֵבוֹת הֵן · עֲרֵבָה מִשְּׁנֵי לֻגִּין עַד תִּשְׁעָה קַבִּין שֶׁנִּסְדְּקָה טְמֵאָה מִדְרָס · שְׁלֵמָה טְמֵאָה טְמֵא מֵת · וְהַבָּאָה בַמִּדָּה טְהוֹרָה מִכְּלוּם: **ד** שָׁלֹשׁ תֵּבוֹת הֵן · תֵּבָה שֶׁפִּתְחָהּ מִצִּדָּהּ · טְמֵאָה מִדְרָס · מִלְמַעְלָן · טְמֵאָה טְמֵא מֵת · וְהַבָּאָה בַמִּדָּה טְהוֹרָה מִכְּלוּם: **ה** שְׁלֹשָׁה תַרְבּוּסִין הֵן · שֶׁל סַפָּרִין טָמֵא מִדְרָס · שֶׁאוֹכְלִין עָלָיו טָמֵא טְמֵא מֵת · וְשֶׁל זֵיתִים טָהוֹר מִכְּלוּם: **ו** שָׁלֹשׁ בְּסִיסָיוֹת הֵן · שֶׁלִּפְנֵי הַמִּטָּה · וְשֶׁלִּפְנֵי סוֹפְרִים · טְמֵאָה מִדְרָס · וְשֶׁל דֶּלְפְּקִי ·

פרק כד (א) והא דנקט טמא מת, משום דאב הטומאה הוא, וה"ק אב הטומאה על ידי מת ולא על ידי זב. רש"י: (ב) **שלש עגלות** כו'. והא דלא חשיב עגלה של קטן, דאין חוששין כאן כ"א למלוא ג' עגלו' שיש להם שלשה מינין, ואינו יורד למנות כל העגלות. הר"ש: (ג) ל' מהר"מ שהיא גדול' ביותר, שמחזקת ארבעים סאה. כמו אנשי מדות: (ד) וכ"ל דה"פ, דבראויים למדרס לא מיירי, דאותן טמאין בכל בין במדרס בין במת דכל הטמא מדרס כו'. והא דרפ"ך, צ"ל דכיון דהיו ראויין לשאר טומאות ונתקלקלו, יצאו מזה הכלל ונשארו רק בטומאת מדרס. ועי' תוס' יו"ט: (ה) הבאים להקיז: (ו) ואומרים לו עמוד ונעשה מלאכתנו. כ"מ: (ז) והר"מ פירש, שסוחטין עליו הזיתים: (ח) אלא להניח עליו חפצים

1) אשגרימ"ר. פעכטען ·

ושל

טְמֵאָה טְמֵא מֵת · וְשֶׁל מִגְדָּל טְהוֹרָה מִכְּלוּם: ז שָׁלֹשׁ פִּנְקָסִיּוֹת הֵן · הָאֶפִּיפוֹרִין טְמֵאָה מִדְרָס · וְשֶׁיֵּשׁ בָּהּ בֵּית קִבּוּל שַׁעֲוָה טְמֵאָה טְמֵא מֵת · וַחֲלָקָה טְהוֹרָה מִכְּלוּם: ח שָׁלֹשׁ מִטּוֹת הֵן · הָעֲשׂוּיָה לִשְׁכִיבָה טְמֵאָה מִדְרָס · שֶׁל זַגָּגִין טְמֵאָה טְמֵא מֵת · וְשֶׁל סָרָגִין טְהוֹרָה מִכְּלוּם: ט שָׁלֹשׁ מַשְׁפֵּלוֹת הֵן · שֶׁל זֶבֶל טְמֵאָה מִדְרָס · שֶׁל תֶּבֶן טְמֵאָה טְמֵא מֵת · וְהַפְּחֲלֶץ שֶׁל גְּמַלִּים · טָהוֹר מִכְּלוּם: י שָׁלֹשׁ מַפָּצִים הֵן · הָעֲשׂוּיָה לִישִׁיבָה · טְמֵאָה מִדְרָס · שֶׁל צַבָּעִין · טָמֵא טְמֵא מֵת · וְשֶׁל גִּתּוֹת · טָהוֹר מִכְּלוּם: יא שָׁלֹשׁ חֲמָתוֹת · וְשָׁלֹשׁ תַּרְמְלִין הֵן · הַמְקַבְּלִים כַּשִּׁעוּר · טְמֵאִין מִדְרָס · וְשֶׁאֵינָן מְקַבְּלִים כַּשִּׁעוּר · טְמֵאִין טְמֵא מֵת · וְשֶׁל עוֹר הַדָּג · טָהוֹר מִכְּלוּם: יב שְׁלֹשָׁה עוֹרוֹת הֵן · הֶעָשׂוּי לְשָׁטִיחַ · טָמֵא מִדְרָס · לְתַכְרִיךְ הַכֵּלִים · טָמֵא טְמֵא מֵת · וְשֶׁל רְצוּעוֹת · וְשֶׁל סַנְדָּלִים · טְהוֹרָה מִכְּלוּם: יג ג' סְדִינִין הֵן · הֶעָשׂוּי לִשְׁכִיבָה טָמֵא מִדְרָס · לְוִילוֹן טָמֵא טְמֵא מֵת · וְשֶׁל צוּרוֹת טָהוֹר מִכְּלוּם: יד שָׁלֹשׁ מִטְפָּחוֹת הֵן · שֶׁל יָדַיִם טְמֵאָה מִדְרָס · שֶׁל סְפָרִין טְמֵאָה טְמֵא מֵת · וְשֶׁל תַּכְרִיךְ [א](וְשֶׁל) נִבְלֵי בְנֵי לֵוִי טְהוֹרָה מִכְּלוּם:

[א]ס"א ל"ג.

ושל מגדל · אוצר של עץ ארמריא"ו 1) בלע"ז: טהורה מכלום · דלאו כלי הוא וצורתו מוכחת עליו: ז שלש פנקסיות הן · העשוין לכתוב בהן. כמו חנוני על פנקסו: אפיפורין · לוח שמניחים עליו אבק של עפר (ט) וכותבים בו חשבונות. וגדול הוא וחזי לישיבה: שיש לה בית קבול שעוה · לוח שטחין פניו בדונג ורושמין על הדונג בחרט: וחלקה · שאין בה שעוה, וכותבים עליה בדיו, ואין לה בית קיבול: ח של זגגים · שמניחים עליה כלי זכוכית (י): סרגין · עושי המרכבות בערבי קורין למרכב סורג. וי"מ שמסרגים את השבכות, וטהורה מכלום לפי שאינה ממשמשי אדם: ט משפלו' · קופות עשוית להוציא בהם זבלים לשדות: של זבל טמאה מדרס · לפי שראויה לישיבה: והפוחלץ · עשוי כמין מכבר מעשה רשת (יא), והנקבים שלו רחבים יותר ממשפלת של תבן, ואינה ראויה אפילו לקבל תבן, שנקביה רחבים ביותר, וגם אינה ראויה לישיבה, שחבלים שלה קשים ואין ראוין לישב עליהן, הלכך טהורה מכלום: י מפצים · כמין מחצלאות (יב) עשוית מחילף ומסיב וקנה וגומא וגמי וכיוצא בהן: ושל צבעים · שהצבעים נותנים עליהם הבגדים: טמא טמא מת · שאינם מיוחדים לישיבה, אבל תורת כלים יש להן: ושל גתות · העשוית לכסות בהן ענבים וזיתים (יג): יא חמתות · נאדות של עור: תורמלין · כיסין גדולים של עור שהרועה מניח חפציו לתוכן: המקבלים כשיעור · המפורש למעלה בריש פרק כרים. החמת של שבעת קבים. והתורמל של חמשת קבין. וכ"ש אם מחזיקים יותר, דאז משמשים ישיבה עם מלאכתן. אבל פחות מכאן לא: ושל עור הדג טהורים מכלום · דכל הבא מבריות שבים טהור: יב לשטיח · לשטוח בארץ לישב עליו: לתכריך הכלים · לכרוך בו את הכלים, כגון סכינים ומספריים ומחטים כדי לשמרן: ושל רצועות ושל סנדלים · עור העומד לחתוך ממנו רצועות וסנדלים, טהור מכלום, דמחוסר מלאכה הוא. אבל רצועות המתוקנות כבר, טמאות, כדמוכח במסכת נגעים פרק י"א: יג לוילון טמא טמא מת · העשוי למסך לפני הפתח, טמא, לפי שהשמש מתעטף בשוליו לפעמים ומתחמם בו: של צורות · בגד שהוא ביד רוקס ובו מיני צורות כדי לראות בו לעשות כמותו בבגד אחר: יד של ידים טמאה מדרס · לפי שפעמים נותנה על הכסת ויושן עליה: ושל תכריך נבלי בני לוי · שהיו הלוים כורכים כלי השיר שלהן במטפחת, ודרך שאר בני אדם לעשות להן תיק של עור, ואף הן טהורים (טז):

חפצים. מהר"מ: (ט) וברפט"ז פירש, כסא של פרקים. והערוך פי' כרסיא קטן לפני תיבת ס"ת וז"ל הר"מ, פנקסיות הן כל שני לוחות מזדווגים יהיו לסופר או לזולתו. ושם פנקס על האמת אמנם הוא לסופר. ואפיפורין הוא כסא של פרקים כאשר יתפשט יהיו שני לוחות וישב הסופר עליו, וכאשר יתקבץ ישוב לוח אחד: (י) וקשה, מאי שנא מתרבוסין דמ"ה דטהורה מכלו' מפני שאינה ממשמשי אדם: (יא) יעתיקו אותו על הגמלים. הר"מ. ומהר"מ פי', שהוא כלי מעור גמלים ומחזיק מ' סאה ואינו מיוחד לישיבה ולכך טהור: (יב) ואין המפץ בכלל כלים ואף על פי כן טמא הוא במדרס דכתיב כל המשכב. וכן במת ובשאר טומאות מדכריהן בכל פשוטי כלי עץ. וזה הכלל גדול כל המתטמא מדרס כו'. הר"מ: (יג) ולא ידענא זיתים מאי שייכי הכא. דהא לא תנן אלא גתות: (יד) של ספרין כו'. אינה מיטמאה מדרס. שאין משתמש לשכיבה וטמא טמא מת שפעמים עושין אותן כמין תיק ונותנה בחיקו ומתחמם בה כמו שאמרו לענין כלאי': (טו) והר"מ גרס ליה. ופירש תכריך, תכריכי המת: (טז) כדלעיל פט"ז מ"ז. הר"ש

1) ארמריא"ן. שראנק קאסטען. פרקלינין

טו שְׁלֹשָׁה פְּרַקְלִינִין הֵן · שֶׁל צַיָּדֵי חַיָּה וָעוֹף טָמֵא מִדְרָס · שֶׁל חֲגָבִים טָמֵא טְמֵא מֵת · וְשֶׁל [א]קַיָּצִין · טָהוֹר מִכְּלוּם: **טז** שָׁלֹשׁ סְבָכוֹת הֵן · שֶׁל יַלְדָּה טְמֵאָה טֻמְאַת מִדְרָס · שֶׁל זְקֵנָה טְמֵאָה טְמֵא מֵת · וְשֶׁל יוֹצְאָה לַחוּץ · טְהוֹרָה מִכְּלוּם: **יז** שָׁלֹשׁ קֻפּוֹת הֵן · (יח) מְהוּהָה שֶׁטְּלָיָהּ עַל הַבְּרִיָּה · הוֹלְכִין אַחַר הַבְּרִיָּה · קְטַנָּה עַל הַגְּדוֹלָה הוֹלְכִין אַחַר הַגְּדוֹלָה · הָיוּ שָׁווֹת · הוֹלְכִין אַחַר הַפְּנִימִית · רַבִּי שִׁמְעוֹן אוֹמֵר כַּף מֹאזְנַיִם שֶׁטְּלָיָהּ עַל שׁוּלֵי הַמֵּחַם · מִבִּפְנִים טָמֵא · מִבַּחוּץ טָהוֹר · טְלָיָהּ עַל צִדָּהּ · בֵּין מִבִּפְנִים בֵּין מִבַּחוּץ טָהוֹר:

[א] ס"א קולין.

טו **פרקלינין** · צורת יד של עור שנושאים ציידי עופות כשתופסים בידיהן העוף שקורין אשטו"ר ואשפרוי"ר ובו יוצאים לצוד חיה או עוף: **טמא מדרס** · לפי שנשען עליו: **ושל חגבים** · ההולכים לצוד חגבים ונותנים אותו בו: **ושל קוצים** · ללקט קוצים. ואית דגרסי, של קייצים, המייבשים פירות הקיץ, כגון העושים גרוגרות ולמוקים בשדה: **טז** **סבכות** · כיפה שנושאות הנשים על ראשן, עשויה כעין רשת שיש בה נקבים דקין: **ושל ילדה** · ראוי לישיבה, ולכך טמאה מדרס: **ושל זקנה** · מעשיה מוכיחים עליה שאינה ראויה לישיבה. ובתוספתא תניא, של זקנה טמאה מדרס, שאינה מקפדת עליה ופעמים יושבת עליה (יז). ושל ילדה שמקפדת על כליה אינה יושבת עליה, ולכך טמאה טמא מת: **ושל יוצאות החוץ** · סודר שנותנות הנשים על ראשן כשיוצאות לחוץ. וי"מ יוצאות החוץ, תרגום זונה נפקת ברא, כלומר סבכות של זונות: **טהורות** · לפי שאינן חשובות כלי. פ"א, סבכות שנקרעו ורוב שער האשה יוצא לחוץ, שאינן מקבלות רוב שער ראשה של אשה: **יז** **מהוהה** · בגד ישן ובלוי: **שטלייה** · כמו שטלאה. מלשון טלאי על גבי טלאי. כלומר שאם הישנה טלאי על החדשה: **הולכים אחר הבריאה** · דנין אותה כדין הבריאה, אם טמאה טמאה, ואם טהורה טהורה (יט): **קטנה על הגדולה** · בין שתיהן מהוהות בין שתיהן בריאות: **הולכים אחר הגדולה** · ואם הגדולה נקובה כמוציא רמון, שנשבירה כזו נטהרה, גם הקטנה המחוברת עמה טהורה אע"פ שהיא שלימה. ואם הגדולה שלימה והרי היא מקבלת טומאה, אף הקטנה המחוברת עמה טמאה אע"פ שהיא נקובה כמוציא רמון: **הולכים אחר הפנימית** · אם טמאה הפנימית טמאה החיצונה, ואם הפנימית טהורה החיצונה נמי טהורה: **ר' שמעון אומר כף מאזנים** · לפרושי מלתא דתנא קמא קאתי. ובכף מאזנים של מתכות טמאה איירי (כ), דאם טלאה בתחתית המיחם בפנים טמא המיחם. ואם טלאה מבחוץ, טהור המיחם: **טלייה על צדה** · שהדביק הטלאי על דפנות המיחם, לא בתחתיתו, בין מבחוץ בין מבפנים טהור. ומסקנא דכוליה פרקין וטעמא דכולהו טמא מדרס וטמא מת וטהור מכלום האמורים כאן, הוא, דכל דבר הראוי לשכיבה והוא שיהיה עשוי לשכיבה או לישיבה או להשען עליו, טמא מדרס. לבד אם הוא כלי חרס, דאינו מטמא מדרס, דהכי ילפינן מקרא דכתיב (ויקרא טו) ואיש אשר יגע במשכבו, מקיש משכבו לו, מה הוא שיש לו טהרה במקוה, אף משכבו שיש לו טהרה במקוה, יצא כלי חרס שאין לו טהרה במקוה. והמפץ העשוי לשכיבה אע"פ שאין לו טהרה במקוה מדכתיב (שם יא) כל כלי אשר יעשה מלאכה בהם במים יובא, והאי לאו כלי הוא, מכל מקום טמא מדרס דמרבינן ליה מקרא דכתיב כל המשכב, כל, לרבות את המפץ. ואין לו טהרה עד שיחתך וישאר ממנו פחות משש על שש. וכלי אבנים וכלי גללים וכלי אדמה טהורים מכלום. וכן דבר הבא מן הים טהור. וכלי עץ הבא במדה שמחזיק ארבעים סאה בלח שהם כורים ביבש, נמי טהור מכלום. לפי שאינו מטלטל מלא. וכן דבר שאין עליו תורת כלי, או שיש לו תורת כלי, ואינו ממשמשי אדם אלא משמשי משמשיו, טהור. כגון תרבוסין של זיתים, ומפץ של גתות, וסדין של נורות, דאמרינן במתניתין שהן טהורים מכלום, דלא חשיבי כלים של משמשי אדם:

הר"ש. וצ"ל דלא דמי לתכריך הכלים דמי"ב: (יז) וכ"פ לקמן פרק כ"ח מ"ט. הר"ש: (יח) מהוהה. מלשון תוהו ובוהו, ר"ל דבר שאין בו ממש. מהר"מ: (יט) עירוב פירושים הם, שפירוש הא' והג' הוא מהר"ש, ופי' הב' הוא הר"מ. ועי' תוי"ט: (כ) ותימה, דת"ק בבגד איירי, ואתי ר"ש לפרושי ומיירי בשל מתכות. ובהר"מ בנא"י סיים ואין הלכה כר"ש ועי' תוס' יו"ט:

למוד לאבל וליאר צייט

בספר עצי עדן ומעשה אורג מהרה"ק דק"ק קאמארנע שנדפס בק"ק לבוב בגליון המשניות כתוב בזה"ל קבלנו מרבותינו שקבלו מרבן ורבן מאליהו ז"ל שבפרק זה פרק ז' דמקואות מעלין הנשמה של הנפטר למקומה. לכן האבל כל י"ב חדש. ילמוד בו לתקן נשמות אביו ואמו וקרוביו ואוהביו. ביאר צייט וכיוצא: וראשי תיבות של שלש משניות הראשונות אי"ה. יש. אלו. הדיח. וראשי תיבות של ארבע משניות האחרונות **נ'ש'מ'ה'**. נפל. שלשה.

מקוה

מקוה. הטביל. ויכוין בלימוד משניות אלו להעלות הנשמה למזל עליון הנקרא אי"ה (ע"ד איה מקום כבודו ור"ת של תיבת אי"ה. הארת יסוד אבא. כ"ה בספר קהלת יעקב) (וע"ש בספר מעשה אורג שהאריך שם ע"ד הקבלה) ובמשנה הרביעית נפל כו' שהוא ר"ת פזר נתן לאביונים יפריש צדקה להעלות נשמת הנפטר מנפילתו. ע"י הצדקה. ועל אביו ועל אמו ילמוד זה הפרק בכל מוצאי שבת אחר הבדלה. בכל י"ב חדש. וביארצייט ובערב שבת קודם מנחה לעת הצורך להחיות נפש כל חי אמן. עכ"ל:

מקואות פרק ז

פרק ז יֵשׁ מַעֲלִין אֶת הַמִּקְוֶה וְלֹא פוֹסְלִין · פּוֹסְלִין וְלֹא מַעֲלִין · לֹא מַעֲלִין וְלֹא פוֹסְלִין · אֵלּוּ מַעֲלִין וְלֹא פוֹסְלִין · הַשֶּׁלֶג וְהַבָּרָד וְהַכְּפוֹר · וְהַגְּלִיד · וְהַמֶּלַח · וְהַטִּיט הַנָּרוֹק · אָמַר רַבִּי עֲקִיבָא הָיָה רַבִּי יִשְׁמָעֵאל דָּן כְּנֶגְדִּי · לוֹמַר הַשֶּׁלֶג אֵינוֹ מַעֲלֶה אֶת הַמִּקְוֶה · וְהֵעִידוּ אַנְשֵׁי מֵידְבָא מִשְּׁמוֹ · שֶׁאָמַר לָהֶם צְאוּ וְהָבִיאוּ שֶׁלֶג וַעֲשׂוּ מִקְוֶה בַּתְּחִלָּה · רַבִּי יוֹחָנָן בֶּן נוּרִי אוֹמֵר אֶבֶן הַבָּרָד כַּמַּיִם · כֵּיצַד מַעֲלִין וְלֹא פוֹסְלִין · מִקְוֶה שֶׁיֵּשׁ בּוֹ אַרְבָּעִים סְאָה חָסֵר אַחַת · נָפַל מֵהֶם סְאָה לְתוֹכוֹ וְהֶעֱלָהוּ נִמְצְאוּ מַעֲלִין וְלֹא פוֹסְלִין:

ב אֵלּוּ פוֹסְלִין וְלֹא מַעֲלִין · הַמַּיִם בֵּין טְמֵאִים · בֵּין טְהוֹרִים · וּמֵי כְבָשִׁים · וּמֵי שְׁלָקוֹת · וְהַתֶּמֶד עַד שֶׁלֹּא הֶחֱמִיץ · כֵּיצַד פּוֹסְלִין וְלֹא מַעֲלִין · מִקְוֶה שֶׁיֵּשׁ בּוֹ אַרְבָּעִים סְאָה חָסֵר קוֹרְטוֹב · וְנָפַל מֵהֶם קוֹרְטוֹב לְתוֹכוֹ · [א]לֹא הֶעֱלָהוּ · וּפוֹסְלוֹ בִּשְׁלֹשָׁה לֻגִּין · אֲבָל שְׁאָר הַמַּשְׁקִין · וּמֵי פֵרוֹת · וְהַצִּיר · וְהַמֻּרְיָס · וְהַתֶּמֶד מִשֶּׁהֶחֱמִיץ · פְּעָמִים מַעֲלִין · וּפְעָמִים שֶׁאֵינָן מַעֲלִין · כֵּיצַד מִקְוֶה שֶׁיֵּשׁ בּוֹ אַרְבָּעִים סְאָה חָסֵר אַחַת · נָפַל לְתוֹכוֹ סְאָה מֵהֶם [ב]לֹא הֶעֱלָהוּ · הָיוּ בוֹ אַרְבָּעִים סְאָה · נָתַן סְאָה וְנָטַל סְאָה · הֲרֵי זֶה כָּשֵׁר:

ג הֵדִיחַ בּוֹ סַלֵּי זֵיתִים · וְסַלֵּי עֲנָבִים · וְשִׁנּוּ אֶת מַרְאָיו כָּשֵׁר (ז) רַבִּי יוֹסֵי אוֹמֵר מֵי הַצֶּבַע ·

[א] גמ' ולא. [ב] גמ' ולא.

ליקוטים מתוי"ט

פרק ז (א) ולא פוסלין. פירוש, וא"ל שאין פוסלין. ואם תאמר, כיון דחשיב להו מיא דמעלין, מ"ט לא פסלי בשאובין. ה"ט, דמקוה מים הוא דאתקש למעין, מה מעין בידי שמים, אף מקוה כו', אבל שאר משקין לא אתקיש. הר"א: (ב) הנרוק. אפילו נרוק אינו פוסל. טור: (ג) והעידו כו'. ואמנם מה שהיה חולק על ר"ע הוא במשא ומתן של הדין על צד הויכות, לא שיסבור כך. הר"מ בנא"י: (ד) הר"מ. ועדיין לא פירשו מהו שלקות. וכתב הר"ש, מי כו' שנכבשו בהן פירות וירקות או נשלקו: (ה) ולא נחסר ממנו כ"א א' ממ"א לפי חשבון. ובס"פ הערל אמרינן דכשר עד רובו. אבל ביותר מרוב, לא, כיון דלא חזי לטבילה כלל, דמקוה מים כתיב. אבל מים, אפילו ביותר מרובו. הר"ש והרא"ש: (ו) והרי המים כשרים כשהיו. והיינו דתני בריש פרקין יש דברים דלא מעלין ולא פוסלין. הר"מ: (ז) כשר. מפני שאין בהם

ר"ע מברטנורה

פרק ז יש מעלין. משלימין לארבעים סאה: ולא פוסלין · בשלשה לוגין שאובין. וכולהו מפרש כילד: הכפור · גשמים שיורדין נקפים: גליד · מים שקפאו על פני הארץ או על פני המים: טיט הנרוק · טיט רך ורקיק שנעשה כמו רוק: אבן הברד כמים · כמים שאובים דאמרינן לקמן פוסלים ולא מעלים. ואין הלכה כר' יוחנן בן נורי. והלכה כעדותן של אנשי מידבא שעושין מקוה מן השלג אפילו לכתחלה: נמצאו מעלין · שהשלימוהו: ולא פוסלין · בשלשה לוגין שאובין. שהרי סאה היא הרבה יותר משלשה לוגין, ולא נפסל המקוה בכך: ב המים · שאובין. בין טמאין בין טהורים: מי כבשים · מים שכבשו בהן זיתים. או מיני ירקות: ומי שלקות · מים שנשלקו בהן שלקות (ד): והתמד · חרצנים וזגים או שמרים שנתן עליהן מים: עד שלא החמיץ · דאם החמיץ, נידון כמי פירות: קרטוב · אחד מס"ד בלוג: פעמים מעלין · כדמפרש, כשיש במקוה מ' סאה מים כשרי' ונתן בו סאה מי פירות, ואחר כך נטל סאה ממנו מים ומי פירות מעורבין יחד, הרי כל הסאה של מי פירות שנשארה במקוה משלימי' את המקוה (ה): פעמים אין מעלין · כדקתני במקוה שיש בו מ' סאה חסר אחת (ו): ג ושנו את מראיו כשר · דהדחת כלים לא חשיבא שינוי מראה: ואין

פּוֹסְלִין אוֹתוֹ בִּשְׁלשָׁה לֻגִּין · וְאֵינָן פּוֹסְלִין אוֹתוֹ בְּשִׁנּוּי מַרְאֶה · נָפַל לְתוֹכוֹ יַיִן · וּמֹחַל (ח) · וְשִׁנּוּ אֶת מַרְאָיו · פָּסוּל · (ט) כֵּיצַד יַעֲשֶׂה · יַמְתִּין לוֹ עַד שֶׁיֵּרְדוּ גְשָׁמִים · וְיַחְזְרוּ מַרְאֵיהֶן לְמַרְאֵה הַמַּיִם · הָיוּ בוֹ אַרְבָּעִים סְאָה · מְמַלֵּא בַכָּתֵף · וְנוֹתֵן לְתוֹכוֹ עַד שֶׁיַּחְזְרוּ מַרְאֵיהֶן לְמַרְאֵה הַמַּיִם: ד נָפַל לְתוֹכוֹ יַיִן · אוֹ מֹחַל וְשִׁנּוּ מִקְצָת מַרְאָיו · אִם אֵין בּוֹ מַרְאֵה מַיִם אַרְבָּעִים סְאָה · הֲרֵי זֶה לֹא יִטְבֹּל בּוֹ: ה שְׁלשָׁה לֻגִּין מַיִם וְנָפַל לְתוֹכָן קוֹרְטוֹב יַיִן · וַהֲרֵי מַרְאֵיהֶן כְּמַרְאֵה הַיַּיִן · וְנָפְלוּ לַמִּקְוֶה · לֹא פְסָלוּהוּ (יא) שְׁלשָׁה לֻגִּין מַיִם חָסֵר קוֹרְטוֹב · וְנָפַל לְתוֹכָן קוֹרְטוֹב חָלָב · וַהֲרֵי מַרְאֵיהֶן כְּמַרְאֵה הַמַּיִם · וְנָפְלוּ לַמִּקְוֶה · לֹא פְסָלוּהוּ · רַבִּי יוֹחָנָן בֶּן נוּרִי אוֹמֵר הַכֹּל הוֹלֵךְ אַחַר הַמַּרְאֶה: ו מִקְוֶה שֶׁיֵּשׁ בּוֹ אַרְבָּעִים סְאָה מְכֻוָּנוֹת · יָרְדוּ שְׁנַיִם וְטָבְלוּ זֶה אַחַר זֶה · הָרִאשׁוֹן טָהוֹר · וְהַשֵּׁנִי טָמֵא · רַבִּי יְהוּדָה אוֹמֵר אִם הָיוּ רַגְלָיו שֶׁל רִאשׁוֹן נוֹגְעוֹת בַּמַּיִם אַף הַשֵּׁנִי טָהוֹר · הִטְבִּיל בּוֹ אֶת הַסָּגוֹם וְהֶעֱלָהוּ · מִקְצָתוֹ נוֹגֵעַ בַּמַּיִם · טָהוֹר · הַכַּר וְהַכֶּסֶת שֶׁל עוֹר · כֵּיוָן שֶׁהִגְבִּיהַּ שִׂפְתוֹתֵיהֶם מִן הַמַּיִם · הַמַּיִם שֶׁבְּתוֹכָן שְׁאוּבִין (יג) · כֵּיצַד יַעֲשֶׂה · מַטְבִּילָן · וּמַעֲלֶה אוֹתָם דֶּרֶךְ שׁוּלֵיהֶם: ז הִטְבִּיל בּוֹ אֶת הַמִּטָּה · אַף עַל פִּי שֶׁרַגְלֶיהָ שׁוֹקְעוֹת בַּטִּיט הֶעָבֶה · טְהוֹרָה · מִפְּנֵי שֶׁהַמַּיִם מְקַדְּמִין · מִקְוֶה

ואין פוסלים אותו בשנוי מראה· משום דלצבעא לית ביה מששא: מוחל· מים היוצאים מן הזיתים: ימתין עד שירדו גשמים· דלמלאות בכתף אי אפשר (י), דבחסר עסקינן, שהוא נפסל בשלשה לוגין: ממלא בכתף· דמקוה שלם אין השאובים פוסלין אותו לעולם: ד אם אין בו מראה מים ארבעים סאה· אם אין במקוה ארבעים סאה שיש בהן מראה מים, לא יטבול באותו מקוה אפילו באותו צד שיש בו מראה מים. ואם טבל, לא עלתה לו טבילה: ה ונפלו למקוה לא פסלוהו· הואיל והן נראין כיין, ומי פירות אין פוסלין בשלשה לוגין: הכל הולך אחר המראה· אף על פי שאין החלב פוסל המקוה ואין במים שיעור ג׳ לוגין לפסול, מ״מ כיון שיש כאן ג׳ לוגין שנראין כמים, חשבינן להו כאילו כולן מים, ופוסלין. ואין הלכה כר׳ יוחנן בן נורי: ו השני טמא· דודאי חסר שיעור המקוה בטבילתו של ראשון: אף השני טהור· דאמרינן גוד אחית, והוי כאילו המים שהעלה הראשון בגופו הן מחוברין למי מקוה ולא נחסר משיעורו כלום, ופירשו בגמרא דחגיגה (דף יט) דלא טיהר ר׳ יהודה אלא במעלות דרבנן, כגון שהיה טהור לחולין וטבל להיות טהור למעשר, או שהיה טהור למעשר וטבל להיות טהור לתרומה. אבל לעלות מטומאה גמורה לטהרה, דברי הכל טמא. ואין הלכה כר׳ יהודה: סגום· בגד למר עב, וקורין לו בערבי אלבורנו״ס, ובולע מים הרבה: מקצתו נוגע במים טהור· ובמקוה שיש בו ארבעים סאה מצומצמות איירי, וטבל בו אדם לאחר שהטביל בו את הסגום: טהור· האיש הטובל אף על פי שנחסר שיעור מקוה בטבילת הסגום, מאחר שמקצת הסגום נוגע במים, ור״י היא, דס״ל אמרינן גוד אחית (יב): המים שבתוכן שאובים· וחוזרים ופוסלים את המקוה בשלשת לוגים, שהרי לא היו בו אלא ארבעים סאה מכוונות ונתחסר כשהגביה שפתותיהן מן המים: ומעלה אותם דרך שוליהם· כדי שלא יפלו המים שבתוכן למקוה ויפסלו כל מימיו (יד): ז הטביל בו את המטה· שרגליה גבוהות ואי אפשר להטבילה כולה כאחת במקוה קטן כזה ששיעורו מצומצם, אלא אם כן רגליה שוקעות בטיט: העבה· שאינו נרוק ואין מטבילין בו (טו): שהמים מקדמין· להטביל הרגלים קודם שישקעו בטיט (טז) ובמים הוטבלו:

שמימיו

בהם מגוף הדבר המשנה את מראיו. הר״א: (ח) ומוחל. ואפילו למ״ד דאינו משקה דכל שאין עושין הימנו מקוה פוסל בשינוי מראה. גמ׳: (ט) פסול. משום דמתחזי כמקוה של שאר משקין, ומקוה מים כתיב. הר״א: (י) וקשה, הא אפשר בהמשכה לר״י בפ״ב מ״ז. ונ״ל, דמתניתין אליבא דכ״ע נשנה. ועתוי״ט: (יא) לא פסלוהו. והוא שלא שינו מראה המקוה. הרא״ש: (יב) כלומר, ואין הלכה כמותו. והר״מ פסק לכך דסגום: (יג) שאובין. שהרי צריך שיבואו בהם המים: (יד) לפי שכשהכלי במקוה לא נשאבו, וכשמעלהו ונתהפך דרך שוליו תו לא מקרו מים שבתוכו, שאינן מתקבלין בתוכו: (טו) כלומר בטיט לבדו, אבל כשהמים צפים על גביו מטבילין בו: (טז) וקשה, דמ״מ מאי מהני הא אז לא היתה

שֶׁמֵּימָיו מְרֻדָּדִין כּוֹבֵשׁ אֲפִילוּ חֲבִילֵי עֵצִים אֲפִילוּ חֲבִילֵי קָנִים כְּדֵי שֶׁיִּתְפְּחוּ (יט) הַמַּיִם וְיוֹרֵד וְטוֹבֵל · מַחַט שֶׁהִיא נְתוּנָה עַל מַעֲלַת הַמְּעָרָה · הָיָה מוֹלִיךְ וּמֵבִיא בַּמַּיִם · כֵּיוָן שֶׁעָבַר עָלֶיהָ הַגַּל טְהוֹרָה:

שמימיו מרודדים· שאין המים עמוקים מחמת שהמקוה רחב והמים מתפשטים בכולו. ואף על פי שיש בו ארבעים סאה, אין כל גופו מתכסה במים בבת אחת (יז): **כובש**· לצד אחד של מקוה: **אפילו חבילי עצים וקנים**· ואף על גב דנראה כמקוה שחלקו, אפילו הכי הואיל והמים נכנסין ביניהן (יח), לא הוי חלוק. וכובש דנקט, מפני שהעצים והקנים צפים על פני המים וצריך לכבוש עליהם אבנים כדי שיכנסו תחת המים: **היה מוליך ומביא במים**· ומנענע המים בידיו (כ): **כיון שעבר הגל**· של מים על המעלה של מקוה שהמחט מונח בה וצפו מי הגל על המחט: **טהורה**· ולפי שהמחט דקה וקטנה וירא פן תפול במים, דרך להטבילה כן:

היתה המטה כולה במים ואנן כולה בבת אחת בעינן. ולשון הרא"ש, קדמו המים ונגעו ברגלי כו', ואותן המים מחוברים למקוה, הלכך לא הוי חצילה, כדתנן ספ"ח האוחז באדם כו' אם הדיח ידיו טהורים: (יז) כדילפינן בספרא. ועתיו"ט: (יח) וקשה דאם כן מאי אפילו, הא דוקא עצים וקנים. אבל לשון הר"ש לא מיבעיא אבנים אלא אפילו עצים וקנים שהמים ביניהם לא חשיב הפסק ומצטרפין המים שביניהם למ' סאה. ובלבד שאל יחלקו כל המקוה, שאע"פ שהמים שבין הנסרים מחברן אין זה חבור כו' (וכל שכן באבנים). ועיין תוס' יום טוב: (יט) שיתפחו. כלומר שיעלו כמין תפוח ויהיו עמוקים מצד אחד וטובל בהם. הר"ש: (כ) ולא הוי כמהוה מקום ע"י דבר המקבל טומאה. מידי דהוה אטובל את הכלי בידיו בתוך המקוה, שאם הדיחן, טהורים. דה"נ עיקר המקוה במקומו והגל לא נתלש לגמרי. ועיין תוס' יום טוב:

מכות סוף פ"ג

רַבִּי חֲנַנְיָא בֶּן עֲקַשְׁיָא אוֹמֵר, רָצָה הַקָּדוֹשׁ בָּרוּךְ הוּא לְזַכּוֹת אֶת יִשְׂרָאֵל, לְפִיכָךְ הִרְבָּה לָהֶם תּוֹרָה וּמִצְוֹת, שֶׁנֶּאֱמַר: יְיָ חָפֵץ לְמַעַן צִדְקוֹ יַגְדִּיל תּוֹרָה וְיַאְדִּיר:

קדיש דרבנן

יִתְגַּדַּל וְיִתְקַדַּשׁ שְׁמֵהּ רַבָּא. אמן בְּעָלְמָא דִּי בְרָא כִרְעוּתֵהּ וְיַמְלִיךְ מַלְכוּתֵהּ, וְיַצְמַח פֻּרְקָנֵהּ וִיקָרֵב מְשִׁיחֵהּ. אמן בְּחַיֵּיכוֹן וּבְיוֹמֵיכוֹן וּבְחַיֵּי דְכָל בֵּית יִשְׂרָאֵל, בַּעֲגָלָא וּבִזְמַן קָרִיב, וְאִמְרוּ אָמֵן: יְהֵא שְׁמֵהּ רַבָּא מְבָרַךְ לְעָלַם וּלְעָלְמֵי עָלְמַיָּא. יִתְבָּרַךְ, וְיִשְׁתַּבַּח, וְיִתְפָּאַר, וְיִתְרוֹמַם, וְיִתְנַשֵּׂא, וְיִתְהַדַּר, וְיִתְעַלֶּה, וְיִתְהַלָּל, שְׁמֵהּ דְּקֻדְשָׁא בְּרִיךְ הוּא. אמן לְעֵלָּא מִן כָּל בִּרְכָתָא וְשִׁירָתָא, תֻּשְׁבְּחָתָא וְנֶחֱמָתָא, דַּאֲמִירָן בְּעָלְמָא, וְאִמְרוּ אָמֵן:

עַל יִשְׂרָאֵל וְעַל רַבָּנָן, וְעַל תַּלְמִידֵיהוֹן וְעַל כָּל תַּלְמִידֵי תַלְמִידֵיהוֹן, וְעַל כָּל מָאן דְּעָסְקִין בְּאוֹרַיְתָא, דִּי בְאַתְרָא הָדֵין וְדִי בְכָל אֲתַר וַאֲתַר, יְהֵא לְהוֹן וּלְכוֹן שְׁלָמָא רַבָּא חִנָּא וְחִסְדָּא וְרַחֲמִין וְחַיִּין אֲרִיכִין וּמְזוֹנָא רְוִיחָא וּפֻרְקָנָא מִן קֳדָם אֲבוּהוֹן דִּבִשְׁמַיָּא, וְאִמְרוּ אָמֵן: יְהֵא שְׁלָמָא רַבָּא מִן־שְׁמַיָּא וְחַיִּים טוֹבִים עָלֵינוּ וְעַל־כָּל־יִשְׂרָאֵל, וְאִמְרוּ אָמֵן: עֹשֶׂה שָׁלוֹם (בעשי"ת הַשָּׁלוֹם) בִּמְרוֹמָיו, הוּא יַעֲשֶׂה שָׁלוֹם עָלֵינוּ וְעַל כָּל יִשְׂרָאֵל, וְאִמְרוּ אָמֵן:

1   לזכר אֵל מָלֵא רַחֲמִים שׁוֹכֵן מְרוֹמִים, הַמְצֵא מְנוּחָה נְכוֹנָה עַל כַּנְפֵי הַשְּׁכִינָה, בְּמַעֲלוֹת

2   הַקְּדוֹשִׁים וּטְהוֹרִים כְּזֹהַר הָרָקִיעַ מַזְהִירִים, אֶת נִשְׁמַת (פב״פ) שֶׁהָלַךְ לְעוֹלָמוֹ,

3   בַּעֲבוּר שֶׁנָּדְבוּ צְדָקָה בְּעַד הַזְכָּרַת נִשְׁמָתוֹ, בְּגַן עֵדֶן תְּהֵא מְנוּחָתוֹ. לָכֵן בַּעַל הָרַחֲמִים

4   יַסְתִּירֵהוּ בְּסֵתֶר כְּנָפָיו לְעוֹלָמִים, וְיִצְרֹר בִּצְרוֹר הַחַיִּים אֶת נִשְׁמָתוֹ. יְיָ הוּא נַחֲלָתוֹ,

5   וְיָנוּחַ עַל מִשְׁכָּבוֹ בְּשָׁלוֹם, וְנֹאמַר אָמֵן:

6   לנקבה אֵל מָלֵא רַחֲמִים שׁוֹכֵן מְרוֹמִים, הַמְצֵא מְנוּחָה נְכוֹנָה עַל כַּנְפֵי הַשְּׁכִינָה,

7   בְּמַעֲלוֹת הַקְּדוֹשִׁים וּטְהוֹרִים כְּזֹהַר הָרָקִיעַ מַזְהִירִים, אֶת נִשְׁמַת (פב״פ)

8   שֶׁהָלְכָה לְעוֹלָמָהּ, בַּעֲבוּר שֶׁנָּדְבוּ צְדָקָה בְּעַד הַזְכָּרַת נִשְׁמָתָהּ, בְּגַן עֵדֶן תְּהֵא

9   מְנוּחָתָהּ. לָכֵן בַּעַל הָרַחֲמִים יַסְתִּירֶהָ בְּסֵתֶר כְּנָפָיו לְעוֹלָמִים, וְיִצְרֹר בִּצְרוֹר הַחַיִּים אֶת

10   נִשְׁמָתָהּ. יְיָ הוּא נַחֲלָתָהּ, וְתָנוּחַ עַל מִשְׁכָּבָהּ בְּשָׁלוֹם, וְנֹאמַר אָמֵן:

הוצאת ספרים
קרני הוד תורה
קה"ת
ליובאוויטש

ISBN 978-0-8266-0080-6

9 780826 600806

סק בתפלה

מעמדו של המתפלל / סוג ההפסק	בין הנחת תפילין של יד ושל ראש של רש"י[1]	באמצע ברכת ברוך שאמר[2]	באמצע פסוקי דזמרה	באמצע ברכת ישתבח[2]	בין ישתבח לקדיש
ברוך הוא וברוך שמו	**אסור**	**אסור**	**אסור**	**אסור**	**אסור**
אמן לרוב ברכות	**אסור**	**אסור**	מותר	**אסור**	מותר
אמן לברכות התורה	מותר[1]	מותר	מותר	**אסור**	מותר
ברכת אשר יצר	**אסור**	**אסור**	מותר, ולכתחילה בין הפרקים	**אסור**	מותר
לבישת וברכת הטלית	**אסור**	**אסור**	ילבש, אבל יברך בין ישתבח לקדיש	**אסור**	מותר
לבישת וברכת התפילין	———	**אסור**	ילבש, אבל יברך בין ישתבח לקדיש	**אסור**	מותר
אמן לחצי (הראשון של) **קדיש**	רק אמן יש"ר... יתברך ואמן דדאמירן בעלמא[1]	רק אמן יש"ר... יתברך ואמן דדאמירן בעלמא	מותר	**אסור**	מותר
אמן מתתקבל ואילך	**אסור**	**אסור**	**אסור**	**אסור**	**אסור**
קדושה	רק קדוש... ברוך... ימלוך...[1]	רק קדוש... ברוך... ימלוך...	מותר	**אסור**	מותר
מודים	רק התיבות מודים אנחנו לך[1]	רק התיבות מודים אנחנו לך	מותר	**אסור**	מותר
ברכו	מותר[1]	מותר	מותר	**אסור**	מותר
אמן להא-ל הקדוש ולשומע תפלה	מותר[1]	מותר	מותר	**אסור**	מותר
בריך שמי' – וזאת התורה	**אסור**	**אסור**	**אסור**	**אסור**	**אסור**
עלי' לתורה	מותר אבל לא יקרא עם הבעל קורא[3]	מותר אבל לא יקרא עם הבעל קורא[4]	מותר[5]	**אסור**	מותר
ברכות רעם וברק	מותר[1]	מותר	מותר	**אסור**	מותר
פסוק ראשון של שמע ישראל	**אסור**	יאמר הלאה בניגון של קריאת שמע	מותר	יאמר הלאה בניגון של קריאת שמע	מותר

1. יברך „על מצות תפילין" על התפילין של ראש.
2. היינו, לאחר אמירת „ברוך אתה ה'"
3. טוב יותר שיניח התפילין של ראש תחלה.
4. טוב יותר שקודם העלי' יגמור ברכת ברוך שאמר.
5. לפי דעת כמה פוסקים לא יקרא עם הבעל קורא כלל.